Stockholm

Kalmar
Hulterstad
Ostsee
eviken
Hiddensee
Danzig
abu
usen

Schwarzes Meer

eez

yrakus

Mittelmeer

Izmir

Golf von Antalya

Yassi Ada
Delos
Bodrum
Syme
Antikythera
Zypern

Kap Gelidonya
Kap Ulu Burun
Rhodos

Caesarea

Gabriele Hoffmann
Schätze unter Wasser

EUROPA
VERLAG

GABRIELE HOFFMANN

Schätze unter Wasser

ABENTEUER ARCHÄOLOGIE

EUROPA VERLAG
HAMBURG · WIEN

Wir danken Egbert Laska, Deutsches Schiffahrtsmuseum
Bremerhaven, für seine Hilfe bei der Bildbearbeitung

Die Deutsche Bibliothek – CIP-Einheitsaufnahme
Ein Titelsatz für diese Publikation ist bei
Der Deutschen Bibliothek erhältlich.

Umschlaggestaltung: Kathrin Steigerwald, Hamburg,
Foto: Jonathan Blair
Innengestaltung: H & G Herstellung, Hamburg
Druck und Bindung: Wiener Verlag, Himberg bei Wien
ISBN 3-203-75102-X

Informationen über unser Programm erhalten Sie beim
Europa Verlag, Neuer Wall 10, 20354 Hamburg
oder unter www.europaverlag.de

INHALT

VORWORT: DER KAMPF   7

DIE TIEFE   11

Frei wie ein Fisch   11
Schatzhaus Mittelmeer   18
Cristianinis Geheimnis   34
Das Handelsschiff bei Grand Congloué   38
Archäologie unter Wasser – eine Wissenschaft?   51

WELTSENSATION WASA   61

Der Mann im Boot   61
Wie ein Geist aus der Tiefe   70
Schiffe der Wikinger   83
Eine Hanse-Kogge   96
Die Archäologie und die Öffentlichkeit   107

EXPERIMENTE   114

Abenteurer und Archäologen   114
Das Kap der Schwalben   125
Eine Detektivgeschichte   133
Die flache Insel   140
Ein Schiff aus den Tagen Alexanders des Großen   157
Nach zehn Sommern   163

PIECES OF EIGHT   169

Die Silberflotten   169
Pete und die fröhliche Familie Crile   175
Gold   182
Die Stadt der Piraten   192
Ein Schiff in Texas   197
Schatzsucher-Aktiengesellschaft   201

STÜRMISCHE ENTWICKLUNG 206

Kleiner Rundblick I 206
Warum scheiterte die Spanische Armada? 209
Geschichte für West-Australien 224
Steinzeit – Holzzeit 235
Kleiner Rundblick II 254

DIE MARY ROSE 257

Der Amateur 257
Das Schiff 265
Die Archäologin 269
Der Trust 275
Heimkehr 285

ZEITKAPSELN IM LABOR 294

Haithabu: Stadt, Hafen, Schiff 294
Die vertrackten Knochen 300

DIE KUNST, EINE KOGGE ZU KONSERVIEREN 308

Man nehme eine Kogge 308
Das Schiff im Aquarium 311
Noch mehr Koggen 324

NEUE LÄNDER, NEUE ZIELE 327

Explosion 327
Nach der Wende 341
Bloß keine zweite Wasa 348

ARCHÄOLOGEN UND SCHATZJÄGER 359

ANHANG 372

Zitatnachweis 372
Bibliographie 373
Register der Namen von Ausgräbern, Grabungsorten
und gesunkenen Schiffen 380
Bildnachweis 382

KURZBIOGRAPHIE 383

VORWORT:
DER KAMPF

Die Suche mit dem modernsten Side Scan Sonar dauerte nur einen Tag. Am zweiten Tag gingen drei Taucherpaare auf 41 m Tiefe hinunter und machten Videoaufnahmen: Sie hatten die *Frau Maria* gefunden. Die Transportkisten standen noch unberührt im Laderaum.

Das holländische Schiff *Frau Maria* ist 1771 auf dem Weg nach St. Petersburg im Sturm zwischen den finnischen Schären gesunken – mit Kisten voller Gemälde, die Katharina die Große in Amsterdam ersteigern ließ, mit Gold- und Silberschmuck, kostbarem Porzellan. Die Besatzung rettete sich und sechs Gemälde. Seitdem liegen Millionenwerte auf dem Meeresgrund. Niemand weiß, in welchem Zustand die Ladung ist. Die Küstenwache fährt Patrouille. Die Archäologen rechnen bei einer Hebung mit großem Interesse von Presse und Fernsehen.

Das letzte Medienspektakel bei einem archäologischen Fund gab es, als auch eine Maria gehoben wurde: Der größte Schwimmkran der Welt zog am 11. Oktober 1982 um 9.30 Uhr die *Mary Rose* aus 17 m Wassertiefe vom Boden des Solent hoch. Begeisterte Briten warteten seit drei Tagen vor ihren Fernsehschirmen auf diesen Augenblick. 437 Jahre zuvor war das Flaggschiff König Heinrichs VIII. in einer Seeschlacht mit siebenhundert Mann an Bord untergegangen. Als die obersten Planken die Wasserfläche durchbrachen, krachten Böllerschüsse, und die Sirenen aller Schiffe im Hafen von Portsmouth heulten via Fernsehen durch Großbritannien. Der Salut für das alte Schiff war auch ein Salut für die Archäologin, die es unter Wasser ausgegraben hatte.

Die Suche nach der *Mary Rose* dauerte sechs Jahre. Als sie 1965 begann, lächelten die meisten Archäologen an Museen und Universitäten noch über die Kollegen und Kolleginnen, die auf dem Meeresboden gruben. Sie hielten sie für muskelbepackte Sportler oder allzu phantasievolle Abenteurer, jedenfalls nicht für ernstzunehmende Wissenschaftler. Die Männer und Frauen, die mit Preßluftflaschen auf dem Rücken versunkene Schiffe und Siedlungen erforschten, führten einen zweifachen Kampf: gegen die Ungläubigkeit der eigenen Zunft und gegen die Habgier von Schatzsuchern und Raubtauchern.

Für die tauchenden Archäologen ist ein Wrack wie die *Mary Rose* eine Zeitkapsel. Nach der Katastrophe des Untergangs stand das menschliche Leben buchstäblich still. Alles blieb, wie es einmal war: eine versunkene Welt. Die Archäologen finden unter Wasser, was an Land längst vergangen wäre: Wolle, Holz, Knochen, Leder, Hanf – Gegenstände aus dem Leben der Normalbürger. Über die Großen der Geschichte berichten uns Bilder oder Chroniken, Urkunden und Briefe in den Archiven. Über das Alltagsleben der Zimmerleute, Köche, Schuster, Chirurgen, Matrosen und Händler dagegen wissen wir wenig: Wie waren sie angezogen, wie groß wurden sie, was aßen sie, an welchen Krankheiten litten sie, wie arbeiteten sie und wie organisierten sie ihr Zusammenleben?

Die etablierten Archäologen gaben die Besonderheit der Funde aus dem Meer zu. Sie glaubten aber nicht, daß es den Kollegen gelingen könnte, auch in der Tiefe genauso sorgfältig zu graben, zu messen und zu zeichnen wie an Land. Für die tauchenden Archäologen aber hing von der Anerkennung ihrer Arbeit als Wissenschaft die Bewilligung von Forschungsgeldern ab. Sie mußten beweisen, daß sie unter Wasser anwenden konnten, was sie an Land gelernt hatten.

Gleichzeitig mußten sie dafür sorgen, daß ihnen überhaupt etwas zum Ausgraben blieb. Sie wollten Schiffe und Siedlungen im Meer wie archäologische Denkmäler an Land schützen. Entscheidend für ihre Interpretation eines Schiffs oder einer Siedlung ist, daß der Gesamtfund von niemandem durchwühlt wurde. Schatzjäger sprengen Wracks oft mit Dynamit. Auch Hobbytaucher richten großen Schaden an, wenn sie zum Beispiel Kanonenkugeln vom Meeresboden auflesen. Suchgeräte reagieren auf Metall. Wenn aber keine Metallgegenstände mehr an Bord sind, ist ein Wrack oft nicht wieder auffindbar. Eine versunkene Welt ist dann für immer verloren.

　　　　　　　　　　　　　　Gabriele Hoffmann

Die Geschichte der Archäologie unter Wasser fing selbst ganz unwissenschaftlich an. Die ersten, die sich vor fünfzig Jahren in die Tiefe wagten, um ein Schiff auf dem Meeresboden auszugraben, waren wißbegierige und unerschrockene Männer. Aber sie machten es kaum anders als Schatzjäger: Sie zerstörten, was sie fanden. Und doch begann mit ihnen der Kampf um die Anerkennung der Archäologie unter Wasser als Wissenschaft und der Kampf gegen die Schatzjäger.

Ich habe dieses Buch für Leute geschrieben, denen es so geht, wie es mir lange erging: Sie sehen eine Überschrift in der Zeitung – »Schwammtaucher fand römischen Münzschatz« oder »6000 Jahre altes Dorf in der Ostsee« oder »Schauplatz der Sintflut entdeckt« –, lesen gespannt den Artikel, warten auf Berichte über die weitere Arbeit der Archäologen unter Wasser – und finden nie wieder einen. Mir geht es heute etwas besser als den allermeisten interessierten Zeitungslesern. Mein Mann ist Konservator der Bremer Hanse-Kogge von 1380 am Deutschen Schiffahrtsmuseum in Bremerhaven. Manchmal laden Archäologen ihn zu ihren Grabungen ein, oder er besucht Kollegen, die wie er mit einem großen, alten, nassen Holzschiff dastehen, um von ihnen zu lernen. Wenn ich Zeit habe, begleite ich ihn. In den Wartestunden auf einem Lotsenschiff bei der Hebung der *Mary Rose* kam ich zum ersten Mal auf die Idee, die Geschichte der Archäologie unter Wasser zu erzählen: Wie graben Archäologen unter Wasser, wie finden sie überhaupt ein Schiff oder eine Siedlung im Meer, wie sieht eine Schiffshebung aus, wie arbeiten Wissenschaftler in den Labors mit den Funden, was passiert später mit einem Wrack – wie fing das alles an?

Viel ist geschehen in den letzten Jahren: Die Zahl der Forscher unter Wasser hat zugenommen, eine neue digitale Technik löst viele alte Probleme einfacher und eleganter, die Raubgräber werden hemmungsloser, die Schatzsucher offensiver und salonfähig – Stichworte *Titanic* und *Teksing*. Besonders aus Deutschland gibt es Neues zu berichten – von Schiffsfunden in Seen und Flüssen, von Steinzeitjägern vor der Küste Mecklenburg-Vorpommerns, von riesigen Tunneln und überfluteten Hallen in einem Bergwerk in Thüringen, in dem fünfzigtausend KZ-Häftlinge V1- und V2-Raketen gebaut haben.

Ich danke allen Archäologen, die mir von ihren Erlebnissen berichtet haben, von ihrer Forschung und von ihren Plänen. Die Leser und Leserinnen werden ihre Namen im Lauf meiner Erzählung kennenlernen. Ganz besonders aber danke ich einem Mann, der nicht taucht, von Schiffen keine Ahnung hatte und doch plötzlich mit dem ältesten Schiff der Welt dastand, Peter Breunig, Professor an der Universität Frankfurt am Main. Er grub am Rande der Wüste, im trockenen Bett eines Flusses, der früher einmal in den Tschad-See mündete, das achttausend Jahre alte Boot von Dufuna aus. Drei Wochen lang lief ich für eine Rundfunkreportage mit dem Mikrofon hinter ihm her. Durch seine Großmut erlebte ich Abenteuer und sah Bilder Afrikas, von denen ich manchmal noch träume.

DIE TIEFE

Frei wie ein Fisch

An einem Sonntagmorgen im Sommer 1936 watete Jacques-Yves Cousteau bei Le Mourillon in der Nähe von Toulon ins Mittelmeer hinaus. Der 26jährige Flottenkanonier wollte seinen Kraulstil verbessern. Das Meer war für ihn nur ein lästiges salziges Hindernis, in dem er nichts sehen konnte und das ihm in den Augen brannte.

An diesem Tag hatte er zum ersten Mal eine wasserdichte Brille mitgenommen, um seine Augen zu schützen. Mit der Brille aber konnte er im Meer auch sehen. Er erschrak zuerst heftig über den breiten Stummel, der sein Arm sein sollte. Doch dann gewöhnte er sich daran, daß alles größer und näher zu sein schien als an Land. Er schaute sich um. Grüne, braune und silberne Algenwälder bedeckten die Felsen und wechselten ihre Farben im flimmernden Licht, das von oben hereinbrach. Buntschillernde Fische schwammen in dieser märchenhaften Welt und wimmelten vor Felsspalten und zwischen den Algen. Zur See hin verlor sich der Meeresboden im sonderbaren Blau der Tiefe. Cousteau war überwältigt. »In manchen Augenblicken unseres Lebens haben wir das große Glück, einen völligen Wandel festzustellen, das alte Leben abzuwerfen, ein neues zu umfassen und voll Ungestüm und unwiderstehlich einen neuen Kurs einzuschlagen«, erzählte er später. Von nun an hatte er nur noch ein Ziel: die Tiefe.

Jacques-Yves Cousteau öffnete den Weg in die Tiefe für Hunderttausende von Amateurtauchern und für Archäologen. Er und seine Freunde waren auch die ersten, die ein Schiff, zweitausend Jahre alt, auf dem Meeresgrund ausgruben. Als er mit dem Tauchen begann, kannten nur Schwamm- und Perlentaucher die schweigende Welt.

Der Flottenkanonier fing an, gierig allen Gerüchten über die Taucherhelden des Mittelmeers zu lauschen. Eine der bewunderten

Berühmtheiten am Strand war Frédéric Dumas. Er konnte unter Wasser Fische mit einem Wurfspeer erlegen. Auch bei ihm hatte ein besonderes Erlebnis die Sehnsucht nach der Tiefe ausgelöst: Er hatte einen »Fischmenschen« getroffen. Dieser Mann hob, wenn er sich im Meer bewegte, nie den Kopf zum Atmen. Wenn er untertauchte, spritzte Wasser aus einer Röhre, die er im Mund hielt. Lange saß Dumas auf einer Klippe, bewunderte die Wendigkeit des Fischmenschen und wartete auf ihn.

Der Fischmensch war Leutnant zur See und hieß Philippe Tailliez. Cousteau kannte ihn. Er, Dumas und Tailliez jagten nun gemeinsam Fische mit Harpunen. Bald jedoch begannen sie, über das Tauchen nachzudenken. Sie wollten weiter in die Tiefe hinab.

Ein Jahr nach Cousteaus großem Erlebnis kehrte der frischgebackene Abiturient Hans Hass von seinen Ferien an der Riviera nach Wien zurück. Auch er hatte die Wunder unter Wasser entdeckt, war stundenlang vor Antibes geschwommen und hatte sich nicht sattsehen können. Als er seinen Freunden von der neuen Welt erzählte, hielten sie ihn für einen Lügner. Niemand interessierte sich damals für das Leben der Tiere und Pflanzen im Meer. Man glaubte, daß die Meere unendlich tief seien und der Mensch daher sowieso keine Aussicht habe, die Tiefe jemals zu erkunden. Ein Onkel tröstete Hans Hass. Man könne den Himalaya überqueren, und die Bekannten würden doch nur »Ach, wie interessant« sagen. Doch wenn er mit seinen Erlebnissen in der Zeitung stünde, würden sie ihm glauben.

Cousteau hatte keinen weltkundigen Wiener Onkel. Doch die Wahrheit des Onkels blieb ihm nicht erspart. Sie machte ihn zum Ausgräber unter Wasser.

Als Cousteau und Hass die neue Welt begriffen, gab es keine Freitauchgeräte, keine Unterwasserkameras, keine Tauchermasken. Selbst wenn es in der Geschichte des Tauchens immer wieder heißt, dies und jenes sei schon seit Jahrhunderten erfunden, bedeutete das doch nicht, daß es für jedermann im Sportgeschäft erhältlich war. Hans Hass mußte sich für sein Studium der Fische und Pflanzen auf dem Meeresgrund Brille, Flossen, Harpune, Kamera selbst entwickkeln. Cousteau, Dumas und Tailliez erging es nicht anders. Cousteau schneiderte sich gegen die Kälte einen Tauchanzug aus Gummistücken. Er sah darin aus wie Don Quichotte, eine dürre Gestalt in schlotterndem Gewand mit riesigen Flossenfüßen. Doch der Anzug hielt die Kälte nur ungenügend ab. Cousteau dachte sich einen neuen Anzug aus, den er aufblasen konnte, so daß die Luft eine Schutzschicht um den Körper bildete. Als er in diesem Anzug schwamm, strömte die Luft in die Fußteile, und Cousteau stand senkrecht auf dem Kopf. Erst nach vielen Jahren gelang es ihm, einen Anzug zu erfinden, mit dem er tauchen konnte.

Anfangs bildeten Cousteau, Dumas und Tailliez sich ein, daß sie mit angehaltenem Atem so tief tauchen könnten wie Perlen- und Schwammtaucher, wenn sie nur genügend übten. Auf der Insel Djerba vor Tunesien beobachtete Cousteau 1939 einen sechzigjährigen arabischen Schwammtaucher, der in zweieinhalb Minuten 40 m tief kam. Aber die drei Freunde mußten einsehen, daß nur ungewöhnlich widerstandsfähige Menschen solche Strapazen aushalten: Die Lungen sind Ballons und werden in der Tiefe durch den Wasserdruck zusammengepreßt. Außerdem genügte es ihnen nicht, bei einem Blitztauchen einen flüchtigen Blick auf die Wunder der Tiefe zu werfen. Sie wollten nicht nur tiefer tauchen als bisher, sie wollten vor allem länger unten bleiben.

Seit Jahrhunderten verbesserten Erfinder die Ausrüstungen für Taucher. Die Helmtauchanzüge, bei denen eine Pumpe im Boot die Luft durch einen Schlauch in den Helm des Tauchers preßt, ähnelten schon in der ersten Hälfte des vorigen Jahrhunderts denen von heute. Doch Cousteau und seine Freunde wollten nicht mit Schlauch und Seilen an einem Boot hängen. Sie wollten frei sein wie die Fische.

Deutsche und französische Ingenieure hatten auch schlauchlose Tauchapparate entworfen. Anzug und Taucherhelm gehörten dazu, schwere Schuhe, damit der Taucher unten blieb, und Stahlflaschen mit einem Vorrat zusammengepreßter Luft. Viele Erfindungsschritte hatten vorhandene Lösungen verbessert, doch noch waren diese schlauchlosen Atemapparate unsicher und gefährlich.

Cousteau, Dumas und Tailliez benutzten bekannte Apparate und bauten sich verbesserte Modelle. Cousteau entwarf einen Apparat auf Sauerstoffbasis: »Das Schwimmen mit diesem Oxygenapparat in acht Meter Tiefe war die überwältigendste Sensation, die ich je im Wasser erlebt habe. Schweigend und einsam befand man sich wie in Trance und fühlte sich als Meeresbewohner angenommen.« Das

Gefühl hielt nicht lange vor. Zweimal verlor Cousteau das Bewußtsein und wäre ertrunken, wenn die Männer im Boot ihn nicht heraufgeholt hätten. Sein Interesse für die Oxygenmethode erlosch.

Der Zweite Weltkrieg brach aus. Cousteau arbeitete im freien Marseille für den Geheimdienst der französischen Marine. Sein Vorgesetzter bestand darauf, daß er seine Tauchversuche in seiner Freizeit fortsetzte. Cousteau probierte mit Dumas weiter alle Tauchgeräte aus, die sie bekommen konnten. Immer neue gefährliche Zwischenfälle steigerten ihren Eifer für Verbesserungen gewaltig.

Das Hauptproblem der schlauchlosen Tauchapparate: Je tiefer ein Taucher geht, um so mehr Druck lastet auf ihm und um so mehr Luft braucht er. Cousteau und Dumas mußten ihre Luftzufuhr durch ein Handventil regeln. Doch trotz ihrer inzwischen großen Erfahrung verschätzten sich beide mehrfach.

Schließlich kam Cousteau auf den entscheidenden Gedanken: Die Regelung der Luftmenge müßte sich von allein, automatisch, an die Tiefe anpassen. Alles, was er brauchte, war ein besonderes Ventil.

Im Dezember 1942 fuhr er in das besetzte Paris und suchte nach einem Ingenieur, der sein Problem verstehen würde. Er traf Emile Gagnan, einen Fachmann für Industrie-Gasausrüstung, der für einen großen internationalen Konzern arbeitete. Gagnan und Cousteau vollendeten innerhalb weniger Wochen den ersten automatischen Regulator. Es gab Rückschläge. Doch dann kam der Tag, an dem Cousteau den neuen Regulator in einem Wassertank in Paris ausprobierte. Er war zuverlässig.

Im Juni 1943 ging Cousteau in Bandol an der französischen Riviera zum Bahnhof und holte eine Kiste ab, die Gagnan per Expreß aus Paris geschickt hatte. Cousteau beeilte sich, wieder nach Hause zu kommen. Dort warteten Philippe Tailliez und Frédéric Dumas. Sie öffneten die Kiste und fanden drei mittelgroße Zylinder, gefüllt mit Luft, die auf hundertfünfzig Atmosphären verdichtet war. Die Zylinder waren an einen Regulator von der Größe eines Weckers angeschlossen. Vom Regulator gingen zwei Schläuche aus, die sich an einem Mundstück vereinigten. Durch den einen Schlauch sollte der Taucher bei zunehmender Tiefe und steigendem Wasserdruck mehr, bei geringerer Tiefe weniger Atemluft erhalten. Durch den

Gabriele Hoffmann

anderen Schlauch sollte seine ausgeatmete Luft über einen Druck-regler ins Wasser strömen. Gagnan hatte ihnen die Aqualunge ge-schickt, die Wasserlunge.

Beim Frühstück machten sie wilde Pläne. Tailliez schrieb mit einem Bleistift Zahlen auf das Tischtuch. Mit jedem Meter Tiefe, den sie dem Meer abrängen, verkündete er, würden sie der Mensch-heit dreihundert Billionen Kubikmeter neuen Lebensraum erschlie-ßen.

Cousteau sollte die Aqualunge als erster ausprobieren. Seine Frau Simone wollte ihn mit Schnorchel und Glasmaske von oben im Auge behalten. Dumas, der beste Taucher, blieb am Ufer, bereit, ihn zu retten. Cousteau wankte unter dem fünfzig Pfund schweren Appa-rat ins Meer hinaus.

Es war wie ein Traum. Frei von Schwerkraft und Auftrieb bewegte er sich durch den Raum, rollte sich, machte Purzelbäume. Sein Luft-vorrat reichte eine Stunde lang: »Von nun an würden wir meilenweit durch dieses Land schwimmen, das noch kein Mensch kannte.«

Heutige Preßluftgeräte sind im Vergleich zur ersten Aqualunge stark verbessert, doch das Prinzip der verschiedenen Geräte, die nun auf dem Markt sind, ist noch das gleiche wie damals. Preßluftgeräte haben sich bei den Sporttauchern durchgesetzt. Ihre Vorteile: die einfache Anwendung und die mögliche Tauchtiefe, die, abhängig von körperlicher Eignung und Erfahrung eines Tauchers, zwischen 40 m und 80 m liegen kann. Ihre Nachteile: die Flaschen müssen aufgefüllt werden, sie sind unhandlich, und die blubbernde Blasen-bahn der ausgeatmeten Luft verjagt scheue Meerestiere. Hans Hass, der die Tiere beobachten wollte, zog von Anfang an das Tauchen mit Sauerstoff-Helium-Geräten vor. Doch diese kleineren, praktische-ren Geräte sind für Amateurtaucher noch zu gefährlich.

Den ganzen Sommer 1943 schwammen Cousteau, Dumas und Tailliez mit der neuen Aqualunge. Nachdem sie mehrmals aus 40 m Tiefe sicher wieder aufgetaucht waren, glaubte Dumas, daß er noch tiefer gelangen könnte. Die anderen rechneten sich aus, daß er bald einen Anfall der Taucherkrankheit riskierte.

Die Taucherkrankheit ist im Mittelmeer bekannt, seit in der Mit-te des 19. Jahrhunderts Händler die ersten Helmtauchanzüge zum Kauf anboten. Die Schwammtaucher nahmen die Krankheit als schicksalgegeben hin. Mit Helmen und Anzügen konnten sie länger in der Tiefe bleiben und mehr Schwämme sammeln als ihre Vorfahren. Die Krankheit war der Preis für den höheren Verdienst. Ihre Ursache kannte man lange nicht.

Die Taucherkrankheit entsteht bei einem zu raschen Wechsel des Drucks. Ein Taucher ist in der Tiefe einem sehr viel höheren Druck ausgesetzt als an Land und kann deshalb weniger Stickstoff ausatmen. Der Stickstoff dringt in sein Gewebe. Wenn der Taucher an die Oberfläche steigt, läßt der Druck des Wassers auf seinen Körper nach, und das Gas schießt aus dem Gewebe ins Blut. Je tiefer und je länger jemand unten war, um so langsamer muß er auftauchen, damit er den angesammelten Stickstoff restlos ausatmen kann. Wenn er zu schnell auftaucht, wird er zu einer lebenden offenen Sektflasche. Die sprudelnden Gasbläschen verstopfen die Adern: Die Gelenke, das Gehirn, das Herz erhalten nicht mehr genügend Sauerstoff. In harmlosen Fällen hat der Taucher tagelang Schmerzen in den Gelenken. In schweren Fällen ist er gelähmt, wenn seine Helfer ihn ins Boot holen, oder tot.

An einem Nachmittag im Oktober tauchte Dumas bis in 64 m Tiefe. Kein freischwimmender Taucher war je tiefer gewesen. Die Taucherkrankheit bekam er nicht, doch er lernte eine andere Gefahr der neuen Welt kennen: »Ich spüre ein sonderbares Glücksgefühl. Ich bin wie betrunken und völlig sorglos.«

Seine Trunkenheit war eine Narkose durch Stickstoff, eine Vergiftung des zentralen Nervensystems – der Rausch der großen Tiefe. Der Taucher fühlt sich wie ein Gott. Wenn er glaubt, ein vorbeischwimmender Fisch brauche dringend Luft, ist er in seinem Wahnsinn imstande, sich die Luftleitung aus dem Mund zu reißen und sie dem Fisch großmütig anzubieten, erzählt Cousteau. Cousteau liebte den Rausch und fürchtete ihn: Der Rausch zerstört den Lebensinstinkt.

Sie schwammen endlich frei wie Fische, doch an Land erging es ihnen wie Hans Hass Jahre zuvor: Ihre Freunde hörten sich ihre Berichte mit einer Ungerührtheit an, die sie zur Verzweiflung brachte. Wenn sie nicht als Aufschneider gelten wollten, mußten sie ihre Erlebnisse beweisen. Sie begannen zu filmen.

Auf einem unterseeischen Felsplateau vor der Insel Planier, an der Hauptschiffahrtsstraße von Marseille, lag der britische 5000-t-Dampfer *Dalton*. Er war am Weihnachtsabend 1928 mit einer Ladung Blei von Marseille ausgelaufen und hatte geradewegs auf den Leuchtturm der Insel zugehalten. Alle Mann an Bord waren betrunken, berichtete der Leuchtturmwärter.

Cousteau filmte das Wrack in 20 m Tiefe, die Fische, seine Freunde. Sie waren darauf gefaßt, daß bei Tage die Deutschen aus der Luft das Leuchtfeuer zerstören oder daß bei Nacht ein englisches U-Boot auftauchen und seine Besatzung die Insel erobern würde. Ein Jahr später zeigte Cousteau im befreiten Paris in den Kinos seinen Film über das Tauchen mit der Aqualunge. Der Film hieß »Epaves« oder »Gesunkene Schiffe«. Das Publikum war begeistert.

Dann war der Krieg vorüber. Die Marine gab Cousteau den Auftrag, ein Team von Tauchern mit Aqualungen zu trainieren. Tag für Tag unterrichteten er, Dumas und Tailliez die Unterwasserklassen. Cousteau sammelte eine Gruppe von Seeoffizieren und Seeleuten um sich und richtete in Toulon eine Unterwasser-Forschungsgruppe ein. Die Mitglieder der Gruppe entfernten Torpedos aus gesunkenen deutschen U-Booten und räumten verminte Hafeneinfahrten.

Cousteau aber träumte von einer zivilen Nutzung des Tauchens. Die Bevölkerung der Erde, überlegte er, vermehrt sich so schnell, und die Naturschätze werden an Land mit solchem Tempo abgebaut, daß wir bald auf Nahrung und Rohstoffe aus dem Meer angewiesen sein werden. Meeresbiologen, Ozeanographen, Geologen sollten mit seiner Aqualunge tauchen. Mit Tailliez und Dumas entwarf er das ideale Forschungsschiff. Doch die Erforschung der Tiefe war keine Aufgabe der französischen Marine. Wenn er ein solches Schiff haben wollte, mußte er das Geld dafür selbst verdienen. Er mußte Artikel und Bücher schreiben und Dokumentarfilme unter Wasser drehen. Mit seinem ersten Film hatte er erkannt, was die Phantasie vieler Menschen fesselt: die versunkenen Schiffe. Dumas wünschte sich schon lange, ein antikes Wrack freizulegen.

Das Mittelmeer war ein Schatzhaus der Antike. Artikel, Bücher und ein Film über ein Wrack, wie noch keiner eins gezeigt hatte, würden Cousteau bekannt machen. Er mußte nur ein geeignetes Wrack finden.

Schatzhaus Mittelmeer

Immer wieder kommt es vor, daß Fischer und Taucher vor den Küsten des Mittelmeers antike Kunstwerke aus dem Wasser holen, wie sie noch niemand an Land gesehen hat. Die Statue des Apoll von Piombino, die heute im Louvre steht, zog ein Fischer 1812 in seinem Netz an Land. 1972 fand ein tauchender Urlauber aus Rom, der Chemiker Stefano Mariottini, vor Riace bei Reggio di Calabria die gewaltigen Bronzestatuen zweier Krieger.

Diese beiden Kriegerstatuen gehören zu den seltensten Kunstwerken der Welt. Wahrscheinlich stammen sie aus der Zeit von 450 bis 400 v. Chr., und vielleicht hat Phidias selbst sie gegossen, der berühmte Bildhauer, der die Arbeiten auf der Akropolis von Athen leitete. Originale griechische Statuen sind so selten, daß die Kunsthistoriker sich oft nicht einigen können, wer genau sie wann machte: Es fehlt an Vergleichsstücken. Bronzen wurden irgendwann im Lauf der Zeiten eingeschmolzen, Marmorstatuen zu Kalk für den Hausbau gebrannt. Den Ruhm griechischer Bildhauer hielten antike Schriftsteller für uns fest, doch ihre Werke kennen wir meist nur durch Nachbildungen aus der Zeit der römischen Kaiser. Und wann immer eine originale Statue aus dem Meer gezogen wird, geraten Kunsthistoriker und Kunstliebhaber in Staunen und Aufregung.

Am meisten Aufregung wohl gab es im Jahre 1900, als griechische Schwammtaucher gleich ein ganzes Wrack voller Bronze- und Marmorstatuen fanden.

Die Schwammtaucher der Ägäis haben einen guten Namen. Die fähigsten und wagemutigsten aber, heißt es, kommen von der kleinen Insel Syme. Ihre Heldentaten erzählen sich die Fischer in den Cafés und Tavernen an den Häfen.

Eine Mannschaft aus Syme verließ im Herbst 1900 am Ende der Schwammsaison die Nordküste von Afrika. Sie segelte in zwei Kuttern nach Hause. Sechs Helmtaucher waren an Bord und 22 Ruderer für die windstillen Tage. Die Schiffe kamen in einen Sturm, und die Männer liefen schließlich den Hafen von Potamos auf der Insel Antikythera an. Drei Tage lagen sie in der Bucht und langweilten sich, bis ihr Kapitän, Demetrios Kondos, beschloß, sie trotz des immer noch starken Windes zum Tauchen zu schicken. Er lief zum drei Seemeilen entfernten Kap Glyphada aus.

Gabriele Hoffmann

Das Tauchen an der Nordseite von Antikythera war nicht einfach. Die düsteren Klippen fielen steil in große Tiefen ab. Doch am Sockel der Insel wuchsen Schwämme, die vielleicht einen Tageslohn erbringen würden.

Einer der Taucher, Elias Stadiatis, kehrte verwirrt aus der Tiefe an Bord zurück. Als die Männer ihm den Helm abnahmen, zitterte er und redete Unsinn: Er habe nackte tote Frauen gesehen, halbzerfressen von Seuchen oder von Fischen, und Pferde.

Kapitän Kondos ließ sich in einen Tauchanzug helfen und glitt in die Tiefe. Der Schiffsjunge Mercurio hatte das Minutenglas noch keine fünf Mal gedreht, als der Mann am Luftschlauch drei Rucke spürte: Der Kapitän war auf dem Weg nach oben. Mercurio wollte die Sicherheitsleine einholen, doch sie gab nicht nach. Der Kapitän mußte sie vom Anzug abgenommen und an irgend etwas festgebunden haben. Kondos kam am Schlauch nach oben. Dann drängten sich sechs Mann auf dem Vorschiff und holten die Sicherheitsleine ein. Ein schwerer Brocken landete mit einem dumpfen Aufprall an Deck: der lebensgroße rechte Arm eines Mannes, aus grünem Metall, mit Sand gefüllt. Daumen und Zeigefinger waren ausgestreckt, als hielten sie noch einen Gegenstand, der längst entschwunden war.

Das Wrack lag in etwa 60 m Tiefe auf einem sandigen Absatz an der Felswand, 20 m von der Küste entfernt. 15 m weiter begann ein steiler Schräghang, der in der Tiefe verschwand. Der Haufen von Statuen, die Stadiatis Angst eingejagt hatten, war über 30 m lang und um die 10 m breit.

Über die nun folgenden Ereignisse gibt es mehrere Versionen. Die einen Erzähler meinen, Kondos segelte gleich heim nach Syme, um sich dort mit anderen Schwammtauchern über den Fund zu beraten. Andere meinen, daß er und seine Männer vor der Abfahrt noch die Ankerstöcke des Wracks hoben, um das Blei als Altmetall zu verkaufen. Kondos' Leute hätten nicht bis zur nächsten Saison geschwiegen, und so seien andere Kapitäne ihm zuvorgekommen, hätten das Blei und kleine Bronzefiguren gehoben und auf den Märkten Nordafrikas verkauft.

Die ägäischen Schwammtaucher kannten sich mit antiken Funden auf dem Meeresboden aus, auch wenn sie das, was sie fanden, nicht als Schiffswracks ansahen, sondern nur als Haufen von Tonkrügen und Stapel von Kupferbarren. Die Ankerstöcke, die sie immer wieder neben den Amphoren fanden, wogen zwischen fünf-hundert und tausend Pfund. Gewöhnlich sammelten die Taucher die Schwämme von den Tonkrügen ein, suchten das Gebiet nach Blei und Kupfer ab und segelten weiter.

Kondos traf auf Syme Professor Ikonomu, der von der Insel stammte und an der Universität von Athen lehrte. Syme gehörte noch zum osmanischen Reich. Doch seine Bevölkerung war grie-chisch und empfand eine tiefe patriotische Loyalität zum National-staat Griechenland. Damals war eine Zeit großer archäologischer Entdeckungen. Schliemann hatte in Troja und Mykene gegraben, französische Archäologen gruben in Delphi, amerikanische in Ko-rinth und deutsche in Olympia. Die Griechen begannen, mit Stolz auf ihre heidnischen Vorfahren zurückzublicken. Professor Ikono-mu, Kapitän Kondos und der Taucher Stadiatis reisten samt Bron-zearm nach Athen und besuchten den Kultusminister, Professor Spiridon Stais.

Stais war hingerissen. Er und Ikonomu glaubten, daß die Taucher ein Schiff gefunden hatten, das griechische Kunstwerke nach Rom transportieren sollte. Zweitausend Jahre lang hatten Leute aus dem Westen die Kunstwerke Griechenlands geraubt. Jeder gebildete Grieche kannte die Geschichte der Marmorskulpturen vom Parthe-non, die der britische Lord Thomas Elgin Anfang des 19. Jahrhun-derts nach London gebracht hatte. Die Griechen fühlten sich aus-geplündert. Vor Antikythera aber lag ein großes Schiff, dessen Ladung die schmerzenden Lücken füllen könnte.

Kapitän Kondos war bereit, die Statuen zu heben, wenn ihm und den Besitzern der Tauchschiffe ihr Wert ausgezahlt und wenn die griechische Marine zum Heben der schweren Stücke ein Schiff schicken würde. Kultusminister Stais gelang es in nur zwei Wochen, das Angebot von Kondos offiziell annehmen zu lassen und Geld und ein Marineschiff zu bekommen. Kondos und die Regierung wußten nicht, daß es bislang nur ein vergleichbares Unternehmen gab: 1885, die Bergung von neunzigtausend Goldpfund aus dem Panzerraum der *Alphonse XII*, die in 55 m Tiefe im Ärmelkanal lag. Der Chef-taucher bekam die Taucherkrankheit und blieb gelähmt.

Am frühen Morgen des 24. November 1900 traf der große Ma-rinetransporter *Michaeli* am Kap Glyphada ein. Schwere See bran-dete an den steilen Klippen. Der Kommandant sah sich nur kurz um

Gabriele Hoffmann

und brachte sein Schiff in die sichere Bucht vor Potamos. Kondos und seine Männer aber tauchten. Mittags kamen sie mit einer Ausbeute nach Potamos zurück, die Professor Ikonomu und die Männer der *Michaeli* ungläubig bestaunten. Die Taucher luden einen lebensgroßen Bronzekopf, zwei Marmorstatuen und mehrere kleine Bronzen auf die *Michaeli* um. Trotz Sturm lief der Marinetransporter nach Piräus aus. Nach seiner Ankunft brach im Kultusministerium ein Tumult aus: Eine märchenhafte Schatztruhe mit antiken Kunstwerken Griechenlands öffnete sich unter Wasser.

Die Marine schickte nun ein kleineres und besser manövrierfähiges Schiff nach Antikythera, den Schoner *Syros*. An Bord war Professor Georg Byzantinos, Direktor der Abteilung für Altertumskunde in Athen.

Endlich gab es im Januar ruhigeres Wetter. Die Sonne schien, das Wasser war klar, wenn auch kalt. Die Taucher arbeiteten fünf Tage ohne Unterbrechung, jeder ging zwei- bis dreimal täglich für fünf Minuten in die Tiefe. Dann schlug das Wetter um. Wieder lief die *Syros* vollbeladen nach Athen aus. Diesmal hatte sie auch die Marmorstatuen eines Knaben und eines Stiers an Bord. Professor Byzantinos erzählte: »Ich muß gestehen, daß ich angesichts all der Fundstücke, die in dem Boot lagen, vor der ganzen Mannschaft einen Freudentanz aufführte.«

In Athen zogen lange Reihen von Bewunderern an den Statuen einer fernen Zeit vorüber. Die Ausstellungsbesucher bestaunten bronzene Götter und Helden aus dem 4. Jahrhundert v. Chr. und den »Athleten von Antikythera«, eine nackte, 1,94 m hohe Gestalt eines jungen Mannes, deren Pupillen aus Edelsteinen waren und von der die Kunsthistoriker meinten, daß Lysippos, der Bildhauer am Hof Alexanders des Großen, sie gegossen habe. Sie bestaunten kleine Plastiken aus dem 5. Jahrhundert v. Chr. und den Kopf eines bärtigen Mannes, vielleicht eines Philosophen, aus dem 3. Jahrhundert v. Chr. und ein mit Tierköpfen verziertes Bronzebett. Sie sahen einzelne Stücke bronzener Statuen und mehrere Teile einer Gruppe von fünf oder sechs Männern. Die beschädigten Bleisockel verrieten, daß die Männer von ihren Steinpostamenten heruntergerissen worden waren, vielleicht bei der Plünderung eines Heiligtums. Die Besucher sahen um die dreißig Marmorstatuen, alle von Seewürmern zerfressen, ebenso viele Fragmente von Armen und Beinen und vier Pferde. Die Gefühle der Athener gingen hoch: Dies war die erste größere archäologische Entdeckung von Griechen in Griechenland. Vor langer Zeit hatte ein ausländischer Eroberer diese wunderbaren Statuen gestohlen. Jetzt bargen Griechen sie ohne ausländische Hilfe aus dem Meer. Der Schatz wurde zu einem Symbol der Einheit der noch ungefestigten Nation.

Die Funde von Antikythera versetzten auch Archäologen und Kunsthistoriker in Aufregung. Einige Wissenschaftler meinten, das Schiff sei im 1. Jahrhundert v. Chr. mit Beutegut auf der Fahrt von Piräus nach Rom gesunken. Andere vertraten die Meinung – die sich heute durchgesetzt hat –, es habe Handelsgut transportiert. Die meisten Statuen sind Kopien von berühmten Originalen. Sie verraten den Kunsthistorikern wichtige Einzelheiten über die Anfänge der Kopiertechnik. Reiche Römer wollten griechische Skulpturen besitzen, und da es nicht genügend Originale für alle gab, war die Nachfrage nach Kopien groß.

Während die Athener die Statuen bewunderten, zeigten sich bei den Tauchern von Antikythera die ersten Erschöpfungserscheinungen. Die Begeisterung ließ nach, die Arbeit in der Tiefe wurde schwieriger, Streitereien nahmen zu. Professor Byzantinos hatte bald genug vom Leben auf dem Marineschiff, das doch so viel komfortabler war als die Boote der Taucher. Er kehrte nach Athen zurück und ernannte einen Herrn Kritikos, Buchhalter in der Abteilung für Altertumskunde, zu seinem Nachfolger.

Kritikos war der erste in einer langen Reihe jüngerer Beamter, die die Arbeit der Taucher beaufsichtigten. Um 1900 waren viele archäologische Grabungen noch Schatzsuche, Sammeln von Funden. Tagelöhner gruben mehr oder weniger beaufsichtigt nach Wertstücken, die die Archäologen dann klassifizierten und katalogisierten. Die phantasievollsten Wissenschaftler fingen gerade erst an, über die Ablagerungsschichten in der Erde nachzudenken und über die verschiedenen Arten von Tonscherben in ihnen. Sie konnten sie in eine zeitliche Folge bringen und so das Alter der Schichten herausfinden. Auch wenn wir heute die Arbeitsgrundsätze eines Augustus Henry Pittrivers, General und Prähistoriker in England, bewundern, so darf man nicht vergessen, daß sie sich damals längst noch nicht allgemein durchgesetzt hatten. Der Gedanke, daß ein Schiff, das sich unter dicken Schlammschichten erhalten hat, einen kleinen

Gabriele Hoffmann

Ausschnitt vergangener Zeiten darstellt, eine versunkene Welt, war den Archäologen noch völlig fremd. Niemand vor Antikythera versuchte, einen Lageplan des Wracks zu zeichnen, und wir wissen heute nicht, wie die Fundstelle aussah. Die Beamten sollten nur aufpassen, daß die Taucher nichts stahlen. Niemand scheint sich jemals ernsthaft mit einem Taucher unterhalten zu haben. Hätte Professor Byzantinos mit den Tauchern gesprochen, wäre ihm vielleicht aufgefallen, daß die Bleigewichte an ihren Tauchanzügen aus römischen Ankerstöcken gegossen waren und daß das Kupfer, mit dem sie die Kompressoren reparierten, aus dreitausendfünfhundert Jahre alten Bergwerken auf Zypern stammte. Vielleicht hätten die Taucher ihm auch erzählt, daß auf dem Seeboden der Ägäis Zehntausende von Amphoren lagen.

Ende Januar 1901 streikten die Taucher. Sie verlangten mehr Geld für ihre schwere Arbeit und forderten, daß die Regierung mehr Taucher einstellte. Zur selben Zeit hieß es in der Presse, daß die Taucher nicht sorgfältig genug arbeiteten und die kostbaren Kunstwerke zerstörten. Kultusminister Stais berief eine Untersuchungskommission ein. Diese kam zu dem Schluß, daß die Brüche größtenteils alten Datums seien. Alle Beamten an Bord des Marineschiffs lobten die Sorgfalt der Taucher. Anfang Februar kam Stais selbst mit der *Michaeli* nach Antikythera und redete den Tauchern gut zu.

Doch er erlebte mit, wie sie mit der Besatzung der *Michaeli* schwere Felsbrocken vom Wrack hoben und in große Tiefen fallen ließen, weil sie an die Statuen unter den Felsen herankommen wollten. Stais war ein neugieriger Mann, der sich sein Urteil gern aus eigener Anschauung bildete. Einmal ließ er – es gibt heute Archäologen, die bedauern, daß er Minister und nicht leitender Archäologe in Antikythera war – einen Felsbrocken bis an die Wasseroberfläche heben. Durch das klare Wasser sah er eine Kolossalstatue des Herkules, mit Keule und Löwenfell. Die Matrosen befestigten sie mit Schlingen am Schiffsrumpf, und der Kommandant fuhr vorsichtig in eine flache Bucht. Die Taucher hatten Kunstwerke für Felsen gehalten.

Auch heute noch loben Archäologen die Helmtaucher und ihre Sorgfalt. Aber Peter Throckmorton, der die Geschichte von Antikythera in Gesprächen mit alten Leuten untersuchte und den wir in einem späteren Kapitel näher kennenlernen werden, ist anderer Meinung. Beamte, Archäologen und Minister Stais kannten die

Bedingungen auf dem Meeresgrund nicht. Die Taucher wurden nach der Anzahl der Stücke, die sie bargen, bezahlt. Sie konnten nur fünf Minuten im Zwielicht der Tiefe arbeiten und hatten keine Zeit, in den schlammigen Sand hineinzugraben, der den größten Teil des Wracks bedeckte. Anzug, Helm und Schlauch hemmten ihre Bewegungen und ihre Sicht. Sie stießen Eisenstangen in den Grund, bis sie Gegenstände fanden, an denen sie Taue anbinden konnten. Dann zog eine Schiffswinde den Gegenstand von oben aus dem Schlamm. Alte Taucher, die sich noch an die Erzählungen ihrer Väter erinnerten, berichteten, auf diese Weise seien viele Funde zerbrochen.

Das schlimmste Problem der Taucher aber war die Erschöpfung. Wenn sie zu lange unten blieben, zeigten sich die ersten Symptome der Taucherkrankheit – seltsamer Ausschlag, Juckreiz, Schmerzen in den Fingergelenken, Reizbarkeit. Sie lebten bei kaltem Wetter auf einem kleinen Schwammtaucherboot und fühlten sich nie richtig wohl. Tagsüber aßen sie, nach den Regeln der Schwammtaucher, nichts, und sie nahmen ab. Sie arbeiteten fast neun Monate ohne Pause. Nach heutigen Erkenntnissen beanspruchte Kondos seine Männer bis zur äußersten Grenze der Tauchsicherheit. Er wußte es nicht besser. Die Ursachen der Taucherkrankheit waren unbekannt. Man tat ihre Symptome als Erkältung oder Rheumatismus ab.

Hinzu kam, daß ein Taucher in einer Tiefe von 30 m geistig nur halb so leistungsfähig ist wie an Land. Die Taucher aber gingen in den Druck von 60 m Wasser hinab. Ihr Helmtauchgerät wirkte wie ein Auffangbehälter für ausgeatmete Luft, und die Luft, die sie einatmeten, war zusätzlich mit Stickstoff angereichert. Die Kompressoren, die Kondos hatte, waren für weit geringere Tiefen gebaut. Die Taucher waren geistig so klar wie nach zwei steifen Whiskys auf nüchternen Magen. »Es war ungefähr dasselbe«, schreibt Throckmorton, »als wenn das Grab von Tut-ench-Amun in Fünfminutenschichten von betrunkenen Schauerleuten ausgegraben worden wäre, die nie ein Pharaonengrab gesehen hatten, im Halbdunkel arbeiten mußten und in amerikanische ausgepolsterte Footballanzüge mit Kohleneimern über dem Kopf gekleidet waren.«

Die Taucher gaben monatelang ihr Bestes. Sie überwanden sich jeden Tag zwei-, dreimal und stiegen wieder in den nassen Taucheranzug und sprangen ins kalte Wasser. Abends, in der Bar von Potamos, tranken sie zuviel. Im April 1901 geschah nach einem schweren Zechgelage das Unglück. Der Taucher Georg bekam die Taucherkrankheit. Er rang beim Auftauchen nach Luft und konnte nicht sprechen. Kondos fuhr sofort nach Potamos zurück und brachte ihn zum Arzt. Der Taucher starb noch am selben Abend.

Anfang Juni lagen auf dem Grund nur noch Marmorstücke und Tonscherben. Die Archäologen interessierten sich jedoch nicht für die flachen Dachziegel und die einfachen Tischgeschirre, die die Taucher jetzt nach oben brachten, und auch nicht für ein zerbrochenes Bronzeinstrument. Allenfalls nahmen sie die blauen und braunen Glasschüsseln, aus Glasmosaik zusammengesetzt und meist unversehrt, zur Kenntnis und natürlich den goldenen Ohrring, der mit kleinen Perlen übersät ist und im Halbrelief Eros mit der Leier zeigt. Die Vorratskrüge und Lampen einer Schiffsbesatzung, die vor zweitausend Jahren in der Ägäis segelte, waren ihnen ganz gleich.

Bis Anfang der sechziger Jahre blieben diese Funde unbeachtet im Magazin des Nationalmuseums in Athen liegen. Erst nachdem ein Physiker und Mathematiker 1958 das Bronzeinstrument untersucht hatte, nahm eine neue Archäologengeneration sich das alte Material vor. Das Instrument ist eine astronomische Uhr, die die Bewegung der Gestirne angibt. Sie stammt aus Rhodos und ist im Jahre 80 v. Chr. neu eingestellt worden, wahrscheinlich kurz vor dem Untergang des Schiffs. Die modernen Archäologen kamen zu dem Ergebnis, daß das Schiff wohl die Handelsroute zwischen Neapel und Kleinasien, vielleicht Ephesus, befahren hat.

Zu Ende des Sommers 1901 stellten die Behörden die Arbeit vor Antikythera ein. Kondos und seine Leute bekamen ihr Geld und fuhren bis zur nächsten Schwammsaison in Afrika nach Hause.

Wenige Jahre später erregte der zweite Fund eines römischen Frachtschiffs mit einer Ladung griechischer Kunstschätze Archäologen und Kunsthistoriker: das Schiff von Mahdia.

Im Sommer 1907 boten Händler in den Basaren von Tunis plötzlich unterderhand antike Statuen an. Alfred Merlin, Direktor des tunesischen Altertümermuseums, erfuhr von diesen Verkäufen und ging der Sache nach. Griechische Schwammtaucher hatten knapp 5 km von der tunesischen Küste entfernt, vor dem Ort Mahdia, zwischen Sousse und Sfax, in 39 m Tiefe einen Haufen Marmorsäulen und

Granitblöcke gefunden. Sie hatten zwischen den Säulen gesucht und Skulpturen entdeckt, die sie nach Tunis brachten.

Merlin gelang es gemeinsam mit dem Gelehrten Salomon Reinach, damals einer der einflußreichsten Erforscher des klassischen Altertums, Behörden und Öffentlichkeit für den Fund zu interessieren. Die französische Marine – Tunesien war französisch – lieh Merlin das Bergungsschiff *Cyclope*, und Reinach gewann zwei amerikanische Kunstmäzene, die die kostspielige Bergung bezahlten.

Die Geschichte des Schiffs von Mahdia ähnelt stark der Geschichte des Schiffs von Antikythera. Wieder holten Helmtaucher die Kunstwerke vom Grund des Meeres, und wieder erforschte niemand die Fundstätte unter Wasser. Doch immerhin saßen die Archäologen diesmal im Boot und nicht an ihren Schreibtischen. Sechs Jahre lang, von 1908 bis 1913, leitete Merlin gemeinsam mit seinem Kollegen Poinssot in den drei günstigsten Sommermonaten die Bergung. Er stellte jedes Jahr zwischen vier und acht griechische Schwammtaucher ein. Zusammen tauchten sie 1340 Stunden. Die Taucher berichteten den Wissenschaftlern, 65 Säulen aus Marmor lägen in fünf oder sechs parallelen Reihen auf dem Grund und bedeckten eine Fläche von 25 m Länge und 7 bis 9 m Breite.

Die Männer tauchten auf offener See in 39 m Tiefe hinab. Immer wieder mußte Merlin die Arbeit wegen schlechten Wetters unterbrechen. Die Dünung rollte über das Wrack, der Strom trug die Markierungsbojen fort, und Schlamm wirbelte am Grund auf, so daß die Taucher nichts sehen konnten. Ebenso hinderlich wie offene See und Wetter war, daß Merlin und Poinssot selbst nicht tauchten und ihre jeweiligen Entscheidungen nach den unzureichenden Berichten der Helmtaucher treffen mußten. Auch diesmal traten Fälle von Taucherkrankheit auf. Drei Männer wurden zu Krüppeln.

Die Taucher brachten eine große Anzahl von Büsten und Statuen nach oben: Dionysos, den Gott des Weines, Aphrodite, die Göttin der Liebe und der Schönheit, Artemis, die Jagd- und Mondgöttin, Athene, die jungfräuliche Stadtgöttin Athens, Hermes, den Götterboten. Sie hoben bezaubernde Bronzefigürchen tanzender Zwerge, prunkvolle Weinmischbecken aus Marmor, wuchtige Kerzenleuchter, Gesimse mit kunstvollen Reliefs, riesige Bronzekannen und Kandelaber, die Reste mehrerer Betten. Sie brachten Terrakottagefäße und Lampen im Überfluß. Die Bronzestatuen waren fast alle

Gabriele Hoffmann

wunderbar erhalten und ebenso – anders als in Antikythera – die Marmorstatuen. Sand und Schlamm hatten sie vor hungrigen Schalentieren geschützt. Fünf große Ausstellungssäle des Museums in Tunis konnten die Kunstwerke kaum fassen. Als Salomon Reinach die ersten Statuen sah, erklärte er: »Seit Herculaneum und Pompeji ist nichts Vergleichbares zutage gefördert worden.«

Merlin und Poinssot vermuteten anfangs, daß die Statuen römisches Raubgut aus dem Jahre 86 v. Chr. waren, als Sulla Athen plündern ließ. Athen muß der Heimathafen des Schiffs gewesen sein. Das belegen Weihreliefs, die im Schiff als Ballaststeine dienten: Sie sind aus griechischem Marmor, und ihre Inschriften besagen, daß sie aus Tempeln in Piräus stammen. Die Archäologen untersuchten – auch anders als in Antikythera – das einfache Alltagsgeschirr der Seeleute, und ihre Mühe wurde belohnt. Aus Tonscherben und Lampen gelang es ihnen, die Zeit des Schiffsuntergangs zu bestimmen und damit das Alter der Statuen grob einzukreisen. Sie kannten das Geschirr, das die Athener nach der Sulla-Plünderung benutzten. Die Lampen und Scherben aus dem Schiff waren älter, und die Forscher einigten sich darauf, daß das Schiff um 100 v. Chr. gesunken war.

Wieder entdeckten die Kunsthistoriker an den Statuen Punkte, Spuren der Kopiertechnik. Sie vermuteten, daß manche Originale, kaum fertig, kopiert wurden, vielleicht sogar in derselben Werkstatt, in der die Originale entstanden. Möglicherweise kopierten die Bildhauer damals schon Marmorstatuen in Bronzeguß und Bronzestatuen in Marmor. Alfred Merlin meinte nun, daß die Kopierer keineswegs, wie man bisher annahm, nach Italien ausgewandert waren. In Griechenland, in Athen selbst, müssen sie die Statuen von Mahdia und Antikythera gearbeitet haben, und es ist möglich, daß griechische Kunsthändler Tausende von Schiffsladungen voll Statuen, Säulen, reichverzierter Möbel und erlesenen Schmucks nach Italien exportierten. Die Zeugnisse eines regen Kunsthandels krempelten die bis dahin in der Wissenschaft geltenden Ansichten vom hemmungslosen Kunstraub der Römer um.

»Das reichste Antikenmuseum der Welt liegt am Boden des Mittelmeeres«, schrieb Salomon Reinach in den zwanziger Jahren. Das Mittelmeer war für ihn ein Museum, Ort einer durch Zufall entstandenen Sammlung. Er hatte die Statuen von Mahdia zwar mit den Funden in Pompeji verglichen, doch daß auf dem Boden des Meeres versunkene Welten lagen, echtes Alltagsleben wie in Pompeji, verstand auch er nicht.

Das Schiff von Mahdia blieb vergessen, bis Cousteau 1948 nach Tunesien kam.

Cousteau war inzwischen Kommandant des Marinebergungs- und Forschungsschiffs *Elie Monnier*. Er sollte in den seichten Gewässern vor Karthago nach dem antiken Handelshafen der Stadt suchen. Beim französischen Militär gab es mehrere Leute, die sich für Archäologie interessierten und sich ab und zu einen Gefallen von ihrem Arbeitgeber ausbaten. So hatte der Fliegergeneral Vernoux im Sommer zuvor einige Luftaufnahmen des Meeres vor Karthago gemacht und sie Pater Poidebard gezeigt, einem gelehrten Jesuiten und Kaplan bei der Luftwaffe, der schon vor dem Krieg unterseeische Reste der Häfen von Tyrus und Sidon gefunden hatte. Der Pater meinte wie Vernoux, daß man auf den Fotos durch das klare Wasser hindurch deutlich geometrische Formen sah, die den Molen und Bassins eines Hafens glichen.

Philippe Tailliez, inzwischen selbst Kommandant, begleitete Cousteau auf dieser Reise. Auch Frédéric Dumas war an Bord. Er war nun Cheftaucher bei der Unterwasser-Forschungsgruppe der Marine in Toulon.

Zehn Aqualungentaucher sollten den alten Hafen erforschen. Sie fanden unter Wasser keine Spur von Bauten. Doch Cousteau hörte die Geschichte des Schiffs von Mahdia. Er las im Archiv des Alaoui-Museums in Tunis die alten Berichte von Alfred Merlin und von Leutnant Tavera, der damals das Bergungsschiff befehligt hatte. Nach den Berichten mußten noch viele Schätze im Wrack zurückgeblieben sein. Die *Elie Monnier* und ein Hilfsschiff liefen nach Mahdia aus.

Fünf Tage lang durchsuchten Teams von Tauchern das Gebiet Meter um Meter nach dem Wrack. Mit den Landmarken, nach denen Leutnant Tavera es 1908 eingepeilt hatte, konnte Cousteau nichts anfangen: An einem Kastell gab es jetzt statt einer Mole vier, aus einem kleinen Gebüsch war ein Wald geworden, und eine Ölmühle war ganz verschwunden. Cousteau, Tailliez und Dumas ergingen sich in unehrerbietigen Bemerkungen über Leutnant Tavera, der inzwischen längst als Admiral gestorben war. Sie hatten nur noch seine Tiefenangabe von 39 m und suchten, bis sie einen Bezirk fanden, der Taveras Lotung nahe kam. Cousteau ließ auf dem Meeresgrund ein Netz aus Drahtseilen über 3000 m^2 auslegen, mit 16 m Abstand zwischen jeder Querlinie. Die Taucher sollten unter Wasser längs der Seile schwimmen und das Gebiet rechts und links nach Spuren absuchen. Es kostete sie zwei Tage, das Netz abzuschwimmen. Das Wrack fanden sie nicht. Am fünften Tag ließ Cousteau einen Taucher auf einem Unterwasserschlitten an einer Leine langsam über den Grund ziehen – wieder nichts. Am Abend beschloß er voller Verzweiflung näher an der Küste zu suchen. In Gedanken entwarf er schon einen Rechtfertigungsbericht für seine Vorgesetzten in Toulon, mit dem er sie von der Notwendigkeit überzeugen könnte, zwei Marineschiffe und dreißig Mann bei der Suche nach einem Wrack festzuhalten, das schon 1913 aufgegeben worden war.

Ein Taucher braucht ein sehr geübtes Auge, wenn er ein Wrack entdecken will. Algen, Schwämme und Korallen hüllen ein Schiff auf dem Meeresgrund schnell ein, Sand, Schlamm, Exkremente von Fischen regnen auf es herab. Der Taucher sieht meist nur einen etwas ungewöhnlichen Hügel, einen merkwürdigen Felsen oder den hübschen Umriß einer bewachsenen Amphore.

Am sechsten Tag der Suche fand Tailliez eine Säule. Die Männer feierten abends in Mahdia mit Champagner. Das Gerücht über ihren Fund lief von Kneipe zu Kneipe und schwoll an, bis es gegen Morgen besagte, sie hätten eine goldene Statue gefunden.

58 Säulen lagen noch auf dem Seeboden. Cousteau und Dumas vermaßen das Gebiet, das die Säulen bedeckten, und meinten, das Schiff müsse ungefähr 40 m lang und 12 m breit gewesen sein.

Die unterseeische Welt am Wrack lag in dem blauen Zwielicht, in dem menschliches Fleisch eine grünliche Farbe annimmt. Hoch oben schien fern die Sonne, glomm auf den verchromten Regulatoren und auf den Rahmen der Tauchermasken und versilberte die Atemblasen. Die Säulen sahen grau und grün aus. Doch als Taucher und Matrosen die erste Säule an Deck brachten, erglühte sie in vielen Farben: Die Algen leuchteten in feurigem Rot, in Gelb, in Orange. Wissenschaftler und Taucher glaubten bislang, daß nur Pflanzen und Tiere, die dicht an der Meeresoberfläche leben, schöne Farben haben. Nun erkannten Cousteau, Dumas und Tailliez, daß das nicht stimmte. Sie nahmen starke Scheinwerfer mit in die Tiefe und begannen, auf dem Wrack einen Farbfilm zu drehen.

Die Taucher kratzten und schrubbten die Marmorsäulen ab, bis sie wieder weiß waren. Sie hoben vier Säulen, zwei Kapitelle und zwei Säulenbasen. Cousteau wollte auf dem Wrack graben. Die Taucher senkten einen Wasserschlauch hinab und spülten mit einem mächtigen Strahl ein Loch in den Schlamm. Die leichte Strömung trug den Schlamm fort. Nach einem halben Meter stießen die Männer mit den Fingern auf Holz. Cousteau hielt es für ein festes Schiffsdeck.

Er war überzeugt, daß mittschiffs noch unversehrte Ladung lag. Die Taucher fanden einen Mühlstein, mit dem wohl der Schiffskoch von damals das Korn aus den Vorratsamphoren gemahlen hat. Sie brachten meterlange Stücke von Libanonzederholz mit gelbem Firnis hinauf und meinten, es sei nützlich zu wissen, wie man einen Marinefirnis herstellt, der zweitausend Jahre unter Wasser hält.

Nach sechs Tagen mußten sie nach Toulon zurückkehren. Doch Cousteau, Dumas und Tailliez waren zufrieden. Sie hatten bewiesen, daß die Aqualunge mehr war als ein Spielzeug für Sporttaucher, daß Aqualungentaucher unter Wasser auch arbeiten konnten. Sie hatten die Farbe auf dem Meeresboden entdeckt. Und sie hatten erste Erfahrungen auf einem antiken Wrack gesammelt. Aber wirklich geeignet für eine aufsehenerregende Ausgrabung war das Wrack von Mahdia für Cousteau nicht. Die Säulen würden schweres, teures Bergungsgerät erfordern, und die Rosinen aus der Ladung hatten schon Merlins Helmtaucher herausgepickt. Er brauchte ein unberührtes Wrack.

Ein ganzes Bündel von Motiven bewegte Cousteau bei seiner Suche nach einem Wrack, und wenn wir es aufschnüren, besteht die Gefahr, die Akzente falsch zu setzen. Er wollte die Tiefe erforschen, und er wollte bekannt werden, um Aufträge und Geld zu bekommen. Doch das Ausgraben eines antiken Wracks war ihm nicht nur Mittel zum Zweck. Er hielt damals die vorchristlichen Schiffe für die bedeutendsten Entdeckungen auf dem Meeresgrund. An Land gab es kein einziges römisches oder griechisches Arbeitsschiff. Die Schiffe im Nemisee waren weder zum Brotverdienen auf See noch zum Kriegführen gebaut.

Der Nemisee ist ein kleiner Kratersee im Albanergebirge, südlich von Rom. Im See lagen zwei römische Schiffe, vielleicht die Prunkbarken des Kaisers Caligula, von dem Historiker wissen, daß er auf

Gabriele Hoffmann

seinen Schiffen im See rauschende Feste feierte. Seit dem 15. Jahrhundert hatten immer wieder Leute versucht, die Barken zu heben. Schließlich befahl der faschistische Diktator Benito Mussolini 1927, den See auszupumpen. Im Schlamm des leeren Sees zeigten sich zwei gewaltige, flache Rümpfe, beide um die 70 m lang und 20 m breit. 1932 standen sie in einem Museum am Seeufer. Beim Rückzug der deutschen Truppen aus Italien im Frühjahr 1944 verbrannten Museum und Schiffe.

Ehe Cousteau sein Wrack endlich fand und ausgrub, kam zu den Schiffen von Antikythera und Mahdia ein dritter großer Wrackfund hinzu: das Schiff von Albenga.

Albenga liegt an der italienischen Riviera zwischen Genua und San Remo. Seit dem Jahre 1925 holten die drei Brüder Bignone und ihre Söhne immer wieder Amphoren aus ihren Netzen, wenn sie mit ihrem Trawler an einer bestimmten Stelle fischten. Diese Stelle lag eine Seemeile von der Küste entfernt in 40 m Tiefe. Antonio Bignone meldete im November 1933 den Fund von drei unbeschädigten römischen Amphoren den örtlichen Behörden und gab zu Protokoll, er sei sicher, daß dort ein Wrack liege. Die Meldung wurde zum Amt für Altertumskunde der Provinz geschickt und verschwand dort in den Akten. 1946 meldete Antonio Bignone noch einmal einen Amphorenfund. Diesmal schwieg das Amt nicht. Der Archäologe Professor Nino Lamboglia war nun für Funde und Forschungen an der Riviera zuständig. Er unterhielt sich lange mit den Bignones und mit anderen Fischern. An der Küste mußte es Hunderte von nicht gemeldeten Funden dieser Art geben. Die Fischer benutzten das Wort »Amphoren« als Bezeichnung für gute Fischgründe.

Lamboglia fuhr mit einigen Helmtauchern in ihrem Boot hinaus. Er wollte, daß sie sich ansahen, was da auf dem Meeresgrund lag. Die Taucher berichteten ihm von einer riesengroßen Schiffsladung.

Der Professor war fasziniert. Er war ein erfahrener Archäologe und hatte Phantasie genug, sich vorzustellen, was ein Schiff, eine geschlossene Fundgruppe aus der Antike, bedeuten konnte. Der Amphorenhaufen könnte aber auch nur eine Ladung sein, die Matrosen in Seenot über Bord geworfen hatten. Er mußte herausbekommen, ob ein Schiffsrumpf unter den Amphoren lag.

Lamboglia versuchte, Sporttaucher für eine Ausgrabung auf dem

Meeresgrund zu gewinnen. Doch die Sporttaucher hatten von dem Goldschatz gehört, den Mussolini für seine Flucht zusammengetragen und im Meer versenkt haben sollte, und wollten mit ihren Aqualungen lieber auf Schatzsuche gehen. Bei der italienischen Regierung lachte man Lamboglia aus: unterseeische archäologische Grabungen, dafür habe man kein Geld. Die Stadtväter von Albenga aber begeisterten sich wieder für die Amphoren vor ihrer Küste. Sie hatten Beziehungen zu Commandatore Giovanni Quaglia, dem Präsidenten der Bergungsgesellschaft Sorima in Genua. Quaglia genoß großes Ansehen, seit es ihm 1931 gelungen war, Goldbarren im Wert von achthunderttausend englischen Pfund aus dem Wrack der *Egypt* zu heben, die 1922 in der Biskaya auf eine Tiefe von 135 m gesunken war. Die Stadtväter überredeten ihn, Lamboglia die kostenlose Hilfe seiner erfahrenen Bergungstaucher anzubieten.

Am 8. Februar 1950 lotste Antonio Bignone das Bergungsschiff *Artiglio II* zur Amphorenstelle. Helmtaucher gingen in die Tiefe. Der Haufen, berichteten sie Professor Lamboglia, sei ungefähr 30 m lang, 10 m breit und 2 m hoch. Zahlreiche Fische und große Langusten lebten auf und zwischen den Amphoren, und in den Amphoren wohnten Tintenfische.

Die Männer schickten in den nächsten Tagen Dutzende unbeschädigter Amphoren mit dem Transportseil nach oben. Doch dann wurde es mühsam, die Amphoren aus dem Haufen zu lösen, sie waren wie aneinandergekittet. Quaglias Angebot galt nur für zehn Tage. Lamboglia mußte sich beeilen, wenn er herausfinden wollte, ob wirklich ein Schiff da unten lag. Die *Artiglio II* besaß einen Spezialgreifer, der selbst in großen Tiefen Stahlplatten von den Rümpfen versunkener Schiffe reißen konnte. Von einer Beobachtungskammer unter Wasser aus leitete ein Mann telefonisch die Arbeit. Auf Lamboglias Bitte senkten die Bergungsfachleute den Greifer in die Tiefe. Der Greifer packte die Krüge und beförderte sie an Deck. Er fraß sich quer durch den Amphorenhügel. Lamboglias Archäologenherz sank, als er die Trümmer sah, und es tröstete ihn wenig, daß ein Teil der Ladung auch heil nach oben kam. Bald besaß er 728 Amphoren, davon 110 unversehrte.

Die meisten Amphoren hatten einmal Wein enthalten, aber keine trug ein Siegel oder andere Zeichen, wie Lamboglia sie von Landgrabungen kannte. So bestimmte er das Alter der Krüge nach ihrer

Form. Sie stammten vom Ende des 2. oder vom Anfang des 1. Jahrhunderts v. Chr. Die Taucher sagten, daß mindestens zwei Drittel der Ladung noch auf dem Grund lägen, es sich also um insgesamt fast dreitausend Amphoren handelte. Doch sieben Jahre später fand Lamboglia heraus, daß es fast zehntausend Amphoren waren, und eine erneute Altersbestimmung ergab, daß das Schiff zwischen 40 und 60 v. Chr. erbaut worden war.

In Albenga häuften sich die Funde, ein bleierner Ankerstock, Stücke von drei vom Seewasser zernagten Bronzehelmen, die denen der Legionäre des 1. Jahrhunderts v. Chr. glichen, Mühlsteine, gläsernes Geschirr, Scherben von Tellern und Kochtöpfen, drei Teller aus der Campagna, der Landschaft um Neapel, und große Krüge und Kannen. Endlich kamen Schiffsteile nach oben: Spanten aus Eichenholz und Planken. Einige waren mit Bleiplatten bedeckt, die Kupferstifte festhielten. Die Hölzer räumten jeden Zweifel aus: Die Bignones hatten das Wrack eines großen römischen Handelsschiffs gefunden, dessen Ladung da, wo Schlamm sie bedeckte, so gut erhalten war, als sei sie erst gestern gesunken.

Lamboglia brach die Grabung sofort ab. Eine solche unglaubliche Fülle guterhaltenen Materials hatte er noch niemals an Land gesehen. Die Archäologie hatte seit den Tagen der Wracks von Antikythera und Mahdia gewaltige Fortschritte gemacht, und eine Bergungsaktion wie diese war nun, nachdem er eine Antwort auf seine wichtigste Frage gefunden hatte, Barbarei. Er brachte es nicht über sich, Gegenstände, die zweitausend Jahre auf dem Meeresboden überdauert hatten, zu zerstören, nur weil er nicht die angemessenen technischen Hilfsmittel besaß. Die Ausrüstung der Helmtaucher war seit der Jahrhundertwende stark verbessert und verfeinert worden. Helmtaucher machten die schwierigsten und gefährlichsten Arbeiten in einer Tiefe, die Taucher mit Preßluftflaschen nicht erreichen konnten. Aber sie waren Golems mit schwerem Schritt geblieben.

Die Entscheidung des italienischen Archäologen bestätigte Cousteaus Gedanken. Nur Aqualungentaucher schwammen frei wie Fische über ein Wrack, konnten zu jeder beliebigen Stelle gelangen, ohne mit den Füßen durch die Schätze aus der Antike zu stapfen. Doch im Jahre 1950 waren Taucher für die meisten Menschen, auch für Archäologen, Helmtaucher. Erst ein kleiner Kreis Begeisterter lernte, mit der Aqualunge zu tauchen. Aqualungentaucher verbrachten bald mehr Zeit unter Wasser als alle Bergungstaucher der Geschichte zusammen. Aber noch lange galten sie alle als Amateure. Die Helmtaucher verteidigten ihren Beruf, ihren Broterwerb, gegen jedermann.

Cristianinis Geheimnis

Im Spätsommer 1951 hatte Gaston Cristianini einen Unfall. Cristianini war freiberuflicher Taucher in Marseille, ein verschlossener Einzelgänger, der mit der Aqualunge arbeitete. Er lebte davon, daß er auf dem Meeresgrund vor der Stadt Schrott sammelte, den er an Altmetallhändler verkaufte, und Krustentiere, die er den Köchen der Restaurants am Hafen anbot. Eines Tages tauchte er zu tief und zu lange und wurde mit gelähmten Beinen ans Ufer gebracht.

So schnell es ging, fuhr man ihn zur Unterwasser-Forschungsgruppe der Marine nach Toulon. Die Marineärzte legten ihn in eine stählerne Druckkammer und verschlossen sie fest. Sie stellten die Kammer auf den gleichen hohen Druck ein, den Cristianini unter Wasser ausgehalten haben mußte. Dann ließen sie ihn sozusagen künstlich auftauchen, das heißt, sie erniedrigten alle paar Stunden den Druck, und Cristianini konnte den Stickstoff ausatmen, der seine Blutbahnen blockierte. Zwei Tage blieb er in der Stahlkammer. Die Ärzte retteten sein Leben. Seine Zehen mußten sie amputieren. Sechs Monate lag Cristianini im Marinehospital.

Frédéric Dumas besuchte Cristianini jede Woche. Sie unterhielten sich über das Tauchen, über das, was sie auf dem Meeresboden gesehen und gefunden hatten – Cristianini kannte sich östlich von Marseille gut aus. Dumas versuchte, den Taucher aufzuheitern, der sich Sorgen machte, wie er nun seinen Lebensunterhalt weiter verdienen sollte. Eines Tages sagte Cristianini: »Sie wissen ja, Monsieur Dumas, wir Taucher erzählen unsere Geheimnisse niemals weiter. Aber ich werde nicht wieder hinuntergehen können, und ich möchte sie Ihnen erzählen.«

Dumas zog sein Notizbuch heraus.

»Ich werde Ihnen erklären, wo es die meisten Langusten gibt.« Und Cristianini erzählte von einer unglaublich großen Kolonie von

Gabriele Hoffmann

Langusten, die entlang der unterseeischen Mauern von Grand Congloué lebte, einer kleinen, weißen Insel, nur 16 km von Marseille
entfernt. »Sie wissen, wo die Langusten sind, wenn Sie die alten
Kruken sehen. Schwimmen Sie an den Kruken entlang nach oben,
und Sie werden die Langusten finden.«

Dumas fragte den Taucher nach den Kruken aus. Diese Kruken,
das wußte er, waren Amphoren, Behälter aus Ton, die in der Antike
als Transportcontainer gedient hatten für Wein, Öl, Getreide, Farb-
stoffe, Edelmetalle, Duftstoffe und Mosaiksteinchen – eben für
alles, was durch einen 10 bis 15 cm weiten Flaschenhals paßt. Cristianini hatte schon so viele Amphoren gesehen, daß sie ihn langweilten. Er wollte aus Dankbarkeit Dumas nur eine feine Langu-
stenstelle verraten. Aber Dumas wußte, wo diese alten Kruken aus
dem Meeresboden herausragten, konnte ein versunkenes Schiff liegen. Er schrieb sich den Fundort ans Ende seiner langen Liste von
möglichen Wrackstellen, die er mit Cousteau aufsuchen wollte. In
diesem Jahr jedoch war an eine Untersuchung nicht mehr zu denken.

Cousteau hatte nämlich in Malta ein 360-Tonnen-Minenräum-
boot gekauft, eine Hinterlassenschaft des Krieges, und das Schiff
Calypso getauft. Es war ihm gelungen, Forschungsgesellschaften
für seine Pläne zu interessieren und Geld von ihnen zu bekommen.
Er hatte seinen vorgesetzten Admiral in Toulon gebeten, ihn offiziell
für drei Jahre ohne Gehalt zu den Ozeanographischen Expeditionen
auf der Calypso abzukommandieren, und einen Dreijahresurlaub
»im Interesse der nationalen Verteidigung« erhalten.

Nun suchte er Wissenschaftler. Er bot ein Schiff an, Taucher und
Möglichkeiten zur Unterwasserfotografie. Die Jungfernfahrt sollte
ins Rote Meer gehen. Es war unerforscht, sehr klar und nicht zu weit
weg. Allerdings hieß es, es sei eine Badewanne mit heißem Wasser
voller Haie. Das fanden Cousteau und Dumas aber besonders interessant. Cousteaus langwierige Suche nach Wissenschaftlern erscheint heute ganz unglaublich, wo es für jedes Forschungsschiff
Wartelisten von Leuten gibt, die mit ihren Meßgeräten mitreisen
wollen.

Am Abend des 24. November 1951 verließ die Calypso den Hafen
Toulon in Richtung Rotes Meer. Biologen waren an Bord, ein Vul-
kanologe, Physiker, Ingenieure und Techniker, Cousteaus Frau

Simone und Dumas, der Cheftaucher. Einige Monate später kehrten sie zurück, und Cousteau und Dumas begannen, das Buch »Die schweigende Welt« zu schreiben. Es kam 1953 in Deutschland heraus. Die Leser kauften es und lasen begeistert, wie Menschen die Tiefe überwanden und zu Fischen und Pflanzen hinabtauchten. Ein neuer Raum tat sich vor ihnen auf, eine neue Freiheit.

Die erste Reise der *Calypso* war ein großer Anfangserfolg. Doch noch immer wußten zuwenig Leute von der Welt unter Wasser. Cousteau besaß nun zwar sein Forschungsschiff, aber Publicity war für ihn noch wichtiger als vorher. Er mußte auf sich aufmerksam machen, Auftraggeber finden, um Schiff und Mannschaft halten, um in noch größere Tiefen vorstoßen zu können.

Mitte August 1952 lud er Professor Fernand Benoît zu einer Tagesfahrt auf der *Calypso* ein; Benoît war der Leiter der Altertumsforschung in der Provence und Direktor des Archäologischen Museums von Marseille. An einem strahlenden Hochsommertag sollte die *Calypso* eine ganze Reihe von Stellen anlaufen, an denen antike Kruken aus dem Boden ragten. Oben auf Dumas' Liste stand ein Wrack, von dem Dumas annahm, daß es im 1. Jahrhundert v. Chr. gesunken war. Auf dem Weg dorthin entschieden sie sich, einen Blick auf Cristianinis Geheimnis bei Grand Congloué zu werfen.

Die *Calypso* näherte sich in einer frischen Brise der Kette gefährlicher, kahler weißer Inseln. Die letzte Insel im Osten ist Grand Congloué, keine 200 m lang und 100 m breit, ein unbewohnter Kalksteinfelsen, den Sturm und Brandung zu phantastischen Formen zerfressen haben. Die *Calypso* ging in der schmalen Passage zwischen den Inseln Riou und Grand Congloué vor Anker. Cousteau, Dumas, Benoît und Marcel Ichac, ein Himalayaforscher, der einen von Cousteaus frühen Tauchanzügen in Grönland ausprobiert hatte, stiegen in das Beiboot. Der Bootsmann ließ den Außenbordmotor an und fuhr sie zum Nordwestkap des steil abfallenden Inselchens hinüber. Dumas ging ins Wasser. Die Männer im Boot sahen, wie er sich schwerfällig ausstreckte, einen Purzelbaum machte und ins durchsichtige Meer hinuntersank. Cousteau übernahm die Ruderpinne und folgte der Blasenspur.

Nach zwanzig Minuten tauchte von unten eine blasse Gestalt auf, und Dumas hievte sich ins Boot. Sein Gesicht verriet, daß er erschöpft war.

Gabriele Hoffmann

Er hatte nichts gesehen.

Professor Benoît sah Cousteau spöttisch an: War Cristianinis Geheimnis nur das Märchen eines Tauchers? Cousteau schnallte sich eine Aqualunge auf den Rücken und glitt über die Bordkante.

Er schwamm durch das von den Wellen gebrochene Sonnenlicht in eine leuchtende Atmosphäre, in der es keine Schatten gab, und tauchte in die 45-Meter-Zone hinab. Das Wasser war für diese Tiefe ungewöhnlich klar. Er fühlte sich heiter und frei, schwebte über eine Böschung aus gelben Algen und schwamm in tieferes Blau hinunter. Weiter unten, in einem diffusen grauen Licht, sah er einen langen Wall aus unbestimmbaren Blöcken, die mit Hornkorallen bedeckt waren. 52 m zeigte sein Tiefenmesser. Seine Gedanken begannen zu verschwimmen. Er nahm sich zusammen und versuchte, ordentlich und folgerichtig zu denken. Zehn Minuten Zeit hatte er noch in dieser Tiefe.

Er konnte etwa 30 m weit sehen. Nirgends gab es Amphoren. Er schwamm zur nordöstlichen Spitze der Insel. Seine Augen wurden müde von dem ständigen Hinunterblicken auf die graue Meeresbank aus Blöcken. Er entdeckte einen dunklen Gegenstand und glitt hinab. Es war nur ein Kalksteinbrocken. Sein Tiefenmesser zeigte 73 m. Eilig stieg er wieder auf 51 m. Ein Schwarm großer silbriger Gabelmakrelen begleitete ihn. Er schwamm um das Kap. Das Luftholen fiel ihm jetzt schwer. Er drehte das Reserveventil auf, um noch eine Frist von fünf Minuten zu gewinnen. Seine Hoffnung war geschwunden. Er mußte den größten Teil seines Luftvorrats für die Rast in einer höheren Wasserschicht aufsparen, damit er nicht die Taucherkrankheit bekam. Mühsam bewegte er sich nun den Abhang hinauf. Er schwamm an einem Hügel aus Sand und Geröll entlang und blickte auf eine Kaskade aus zerbrochenen Amphoren.

Amphorenhälse standen aus dem Hügel hervor, und Teller waren um ihn her verstreut. Noch nie hatte Cousteau ein so großes altes Wrack gesehen. Doch seine Zeit war um. Er riß einen Stapel von drei Schalen los und einen bronzenen Bootshaken.

»Ich trieb wie ein Schlafwandler an der Wand hinauf«, erzählte er später. »Mein Herz klopfte unregelmäßig, und ich hänge mich 3 m unter der Wasseroberfläche, solange mein Luftvorrat noch reichte, an eine Hornkoralle, um mich vom Druck zu befreien. Die Schalen drückte ich fest gegen meine Brust, während das Beiboot treu über mir im blendenden Schaum kreiste.«Als er auftauchte, sah er, wie Benoît sich über die Bordwand beugte. Das weiße Haar des Professors wehte im Wind.

Benoît sah eine Hand aus dem Wasser kommen, die drei Weinschalen aus Terrakotta hielt. »Sie sind aus der Campagna!« schrie er. Er hatte denselben Typ in der Provence ausgegraben. Sie stammten aus dem 4. bis 2. Jahrhundert v. Chr.

Dumas sah dem Professor in das rote Gesicht. »Glauben Sie, daß sich umfassende Ausgrabungen lohnen würden?« fragte er zaghaft. »Absolut«, sagte der Professor.

Im Boot streckte Cousteau sich mit geschlossenen Augen aus. Er hatte sein Wrack gefunden.

Das Handelsschiff bei Grand Congloué

Die Neuigkeit, Kapitän Cousteau habe ein über zweitausend Jahre altes Wrack entdeckt, verbreitete sich auf der *Calypso* von der Brücke bis in den Maschinenraum, und die Leute drängten sich in die Messe, um die Schalen zu sehen. Feierlich hob Marcel Ichac die Schalen hoch. »Sie sind so aufgestapelt worden, daß die beiden Henkel immer in einem rechten Winkel zueinander stehen«, sagte er. »Jetzt löse ich Gegenstände voneinander, die ein erfahrener Packer vor zweitausend Jahren so gestapelt hat.«

Die Seeleute waren bewegt. Sie wollten wissen, was das für ein Schiff war, wie es gebaut war, wie die Arbeit seiner Besatzung aussah. Sie wollten die Fracht entladen, das Schiff heben, die Geschichte ihres eigenen Berufsstandes ausgraben.

Cousteau war klar, daß er für dieses Wrack mehr Taucher und mehr Geld brauchte, als er hatte. Wie immer sprach er die richtigen Leute an und zeigte die campanischen Schalen. Das Unterrichtsministerium in Paris bewilligte Geld, die National Geographic Society in den USA schickte einen Scheck, ebenso die Präfektur des Gebiets Rhône und die Stadtverwaltung von Marseille. Hafenbehörden und Handelskammer von Marseille versprachen, mit Männern und Geräten zu helfen.

Dutzende von Tauchern aus allen Teilen Frankreichs meldeten sich freiwillig zur Arbeit. Mit einem eifrigen Team kehrte Cousteau nach Grand Congloué zurück. Er und Dumas erkundeten das Wrack genauer. Der Hügel war über 40 m lang, 10 bis 12 m breit und lag schräg in einer Tiefe von 38 bis 45 m, genau im Grenzbereich des Tiefenrauschs. Sie schätzten, daß das Schiff einmal 28 m lang und 8 m breit gewesen war. Oben auf dem Hügel lagen Steinblöcke, die von der Insel herabgefallen waren.

Ein Freund von der Leuchtturmverwaltung schickte ihnen einen robusten Leichter, mit dessen gewaltiger Ladewinde Cousteaus Männer die Blöcke fortziehen konnten. Im Messeraum der *Calypso* hefteten Cousteau und die Taucher einen Plan des Wracks an die Wand, auf dem sie die Stellen wichtiger Funde eintragen wollten. Damit alle dasselbe Wort gebrauchten, wenn sie dasselbe meinten, schrieben sie willkürlich Heck und Bug an die Enden des Hügels, und die Ausgrabung begann.

Die *Calypso* besaß zwanzig Kojen, aber oft waren 35 Mann an Bord. Manchmal beschäftigte Cousteau sechzehn Taucher. Jeder tauchte pro Tag dreimal eine Viertelstunde. Zweimannteams wechselten sich auf dem Wrack ab. Auf einen Gewehrschuß kamen die Teams hoch, und die Männer warteten in einer Tiefe von 3 m drei bis fünf Minuten zur Dekompression, zur Druckentlastung. Zwischen den Tauchgängen ruhten sie sich drei Stunden aus, um den Rest des angesammelten Stickstoffs loszuwerden. Wenn sie aus der schweigenden Welt auftauchten, umfing sie ein betäubender Lärm: das Gebrüll der Kompressoren, das Kreischen der Winden, von denen eine auch noch knallte, das Pfeifen der komprimierten Luft, die geschrienen Anweisungen, das Gekeife der Möwen und alle Viertelstunde die Gewehrschüsse.

Schaulustige kamen herbei in Jachten und in Fischerbooten. Le Comte Renoir de Dong schwamm die 16 km von Marseille zur *Calypso*. Der Graf trug ein Speergewehr auf dem Rücken und in der Brusttasche seines Taucheranzugs eine Flasche Wein. Die Fischer hatten nur eine Erklärung für das bunte Spektakel in dieser einsamen Seegegend: Gold häufte sich in den Laderäumen der *Calypso*.

In den ersten zwei Wochen holten die Taucher die dreihundert Amphoren herauf, die sie mit der Hand lösen konnten. Zuerst banden sie ein Dutzend an einer Leine fest, die von der Winde herabhing. Als die Winde anzog, fielen ein paar Amphoren herab und gefährdeten die Männer. Daraufhin zogen sie sie in einem

Ladenetz hoch. Dabei zerbrachen die Amphoren. Nun nahmen sie einen Luftschlauch mit hinunter, stellten die Amphoren auf den Kopf und spülten den Schlamm mit komprimierter Luft heraus. Die Amphoren bekamen Auftrieb und stiegen kreiselnd an die Oberfläche, wo ein Mann sie vom Beiboot aus auffischte. Doch angeknackte Amphoren füllten sich mit Wasser und fielen wieder nach unten. Schließlich nahmen die Taucher einen stählernen Baggereimer, beluden ihn mit zwölf Amphoren auf einmal und zogen ihn mit der Winde hoch.

In diesem Jahr kamen die Mistrals zwei Monate zu früh. Der Mistral ist ein kalter, trockener Wind, der das Rhônetal herabheult und meist plötzlich einsetzt. Das Wasser um die *Calypso* schäumte und wurde weiß. Ein Mistral trieb die *Calypso* von der Insel weg. Stundenlang kämpften die Männer mit Ankerkette und Hanftauen, die sie mit Booten auslegten, um das Schiff vom Inferno der Brecher an der Insel abzuhalten. Professor Benoît ging auf dem Deck hin und her, und sie hörten ihn immer wieder sagen: »Es ist entsetzlich.«

Der Freund von der Leuchtturmverwaltung schickte ihnen wieder seinen Leichter, und sie verankerten eine Hafenboje, die groß genug war, um ein Schlachtschiff ruhigzuhalten.

Bei den Mahlzeiten sprachen und stritten sie viel über das Wrack. Benoît blieb dabei, daß es aus dem 3. Jahrhundert v. Chr. stammte. Seine Assistenten Henri Médan und Ferdinand Lallemand behaupteten, daß er keine überzeugenden Beweise habe. Sie meinten, es sei im 1. Jahrhundert v. Chr. untergegangen. Dumas schloß sich zögernd ihrer Ansicht an. Cousteau wußte kaum etwas über Archäologie, er hoffte nur, daß das Schiff älter war als die Wracks von Antikythera und Mahdia. Nach und nach erzählten ihnen die Funde mehr über ihren Frachter, und Cousteau, Dumas und die Taucher fühlten sich, als erlebten sie einen historischen Kriminalroman.

Als sie die Amphoren von der Oberfläche des Hügels gehoben hatten, sahen sie erstaunt weitere Amphorenhälse aus dem Sand darunter hervorgucken. Sie gruben in den Seeboden, um die zweite Ladungsschicht herauszuholen, und stellten fest, daß darunter eine dritte lag. Die Amphoren waren wie aneinanderzementiert. Wenn sie versuchten, eine an den Henkeln loszuschütteln, zerbrach sie, und die Taucher selbst waren vollkommen erschöpft. Wo kein Zement war, behinderte weicher Schlamm die Arbeit.

　　　　　　　　　　　　　　　　　　　Gabriele Hoffmann

Sie bauten sich ein Saugrohr, ein Gerät, das man benutzte, um Wasser aus Bergwerksstollen und Schlamm aus Hafenbecken zu pumpen. Seit dieser ersten großen Unterwassergrabung bei Grand Congloué gehört es zum wichtigsten Handwerkszeug aller tauchenden Ausgräber, ist ihr Spaten. Die Archäologen nennen es Airlift, Luftheber. Sein Prinzip ist einfach: Cousteau nahm ein biegsames Metallrohr von 60 m Länge und einem Durchmesser von fast 13 cm. In dieses Rohr ließ er einen dünnen Luftschlauch schieben, dessen unteres Ende eben an der Mündung des Rohrs sichtbar war. Ein Kompressor an Bord der *Calypso* pumpte nun Luft in den dünnen Schlauch. Die Luft strömte durch das dicke Rohr zurück an die Oberfläche. Je höher sie kam, um so mehr ließ der Wasserdruck nach und um so schneller stieg sie. Dabei entstand an der unteren Rohröffnung ein starker Sog, der Wasser, Sand, Schlamm, Muscheln, Scherben, Fische und Steine, alles, was in die Öffnung paßte, mit sich riß. An Deck leerte das dröhnende Saugrohr sich in einen feinmaschigen Drahtkorb, und die Archäologen untersuchten die Ausbeute.

Der Umgang mit dem Riesenstaubsauger war schwer, aufregend und gefährlich. Das Rohr benahm sich wie ein wildes Pferd. Der Saugpumpenführer säuberte mit der Düse Amphoren und Geschirr von Schlamm. Ein zweiter Taucher versuchte, mit einem Hammer den Zement, der Amphoren und Geschirr festhielt, loszuschlagen. Wenn ein Amphorenhals in die Rohröffnung geriet und den Airlift verstopfte, mußte ein dritter Taucher den Brocken mit seinem Hammer zerkleinern.

Der Airlift konnte von der *Calypso* aus nur bei vollkommener Windstille und glatter See arbeiten, und so bauten Cousteaus Männer auf der Insel einen Holzmast, der weit über das Wasser hinausragte und über den sie das Rohr legten. Sein oberes Ende entleerte sich nun in einen Filterkorb auf der Insel. Der Schlamm floß zurück ins Meer.

Lallemand stand am Filterkorb. Eines Tages schaufelte er mit den Händen in tausend neuen Scherben feinen irdenen Geschirrs. Er schrie auf und zog einen Weinbecher heraus. Der Becher hatte die Reise durch das gefräßige Rohr heil überstanden. Den Tauchern auf dem Meeresgrund war nicht aufgefallen, daß das Rohr kleines unversehrtes Geschirr aufsog.

Cousteau machte ihnen keinen Vorwurf. Die Arbeit in der Tiefe war hart. Er hatte am Vortag selbst einen Anfall von Taucherkrankheit gehabt, als er das wilde Saugrohr dirigierte. Aber der kleine Becher brachte seinen Arbeits- und Zeitplan durcheinander: Der große Airlift verschluckte und zerbrach gerade das, was vielleicht zu den wichtigsten Handelswaren auf dem Schiff gehörte. Cousteau ließ vor die Rohröffnung eine kleinere Düse setzen. Die kleinere Düse erzwang, daß die Taucher den Wrackhügel nun vorsichtiger, aber auch langsamer abhoben. Der Riesenberg von Arbeit, der vor ihm lag, erschreckte Cousteau.

Die Taucher holten nun große Mengen von schwarzem Tongeschirr aus der Tiefe: Trinkschalen mit zwei Henkeln, henkellose Schalen und Becher, Servierteller und Fischplatten, die in der Mitte eine Vertiefung für die Saucen hatten, Parfümflakons, Salben- und Rougetöpfchen. Die Archäologen sortierten mehr als vierzig verschiedene Arten und Größen von Schüsseln, Bechern und Tellern. Die Schüsseln hatten alle an derselben Stelle die gleiche leichte runde Kerbe. Die Töpfer aus der Gegend um Neapel mußten sie in hölzernen Formen hergestellt haben: Die Archäologen hielten in ihren Händen den Beweis für eine Massenproduktionstechnik aus der Zeit vor Christi Geburt.

Ein italienischer Wissenschaftler kam an Bord der *Calypso* und stand sprachlos vor dem Geschirr, von dem Hunderte von Teilen heil aus der Tiefe kamen. Schwarzes Geschirr gruben Archäologen an Land von Britannien bis zum Schwarzen Meer aus. Der Besucher hatte es an zerstückeltem Abfall studiert, an ausgelaugten Scherben. Dieses hier war wie neu, kam frisch aus der Werkstatt.

An Amphoren gab es zwei Sorten. Eine Sorte war schlank mit langen Hälsen, und auf ihrem Tonrand trugen sie das Zeichen SES und dahinter ein Dreizack- oder Ankersymbol. Sie glichen den Amphoren aus dem Wrack von Albenga, und Benoît schrieb sie den griechischen Kolonien in Italien zu. Die zweite Sorte hatte einen kugeligen, unten spitz zulaufenden Bauch und einen kurzen Hals. Benoît nahm an, daß sie wohl aus Griechenland kamen, vielleicht von der Insel Delos. Diese griechischen Amphoren schienen im Laderaum unter den italienischen gestaut worden zu sein, und für Cousteau zeichnete sich langsam die letzte Fahrt des Schiffs ab: Wahrscheinlich war es von Delos mit einer Ladung Rotwein ausgelaufen zu einem Hafen in der Nähe von Neapel, wo es römische Amphoren und Geschirr an Bord nahm. Sein Zielhafen war sicher Marseille, zu jener Zeit die wichtige Kolonie Massilia.

Den meisten Amphoren fehlten die Pfropfen. Wenn die Taucher sie an Deck mit Wasser ausspülten, rutschten kleine Tintenfische blinzelnd heraus. Die Amphoren mit Pfropfen waren alle leer und hatten ein kleines Loch am Hals, so als ob freche Matrosen den Rotwein abgezapft hätten. Dann fanden die Taucher eine, in der noch Flüssigkeit schwappte. Cousteau und Lallemand gossen den durchsichtigen blassen Wein in Gläser und tranken. Lallemand spuckte seinen Schluck auf das Deck. Cousteau aber kostete die Abgestandenheit der Jahre in diesem gespenstischen Wein.

Das Loch, das die Taucher mit dem Airlift in das Wrack gruben, glich jetzt einem Krater. Mehr und mehr Amphoren erschienen an seinen Seiten. Die Taucher vergrößerten das Loch fortwährend. Immer wieder gaben die Seiten nach, und die Ladung stürzte nach unten. Schlamm stand im Loch, und die Taucher griffen blind nach dem, was sie ertasten konnten. Als der Airlift am Boden des Lochs Schiffshölzer berührte, zerriß er sie in kleine Stücke.

Cousteau wollte die *Calypso* nicht länger als archäologische Tauchplattform benutzen. Er hatte mit seinen Freunden um ein Schiff gekämpft, mit dem sie alle Meere der Welt erforschen könnten, und jetzt war es hier über dem Grab eines alten Wracks wie an die Kette gelegt. Einmal mußte doch ein neuer Auftrag kommen. Er ließ auf der Insel eine Maschinenplattform bauen für die Winde und die Vorratsflaschen mit Preßluft und weiter oben eine gelbe Hütte mit acht Betten. Die Taucher zogen auf die Insel um. Sie bekamen Radiotelefon zum Festland und schmückten ihre Terrasse mit Amphoren.

Ein Mistral hielt die *Calypso* bei einem ihrer Besuche in Marseille fest, noch ehe die Bauarbeiten auf der Insel beendet waren. Als sie wieder auf Grand Congloué ankam, konnte Cousteau nicht ankern, weil die Schlachtschiffboje 500 m weiter nach Osten abgetrieben war. Der Taucher Jean Pierre Servienti ging hinunter, um zu sehen, was geschehen war, ein Kampftaucher, der zwei Jahre in Indochina hinter sich hatte. Er kam nicht wieder nach oben. Cousteaus Taucher fanden ihn in 70 m Tiefe. Die *Calypso* fuhr mit Höchstgeschwindigkeit nach Marseille, man legte Servienti in eine

Druckkammer. Doch er war tot. Die Ärzte stellten einen Herzfehler fest.

Cousteau ging wie ein Automat umher. Dieser Tod schien ihm das Ende seiner unterseeischen Träume zu sein. »Hatte ich das Recht, Menschenleben aufs Spiel zu setzen, um alte Kruken heraufzuholen?« Er fand: »Die unbestreitbare Antwort lautete nein.« Dann kam ein Telegramm. Der Freund Servientis bat, den Toten im Tauchteam ersetzen zu dürfen. Cousteau beschloß weiterzumachen.

Stürme peitschten den ganzen Dezember über die Insel. In einer Nacht stürzte die See über die Maschinenplattform und fegte die Zugwinde und das Gestell mit den Preßluftflaschen weg. Die Männer arbeiteten die ganze Nacht in der Brandung und retteten den langen Ausleger mit dem Airlift. Als der Seegang niedriger wurde, holten sie Winde und Flaschen wieder herauf. Sie bauten weiter oben auf der Insel eine neue, schwere Plattform. Sie verbesserten den Airlift. Der Maschinenpark auf der Insel wuchs, sie hatten Generatoren für Licht, für Radiotelefon, für Unterwasserscheinwerfer, Schweißausrüstung, Winschen, Wassertanks für die Hütte und ein Unterwassertelefon. Sie tauchten jetzt auch mit einer »Nargileh«. Nargileh ist das türkische Wort für Wasserpfeife. Die Nargileh der Taucher arbeitet ähnlich wie die Aqualunge, nur wird die Luft dem Regulator nicht aus Flaschen, sondern durch einen Schlauch zugeführt, der mit einem Kompressor an der Wasseroberfläche verbunden ist. Die Taucher brauchten nun die Flaschen nicht so oft aufzufüllen, und außerdem war der Kompressor, der die Luft für die Nargileh verdichtete, billiger und zuverlässiger als der Hochdruckkompressor für die Flaschen.

Cousteau hatte schwere Geldsorgen, obwohl viele Leute an Land ihn unterstützten und die amerikanische National Geographic Society ihm wieder einen Scheck schickte.

Als der Frühling kam, barst die Insel geradezu von wilden Blumen, Möwenjungen und überschwenglichen jungen Männern. Die Taucher veranstalteten eine Frühlingsparty. Sie saßen in weißen griechischen Gewändern auf der Terrasse und schmausten von schwarzem campanischem Geschirr. Cousteau erzählt: »Während wir Wein tranken und fröhlich waren, wurde uns bewußt, daß das Geschirr wieder einmal seinem ursprünglichen Zweck diente. Wir gingen mit echten Dingen um und nicht mit Museumsstücken.« Die Taucher fühlten sich mit einemmal den Seeleuten wieder eng verbunden, deren Schiff sie ausgruben.

Der Airlift legte nun frei, was Cousteau für das Hauptdeck des Weinfrachters hielt, Planken, auf denen die Seeleute der Antike gegangen waren. Das Holz war klatschnaß und brüchig, schrumpfte an der Luft und zerbröselte. Die Taucher fanden dünne Bleiplatten, insgesamt 20 t Blei. Am 15. Mai 1953 erreichten sie den Kiel. Der Kiel war eine Schreinerarbeit aus Eichenholz, berichtete Cousteau, 6 m lang und 50 cm mal 75 cm im Durchmesser. Später bezweifelten Archäologen diese Beobachtung.

Die Archäologen an Bord der *Calypso* konnten wenig dazu sagen. Sie tauchten nicht. Fernand Benoît war ein alter Mann und konnte nur durch Cousteaus Kabelfernsehen den Meeresboden betrachten. Für Cousteau war die Grabung eine Gelegenheit, neue Unterwassertechniken auszuprobieren und über sie zu berichten. Die Beschreibungen der Taucher waren den Archäologen oft zu unbestimmt, und so experimentierte er damit, eine handelsübliche Kamera an unerreichbare oder gefährliche Stellen hinabzulassen. Eine bessere Reklame als das alte Schiff konnte er sich nicht wünschen. Er hatte das Entladen der Amphoren am Quai des Belges in Marseille in die Morgendämmerung verlegen müssen, weil tagsüber zu viele Schaulustige den Verkehr lahmlegten – und Amphoren stahlen. Einmal mußte Dumas eine hitzige Diskussion beim Essen schlichten. Die Archäologen hatten zwar zugegeben, daß der Schiffsrumpf mit Blei beschlagen war, aber der Behauptung der Taucher, daß auch sein Deck mit Blei verkleidet war, wollten sie nicht glauben. Die Fernsehkamera, behauptete Cousteau, bewies, daß die Unterwassermänner recht hatten.

Lallemand war zwar noch jung, aber dennoch lernte er nicht tauchen, auch nicht, als ein General zu Besuch kam und es ihm vormachte, ein Herr in den Fünfzigern, der so gefesselt von der ersten Grabung unter Wasser war, daß er das Wrack selbst sehen wollte. Er ließ sich zum ersten Mal in seinem Leben eine Aqualunge anschnallen. Nach dem Tauchen hatte er eine Erkältung, aber seine Begeisterung war noch größer als zuvor. Auch der Schiffsarzt tauchte und arbeitete regelmäßig mit auf dem Wrack. Die Archäologen dagegen kamen offenbar nicht einmal auf den Gedanken, sie müßten oder könnten das auch. Cousteau berichtet von vielen Späßen, die die Taucher sich ausdachten, um Lallemand irrezuführen, harmlosen, aber doch von der Art, die einem eifrigen Archäologen immer wieder neue Enttäuschungen bereiten mußten. Er gehörte nicht zum Team.

Keiner der Taucher verspottete Benoît. Der Professor verblüffte ihren Kapitän Cousteau ungemein, als er herausbekam, was *SES*, der Prägestempel auf den Amphoren, bedeutete – es gab keine Papiere im Wrack und keine steinernen Gedenktafeln.

Benoît, der wußte, daß die Römer groß im Abkürzen waren, ging davon aus, daß *SES* möglicherweise die Abkürzung des Mannes war, der das Schiff oder wenigstens die Amphoren besessen hatte. Er durchsuchte antike Stammbäume und stieß auf eine römische Familie Sestius. Er reiste nach Italien, durchforschte weiter Stammtafeln und Annalen – das sind Bücher, in denen die Ereignisse einzelner Jahre chronologisch aufgezeichnet sind – und kam nach Frankreich zurück mit Neuigkeiten über einen Marcus Sestius, der im 3. Jahrhundert ein bekannter Schiffseigner war: Benoît hatte das Schiff nach Amphoren und Geschirr auf das 3. oder 2. Jahrhundert v. Chr. datiert. Nach den Annalen des römischen Geschichtsschreibers Titus Livius verließ Marcus Sestius Rom und zog auf die griechische Insel Delos, wo er sich eine Atriumvilla im Viertel der römischen Händler baute.

Benoît fand in einem Buch mit Steininschriften von Delos eine Inschrift, die besagte, daß Marcus Sestius, nun Markos Sestios, die Ehrenbürgerschaft von Delos im Jahre 240 v. Chr. erhielt. Archäologen hatten Stücke von Amphoren mit der Handelsmarke des unternehmenden Mannes in Burgund und im Elsaß gefunden. Das wies darauf hin, daß Marseille ein Zwischenhandelszentrum für griechischen Wein war.

Der Wein kam als Spitze der Zivilisation das Rhônetal hinauf in die Wildnis Galliens und Germaniens, meinte Cousteau. Als Bewohnerin des freien Germaniens glaube ich natürlich, daß Cousteau ein spätes Opfer römischer Propaganda ist. Der Wein kam als Spitze des Imperialismus: Den Amphoren folgten die Soldaten.

Benoîts Bibliotheksfunde warfen Licht auf die frühe griechische Handelsgeschichte. Griechische Kaufleute lebten in allen Mittelmeerländern und beherrschten den Seehandel. Die Schiffsbilder auf

Gabriele Hoffmann

Vasen und Fußbodenmosaiken ließen Historiker lange glauben, die Schiffe wären gerudert worden und die Kapitäne hätten ihren Kurs auf See ohne Landsicht nicht gefunden. Ein Schiff wie das bei Grand Congloué aber, das mindestens an die zehntausend Amphoren trug, das Stück fast zu 50 kg, war viel zu groß, um nur gerudert zu werden.

Im Sommer 1953 fuhr die *Calypso* an Grand Congloué vorbei, und Cousteau ließ einen Gruß hinüberpfeifen. Die Taucher, die zurückgeblieben waren, antworteten mit einer Trompete. Die *Calypso* war auf dem Weg zur Insel Delos.

Die Griechen der Antike hielten die Insel für den Geburtsort des Gottes Apoll. Die Stadt war ein Ziel für Pilgerfahrten, ein Asyl, ein Freihafen, in ihrer Blütezeit eine der reichsten Städte der Antike. Händler vieler Herkünfte lebten in eigenen Vierteln und folgten ihren Heimatbräuchen. Im Hafen lagen die Handelsschiffe dicht an dicht. Zehntausend Sklaven konnten die Kaufleute pro Tag ein- oder ausschiffen lassen.

Als Cousteau und Dumas in Delos ankamen, war die heilige Stadt längst nur noch ein Trümmerhaufen. Kurz vor Christi Geburt hatten die Handelsrouten sich verlagert, und Delos war fast verlassen worden. Der Hafen war verschlammt, und die Besucher mußten vor der Küste Anker werfen und im Beiboot an Land gehen. Überall lagen halbe Säulen, herabgefallene Simse, die Ruinen standen hüfthoch. 35 Leute lebten auf der Insel, die meisten arbeiteten im Museum oder im Touristikgeschäft oder waren Archäologen. Seit 1873 gruben französische Wissenschaftler auf Delos. Ein Archäologe, Jean Marcadé, führte die Besatzung der *Calypso* zum Viertel der römischen Händler und dort in die ehemals reichste Straße, in der die Schiffseigner gewohnt hatten.

Die Taucher gingen zwischen den Ruinen großer Villen umher, von denen nur noch die Mosaikböden zu ebener Erde übriggeblieben waren. Im Innenhof einer Villa drängten einige Taucher sich aufgeregt über ein Mosaik: Sie sahen einen Dreizack, der den Marken auf den Amphoren glich, ein *E*, dessen Mittelbalken nach außen zum Dreizackgriff verlängert war. Zwischen den Balken des *E* sahen sie zweimal ein *S: SES.* Sie hatten das Haus des Reeders und Kaufmanns Markos Sestios gefunden.

Der Archäologe Jean Marcadé glaubte das nicht; alles, was er über das Haus wisse, sei, daß es niemals fertig geworden sei. Klar, sagten die Taucher, der Mann war ruiniert, als sein großer Frachter bei Grand Congloué unterging. Marcadé lachte nachsichtig über sie und lud sie zu einem kühlen Schluck in sein Haus ein.

Ein Jahr später trieben die finanziellen Belastungen durch die *Calypso* und das Taucherdorf auf Grand Congloué Cousteau an den Rand der Verzweiflung. Er gab seine Einnahmen aus dem Buch »Die schweigende Welt« und dem Film für Löhne aus. An einem naßkalten verregneten Nachmittag war er wieder einmal in Marseille unterwegs, um Hilfe vor der drohenden Zwangsversteigerung seines Schiffs zu suchen. Während seiner Abwesenheit kam ein Mann mit einem schwarzen Regenschirm an Bord der *Calypso* und sagte zu Simone Cousteau: »Sagen Sie, Madame, wäre Captain Cousteau daran interessiert, eine unterseeische Erdölsuche für die British Petroleum Company zu leiten?«

Das war der Wendepunkt für Cousteaus kleine Forschungsgruppe. Die *Calypso* verließ Grand Congloué Richtung Abu Dhabi. Der Weg in die lockende Tiefe war wieder frei.

Bei Grand Congloué setzten mehrere Taucherteams die Arbeit am Wrack fort, fünf Jahre insgesamt. Sie holten siebentausend Amphoren hoch und ebenso viele Geschirrteile, Stücke des Schiffsrumpfs, Werkzeuge und Bleibeschläge, alles in allem 200 t Material. Heute ist ihr Haus auf der Insel verschwunden, und nur noch Möwen leben auf der weißen Kalksteininsel.

Frédéric Dumas war in den folgenden Jahren fast immer bei Cousteau, doch im Gegensatz zu Cousteau ließ ihn die Archäologie unter Wasser nicht los. Ihn beschäftigte, daß sie zwar Material tonnenweise gehoben hatten, doch vom Schiff selbst kaum mehr wußten als vor Beginn des Grabens. Einen Krater in den Schiffshügel zu bohren, war offenbar nicht die geeignete Methode, ein Wrack freizulegen. Nur wenn sie vor Grabungsbeginn über den Aufbau des Hügels Bescheid wußten, wenn sie wußten, wo Bug, wo Heck, wo Laderaum wirklich lagen, wie lang das Schiff überhaupt war, konnten sie arbeiten, ohne es zu zerstören. Wenn Archäologen an Land den Aufbau eines Grabhügels herausfinden wollen, legen sie häufig einen Suchgraben durch den Hügel an: An den sauberen Seitenwänden erkennen sie Schichten und sehen, was sie wohl er-

wartet, wenn sie weitergraben. Doch unter Wasser rutschen senkrechte Wände meist nach. Suchgräben, überlegte Dumas, kamen
ebensowenig in Frage wie Krater. Man müßte sich etwas Neues
einfallen lassen.

Professor Benoît arbeitete in den nächsten Jahren am abschlie-
ßenden archäologischen Bericht. Er kam zu dem Ergebnis, daß das
Schiff, anders als er zunächst angenommen hatte, zwischen 150 und
130 v. Chr. gesunken sein mußte, daß es in Delos ausgerüstet worden
war, weitere Ladung in Sizilien und in der Bucht von Neapel übernommen hatte und daß es sich um ein sehr großes Schiff gehandelt
haben mußte.

Die Beweisführung des Professors blieb umstritten. Handelte es
sich wirklich nur um ein Wrack?

Da sind zum Beispiel die Amphoren. Einige lassen sich mit Sicherheit der Zeit zwischen 220 und 180 v. Chr. zuschreiben Die
Experten für Amphoren konnten nicht glauben, daß Krüge, zwischen deren Herstellungsdaten zwei Töpferleben vergangen waren,
auf ein und dasselbe Schiff verladen wurden. Amphoren waren billige Behälter, und niemand nimmt an, daß Exporteure sie wieder-
verwandten, ebensowenig wie heute eine Transportfirma hundert
Jahre alte Kisten oder Fässer benutzt. Wo genau, fragten die Experten, lagen die älteren Amphoren, wo die jüngeren und wo das campanische Geschirr? Wenn die jüngeren Amphoren alle oben lagen,
könnte das auch bedeuten, daß Cousteau die Reste zweier Wracks
ausgegraben hatte: Jahrzehnte nach dem ersten Schiff hätte ein
zweites den gefährlichen Felsen gerammt. Decks und Seiten des
zweiten Schiffs wären hoch oben auf dem verschlammten ersten
Wrack bald von Seewürmern zerfressen worden, und nur seine Amphorenladung wäre übriggeblieben.

Da ist zum Beispiel auch das Blei. Die Taucher der *Calypso*
sagten, sie hätten Bleiplatten auf der Unterseite des Schiffsdecks
gefunden, und Cousteau meinte, das Wrack sei ringsum mit Blei
beschlagen gewesen. Wie aber konnten die Taucher wissen, daß die
bleibekleideten Planken vom Deck waren und nicht vom Rumpf
eines zweiten Schiffs? Ein Deck mit Blei zum Schutz gegen Schiffs-
würmer zu bekleiden, die nur im Salzwasser leben können, wäre
nicht nur witzlos, sondern in der heißen Mittelmeersonne auch
unerträglich für die Matrosen. Der wissenschaftliche Wert einer

versunkenen Schiffsladung liegt vor allem darin, daß Tausende von Gegenständen versammelt sind, die zur selben Zeit in Gebrauch waren. Hier aber schienen zwei Ladungen bei der Ausgrabung durcheinandergeraten zu sein.

Cousteau und Dumas glaubten, daß es nur ein Schiff war, doch ihre Beobachtungen unter Wasser widersprechen sich teilweise. Einige Taucher glaubten, es waren zwei Wracks. Aber selbst unter den Tauchern, die jahrelang bei Grand Congloué arbeiteten, blieb umstritten, wie der Schiffskiel – wenn es nur einer war – dort unten lag.

Das einzige, was heute die Frage beantworten könnte, ob Cousteau ein oder zwei Handelsschiffe ausgrub, wären genaue Lagepläne von jeder freigelegten Amphoren-, Geschirr- und Holzschicht, von den obersten losen Kruken Cristianinis bis zum Kiel in der Tiefe des Seebodens. Doch es gibt keinen einzigen Lageplan. Kein Zeichner war jemals unter Wasser.

Cousteau hat gezeigt, daß Aqualungentaucher ein Wrack auf dem Meeresgrund ausgraben können. Und doch war seine Arbeit wissenschaftlich bedeutungslos. Sie war allerdings wertvoll als Warnung für künftige Schiffsausgräber.

Die französischen Archäologen nahmen von den Ausgrabungen bei Grand Congloué jedoch kaum Notiz. Kein Archäologe lernte tauchen. Gute Archäologen sind immer vollbeschäftigt an Land, und sie zweifelten, ob die Beweise, die man aus Wracks bekommen konnte, die Anstrengungen lohnten.

So dachten in diesen Jahren nur sehr wenige Leute darüber nach, wie sie ein Wrack auf dem Boden des Mittelmeers ausgraben könnten, möglicherweise nur Frédéric Dumas auf seinen Fahrten über die Weltmeere und Professor Nino Lamboglia in Italien, den noch der Fehlschlag bei Albenga beschäftigte.

Archäologie unter Wasser – eine Wissenschaft?

N ino Lamboglia überlegte, wie er unter Wasser die Ladungs-schichten eines Schiffs nacheinander freilegen, ausmessen und zeichnen könnte. Doch noch ehe er die Methode, die er sich aus-dachte, ausprobieren konnte, wurde eine zweite Frage brennend: Würde es in naher Zukunft überhaupt noch antike Wracks an der Riviera geben?

Einheimische gründeten in allen Küstenstädten Tauchclubs. Ur-lauber aus ganz Europa kamen in den Sommern mit Aqualungen an die Riviera. In den Jahren bis 1959 entdeckten Sporttaucher vor der Küste der Provence mindestens zwanzig Wracks aus der Römerzeit.

Der Präsident des Tauchclubs von Cannes fand 1948 ein Wrack, das er *Chretienne A* nannte. Frédéric Dumas sah sich das Wrack 1950 an. Als er zehn Jahre später wieder zu ihm hinabtauchte, war es fast verschwunden. Die Taucher des Clubs hatten einen Teil der Amphoren gehoben, den Rest stahlen Touristen, Urlauber von ei-nem nahen Campingplatz, als Andenken.

Das *Dramont*-Wrack, auch ein römisches Schiff aus dem 1. Jahr-hundert v. Chr., war 1957 ein 21 m langer und 8 m breiter Ampho-renhaufen. Andenkenjäger sprengten es mit Dynamit.

Römischen Wracks bei den Planier-Inseln, bei Maire, La Ciotat, Cap Roix, Antibes, Fos, den Hyères-Inseln, Saint Tropez, Fréjus, Porquerolles, Nizza erging es nicht besser. Eines der vor Nizza ent-deckten Wracks war zweitausendsechshundert Jahre alt und stammte von den Etruskern, von denen man damals kaum etwas wußte. Bei diesem Wrack hätte sich der größte Grabungsaufwand gelohnt. Als Professor Benoît von ihm erfuhr, war es bereits völlig ausgeraubt.

Benoît bat Cousteau, vor der Küste von St. Raphael ein Wrack aus 35 m Tiefe zu bergen. Cousteau lehnte ab; die Aufgabe der *Calypso* war jetzt die Hochseeforschung. Er vermittelte Benoît aber ein an-deres Schiff und ein Team von Tauchern. Doch dem Professor ge-lang es nicht, Forschungsgelder zu bekommen, die Kollegen glaub-ten nicht an eine Archäologie unter Wasser. So mußte er das Schiff den Andenkenjägern überlassen.

Benoît aber war sicher, daß die Funde aus dem Meer auch den

Archäologen an Land helfen konnten. Begeistert prüfte und verglich er Amphoren, Lampen, Geschirr, Münzen, die manche Taucher ihm von einem Wrack brachten. Wenn es ihm gelang, einen dieser Gegenstände zeitlich einzuordnen, wußte er auch, aus welchen Jahrzehnten die übrigen Gegenstände stammen mußten: Alle waren am selben Tag untergegangen. Aus dem Meer kamen Amphoren, von denen bislang niemand ahnte, wann die Töpfer sie gedreht hatten. Benoît konnte den berühmten Amphoren-Katalog von Dressel ergänzen. Dressel hat um die Jahrhundertwende Amphoren aus ehemaligen Soldatenlagern am Limes Germanicus – dem römischen Grenzwall, der von Bonn nach Regensburg verlief – nach Formen und Alter geordnet. Ein Archäologe, der eine Amphorenscherbe ausgrub, konnte in dieser Typologie nachschauen und wußte dann, aus welcher Zeit seine Amphore beziehungsweise die übrigen Funde stammten, die mit der Scherbe in derselben Erdschicht lagen. Doch der Dressel-Katalog war unvollständig. Ganz neue, bislang unbekannte Typen von Amphoren kamen aus dem Meer, und Benoît fand ihr Alter mit Hilfe der Lampen, der Münzen oder des Geschirrs heraus. Mit Scharfsinn und Geduld brachte er stumme Gegenstände zum Sprechen.

Ihn fesselten auch die Stempel auf den Amphoren. Wieder wälzte er Stammtafeln und Inschriftensammlungen und fand die Familiennamen von Winzern aus Capua, Pompeji, Herculaneum, Pozzuoli und Neapel. Auf vielen Amphoren stand hinter der Winzermarke noch der Stempel mit dem Anker, das Zeichen der Familie Sestius. Dieses Zeichen, das Archäologen bei dreizehn Landgrabungen und Taucher auf drei Wracks gefunden hatten, veränderte sich auf den Amphoren aus zweihundert Jahren. Markos Sestios aus Delos, dem das Schiff von Grand Congloué nun doch nicht gehört hatte, mußte eine lange Reihe von Nachfolgern gehabt haben: Die Familienfirma bestand wohl an die zweihundert Jahre. Vielleicht kauften damals die Großhändler und Exporteure Sestius die Ernte verschiedener Weingüter auf und sorgten selbst für das Abfüllen in Amphoren. Der Weinhandel der Antike war offenbar viel umfangreicher und besser organisiert, als Historiker je angenommen hatten.

Mit jeder neuen Antwort ergaben sich für Benoît neue Fragen. Er las die antiken Schriftsteller wieder, Herodot, Cicero, Strabo. Nach den Kriegen gegen die mächtigen Karthager beherrschte Rom das

Mittelmeer. Die Römer bauten Schiffe und Häfen, transportierten Wein, Soldaten, Getreide. Doch alles, was Benoît bis jetzt über ihre Schiffe wußte, war, daß die römischen Schiffbauer die Planken mit Dübeln aneinanderfügten: Sie bohrten in die Kanten zweier Planken Löcher und steckten Holzstifte dazwischen. Von den Wracks, die Antworten geben könnten auf die vielen neuen Fragen, die auf den Professor einstürmten, war nach fünfzehn Jahren Tauchen mit der Aqualunge kaum eine Spur mehr übrig.

An der Riviera galt ein Restaurant oder eine Villa als reizlos, wenn keine Amphoren aus dem Meer Eingang oder Räume zierten. Einmal telegrafierte ein Kunsthändler aus Hollywood an Cousteau, er möge ihm den Preis für dreihundert Amphoren nennen. Die Sammlerleidenschaft, meinte Cousteau, werde wohl die Zukunft der Archäologie unter Wasser vereiteln, noch ehe die Archäologen überhaupt begriffen, welche Gelegenheit sie sich entgehen ließen.

Nur die Sporttaucher begeisterten sich für die Wracks. Nicht alle waren Andenkenjäger. Die erste Unterwasser-Archäologie-Konferenz rief 1955 ein Amateur zusammen, Henri Broussard vom Club Alpin sous-marin in Cannes.

Auf dieser Konferenz trug Nino Lamboglia in fünf Fragen vor, was ihn am meisten beschäftigte:

1. Ist es möglich, unter Wasser mit der gleichen wissenschaftlichen Genauigkeit zu graben wie an Land, und kann man dies, ohne große Geldsummen aufbringen zu müssen, die man normalerweise nicht bekommt?

2. Sind Helmtaucher freien Aqualungentauchern nicht doch vorzuziehen?

3. Wie ist die Stellung eines Archäologen bei einer Grabung unter Wasser zu Technikern und Tauchern, wer hat das Sagen?

4. Ist es möglich, nachdem man unter Wasser alle Einzelheiten fotografiert, gezeichnet und vermessen hat, ein Wrack vollständig so zu leeren, wie man es an Land leeren würde, und kann man die Stratigraphie, die Folge von Ablagerungsschichten, beachten?

5. Kann man nach dem derzeitige Stand der Technik ein antikes Wrack heben und zu welchen Kosten?

Das waren Fragen, die die wenigen, die an eine Archäologie auf dem Meeresgrund glaubten, so schnell wie möglich beantworten mußten. Die Zeit drängte. Zwei Jahre später galt das *Titan*-Wrack als das letzte römische Schiff vor der französischen Südküste, das in relativ seichtem Wasser den Raubtauchern verborgen geblieben war. Philippe Tailliez, der ›Fischmensch‹, grub es 1957 aus.

Ein Taucher vom Club de la Mer in Antibes hatte das Wrack schon 1948 entdeckt, als er in der Nähe des Leuchtturms Titan auf der Île du Levant einen massigen Zackenbarsch in die Tiefe verfolgte. Er erzählte nur Professor Benoît von seinem Fund, verriet sonst niemandem die Stelle, was seine Clubkameraden für sehr unsportlich hielten. Einer von ihnen fand das Wrack aber doch und bot Tailliez an, ihn hinzuführen. Tailliez setzte sich lieber mit Benoît in Verbindung, und gemeinsam fuhren sie auf der *Elie Monnier* hinaus. Das war im Herbst 1954. Tailliez war verblüfft: Ein 30 m mal 12 m großer Amphorenhaufen lag in nur 27m Tiefe. Die Decksaufbauten des Schiffs waren verschwunden, aber dicht unter dem Sand fand er Holz.

Zusammen mit Benoît machte er Bergungspläne, seine Taucher fotografierten und probierten ihren Airlift aus und hoben vier Amphoren.

Benoît sagte, sie gehörten in das 1. Jahrhundert v. Chr. und stammten aus Italien.

Tailliez wollte das Wrack ausgraben, ehe rücksichtslose Taucher es fanden. Er begann eine mühselige Reise durch den Behördendschungel, kämpfte um die Erlaubnis der Marine, die Erlaubnis des Amtes für Kunst und Wissenschaft, kämpfte um Geld. Im Frühjahr 1955 mußte er überraschend als Befehlshaber der französischen Rheinflottille nach Deutschland gehen. Im Sommer 1957 kehrte er nach Frankreich zurück. Unbekannte hatten inzwischen die ganze oberste Lage der Amphoren abgeräumt, aber nichts gesprengt. Tailliez war nun Kommandeur der Taucherschule der Marine, und das Wrack war ein idealer Ausbildungsplatz.

Vom 31. Juli 1957 an verluden Taucher Hunderte von Amphoren in Stahlkörbe und zogen sie hoch. In den Amphoren lagen Sand und Fischgräten: Das Schiff hatte tonnenweise Fisch in Olivenöl transportiert für – wie Benoît meinte – die Legionen Cäsars, die gerade in Frankreich einfielen, als das Schiff sank. Außer Amphoren fanden die Taucher Schüsseln, Becher, Kochtöpfe, Dachziegel von der Kajüte und ein paar Münzen. Ende August lagen Kiel und Spanten des nun leeren Schiffs wie das Skelett eines großen Fisches auf dem

Meeresgrund. Tailliez ließ es fotografieren und filmen. Später stellte sich heraus, daß die Fotos hoffnungslos verzerrt und für Messungen wertlos waren. Tailliez versuchte, das Schiff zu heben, doch die Planken brachen an den Dübeln auseinander. Nur ein kleiner Teil der Hölzer erreichte unbeschädigt das Museum in Toulon. Die Museumsleute wickelten sie in Zeitungspapier und alte Jutesäcke und brachten sie in ihr Magazin in einem alten Stadtturm. Niemand dachte an Konservierung. Niemand zeichnete sie. Die Hölzer schrumpften unter grünem Moder zur Hälfte ihrer ursprünglichen Größe zusammen, und wenn sie keiner weggeworfen hat, ist vom *Titan*-Wrack wenigstens noch Staub in Zeitungspapier geblieben.

Im Herbst 1957 ergab sich für Nino Lamboglia in Italien, der selbst der eifrigste war, Antworten auf seine Fragen zu finden, endlich die Gelegenheit, seine ersten Lösungsversuche auszuprobieren. Der Mailänder Journalist Gianni Roghi besuchte ihn. Dr. Roghi war braungebrannt. Der begeisterte Amateurtaucher hatte während seines Septemberurlaubs im Norden Sardiniens von einem Wrack gehört, das vor der kleinen Insel Spargi liegen sollte. Er und seine Freunde fanden es in 18 m Tiefe. Sie fotografierten unter Wasser, nahmen ein paar Amphoren mit, Teller und Schalen, und beschrieben die Fundstelle schriftlich. Fotos, Funde und Berichte legte Roghi nun Professor Lamboglia vor. Er erzählte dem Gelehrten auch von Holzteilen. War also endlich jemand auf einen noch erhaltenen antiken Schiffsrumpf gestoßen?

Lamboglia und Roghi begannen sofort, eine Expedition vorzubereiten, kümmerten sich um Grabungserlaubnis, Ausrüstung, Geld. Roghi gewann seinen Verleger, den Herausgeber der Illustrierten ›L'Europeo‹, als Geldspender. Einige Freunde, Mailänder Sporttaucher, versprachen zu helfen.

Im April 1958 waren der Archäologe, der Journalist und seine Freunde vor Spargi. Lamboglia wollte die Ladung auf dem gesamten Wrack schichtweise abheben lassen, von den obersten Amphoren bis zum Kiel. Niemand durfte ein Loch in das Wrack bohren. Die Taucher sollten eine Ladungsschicht nach der anderen fotografieren, ausmessen, heben, damit Lamboglia später auf dem Papier nicht nur jederzeit sehen konnte, was nebeneinander, sondern auch, was übereinander gelegen hatte. Er hoffte, so zum ersten Mal herauszufinden, wie ein römisches Schiff von der Seite, von hinten, von vorn und von unten ausgesehen hat. Dieses Wrack war dafür besonders geeignet, es lag nur 18 m tief, stand aufrecht auf dem Meeresgrund, und alle Amphoren lagen noch, wie die Stauer sie an Bord abgesetzt hatten.

Die Unterwasserarbeit dauerte vom 23. April bis zum 23. Mai 1958. Lamboglia leitete die Grabung vom Boot aus, Roghi organisierte die Arbeit der Taucher unter Wasser. An siebzehn Tagen verbrachten die Taucher insgesamt 115 Stunden und neunzehn Minuten auf dem Wrack. Sie tauchten zweimal am Tag mit zwei bis drei Stunden Ruhepause dazwischen.

Die Taucher trieben eiserne Pfähle mit einem Hammer rings um das Wrack in den Seeboden. Dann legten sie zwei Netze über das Wrack und befestigten sie stramm an den Pfählen. Jedes Netz bestand aus gelben Segeltuchstreifen, war 6 m mal 10 m groß und in Quadrate von 2 m mal 2 m unterteilt. Schwarze Bänder unterteilten diese Quadrate in vier kleinere Quadrate. Die beiden Netze sahen aus, als hätten die Taucher ein großes Karopapier über das Wrack gespannt. An jedes Quadrat hängten sie eine weiße Metallplatte mit schwarzen Zahlen, der Nummer des Quadrats. Oben im Boot hatte Lamboglia eine verkleinerte Karte des Netzes mit den gleichen Nummern an den gleichen Quadraten vor sich.

Nun fotografierte Roghi die oberste Schicht der Amphoren. Er schwebte 4 m über dem Wrack und nahm jedes Quadrat aus schwarzen Bändern einzeln auf und ging dann auf 8 m Höhe und fotografierte vier Quadrate gleichzeitig. Nach seinen Fotos zeichnete eine Assistentin Lamboglias jede einzelne sichtbare Amphore in den Plan an Bord des Bergungsbootes ein. Zum Messen benutzten die Taucher bewegliche Metallmeßbänder. Aber die Segeltuchstreifen waren zu elastisch, und die Maße wurden ungenau. Vor dem Heben sollten die Taucher den Amphoren Nummernschilder aus hellem Plastik mit Drähten um die Hälse binden. Mit Hilfe der Nummern konnte Lamboglia dann später an Land, wenn er die Pläne studierte und Schiff und Ladung rekonstruierte, sich eine bestimmte Amphore aus dem Magazin heraussuchen oder umgekehrt, Amphoren, die ihm besonders auffielen, auf den Plänen wiederfinden. Nur an Hand genauer Pläne und durchnumerierter Amphoren konnten Kollegen seine Ergebnisse und Beweisketten nachprüfen. Lamboglia gab den Tauchern vergrößerte Fotografien

Gabriele Hoffmann

mit in die Tiefe, auf denen er die Amphoren mit wasserfester Tinte numeriert hatte.

In der obersten Schicht klappte alles noch ganz gut. Die Taucher nahmen die Netze fort, hoben die freiliegenden Amphoren, spannten die Netze wieder aus, Roghi fotografierte, und die Taucher gruben mit dem Airlift vorsichtig weiter. Doch nun erkannten sie auf dem Meeresboden nicht mehr genau, welche Amphore zu einer Nummer auf dem Foto gehörte. Sobald nur ein paar Amphoren entfernt waren, änderte sich das Gesamtbild unter Wasser so, daß sie verwirrt waren und sich auf dem Wrack kaum wieder zurechtfanden. Damit hatte niemand gerechnet. Wenn die Taucher sehr schwere Amphoren hoben, wühlten sie das Seebett mit ihren Flossen und Körperbewegungen so auf, daß Schlamm hochstieg und beim Sinken Amphoren bedeckte oder daß andere Amphoren verrutschten. Sie mußten genau darauf achten, daß wirklich alle Gegenstände einer Schicht, selbst wenn sie erst ein kleines Stück aus dem Schlamm hervorsahen, durchnumeriert waren, ehe sie auch nur einen wegnahmen.

Lamboglia gab den Tauchern nun Zeichnungen mit. Auch an Land benutzen Archäologen neben Fotos Zeichnungen: Das Auge wählt aus, die Linse nicht. Auf einem Foto ist alles gleich wichtig, es ist nicht leicht zu erkennen, was oben und was unten liegt. Ein Schwamm auf einer Amphore sieht auf dem Foto aus wie ein Loch in der Amphore. Doch die Taucher sagten, auch die Zeichnungen der Assistentin nach den Fotos seien ungenau. Roghi mußte beim Fotografieren zu hoch über den Quadraten schwimmen und bekam die Einzelheiten nicht klar heraus, zumal das Wasser trübe war. Das Netz sei von der Idee her gut, meinten die Taucher, aber seine Quadrate seien zu groß.

Daraufhin beschloß Lamboglia, die Taucher sollten, mit Fotos ausgerüstet, auf denen keine Nummern standen, selbst den Amphoren auf dem Wrack und ihren Abbildern auf den Fotos Nummern geben. Diese Methode klappte am besten, wenn es auch manchmal noch Irrtümer gab, weil oft unklar war, zu welcher Ladungsschicht eine Amphore gehörte.

Das Hauptproblem der Grabung aber war die Verständigung zwischen den Tauchern und dem Archäologen und seiner Zeichnerin im Boot. Wer tauchte, konnte den Nichttauchern kaum erklären, worum es ging, denn wer nicht tauchte, verstand nicht, was die Taucher meinten, weil er nie Ähnliches gesehen hatte. Doch trotz dieser vielen unerwarteten Schwierigkeiten waren Lamboglia, Roghi und die Taucher stolz darauf, daß ihnen das Vermessen und Heben einer Schicht nach der anderen im großen und ganzen gelang.

Insgesamt brachten sie dreihundert Amphoren herauf, davon einhundert unversehrte. Es gab wieder campanische Trinkschalen und anderes Geschirr stapelweise. Sie brachten sogar einen kleinen Schiffsaltar nach oben. Das Schiff war um 120 bis 100 v. Chr. gesunken mit dreitausend Amphoren voll Öl und Wein.

Die Bordwände des Bugs erschienen, starke Spanten und kräftige Planken. Meter um Meter legten die Taucher frei, und allmählich konnten sie sich ein Bild von der Größe des Schiffs machen. Es war 30 m lang und hatte 50 bis 200 t Ladegewicht. Die Taucher hätten gern den Schiffsrumpf ganz freigelegt. Aber die Zeit war um, das Geld zu Ende. Nächstes Jahr würden sie alle wiederkommen und den neuen, stabileren Meßrahmen mit kleineren Quadraten ausprobieren, den Lamboglia bis dahin bauen lassen wollte.

Lamboglia kehrte nach Albenga zurück. Für den Spätsommer 1958 rief er die zweite Konferenz für Archäologie unter Wasser in das neue Schiffahrtsmuseum zusammen, in dem die Funde aus dem Wrack von Albenga lagen. Die wichtigsten Beiträge auf dieser Konferenz kamen von Professor Benoît und von Philippe Tailliez. Benoît forderte, daß die Ausgräber unter Wasser die gleichen Vermessungsmethoden anwenden sollten wie an Land, nämlich nach dem Rahmensystem, mit dem Lamboglia bereits experimentierte: Es konnte keine gesonderte Unterwasserarchäologie geben neben einer Landarchäologie, sondern nur Wissenschaft oder Nicht-Wissenschaft. Tailliez, der Taucher, legte den Archäologen nahe, selbst tauchen zu lernen. Er schloß seinen Bericht über die Arbeit am *Titan*-Wrack mit den Worten: »... ich weiß, daß viele Fehler begangen wurden ... Hätte uns von Anfang an ein Archäologe zur Seite gestanden, hätte er mit Sicherheit die Position jedes einzelnen Fundstückes mit viel größerer Genauigkeit vermerkt; außerdem hätte er durch persönliche Prüfung aus den kleinsten Hinweisen wesentlich mehr Erkenntnisse gewinnen können. Unterwasser-Ausgrabungen sind eine Aufgabe für Seeleute und Taucher, und dann auch für Archäologen!« Er trug seine Forderung nach tauchenden Archäologen allerdings nur zaghaft vor, denn er bezweifelte, daß es in diesem Jahrhundert der Spezialisierung einfach sei, eine Person zu finden, die alle drei Berufe in einer Person vereinigte. Deshalb sei ein Team von Seeleuten, Tauchern und Archäologen nötig.

Aber wo fand man Archäologen, die sich für die versunkenen Welten auf dem Meeresgrund interessierten? In Frankreich jedenfalls lange nicht.

Im Sommer des nächsten Jahres, 1959, kehrte Nino Lamboglia mit einem verbesserten Meßrahmen nach Spargi zurück. Doch die hölzernen Schiffswände, die die Taucher im Jahr zuvor freigelegt hatten, waren verschwunden. Vielleicht hatten Meeresströmungen sie weggeschwemmt, vielleicht Schatztaucher sie fortgenommen. Die gesamte Situation unter Wasser war verändert. Es gelang den Tauchern nicht, den Meßrahmen so hinzulegen wie im vergangenen Jahr. Nichts stimmte mehr überein.

Lamboglias Ausgrabung, so vielversprechend sie schien, bis er sie nun abbrechen mußte, war noch zu wenig, um Archäologenkollegen von der Möglichkeit zu überzeugen, die sich ihrer Wissenschaft unter Wasser bot. Sein römisches Schiff war verschwunden. Wie sollte man nach diesem Fehlschlag Gutachter überzeugen, Forschungsgelder zu befürworten, wie große Firmen, Geld zu spenden? Noch vermochten die wenigen Archäologen, die an Grabungen unter Wasser glaubten, weder ihre Kollegen zu überzeugen noch Laien.

Als der Laie Cousteau einige Zeit später den gelehrten Bericht über die Ergebnisse seines archäologischen Abenteuers bei Grand Congloué las, war er enttäuscht. Benoît hatte ihm das dicke, großzügig bebilderte Buch an die Ostküste Südamerikas auf die *Calypso* geschickt. Cousteau erzählte: »Die Schalen und Amphoren waren ausgemessen, gezeichnet und klassifiziert worden. Die hölzernen Konstruktionen waren freigelegt, wohldurchdachte Trockenmethoden waren vorgeschlagen worden, und die Bedeutung der unterseeischen Ausgrabungen hatte man mit Ausgrabungen an Land in Verbindung gebracht. In dem Wälzer stand nichts darüber, wie Markos Sestios' Mannschaft gelebt, zur See gefahren und gestorben war. Der Bericht war keine Brücke über die Jahrhunderte hinweg von meinen Seeleuten zu Sestios'.«

Diese Enttäuschung konnte man nicht nur auf mangelnde Ausgrabungstechnik zurückführen. Hier ging es um die Frage: Was kam überhaupt heraus bei den Anstrengungen der Archäologen unter Wasser? Hatten sie den Mut, ein Bild der Vergangenheit zu entwerfen – auch wenn Markos Sestios nicht der Schiffseigner gewesen sein kann, waren doch Seeleute auf dem Schiff gefahren –, oder verharrten sie auf der Stufe von Lagerverwaltern, die sich mit schönen Katalogen ihrer Gegenstände zufriedengeben? Oder war unter Wasser doch nicht mehr zu finden als zusammenhanglose Gegenstände?

Immer neue Expeditionen führten Cousteau und Dumas in die Meere der Welt. Cousteau probierte Elektronenkameras des Amerikaners Harold Edgerton aus, dessen Erfindungen später noch eine Rolle in der Geschichte der Archäologie unter Wasser spielen sollten, und brachte Stereo- und Filmaufnahmen von einer 185 km langen Strecke quer durchs Mittelmeer aus der Tiefe. In einem lenkbaren Unterseefahrzeug tauchte Cousteau auf 1300 m hinab. Auf dem Atlantik fotografierten seine Kameras in 3000 m Tiefe.

Einmal verließ Dumas ihn, im Sommer 1960. Dumas reiste in die Türkei, um einem amerikanischen Archäologen beizustehen, der gerade das Tauchen gelernt hatte und selbst unter Wasser nach allen Regeln der Kunst graben wollte. Doch ehe der Amerikaner über seine Arbeit berichtete, geschah etwas, das großes Aufsehen in aller Welt erregte. Nicht nur das Mittelmeer war ein Schatzhaus. Aus der Ostsee stieg, wie ein Geist aus der Tiefe, ein vollständiges barockes Kriegsschiff mit Ausrüstung und Besatzung empor, ein Dreimaster aus der Zeit des berühmten Königs Gustav II. Adolf. Und nicht nur das: Kurz danach tauchte eine ganze Flotte von Wikingerschiffen wieder auf und schließlich eine Hanse-Kogge. Schiffe wie diese hatte in unserer Zeit noch niemand gesehen. In ganz Europa machten sie der Öffentlichkeit und den Wissenschaftlern an Universitäten und in Museen zum ersten Mal bewußt, welche historischen Schätze auf dem Meeresgrund lagen.

Die *Wasa* aber war eine Weltsensation.

WELTSENSATION WASA

Der Mann im Boot

D ie Kapitäne und Matrosen der Schlepper und Fähren im Hafen von Stockholm hatten sich an den Anblick des Mannes gewöhnt, der auch im Sommer 1956 wieder von einem kleinen Motorboot aus auf seine seltsame Weise fischte. Im dritten Jahr fuhr er nun vom zeitigen Frühling bis in den späten Herbst auf und ab und zog Schleppanker und Schleppnetze aus Draht hinter sich her. Sie lachten, wenn er alte Betten, Autoreifen, Damenfahrräder, Weihnachtsbäume oder tote Katzen nach oben brachte.

Der einsame Mann hieß Anders Franzén und war Ingenieur bei der schwedischen Marine. Werktags von acht bis fünf beschäftigte er sich mit der Entwicklung und Erprobung von Ölen und Treibstoffen. Die Abende, Wochenenden und Ferien verbrachte er auf dem Wasser: Er suchte ein Kriegsschiff.

Als er ein kleiner Junge war, in den zwanziger Jahren, und die Sommerferien in einem roten Holzhaus auf Dalarö in den Schären von Stockholm verbrachte, hatte sein Vater ihm von den Schiffen der Könige erzählt, die gesunken waren in Kampf und Sturm. Dalarö war in der Segelschiffszeit der Hafen von Stockholm gewesen, und oft hatten die Könige sich dorthin begeben, um mit ihren Admiralen zu beraten oder an Bord eines Schiffs zu gehen. Im Jahr 1628, erzählte der Vater, gingen mehrere große Schiffe verloren. Eines von ihnen, *Riksnyckeln*, der Reichsschlüssel, sank im September mit verwundeten Soldaten an Bord auf dem Heimweg von Deutschland, wo der Dreißigjährige Krieg tobte. Als der Kapitän nachts die Schären von Stockholm bei Landsort ansteuerte, lief das Schiff auf eine Klippe und zerschellte. Die Geschichte des Schiffs war aber noch nicht zu Ende. An einem Sommertag des Jahres 1920 blieb der Anker des Fischers Erik Nordström bei der Insel Viksten, dicht vor Landsort, auf dem Meeresgrund hängen. Zufällig lag in der Nähe ein Bergungsdampfer, und Nordström versprach einem der Helmtaucher eine Flasche Kognak, wenn er hinabtauchte und den Anker freimachte. Der Taucher fand sieben reichgeschmückte Bronzekanonen aus Schweden, Deutschland und Polen. Nun wurde der Historiker Professor Nils Ahnlund neugierig. Er las in den Archiven in Stockholm vergilbte Berichte und Briefe und fand heraus, daß hier *Riksnyckeln* untergegangen war. Ein reicher Pole wollte für eine der Kanonen einhunderttausend Kronen zahlen, ein deutscher Sammler bot für alle sieben zusammen einen gewaltigen Betrag. Aber der schwedische Staat hatte das Recht auf seiner Seite, die Kanonen gehörten ihm, und so konnte Anders Franzén sie später im Marinehistorischen Museum in Stockholm bewundern.

Auch als er größer wurde, ließen die gesunkenen Schiffe ihn nicht los. Im Sommer 1939, kurz vor Kriegsausbruch, segelte er in den Ferien vor der schwedischen Westküste. Eines Abends sah er am Strand einige Holzstücke, die durchlöchert und zerfressen waren. Niemals zuvor hatte er zerfressenes Holz wie dieses an der Süd- und Ostküste Schwedens gesehen. Jemand erzählte ihm, die Löcher kämen von Teredo navalis, dem Schiffswurm, der alles Holz auffrißt, das nicht von Sand und Schlick bedeckt ist. Teredo navalis möchte es gern warm und vor allem salzig haben. Der Salzgehalt in der Nordsee beträgt 35 Promille, der in der Ostsee aber im Durchschnitt nur 7 Promille. Das ist Teredo navalis zu wenig, er braucht mindestens 9 Promille zum Leben.

Franzén war wie elektrisiert. Gab es die königlichen Schiffe noch, unten auf dem Meeresgrund? Überreste von Wracks hatte man in der Ostsee schon gefunden, zum Beispiel als die Bürger von Kalmar 1933 und 1934 ihren alten Hafen trockenlegten, der seit dem 17. Jahrhundert verlassen war, und der Ingenieur Harald Åkerlund Hölzer von achtzehn Schiffen aus dem Schlick grub. Von nun an wollte Anders Franzén ein ganzes Schiff finden – er träumte davon, reich zu werden. Er würde viel Geld brauchen, denn Helmtaucher waren teuer.

Nach dem Krieg aber war die Aqualunge auf dem Markt. Nun konnte jedermann für wenig Geld selbst tauchen, und auch Franzén lernte es. In seiner freien Zeit ging er in die Archive, las Logbücher – die Fahrtenbücher von Schiffen – und studierte alte Seekarten. Reichtümer waren nicht mehr sein Ziel. Nach schwedischem Recht

Gabriele Hoffmann

gehörte jedes Wrack seinen ehemaligen Besitzern oder deren Erben. Franzén suchte Kriegsschiffe, und die gehörten dem Staat. Am meisten reizten ihn die Schiffe des 16. und 17. Jahrhunderts. Niemand wußte mehr, wie diese Schiffe ausgesehen hatten, wie zuverlässig die wenigen Abbildungen waren, die es gab. Aber eins war Franzén klar: Kein Handelsschiff konnte sich an Größe und Pracht mit den Schiffen der Könige messen.

1950 kannte er die Namen von fünfzig Schiffen, die an Schwedens Ostküste untergegangen waren. Er strich die Liste auf zwölf Schiffe zusammen, nach denen die Suche am lohnendsten schien. Ihre Namen sind sonderbar und anziehend. Eines heißt *Resande Man*, der Reisende Mann. Es war ein kleines, gutes Schiff mit 22 Kanonen, das im Spätherbst 1660 mit einer wertvollen Ladung silberner und goldener Gegenstände an Bord nach Polen ausgelaufen war. Dann ist da *Lybska Örnen*, der Adler von Lübeck, König Johanns III. stolzes Schiff, das 1576 mit 33 eisernen und 23 bronzenen Kanonen in den Schären unterging; niemand wußte, warum. *Riksäpplet*, den Reichsapfel, trieb ein Südweststurm 1676 mit fünfhundert Mann und 86 Kanonen auf eine kleine Felseninsel. *Kronan*, die Krone, und *Gröne Jägeren*, der Grüne Jäger, sanken im selben Jahr, wo, das war rätselhaft und geheimnisvoll.

Die Historiker, die Winter für Winter den ernsthaften jungen Mann mit der schweren Hornbrille neben sich in den Archiven lesen sahen, lächelten über ihn. Wie konnte er nur daran glauben, ein jahrhundertealtes Holzschiff unzerstört auf dem Meeresgrund zu finden und sogar heben zu können. Doch einige Schiffshistoriker vom Marinehistorischen Museum in Stockholm begleiteten Franzén, als er nach *Riksäpplet* tauchte, dem Reichsapfel. Das Schiff war auf nur 15 m Tiefe gesunken. Gleich nach dem Untergang hatten Bauern und Fischer viele große Eichenbalken und Planken gehoben, das wußte Franzén aus den Archiven. Nun sah er, daß Winterstürme und Eisgang das Schiff weiter zerschlagen und Strömungen das Holz weggetragen hatten. Aber einige Hölzer waren noch vorhanden. In tieferem, ruhigerem Wasser, davon war Franzén jetzt ganz überzeugt, konnte ein vollständiger Rumpf die Jahrhunderte überdauern.

Der nun betagte Professor Nils Ahnlund riet Franzén, zuerst die *Vasa* zu suchen, die *Wasa*, wie der Familienname des Königs Gustav

II. Adolf auf deutsch geschrieben wird. Der Historiker war auf der Suche nach weiteren Dokumenten über *Riksnyckeln* auf die Geschichte der *Wasa* gestoßen. »Finde die *Vasa*«, sagte er zu Franzén, »und du wirst den größten Schatz von allen haben.«

Im Januar 1625 befahl König Gustav II. Adolf seinem holländischen Marinearchitekten, vier Kriegsschiffe zu bauen. Das größte von ihnen, die *Wasa*, lief 1627 vom Stapel. Im Frühjahr 1628 verholte man sie zum Kanonenkran am königlichen Schloß und schaffte Ballast, Vorräte und Kanonen an Bord. Am 10. August 1628, einem Sonntag, lag sie segelklar. Sie sollte zum Flottenstützpunkt Älvsnabben auslaufen. Angehörige von Flotte und Heer waren an Bord, einige Zivilisten und Frauen und Kinder von Besatzungsmitgliedern, die auf dem neuen Schiff bis Vaxholm mitsegeln durften.

Die Glocken von Storkyrkan, der Großen Kirche von Stockholm, verklangen, der Nachmittagsgottesdienst war vorüber. Viele der zehntausend Einwohner Stockholms gingen in ihren besten Kleidern spazieren, um die Pracht des Sommernachmittags zu genießen und der Jungfernfahrt des neuen Schiffs zuzusehen. Von den Uferstraßen aus beobachtete eine große Menschenmenge gespannt das Treiben an Bord der *Wasa*. Die Zuschauer bewunderten den großen vergoldeten Löwen an der Galion und die 64 schimmernden Bronzekanonen, die aus zwei Reihen offener Kanonenpforten drohten. Von der Innenseite der Klappen über den Pforten sahen wilde goldene Löwenköpfe auf blutrotem Hintergrund sie an. Die vergoldeten Holzfiguren an den Seiten der *Wasa* und an ihren hohen Kastellen funkelten in der Sonne.

Kapitän Söfring Hansson gab das Kommando, die Leinen loszuwerfen, und unter Hoch- und Hurrarufen legte die *Wasa* ab. Ein schwacher Wind wehte aus Südwest, und die Matrosen mußten die *Wasa* verholen, ehe sie Segel setzen konnten. Eine Barkasse legte einen leichten Anker aus, und sechzehn Mann drehten das Gangspill, eine schwere Winde an Deck, und holten das nasse Ankertau ein und zogen das Schiff so nach Südwesten, während die Barkasse schon den nächsten Anker auslegte. Die Matrosen zogen die *Wasa* an den spitzgiebeligen Häusern von Skeppsbron entlang, die Fahnen an den drei Masten des Schiffs spielten im Wind. Als die *Wasa* auf gleicher Höhe mit dem heutigen Slussen war, ließen die Männer

Gabriele Hoffmann

hoch oben im Rigg vier Segel herab, Vormars- und Großmarssegel, Fock und Besan, weniger als die Hälfte der Gesamtsegelfläche von 1300 m². Die leichte Brise blähte die Segel, die *Wasa* glitt sanft durch das Wasser, und zwei Kanonen donnerten das Signal der Ausreise. Plötzlich frischte der Wind auf, eine Bö drückte das Schiff nach Backbord, auf die linke Seite. Kaum hatte es sich wieder aufgerichtet, als wieder eine Bö einfiel.

Zahlreiche Ruderboote und kleine Segler folgten im Heckwasser. Aus den Booten und vom Ufer her winkten die Leute zur *Wasa* hinüber.

Auf der *Wasa* rannte Generalfeldzeugmeister Erik Jönsson nach unten und befahl den Kanonieren, die schweren Kanonen in die Richtung zu ziehen, aus der der Wind kam, um die Schräglage auszugleichen. Kapitän Hansson an Deck ließ die Schoten der Toppsegel loswerfen. Doch jetzt hatte der Wind nachgelassen und holte das neue steife Tauwerk nicht einmal durch die Blöcke, die Segel blieben oben. Wieder kam eine Bö. Sie drückte das Schiff weiter auf die Seite, Wasser strömte in die offenen Geschützpforten, und mit wehenden Fahnen ging die *Wasa* unter und sank wie ein Stein. Am Ufer erstarben die Hurrarufe in Tausenden von Kehlen.

Die Leute in den kleinen Begleitbooten ruderten mit aller Kraft, um Männer, Frauen und Kinder aufzunehmen, die im Wasser schwammen und um Hilfe riefen. In einem der alten Berichte heißt es, daß der Generalfeldzeugmeister und der Kapitän ihr Leben erst retten konnten, »nachdem sie lange unter Wasser gewesen und in höchster Todesgefahr geschwebt hatten«.

Die Aufregung nach dem Untergang war groß. Fünfzig Männer, Frauen und Kinder waren auf einer Fahrt ertrunken, die einem Tag der offenen Tür von heute glich, und ein neues, teures Kriegsschiff war verloren. Die Ostsee war seit Jahren Kriegsschauplatz. König Gustav II. Adolf hatte den alten Kampf Schwedens gegen Dänemark und Polen wiederaufgenommen und brauchte das Schiff dringend. Der König war ein außergewöhnlicher Mann, die Macht seiner Persönlichkeit beeindruckte jeden, und er war sehr beliebt. Sein Vater hatte ihn schon als Elfjährigen mit in die Sitzungen des Staatsrats genommen. Seit er mit siebzehn Jahren König geworden war, bewies er, daß er auswärtige Politik und innere Regierung kraftvoll beherrschte. Er wollte aus Schweden ein protestantisches Großreich rund um die Ostsee machen. Es war ihm auch gelungen, Gebiete an der baltischen und preußischen Küste zu erobern. Aber nun drohte Schweden in den Krieg verwickelt zu werden, der seit 1618 Europa erschütterte. Der Kaiser kämpfte um die Vorherrschaft der Habsburger und um die Gegenreformation: Die Protestanten sollten wieder katholisch werden. Sein Feldherr Wallenstein dehnte die Macht der Habsburger bis zur Ostsee aus, besiegte Dänemark, besetzte 1627 Jütland und 1628 Mecklenburg und Pommern, belagerte die Hansestadt Stralsund. Der Kaiser ernannte ihn zum »General des Baltischen und Ozeanischen Meeres«. Gustav Adolf fürchtete, daß die Kaiserlichen seine Ostseepläne durchkreuzen könnten, und half dem belagerten Stralsund von See her. Die Schweden fühlten sich von den Kaiserlichen bedroht, die am Südufer der Ostsee standen, hatten Angst vor den finsteren Absichten von Kaiser und Papst. Die *Wasa* hatte als Flaggschiff der Heimatflotte die schwedische Küste vor Angriffen schützen sollen.

Die Reichsräte in Stockholm ließen Kapitän Hansson sofort nach seiner Rettung verhaften, ebenso alle Überlebenden, die an Bord Befehl geführt hatten, und alle, die am Bau der *Wasa* beteiligt gewesen waren. Admiral Carl Carlsson Gyllenhielm eröffnete am 5. September das Kriegsgericht. Die Verhandlungen dauerten mehrere Wochen. Das Protokoll ist teilweise im Reichsarchiv erhalten und bietet eine lange und spannende Lektüre.

Das Gericht verhörte Kapitän Söfring Hansson, Hochbootsmann Per Bertilsson, Segelmeister Jöran Mattson, Schiffbauer Hein Jakobson und viele andere: Warum war die *Wasa* untergegangen, durch schlechte Seemannschaft, falsche Verteilung des Ballasts und der Kanonen, durch Fehler beim Bau? Die Atmosphäre im Gerichtssaal muß unheilvoll gespannt gewesen sein. Die Richter fürchteten den König und wollten einen Schuldigen finden. Die Strafen waren damals hart, dem Schuldigen drohte der Tod.

Die Verhörten widersprachen sich, stritten miteinander. Der Schiffbauer beschuldigte den Generalfeldzeugmeister, er habe dem Schiff zu wenig Ballast gegeben. Der Generalfeldzeugmeister wollte wissen, wie der Schiffbauer sich das denn vorstellte, wenn die Kanonenpforten sowieso schon nicht mehr als 1,20 m über dem Wasser lagen. Hätte er der *Wasa* noch mehr Ballast gegeben, wären die Pforten so dicht über Wasser gekommen, daß man die Kanonen überhaupt nicht mehr hätte benutzen können. Der Schiffbauer sagte auf die Frage des Gerichts, »weshalb er das Schiff so schmal und schlecht gebaut habe, daß es keinen Bauch hatte, auf dem es aufrecht liegen konnte, und infolgedessen umgefallen sei«, daß Seine Majestät der König selbst die Ausmaße des Schiffs gutgeheißen habe und daß die *Wasa* überhaupt nach den Richtlinien des Königs gebaut worden sei. Alle Zeugen sagten, was sie getan oder unterlassen hätten, sei in Übereinstimmung mit den Befehlen des Königs geschehen. So verlief der Prozeß ergebnislos.

Der Reichsrat hatte drei Tage nach dem Untergang der *Wasa* den englischen Ingenieur Ian Bulmer beauftragt, das Schiff zu heben. Eine Mastspitze ragte noch aus dem Wasser. Doch es gelang Bulmer nur, das Schiff auf einen geraden Kiel zu setzen. Wahrscheinlich ließ er Pferde am Ufer Leinen ziehen, die seine Leute am Mast festgebunden hatten.

In den nächsten 35 Jahren folgten ihm englische, französische, holländische und deutsche Berger, einfallsreiche Männer und Scharlatane. 64 Bronzekanonen lagen in der Tiefe, jede ein bis zwei Tonnen schwer, mit einem Kupfergehalt von 92 Prozent, noch heute, allein dem Schrottwert nach, ein großes Vermögen. Jahrelang stritten Interessenten um die Bergungslizenz und verklagten sich gegenseitig vor den Gerichten. In den Gerichtsakten können wir nachlesen, was damals geschah. Den großen Schnitt machten Hans Albrecht von Treileben, ein ehemaliger schwedischer Armeeoffizier, und sein Partner Andreas Peckell, ein deutscher Bergungsexperte. Treileben muß ein gefährlicher Bursche gewesen sein, ein Bergungshai. Er betrieb ein großes Unternehmen, das auch an der Westküste Schwedens Schiffe hob, und jagte einem Konkurrenten die Bergungskonzession für die *Wasa* ab. Er war ein guter Organisator und ein Mann, der rücksichtslos seine Taucher ausbeutete. Der italienische Priester Francesco Negri, der damals Stockholm besuchte, hinterließ einen Bericht über die Bergungsarbeiten.

Treileben und Peckell benutzten eine 1,22 m hohe, schwere Taucherglocke, die einer gewöhnlichen Kirchenglocke glich. Unter ihr hing eine Plattform, auf der die Taucher standen, den Kopf in der Glocke. In 30 m Tiefe wird Luft zu einem Viertel ihrer Ausdehnung zusammengepreßt, und die Taucher berichteten, daß ihnen das Wasser mitunter bis über die Brust stieg. Sie konnten sich in der

Glocke kaum bewegen und waren in der Finsternis auf ihren Tastsinn angewiesen, wenn sie das Deck der *Wasa* mit Haken aufrissen. Sie trugen Lederanzüge gegen die Kälte, die sie mit Eisenbändern und Stricken wasserdicht verschnürt hatten. Doch wenn sie nach einer knappen halben Stunde aus über 30 m Tiefe wieder auftauchten, zitterten sie vor Kälte. Im April 1664 brachten sie die erste Kanone nach oben. Die Kanonen vom unteren Deck zogen und schoben sie durch die engen Geschützpforten – wie, wissen wir nicht. Die Namen der Taucher sind nicht bekannt, sie müssen tapfere Männer gewesen sein.

Während sie eine Kanone nach der anderen hoben, bereitete ihr Chef vor, was die Behörden »Herrn von Treilebens heimliche Silberfischerei« nannten, ein Bergungsunternehmen in der Karibik. 1665 stellte er die Arbeiten auf der *Wasa* ein. Nach schwedischen Zollausfuhrpapieren wurden im selben Jahr 53 *Wasa*-Geschütze nach Lübeck verkauft. Die *Wasa* geriet in Vergessenheit, bis Professor Ahnlund die alten Papiere wieder las.

Wo aber lag die *Wasa*? Wieder und wieder sah Anders Franzén alte Protokolle, Berichte und Hafenkarten durch. 1954 kam er zu dem Schluß, daß das Wrack irgendwo zwischen den Felsinseln Beckholm und Södermalm liegen müsse. Er lieh sich die neueste Karte. Sie war für Ingenieure gezeichnet, die eine Brücke quer über den Hafen planten und die Tiefen des Seebodens mit einem Echolot abgetastet hatten. Franzén fand auf der Karte einen vielversprechenden Hökker vor der kleinen Insel Beckholm, etwa 100 m südlich des Trokkendocks Gustav V. Doch die Ingenieure erzählten ihm, dies sei nur ein Hügel aus Geröll und Felsbrocken vom Trockendock, das Jahre zuvor für die Marine aus dem Fels gesprengt worden war.

Franzén suchte weiter in den Archiven. Er fand eine Karte aus dem 18. Jahrhundert, auf der irgend jemand angekreuzt hatte, wo die *Wasa* lag: vor Stadsgardskajen. Er baute sich ein Gerät, mit dem er Proben von Material aus der Tiefe holen konnte. An einen sechs Pfund schweren Stahlzylinder ließ er am oberen Ende Flossen zur Stabilisierung anschweißen. Das Gerät sah wie eine kleine Rakete aus. Unten an der Spitze hatte es eine hohle Röhre mit scharfen Rändern. Wenn diese Sonde mit Kraft auf einen Gegenstand aufschlug, der nicht aus Metall war, auf Holz beispielsweise, dann

Gabriele Hoffmann

schnitt sie in den Gegenstand ein, und wenn Franzén sie hochzog, hatte er einen Pfropfen, einen Bohrkern. Systematisch fuhr er nun das Gewässer vor Stadsgardskajen mit einem geliehenen Motorboot ab und holte Proben nach oben. Doch er fand nur Schlick.

Dann endlich stieß er im Archiv auf einen wichtigen Brief: Der Reichsrat schrieb am 12. August 1628 an den König und berichtete ihm vom Untergang der *Wasa*. Franzén las: »... und an jenem schicksalsschweren Sonntag, welcher der 10. dieses Monats war, setzte die *Wasa* Segel. Doch es geschah, daß sie nicht weiter kam als bis Beckholmsudden, wo sie mit Kanonen und allem anderen auf den Grund sank und in 18 Faden Tiefe liegt.« Beckholm! Der Hügel vor dem Eingang des Trockendocks enthielt etwas viel Spannenderes als Felstrümmer.

Er mußte sich beeilen. Die Stadtväter beabsichtigten jetzt, 1956, das Gestein, das beim Bau der Stockholmer Untergrundbahn aus den Felsen gesprengt wurde, ausgerechnet hier ins Wasser zu schütten.

Wieder war es August wie damals, als die *Wasa* unterging, und wieder schien die Sonne. Anders Franzén saß allein in einem Motorboot mitten im geschäftigen Schiffsverkehr des Hafens. Dieses Mal hatte sein Gerät etwas anderes hochgebracht als Schlick: Er hielt ein Stück schwarzes, nasses Eichenholz in der Hand.

Eiche, das wußte er, brauchte mindestens hundert Jahre in diesen Gewässern, um schwarz zu werden. Nur die größten und wichtigsten Schiffe des 16. und 17. Jahrhunderts waren aus diesem teuren Holz gebaut. Sicher war sein Fund ein winziges Stück von einem sehr alten Schiff – der *Wasa*? Um sich zu vergewissern, daß er nicht nur eine alte versunkene Planke gefunden hatte, warf er das Gerät wieder und wieder auf einem großen Gebiet in die Tiefe. Ergebnis: noch mehr Eichenpropfen.

Am nächsten Morgen ging Franzén zur Trainingsschule der Marine, erzählte von seinen Entdeckungen und Hoffnungen und schlug vor, die Taucher sollten an dieser Stelle üben. Die Verantwortlichen zuckten die Schultern und stimmten zu. Die angehenden Taucher konnten ebensogut dort üben wie an irgendeiner anderen Stelle.

Wenige Tage später ankerte vor Beckholm ein Tauchboot mit Helmtauchern und Froschmännern an Bord. Als erster ließ sich Cheftaucher Per Edvin Fälting in einem Helmtauchanzug in den

Schlick und Schlamm auf 35 m Tiefe hinunter. Fälting hatte im Lauf seines Lebens über zehntausend Stunden unter Wasser verbracht. Oben im Boot saß Franzén am Telefon. Fältings Bericht vom Seeboden war entmutigend.

»Ich stehe bis zu meiner Brust in Haferflockenbrei«, sagte Fälting.

»Kann nichts sehen. Soll ich raufkommen?«

»Ja«, sagte Franzén trübsinnig, »du kannst genausogut wieder raufkommen.«

Dann hörte er einen aufgeregten Ausruf.

»Warte eine Minute!« Fälting schrie jetzt. »Ich habe gerade die Hand ausgestreckt und etwas Festes berührt – es fühlt sich an wie eine Holzwand! Es ist ein großes Schiff! Jetzt klettere ich die Wand hoch – hier sind einige viereckige Öffnungen – das müssen Kanonenpforten sein.«

Franzén im Boot sah, wie der Tiefenmesser fiel, als Fälting den Rumpf hinaufkletterte.

»Hier ist eine zweite Reihe von Kanonenpforten«, sagte der Taucher einige Sekunden später.

Sie hatten die *Wasa* gefunden.

Wie ein Geist aus der Tiefe

Zeitungen, Rundfunk und Fernsehen berichteten über Anders Franzén und seinen Fund, und beide wurden über Nacht in Schweden berühmt. Franzén lief von einer Regierungsbehörde zur anderen und erklärte den Beamten, daß eine Hebung der *Wasa* notwendig und möglich sei. Die meisten schüttelten den Kopf über ihn.

Zu den ersten, die er begeisterte, gehörten der Chef der Marineverwaltung, der Chef der Marinewerft und, etwas später, der Inspektor der U-Boot-Waffe sowie der Oberbefehlshaber der Marine. Diese Seeleute wollten wissen, wie ein Schiff aus Schwedens großer Zeit aussah. Die Gelehrten waren sich nicht einmal über die annähernde Größe der königlichen Schiffe einig. Und nun lag da mitten im geschützten Hafen, wo man große Bergungsmittel ohne Rücksicht auf Wind und Wetter einsetzen konnte, ein voll ausgerüstetes Gebrauchsschiff mit all den Tausenden von Gegenständen, die

Gabriele Hoffmann

Matrosen und Soldaten auf einer langen Fahrt benutzten. Franzén versicherte, die *Wasa* sei trotz ihres Untergangs nach nur 1500 m Fahrt ein Schiff wie andere ihres Jahrhunderts: Sie war nicht falsch gebaut worden, der König hatte die Pläne gutgeheißen, das Kriegsgericht niemanden verurteilt. Franzén glaubte, daß eine falsche Verteilung der Gewichte an Bord, besonders der schweren Kanonen auf dem oberen Deck, der Hauptgrund für das Sinken gewesen war.

Aber konnte man die über dreihundert Jahre alte *Wasa* wirklich heben, würde sie nicht zerbrechen? Franzén ließ ein Gutachten über bereits geborgene Schiffshölzer von der *Wasa* anfertigen. Das Gutachten besagte, daß das Holz noch sechzig Prozent der ursprünglichen Festigkeit besaß. Das war ausreichend. Die Stahltrossen würden das Schiff, bei etwas Glück, nicht zusammenquetschen oder durchschneiden.

Im Februar 1957 gründeten die wenigen Männer, die an eine Hebung der *Wasa* glaubten, unter dem Vorsitz des Direktors der Marinewerft, Geschwaderkommandant Edward Clason, ein *Wasa*-Komitee. Sie wollten die technischen und finanziellen Möglichkeiten einer Bergung untersuchen. Im Frühjahr 1958 empfahl das Komitee, die *Wasa* zu heben, und zwar in zwei Abschnitten. Zuerst sollte man sie aus 36 m Wassertiefe in 16 m Tiefe schaffen. Wenn dies gelang, wären die Ungläubigen gewonnen, und man könnte Geld auftreiben und einen Plan für die endgültige Hebung ausarbeiten.

Die Stockholmer Bergungsgesellschaft Neptun versprach, die *Wasa* kostenlos auf 16 m zu heben, wenn Marinetaucher vorher unter dem Kiel des Schiffs hindurch sechs 24 m lange Tunnel für die Hebestahlseile gruben. Die Marine sagte zu. Nun flossen auch die ersten Gelder, Industrie, Privatleute und der König stifteten, und sogar die Regierung gab etwas. Seeleute der Kriegsmarine ließen ein Kriegsschiff aus der Barockzeit heben, das beeindruckte.

Für Anders Franzén begann mit dem Graben der Tunnel eine Zeit großer Zweifel. War die *Wasa* das Risiko wert, das die fünf Taucher eingingen? In 100 kg schweren Helmtauchanzügen sanken sie in die Tiefe, wo sie mit einem kräftigen Scheinwerfer bestenfalls 3 m weit sehen konnten. Bei jeder ihrer Bewegungen stiegen undurchsichtige Wolken von Schlick um sie her auf. Sobald die Taucher Maße und Lage der *Wasa* kannten, fingen sie an, mit großen Wasserrohren Tunnel unter dem Kiel hindurchzugraben. Vor jedem Rohr saß eine

Spezialdüse. Ein zweites Rohr sog den losgespülten Schlamm ab. Der Kiel steckte 2 m tief im Schlamm. Die Männer lagen auf dem Bauch, halb vergraben, und ihre Helme streiften manchmal den Rumpf der *Wasa*. Den Schlammsauger hielten sie zwischen den Beinen. Über ihren Köpfen hingen Tonnen von Ballaststeinen in einem alten Schiffsbauch, dessen Festigkeit niemand kannte. Waren die Hölzer noch stark genug, würde einmal eine Kaskade von Steinen durchbrechen und die Taucher zermalmen? An beiden Enden eines Tunnels arbeitete je ein Mann, und immer wieder mußten die Taucher sorgfältig messen, damit die beiden Halbtunnel sich auch in der Mitte trafen. Sie blieben eine halbe Stunde unten und brauchten siebzehn Minuten zum Auftauchen.

Oben auf dem Taucherfloß hörte Edvin Fälting die Atemzüge seiner Taucher durchs Telefon. Er wußte nur zu gut, wie unbehaglich es da unten war – und wie einsam man sich fühlte.

Die *Wasa* lag direkt vor den Schleusentoren des größten Trockendocks von Stockholm. Ein Schiff nach dem anderen ging ins Dock und kam wieder heraus. Jedesmal mußte die Arbeit an der *Wasa* unterbrochen, mußten die Taucherflöße weggeschleppt werden.

Die Taucher hießen die Tunnelbande, und viele Männer wollten zu ihnen gehören. Die Mitglieder der Tunnelbande waren noch abergläubischer als gewöhnliche Seeleute. Aber sie waren auch sehr sorgfältig. Nicht einer von ihnen erlitt in zwei Jahren ernsthafte Verletzungen. Sie arbeiteten hart, und sie waren voller Begeisterung.

Auf einem der Taucherflöße überwachten Archäologen das Sieb, durch das der Schlamm ins Meer zurückfloß. Weit spannender aber war, was die Taucher im Schlamm rund um die *Wasa* fanden. Sie brachten den unteren Teil des Großmastes nach oben, 50 bis 60 m hoch muß er einmal gewesen sein. Sie fanden eine Kanone, die aus dem Schiff ragte, und brauchten einen ganzen Tag, um das Geschütz durch die Pforte herauszubekommen. Sie bargen das Ruder, 10 m lang, 3 t schwer, aus zwei riesenhaften Stücken Eichenholz zusammengesetzt. Doch das Aufregendste waren die geschnitzten Figuren im Schlamm. Sie mußten schon vor langer Zeit, als ihre Nägel durchrosteten, von der *Wasa* heruntergefallen sein. Sie waren wunderbar erhalten. Offiziere mit federgeschmückten Helmen und geschlossenen Visieren stiegen aus der Tiefe empor, flötenspielende

Gabriele Hoffmann

Mädchen, grimmige Krieger in Rüstungen, liebliche Wassernixen, furchterregende Drachen, Höllenhunde. Sie waren aus Eiche, Kiefer, Linde geschnitzt. Edvin Fälting fand den abgebrochenen Schwanz eines großen Löwen, und eines Tages tauchte der Löwe selbst auf, ein großes, zum Sprung geducktes Tier, die Galionsfigur der *Wasa*, ein Sinnbild der Kraft und des Mutes. Er ist aus Lindenholz, 3,28 m lang und 2 t schwer. Als die Taucher den Wasserschlauch auf ihn richteten, erglänzte die Löwenmähne in Gold.

Die Taucher brachten Krüge aus Holz mit nach oben, glasierte Teller aus Ton, Zinnkrüge, dreibeinige Kochtöpfe, die man ins Feuer stellte. Sie fanden ein Töpfchen mit Butter oder einem anderen Fett, das nun allerdings ranzig war.

1959 waren die sechs Tunnel fertig.

Die Bergungsflotte der Neptun-Gesellschaft traf am 13. August 1959 vor Beckholm ein: die beiden Pontons *Oden* und *Frigg* mit einer vereinten Hebekraft von 2400 t, die Bergungsschiffe *Sleipner* und *Atlas* und der Marinetender *Sprängaren*. Kapitän Axel Hedberg leitete eine Bergungsmannschaft von sechzig Mann.

Die Männer ersetzten die Stahlseile der Marinetaucher durch sechszöllige Hebetrossen, 1500 m insgesamt, und koppelten die Trossen an die Pontons. Die Trossen liefen unter der *Wasa* durch und oben rund um die Pontons. Diese Bergungsmethode ist alt. Olaus Magnus, der Erzbischof von Uppsala, hat sie 1555 beschrieben: Die Pontons werden geflutet, bis ihre Decks in Wasserhöhe liegen. Die Männer straffen die Trossen. Dann pumpen sie die Pontons leer. Die Pontons heben sich und ziehen das gesunkene Schiff mit sich hoch. Die Männer fahren in flacheres Wasser, bis das Wrack Grund berührt, fluten wieder die Pontons und wiederholen den Vorgang.

Die Arbeit an der *Wasa* erregte großes Aufsehen in Schweden. Fregattenkapitän Bengt Ohrelius erzählt: »Die Menschen in Stockholm sprachen von kaum etwas anderem als der *Vasa*. Als Unterhaltungsthema verdrängte das alte Schiff politische Krisen und Weltereignisse. Die *Vasa* selbst war ein Weltereignis.«

Am 20. August war es soweit. Polizeiboote patrouillierten auf dem Wasser. Am Ufer standen dichtgedrängt die Stockholmer. Die Sonne brannte auf die Bergungsfachleute, Journalisten und Prominenten auf den Bergungsschiffen herab. Um 12.00 Uhr gab Hedberg den Befehl, die Pumpen anzuwerfen. Die Aufregung wuchs. Würde das Schiff mit seiner Ladung von Schlamm den Druck der Trossen wirklich aushalten – oder doch noch zusammenbrechen wie eine Eierschale? Normalerweise arbeitete die Bergungsmannschaft mit Wracks, deren Bauzeichnungen und Baumaterial sie kannte. Von der *Wasa* wußte sie so gut wie nichts, wußte nicht einmal, wo der Gewichtsschwerpunkt lag. Die Pontons bebten leicht, und aus den Pumpen strömte zischend Dampf.

Dann strammten sich die Trossen. Langsam, langsam tauchten die Pontons auf. Um vier Uhr nachmittags berichtete Fälting aus der Tiefe, daß die *Wasa* nicht zerbrochen war, daß sie aus dem saugenden Schlamm loskam. Der kritische Punkt war überstanden. Sie stieg, den Kiel 1 m über dem Grund, einen sanften Hang unter Wasser empor.

An diesem ersten Tag schwamm die *Wasa* nur 100 m weit. »Aber was für ein herrlicher Tag war es gewesen!« erinnert Ohrelius sich. Am 16. September, nach siebzehn weiteren Lifts, setzte Kapitän Hedberg die *Wasa* in 16 m Tiefe ab.

Nun glaubte auch die schwedische Regierung an die Möglichkeit einer Hebung. Sie berief einen *Wasa*-Ausschuß ein, in dem Behördenvertreter, Fachleute und Berater für Bergung und Konservierung saßen. Aus allen Teilen des Landes kamen Vorschläge für die schonendste Bergungsmethode. Ein Erfinder wollte den Rumpf mit Tischtennisbällen füllen. Ein anderer schlug vor, ein Kühlmittel im Schiff kreisen zu lassen, um es in einen Eisblock zu verwandeln, der in die Höhe steigen und im Sonnenschein auftauen würde. Doch der Ausschuß zog erprobte Methoden vor. Hydraulische Hebemaschinen sollten die *Wasa* an die Wasseroberfläche ziehen, wo sie dann ausgepumpt und, auf eigenem Kiel schwimmend, in das Trockendock Gustav V. bugsiert werden sollte.

Damit man sie leerpumpen konnte, mußte sie wasserdicht sein. Während der nächsten zwei Jahre verschlossen Taucher die Kanonenpforten, reparierten das beschädigte Heck, verstärkten den Rumpf, suchten und verstopften die fünftausend Löcher, in denen einst eiserne Nägel und Bolzen gesteckt hatten, die nun weggerostet waren. Sie fanden 29 Anker, die fluchende Schiffer in über dreihundert Jahren auf dem alten Wrack verloren hatten.

Im Winter 1959/60 konnten die Stockholmer die Figuren der

Wasa in einer Sonderausstellung im Marinehistorischen Museum bewundern. Sie sahen die größte Sammlung weltlicher Holzschnitzerei aus der Zeit zwischen Renaissance und Barock, die es heute gibt, Arbeiten hervorragender Künstler, von denen man bis dahin nichts gewußt hatte: Die Werke dieser Männer waren früher mit den Schiffen abgewrackt worden, sofern die Schiffe nicht vorher untergegangen waren. Die Besucher gingen zwischen schwerbewaffneten Kriegern umher, Kriegern mit wallenden Federbüschen auf den Hüten, mit großen Schnauzbärten oder lockigen Backenbärten, zwischen Meerjungfrauen, Delphinen, musizierenden Engeln, denen ein Faun zu Füßen hockt, der sich die Ohren zuhält, um die Sphärenmusik nicht hören zu müssen, zwischen Masken und Fratzen, heiteren und grotesken Bildern, Symbolen für Tugend und Laster, Leben und Tod. Zur einen Seite des großen Galionslöwen standen zehn römische Kaiser, zur anderen neun – ein Kaiser fehlte. Die *Wasa* war einstmals ein schwimmender Palast, goldglänzend und farbenprächtig, reich geschmückt mit Sinnbildern für die Macht und den Ruhm des Königs und die Stärke Schwedens, Symbolen, die den eigenen Soldaten Mut geben und den Feinden Furcht einjagen sollten.

Im ganzen Land spendeten nun Leute Geld für die Hebung der *Wasa*, kauften *Wasa*-Münzen und spielten in einer *Wasa*-Lotterie mit; große Firmen schenkten Material und ebenfalls Geld. Im Spätsommer 1960 fand der 11. Internationale Historikerkongreß in Stockholm statt, und der *Wasa*-Ausschuß führte den zweitausend Teilnehmern die Bergungsarbeiten an der *Wasa* vor. Das Fernsehen berichtete eine Stunde lang, und über vierzig Millionen Menschen in acht Ländern sahen zu.

In diesem Jahr kam es zu einem Fund, der viele Schweden sehr anrührte. Edvin Fälting brachte den Schädel eines ertrunkenen Seemanns nach oben, der einmal mitgeholfen hatte, das schwedische Großmachtreich aufzubauen.

Am 4. April 1961 traf zum zweiten Mal die Bergungsflotte ein. Kapitän Hedberg wußte, daß es eine knifflige Aufgabe war, das Schiff nach oben zu ziehen und dabei die Pontons in einem ordentlichen Trimm zu halten. Froschmänner zogen größere Stahlkabel unter dem Rumpf der *Wasa* durch und sicherten sie an den mächtigen Winden auf den Pontons. Die *Wasa* war während der zurückliegenden beiden Jahre in ihren Haltetrossen verrutscht. Die Taucher brachten ein weiteres Trossenpaar an und befestigten am Kiel vier aufblasbare Gummipontons, um dem Schiff eigenen Auftrieb zu geben.

Der Tag der Hebung rückte rasch heran. Wieder nahm die Aufregung in der Stadt zu. An den Straßenecken boten Händler *Wasa*-Souvenirs an. Das Wetter war mild, und viele neugierige Segler und Motorbootfahrer kreisten um die Bergungsflotte, und täglich ermahnte der Rundfunk sie, Sorgfalt zu üben und Rücksicht zu nehmen. Beim *Wasa*-Ausschuß klingelten unentwegt die Telefone, und die Zuschauer strömten täglich in so großer Zahl an die nächstgelegenen Ufer, daß die Polizei die Straßen für Autos sperren mußte.

Der große Tag kam, Montag, der 24. April. Strahlend ging die Sonne auf. Um fünf Uhr früh begannen die endgültigen Vorbereitungen. Über dreihundert schwedische und ausländische Reporter trafen ein. Marinebarkassen lagen startbereit für den Pendelverkehr zu den Bergungsschiffen, um die geladenen Gäste abzuholen. Um acht Uhr stiegen die Flaggen auf den Schiffen und an Land an ihren Masten hoch. Eine Marinekapelle spielte. Lautsprecher übertrugen für die Menschen an den Ufern, was auf den Bergungsschiffen vor sich ging. Alle Hubschrauber in Stockholm waren verchartert.

Um neun Uhr begannen die hydraulischen Hebeböcke zu arbeiten. Schon drei Minuten später durchbrach ein Stück schwarzes Eichenholz die braune Wasserfläche. Gegen zehn Uhr stiegen Relingstützen aus dem Wasser empor. Die ganze Zeit über trimmte Kapitän Hedberg die Pontons, ließ sie fluten oder leichtern, damit sie immer im Gleichgewicht blieben. Die *Wasa* stieg etwa 45 cm in einer Stunde.

Um elf durchbrachen zwei geschnitzte Kriegerköpfe die Wasseroberfläche. In ihren Körpern waren Blockschlitze, durch die früher die Schoten und Halsstrecker der Fock und des Topsegels liefen. Die hölzernen Männer kamen Anders Franzén vor wie die erstaunten Bewohner einer vergessenen Welt.

Am frühen Nachmittag ruderten Franzén und Fälting in einem Kunststoffdingi über das Deck der *Wasa*. Dann gingen sie an Bord des alten Kriegsschiffs und schüttelten sich die Hände. Sie opferten dem Geist der *Wasa* eine Münze.

Noch war das Schiff nicht sicher im Dock. Früh am nächsten

Morgen verholten Schlepper die beiden Pontons mit der *Wasa* in der Mitte 200 m näher an Land. Das Vorschiff der *Wasa* schwamm in 9,5 m Wassertiefe fast 4 m über Grund, ihr Heck berührte in 12 m Tiefe gerade den Boden.

Ehe Kapitän Hedberg sie ins Trockendock bringen konnte, mußte er sie leerpumpen und ihre Schlammlast herausschaufeln lassen. Die Pumpen sprangen an und pumpten 20 000 l pro Minute aus der *Wasa*, genug, um hundertfünfzig Wannenbäder zu füllen. Die *Wasa* leckte schlimm aus unzähligen Löchern und Rissen. Taucher dichteten sie mit Sägemehl, Talg, Lumpen und Holzkeilen. Dröhnende Maschinen standen nun auf ihrem Deck. Zwischen Ingenieuren, Elektrikern, Pumpenpersonal und Tauchern drängten sich jetzt auch Archäologen und Konservatoren.

Die Sonne brannte vom Himmel, und die Konservatoren blickten besorgt auf die Decksbalken. Sie mußten naßgehalten werden, wenn sie nicht austrocknen und reißen sollten.

Die Archäologen waren ungeduldig. Sie wollten endlich anfangen, sich durch den Schlamm von einem Schiffsdeck zum anderen zu graben. Mit dem leitenden Archäologen Per Lundström warteten elf Studenten, die alle praktische Feldarbeit kannten. Sie hatten sich gegen jede Art ansteckender Krankheit impfen lassen und trugen Gummizeug, Gummistiefel und Stahlhelme.

Die *Wasa* hing schwer in den Trossen, und die Bergungsleute drängten die Archäologen, den Schlamm schnell hinauszuschaffen, damit das Schiff ins Dock kam.

Oben liefen die Pumpen mit ohrenbetäubendem Lärm. Rasensprenger hielten jetzt den Rumpf naß. Unten arbeiteten die Achäologen zwölf Stunden täglich. Am ersten Tag bestand ihre Ausbeute aus zwei Tonnen Decksbalken, Kniehölzern und unbestimmbaren Holzstücken. Sie spülten jedes Stück ab, gaben ihm ein Etikett mit einer Nummer, fotografierten es und legten es in eine der vielen Wasserwannen, die auf mehreren hinter der *Wasa* vertäuten Pontons standen. Große Teile wickelten sie in Plastik- und Persenningüberzüge. In einem Journal notierten sie die wichtigsten Daten und den Fundort. Der Schlamm war zäh und übelriechend, ein teuflisches Hexengebräu, aus dem Blasen aufstiegen. Er verbarg die Löcher im Deck, und jeder Schritt war gefährlich. Überall lagen Funde, und die gewaltigen Schlammassen mußten durchgesiebt werden. Im Achterschiff, wo Kapitän Hansson und die Offiziere gewohnt hatten, wuschen die Studenten wie Goldgräber den Schlamm in Spezialpfannen.

Am 29. April kam der Ponton an, auf dem die *Wasa* in einem zukünftigen Museum stehen sollte. Hedberg manövrierte ihn ins Trockendock. Aber die *Wasa* lag zu tief im Wasser, sie kam nicht über die Schwelle des Docks. 9,5 m Tiefgang durfte ein Schiff haben, das ins Dock sollte. Der Ponton war schon 4 m hoch, also blieben für die *Wasa* nur noch 5,5 m. Doch sie hob sich nicht. Noch immer strömte Wasser durch kleine Lecks ins Schiff. Die Bergungsleute wurden ungeduldig, andere Aufträge warteten auf sie. Die Archäologen arbeiteten verbissen. Tag und Nacht liefen die Pumpen. Manchmal gewann das einströmende Wasser, und die *Wasa* sank wieder eine Handbreit tiefer. Einige aufregende Tage lang verweigerten die Bergungsleute jede Antwort auf die Frage, ob die *Wasa* jemals ins Dock könnte.

Endlich gewann die Pumpenmannschaft gegen das Wasser, und langsam stieg die *Wasa*. Die Techniker bedrängten die Archäologen, den Schlamm schneller hinauszuschaffen, aber mehr als sich beeilen konnten die Studenten nicht. Schließlich entschied Hedberg, die *Wasa* hinter den Ponton ins Dock zu bringen. Wenn die Wissenschaftler endlich fertig wären, könnte sie nachträglich auf den Ponton hinauf.

Am Donnerstag, dem 4. Mai, ließ er die *Wasa* ins Dock schleppen. Wieder gab es Aufregung, denn die beiden Hebepontons, die sie die ganze Zeit über zwischen sich gehalten hatten, paßten nicht mit ihr zusammen ins Dock. Also ließ Hedberg die *Wasa* loswerfen, und das alte Schiff mußte das letzte Stück Wegs ganz allein auf eigenem Kiel schwimmen. Beim Loswerfen riß eine Drahttrosse einen der wasserdichten Lukendeckel ab, und jeder befürchtete, daß nun wieder Wasser in die *Wasa* strömen und sie absinken würde. Doch mit leichter Schlagseite glitt sie über die Dockschwelle.

Als das Dock leergepumpt war, ragten die schwarzbraunen, feuchtglänzenden Schiffswände hoch wie Hauswände über den Leuten, die das Schiff mit Balken abstützten. Beim Anblick der beiden Reihen rechteckiger Kanonenpforten fühlten Dockarbeiter, Techniker und Archäologen sich ins 17. Jahrhundert zurückversetzt. 61 m maß die *Wasa* vom Bugspriet bis zum Heck, 11,30 m an

Gabriele Hoffmann

der breitesten Stelle, ihr Heckspiegel war 20 m hoch. Alle hatten damit gerechnet, daß ein Schiff von 700 t Verdrängung aus der Tiefe auftauchen würde, und den Ponton und die Museumshalle für die *Wasa* entsprechend vorbereitet. Nun sahen sie, daß das Schiff 1200 t hatte, und die Architekten begannen darüber nachzudenken, wie sie dem Ponton vorn und hinten je einen kleineren Ponton anfügen und die Halle erweitern konnten.

Kapitän Hedberg verabschiedete sich mit einem Seufzer der Erleichterung. Jetzt mußten andere für die *Wasa* sorgen.

Der Konflikt zwischen Archäologen und Technikern war auch im Trockendock nicht beendet. In sechs Wochen mußte die *Wasa* das Dock für die staatlichen Eisbrecher räumen. Doch täglich gab es neue Probleme. Techniker, Archäologen und Konservatoren hatten oft vollkommen entgegengesetzte Ansichten, wie sie sich lösen ließen, und hielten endlose Sitzungen ab, bis sie sich auf einen Kompromiß einigten.

Woche um Woche glitschten und rutschten die Archäologen in dem ekelerregenden, zähen Schlamm, krochen auf Händen und Knien durch enge Löcher, schwitzten in ihrem Gummizeug und stolperten über Röhren und Schläuche. Aber sie waren begeistert. Ein Kran zog Körbe über Körbe mit Funden aus der *Wasa* und setzte sie auf dem Kai ab: Seemannskisten, Teile der Takelage, Kanonenkugeln, Zinnkrüge, Pulverkannen. Doch so hart die Archäologen auch arbeiteten, sie holten nicht annähernd soviel Gewicht aus dem Rumpf, wie die Techniker erwarteten. Immer noch war die *Wasa* zu schwer, um auf den Ponton zu gelangen. Zu allem Übel war der Wasserstand im Hafen in diesem Sommer besonders niedrig. Die Dockmannschaft rief Kapitän Hedberg zurück. Aber es schien alles ganz aussichtslos. Dann, eines Abends, stieg das Wasser plötzlich. Die Meteorologen sagten, der Wechsel dauere nur kurz. Hedberg ließ das Dock sofort fluten, und wieder schwamm die *Wasa*. Vorsichtig manövrierte er sie auf den Ponton. Sie passierte das Pallholz, auf dem ihr Kiel ruhen sollte, mit 2 cm Wasser unter dem Heck.

Ab Juni teilte sie das Dock mit dem Eisbrecher *Ymer*.

Je tiefer die Archäologen in das Innere des Schiffs drangen, um so farbiger wurde für sie das Leben der Seeleute und Handwerker im 17. Jahrhundert. Auf dem unteren Batteriedeck sahen sie an Decksplanken und Spanten noch die Spuren der Zimmermannsäxte. Die

Kanonen hatten Treilebens Taucher gehoben, doch die Lafetten standen noch gespenstisch an ihren Plätzen. Die Archäologen fanden Ladestöcke und Pulverschaufeln, Rundkugeln, Kettenkugeln, Brandbomben. Doch Enterhaken und Entermesser fehlten, obwohl es damals üblich war, ein feindliches Schiff zu entern, wenn man seine Takelage zerschossen hatte. Auch fanden sie nur wenige Musketen und nur einen Degen. Sie schlossen daraus, daß die Soldaten und ihre Waffen beim Untergang noch nicht an Bord waren. Die *Wasa* sollte wohl erst in Älvsnabben endgültig ausgerüstet werden.

Sie stießen auf die Überreste von zwanzig Ertrunkenen. Einige waren von den schweren Lafetten erdrückt worden, andere in einer Höhlung gefangen. Neben einer Lafette lag ein vollständiges Skelett. Kleiderstücke hingen daran, und an den Füßen Schuhe.

Eine Untersuchung der Knochen ergab später, vor der Beisetzung der Seeleute 1963, daß der Ertrunkene 1,70 m groß und 30 bis 35 Jahre alt war. Er trug sein dunkles Haar halblang. Er hatte eine dicke Strickweste an und darüber eine langärmelige Wolljacke mit kurzem Schoß und eine weite Hose, die an der Taille reich gefaltet und unter den Knien geschnürt war. Unter der Strickweste trug er ein Leinenhemd und an den Füßen aus Leinen genähte Strümpfe und Sandalen. In seinen Hosentaschen lagen zwanzig Kuperöre aus Dalarna. Die Kupfergrube von Falun war damals die reichste der Welt und finanzierte die Kriege der schwedischen Könige. Im Jahr 1628 kostete ein Schaf 24 Öre und ein Huhn sechs. Wer an Bord ein Öre stahl, wurde zum Tode verurteilt.

Die Ärzte untersuchten auch das Skelett eines jungen Burschen. Sie sahen, daß er in seinem kurzen Leben drei schwere Hungersnöte durchlitten hatte.

Die Archäologen erkannten den gewaltigen Unterschied zwischen dem prachtvollen Äußeren des rotgoldenen Königsschiffs und den erbärmlichen Lebensumständen der Seeleute in seinem Innern. Der Sold war schlecht und gewöhnlich im Rückstand, das wußte man aus den Archiven, die Disziplin eisenhart, und schon für kleinste Vergehen wurden die Männer ausgepeitscht, verstümmelt, kielgeholt.

Ihre Verpflegung war karg und einseitig. Die Archäologen fanden in der Kombüse, ganz unten im Schiff, Fässer mit Resten von gesalzenem Fisch und Fleisch. Soweit sie sahen, wurde hier die Kost für

Gabriele Hoffmann

die Mannschaft in großen Töpfen auf offenem Feuer gekocht. Sie fanden einen Kochkessel, der 190 l faßte. In der Vorratslast stießen sie auf Fässer mit Schweine- und Rinderknochen. Zu Fisch und Fleisch gab es trockenes Brot. Der Gesundheitszustand der Mannschaft war schlecht, die Verluste durch Krankheit an Bord eines Kriegsschiffs waren immer höher als die in einer Schlacht. Überall im Schiff fanden die Archäologen eine überraschend große Anzahl von Trinkgefäßen und Bierfäßchen.

Die Offiziere wohnten im Achterschiff. Sie schliefen zu zweit in einem Bett, das man unter einer Bank wie eine Schublade herausziehen konnte. Sie benutzten Geräte aus Zinn: Teller, Schüsseln, Löffel, Becher und Flaschen. Hier fanden die Archäologen auch ein Tricktrack-Spiel mit dreißig Steinen und einem Würfel und eine Tabakspfeife aus Ton – die älteste Schwedens –, eine Taschensonnenuhr aus Holz, Kämme, Knöpfe, einen Siegelring aus 23karätigem Gold und ein Kästchen mit einer Haarlocke.

Die Mannschaft schlief zwischen den Geschützen auf den nackten Decksplanken. Die Archäologen entdeckten weder Hängematten noch Matratzen. Sie gruben das Tischgeschirr der Männer aus, Teller aus Ton, Löffel aus Holz und kleine runde Holzbrettchen.

Ihre Kleider hoben Offiziere und Matrosen in Seemannskisten oder in Tonnen auf. Es war ein großer Augenblick, als die Archäologen die zuerst gefundene Seemannskiste öffneten. Eine andächtige kleine Versammlung stand um die Kiste, erzählt Ohrelius. Es war eine gute, feste Eichenholzkiste. Zuoberst lag ein ausgezeichnet erhaltener Dreispitz, daneben ein Spankörbchen, das einen Nähring, ein Garnknäuel und einige Stücke Stoff enthielt. Unter dem Hut lagen ein leeres Branntweinfäßchen, 2 l groß, ein Paar Pantoffeln, ein Paar Schuhe und hölzerne Schuhleisten und auf dem Boden der Kiste Lederhandschuhe mit langen Stulpen und ein Beutel mit Geld.

Viele Handwerker mußten an Bord gewesen sein, um Sturm- und Gefechtsschäden zu reparieren. Die Archäologen fanden die Werkzeuge eines Segelmachers und den Werkzeugkasten eines Zimmermanns. Die eisernen Werkzeuge waren stark verrostet, doch ihre Holzgriffe und die Werkzeuge aus Holz waren gut erhalten, ebenso alles, was der Zimmermann zum Abdichten von Lecks brauchte, Holzhammer, geteerten Hanf und öldurchtränktes Werg. In seinem

Kasten lagen auch zwei Paar Lederhandschuhe, einige Zinnknöpfe, ein Beutel mit Kupfermünzen und seine Zipfelmütze.

Alle Funde kamen in das Labor, das die Konservatoren extra für die *Wasa* auf Beckholm eingerichtet hatten. Die Konservatoren waren dabei, besondere Behandlungsmethoden zu entwickeln für die vielen verschiedenen Gegenstände aus Eisen, Bronze, Zinn, Silber, Knochen, Leder, Glas, Ton, Horn, Elfenbein, Schildpatt, Bernstein und Papier, für die kostbaren Holzschnitzereien und für die *Wasa* selbst. Jeder staunte, wie gut organische Stoffe sich jahrhundertelang unter Wasser erhalten.

Die Archäologen brauchten fünf Monate, um die *Wasa* auszuräumen. Die Taucher beendeten ihre abschließende Suche an der Wrackstelle erst am 25. Oktober 1967. Sie brachten noch etwa viertausend Funde hoch. Den zwanzigsten römischen Kaiser fanden sie nicht, aber das 12 m lange Beiboot der *Wasa*. Insgesamt haben die Archäologen fünfundzwanzigtausend Gegenstände aufgelistet und beschrieben.

Am 26. Juli 1961 – die Archäologen waren noch längst nicht fertig – zogen Schlepper den Ponton mit der *Wasa* aus dem Trockendock zur Nordseite von Beckholm, wo das Schiff unter Dach gebracht wurde, in eine Halle aus Stahl, Beton und Glas zum Schutz gegen Schnee und Frost. Am 23. November zogen sie das Schiff zur *Wasa*-Werft auf Djurgarden, einem provisorischen Museum. Wer immer wollte, sollte bei der Konservierung des alten Schiffs zusehen können. Unter dem Salut von zwei Kanonen aus der *Wasa* eröffnete König Gustav VI. Adolf am 16. Februar 1962 die *Wasa*-Werft für die Öffentlichkeit.

Anders Franzén ging wieder auf Entdeckungen. Er wollte in die Archive, wollte mit Fischern sprechen, in den Dörfern an der Küste in alten Kirchenbüchern stöbern, hinaus aufs Meer fahren und hinab auf seinen Grund tauchen. Die Krone wartete, Der Reisende Mann, Das Schwert, und wie sie alle heißen.

Im Sommer dieses Jahres 1962 erregten fünf dänische Wikingerschiffe in Nordeuropa ebensoviel Begeisterung für die Archäologie unter Wasser wie ein Jahr zuvor die *Wasa*.

Gabriele Hoffmann

Schiffe der Wikinger

An einem sonnigen Vormittag Ende Juni 1984 saß ich mit Ole Crumlin-Pedersen in seinem Büro im Schiffshistorischen Laboratorium in Roskilde. 300 m vom Büro entfernt steht am Ufer des Fjordes die Wikingerschiffshalle mit fünf tausend Jahre alten Schiffen, die Crumlin-Pedersen 1962 im Fjord ausgrub. Mit Halle und Labor ist für ihn Wirklichkeit geworden, was er schon als Student vor bald dreißig Jahren geplant hat.

»Wieso wolltest du das damals?« fragte ich ihn.

Er zuckte die Achseln. Dann sagte er zögernd: »Es war nur der Traum eines Jungen. Viele Jungen träumen von alten Schiffen. Ich habe eben als Erwachsener nicht aufgehört, von ihnen zu träumen.«

Als Junge wünschte er sich, eines Tages in Schloß Kronborg zu arbeiten und herauszufinden, wie die Leute früher Schiffe bauten – das Seefahrtsmuseum im Schloß am Öresund war damals das einzige in Dänemark. Als Abiturient wünschte er sich das immer noch. Sollte er Geschichte studieren, Archäologie und Ethnologie, Völkerkunde? Wenn man ihn aber in Kronborg nicht nahm, konnte er mit einem solchen Studium nur Lehrer werden. Das wollte er auf keinen Fall. Sein Großvater hatte den ersten Lehrstuhl für Elektrotechnik in Dänemark, sein Vater war Elektroingenieur – warum sollte er nicht auch Ingenieur werden, Schiffbauingenieur? Wer die Geschichte des Schiffbaus erforschen will, überlegte er, sollte gut über Schiffe Bescheid wissen. Also schrieb er sich an der Technischen Hochschule in Kopenhagen ein. Er studierte eifrig, obgleich er sich nicht besonders für Maschinen interessierte, und wurde der erste Student, der sein Praktikum auf einer Werft für Holzschiffe machte.

In seiner freien Zeit las er alles, was er über archäologische Schiffsfunde auftreiben konnte. Er merkte, daß Archäologen nur neugierig auf ein Schiff waren, wenn sie es als Teil von etwas anderem fanden, zum Beispiel eines Fürstengrabes. Am besten gefiel ihm ein Aufsatz aus den dreißiger Jahren aus Schweden über einen Schiffsfund an Land. Der Ausgräber, ein Volkskundler namens Humbla, der alten Bootsbautraditionen nachging, hatte jedes Detail rekonstruiert und sich überlegt, wo kommt diese Form her, was wurde später aus ihr. Ole war am gespanntesten auf die sagenhaften Schiffe der Wikinger: »Wie kam man zu ihnen und was geschah mit ihnen nach der Wikingerzeit. Es sind eben sehr schöne und schnelle Fahrzeuge, der Zusammenklang von Technik und Schönheit fesselte mich.«

Er las Artikel von Cousteau und Dumas und wollte nun selbst alte Schiffe auf dem Meeresgrund finden. Also mußte er tauchen lernen. Damals gab es in Kopenhagen einen Berufstaucher, der eine Schule hatte. Ole Crumlin-Pedersen war sein einziger Schüler. Anfangs fand er die Aqualunge recht beängstigend, wenn er nicht genügend Luft bekam. Aber dann wurde es ein wunderbares Erlebnis für ihn, gewichtslos durchs Wasser zu schweben. Alles war so viel größer als an Land, die Stanniolkapseln der Milchflaschen, die auf dem Grund lagen, kamen ihm riesig vor. Quallen, für ihn am Strand bislang nur lästige Geleehaufen, schwebten elegant neben ihm.

Während dieser Zeit versuchte er, Kontakte zum Nationalmuseum zu knüpfen. Der Direktor Brøndstedt hatte einen Artikel über Schiffbau geschrieben, und Ole schrieb einen kritischen Gegenartikel und brachte sein Manuskript Brøndstedt.

»Sehr interessant«, sagte der Direktor, »kommen Sie gern wieder vorbei, wenn Sie etwas Neues haben.«

Im Sommer 1956 las Ole in einer Zeitung, daß Sporttaucher im Roskilde-Fjord Schiffsteile gefunden und sie ins Nationalmuseum zu Olaf Olsen gebracht hatten. Er ging sofort ins Museum und klopfte an Olsens Tür.

»Ich kann dieses Schiff vermessen«, sagte er.

»So«, sagte Olsen.

Olaf Olsen war damals der jüngste Magister in der Abteilung Mittelalter. Die Urlauber hatten ihm gesagt, es handele sich um Hölzer vom Schiff der Schwarzen Margarethe. Aber Olsen glaubte das nicht. Die Schwarze Margarethe war eine Königin, die von 1353 bis 1412 lebte und über Dänemark, Norwegen und Schweden herrschte. Die Fjord-Fischer erzählten seit Generationen in ihren Familien, die Königin habe ein mit Steinen gefülltes Schiff quer in der Fahrrinne zwischen dem Kattegat und Roskilde versenken lassen, um Seeräubern den Weg zur reichen Domstadt zu versperren. Schon 1920 hatten Fischer Wrackteile hochgeholt und ins Nationalmuseum gebracht, wo aber niemand sie beachtete. Olsen war ziemlich sicher, daß die Hölzer, die jetzt vor ihm lagen, an die dreihundert Jahre älter waren und daß sie von einem Wikingerschiff stammten, wie es noch niemand kannte. Und nun stand da dieser angehende Schiffbauingenieur vor ihm und redete von Archäologie unter Wasser und wollte mit ihm zu dem Schiff hinabtauchen.

Es blieb nicht bei diesem ersten Gespräch. Magister Olsen lernte tauchen.

Im nächsten Sommer fuhren Ole Crumlin-Pedersen und Olaf Olsen zur Schiffssperre der Schwarzen Margarethe. Sie lag etwa auf halbem Weg zum Meer fjordaufwärts, 20 km nördlich von Roskilde bei Skuldelev. Skuldelev ist ein Dorf auf den Höhen westlich am Fjord. Unten am Ufer haben Bauern und Fischer seit alters her einen Bootsplatz inmitten von Heckenrosen. Das Wasser hat hier nur eine Tiefe bis zu 3 m, und die Stelle schien Crumlin-Pedersen und Olsen gerade recht, um einmal auszuprobieren, ob sie unter Wasser archäologisch graben konnten.

Sie fanden einen 50 m langen Steinhaufen, den Algen und Muscheln bedeckten. Er sperrte die Fahrrinne in 1 bis 3 m Tiefe. Sie erkannten: Es war nicht nur ein Schiff, das hier lag, sondern eine großangelegte Barriere mit Pfählen, Faschinen und Steinen, das Werk von Leuten, die mit Verteidigungsbauten in strömenden Gewässern große Erfahrung gehabt haben müssen. Die beiden Taucher wurden immer neugieriger.

Der Besitzer einer Werft schenkte ihnen ein Arbeitsfloß, und sie vertäuten es neben der Schiffssperre. Auf dem Floß standen einige Luftzylinder für ihre Aqualungen und der Motor für eine Feuerwehrspritze. Olsen und Crumlin-Pedersen vergruben an jedem Ende der Sperre einen Zementblock. Sie spannten zwischen die beiden Blöcke eine feste Leine als Grundlinie, von der aus sie den Haufen vermessen wollten, und legten weitere Markierungsleinen aus. Dann begannen sie, mit der Feuerwehrspritze Schlamm, Sand und Geröll von den Steinen und Schiffshölzern wegzuspülen. In der riesigen Schmutzwolke, die sie aufwirbelten, wußten sie oft nur noch mit Hilfe der Leinen, wo sie eigentlich waren. Nach einigen Tagen sahen sie, daß die Sperre nicht nur aus einem, sondern aus mehreren Schiffen bestand – Schiffen der Wikinger.

Kein Skandinavier, ob vom Roskilde-Fjord, aus Schweden oder Schleswig, nannte sich Wikinger. Wiking war der Name für die Raub- und Handelsfahrten, auf die sie gingen. Sie nannten sich Nordmänner. 793 überfielen sie von ihren Schiffen aus die Mönche auf der Insel Lindisfarne vor Schottland und erschreckten von da an drei Jahrhunderte lang Europa. Hamburg und Paris brannten, Lüttich und Jülich, Köln, Bonn, Trier. Chronisten an Fürstenhöfen und in Klöstern schrieben entsetzt über die Barbaren aus dem Entwicklungsland im Norden. Wikinger besiedelten Island und Grönland und segelten nach Amerika. Wikinger stellten die Palastwache des Kaisers in Byzanz, gründeten ein Reich auf Sizilien, eroberten England.

Sie waren Bauern, Wanderhändler zur See, Krieger. Im Frühjahr machten sie die Schiffe klar und brachen auf. Ihre Schiffe nannten sie Gischtrenner, Meergottschwan oder Wogenroß. Der Ozean war ihnen die Kampfbahn der Abenteuer. Die Wikinger bauten die besten Schiffe ihrer Zeit, Kielschiffe. Sie konnten sie rudern oder ein viereckiges Rahsegel setzen. An die Steven steckten sie geschnitzte Drachenköpfe, um böse Geister auf dem Meer zu vertreiben.

Das weiß man aus den Sagas, den langen erzählenden Gedichten der Wikinger, die sie im späten Mittelalter in Island aufschrieben, als alle Wikinger wieder so lebten, wie die meisten von ihnen auch während der wilden Zeiten: als friedliche Bauern. Wie aber haben die Schiffe der Wikinger ausgesehen?

Der norwegische Archäologe Nikolai Nikolaysen grub 1880 bei Gokstad am Oslofjord aus einem lehmigen Grab ein Schiff, 25 m lang und aus Eichenholz. Heute steht es im Museum in Oslo. Der leichte Rumpf ist geklinkert, das heißt, die Planken überlappen sich wie Dachziegel, es hat einen Kiel und atemberaubend elegant gekurvte Bug- und Heckpfosten. Das Schiff war das Grab eines norwegischen Köngs, der auf seine letzte Reise Proviant mitgenommen hatte, Kochkessel und Eßgeschirr, Betten, ein Brettspiel, Zelte, Schlitten und drei kleine Boote. An der Reling hingen 32 runde Kampfschilde von je 1 m Durchmesser, die noch Reste der einstmaligen Bemalung trugen, schwarz und gelb.

Gut zwanzig Jahre später, 1904, grub der Archäologe Gabriel Gustafson ein zweites Grabschiff am Oslofjord aus, bei Oseberg. Es war das Staatsschiff einer Fürstin mit allem, was sie auf Erden erfreut hatte und was sie im Jenseits nicht entbehren wollte, ihrem Haushalt, ihren Webstühlen, vier Schlitten und einem vierrädrigen Wagen, alle Hölzer mit feinen, verschlungenen Schnitzereien verziert, mit ihren Pferden, ihren Hunden, ihrer alten Dienerin. Das

Schiff ist 21 m lang und knapp mannshoch, die prächtig geschnitzten Steven vorn und achtern sind doppelt so hoch. Mit dreißig Rudern ist es etwas kleiner als das Gokstad-Schiff mit seinen 32 Rudern, doch in der Bauweise gleicht es ihm sehr, hat geklinkerte Planken und an der Steuerbordseite ein starkes Ruder. Das Oseberg-Schiff stammt aus der Zeit um 800 n. Chr., das Gokstad-Schiff aus der Zeit zwischen 850 und 900 n. Chr.

Beide Schiffe sind schon in alter Zeit ausgeraubt worden, Schmuck und Edelmetalle fehlen. Die Plünderer des Oseberg-Schiffs haben ihre Spaten zurückgelassen und gehörten vielleicht zu den Männern, die der Fürstin das Grab schaufelten.

Doch 1939 öffnete der Archäologe Basil Brown bei Sutton Hoo an der Ostküste von England ein Schiffsgrab, dessen Inhalt seine wildesten Träume übertraf. Er fand einen vergoldeten, mit Silber beschlagenen Helm, einen mit Blattgold überzogenen Kampfschild, ein Schwert mit goldenem Griff und Edelsteinen am Knauf, eine juwelenbesetzte Geldbörse mit vierzig Goldmünzen, er fand silberne Schalen, Silberschüsseln, silberne Löffel und Kellen, mit vergoldetem Silber beschlagene Trinkhörner. An einer Münze erkannte er die Begräbniszeit, 625 n. Chr. Wenn es auch kein Wikingerfürst war, der hier lag, so erlaubten diese Grabbeigaben doch Mutmaßungen darüber, was die Plünderer aus den Gräbern am Oslofjord gestohlen hatten. Vom Sutton-Hoo-Schiff selbst waren nur Reihen eiserner Nägel und die Abdrücke von Planken in der Erde übrig.

Auch das Ladby-Schiff, gefunden im Grabhügel eines Wikinger-häuptlings auf der dänischen Insel Fünen 1935, war nur noch ein Schatten im Sand.

Die Dichter der isländischen Sagas berichten von verschiedenen Schiffstypen. Niemand kannte sie mehr. Als Olaf Olsen und Ole Crumlin-Pedersen bei Skuldelev tauchten, kannten die Archäologen ganz genau nur die beiden einander ähnlichen Schiffe aus den Fürstengräbern in Norwegen. Hier im Fjordwasser aber lagen mehrere Alltagsschiffe, und sie unterschieden sich voneinander.

Drei Sommer arbeiteten Olsen und Crumlin-Pedersen insgesamt zehn Wochen mit einigen Studenten an der Schiffssperre. Sie hoben Steine, luden sie auf ein Floß und kippten sie abseits der Sperre wieder ins Wasser. Die schwersten Steine wogen an die dreihundert Pfund. Sie griffen sie vorsichtig mit einer Steinzange, denn das Holz der Schiffe, die seit tausend Jahren im Wasser lagen, war weich und empfindlich. Das Schleppen der kleineren Steine in 1 bis 1,5 m Wassertiefe war eine schlimme Arbeit. Die Männer trugen warme, wasserdichte Anzüge, Schutzbrillen und Schnorchel. Zum Vermessen der Wrackteile tauchten sie mit Aqualungen. Sie befestigten einen Zeichenrahmen, den sie mit wasserunlöslichem Spezialpapier bespannt hatten, mit einem Riemen am Unterarm und konnten so im trüben Wasser die Maße von Wrackteilen und ihre Lage zur Grundleine aufzeichnen.

Bis 1958 hatten sie vier steinbeladene Wracks entdeckt. Und sie wußten, daß noch mehr Schiffe in der Sperre lagen.

In diesem Herbst fuhr Ole Crumlin-Pedersen zur Konferenz über Archäologie unter Wasser nach Albenga. Er fand alle Reden dort hochinteressant, doch die so problembeladene Grenze zwischen Tauchern, Amateuren und Archäologieprofessoren kam ihm merkwürdig vor – es war ja sowieso niemand Spezialist für all die völlig neuen Fragen, die das Graben unter Wasser aufwarf: In Dänemark tauchte Olaf Olsen, der Archäologe, und er, der Ingenieur, legte Schiffe frei. Auch die Diskussionen darüber, wie man auf dem Meeresgrund ein Schiff nach allen Regeln der Wissenschaft ausgraben könnte, gaben ihm kaum Anregungen für die Skuldelev-Schiffe. Die Versammelten kannten nur das klare Mittelmeerwasser und sprachen über Verzerrungen beim Fotografieren und die Gefahr des Tiefenrauschs. Die Skuldelev-Schiffe lagen ganz flach, dafür konnten die dänischen Taucher selbst an den schönsten Sonnentagen kaum 2 m^2 überblicken.

1959 tauchten Crumlin-Pedersen und Olsen mit zwei Studenten noch einmal drei Wochen im Juli. Sie wechselten von den Aqualungen zur Nargileh über und sparten so das zeitraubende Austauschen der Luftzylinder mehrmals am Tag. Jetzt mußten sie allerdings aufpassen, daß die 40 m langen Luftschläuche sich nicht zwischen den Steinen festklemmten. Wenn sie Schlick abhoben, arbeiteten sie nun auch mit einem Saugrohr, dem Airlift, damit die Sicht unter Wasser nicht vollkommen schwand. Die Methode war aber nur gut, wenn die Strömung so stark ging, daß der Mud nicht wieder zurücksank. Sie entfernten Steine und Sand im Nordwestteil der Sperre und fanden zwei weitere Schiffe. Ihre Aufregung stieg. Beide Wracks unterschieden sich wieder stark voneinander.

Gabriele Hoffmann

Sie wollten die Wracks nach allen Regeln der Archäologie ausgraben und heben. Ihnen war aber klar, daß das unter Wasser nicht ging, die Sicht war zu schlecht und die Strömung zu stark. Außerdem waren alle Nägel weggerostet, und die weichen Planken hielten nicht mehr zusammen, wenn man sie hochhob. Sie mußten einen Kasten um die Sperre bauen und ihn leerpumpen. Ende Juli bedeckten sie die Schiffe wieder mit einer Schutzschicht aus Sand und Steinen und kehrten nach Kopenhagen zurück.

Sie begannen sofort, Geld zu beschaffen und mit dem Plan für den Kasten zu Industrieunternehmen zu gehen. Ole Crumlin-Pedersen machte im Januar 1960 sein Examen als Schiffbauingenieur, danach mußte er zum Militär. Olaf Olsen legte den Termin für die Ausgrabung auf 1962, wenn Ole wieder Zeit hatte. Anfang 1962 stellte das Nationalmuseum Ole ein.

Der Fund der Wikingerschiffe erregte großes Aufsehen in Nordeuropa. Drei dänische Industriestiftungen und die Baufirma Christiani & Nielsen wollten gemeinsam die Kosten der Ausgrabung übernehmen. Später, als jedermann sah, wie überragend der Fund tatsächlich war, bezahlten sie auch die Konservierung und den Wiederaufbau der Schiffe. Andere Firmen liehen Pumpen, schenkten die Elektrizitätsinstallationen und ein Telefon, und eine spendierte die geotechnische Untersuchung des Fjordbodens, die notwendig war, ehe der Kasten gebaut werden konnte.

Im Mai und Juni 1962 umgab die Firma Christiani & Nielsen die Schiffssperre mit einem Kasten aus eisernen Spundwänden. Die Ingenieure mußten die Spundwände 3 bis 4 m tief in den Grund des Fjordes rammen. Der Kasten war ein unregelmäßiges Fünfeck, 161 m im Umfang, und schloß 1600 m^2 ein. Er erwies sich als guter Schutz gegen Hochwasser und Sturm, nicht aber gegen Neugierige: Später fanden Olsen und Crumlin-Pedersen, daß böswillige Besucher aus der Steuerbordseite von Wrack Nr. 3 – ausgerechnet dem besterhaltenen Schiff – mit einem Beil ein Stück von 50 cm Länge herausgeschlagen hatten.

Von Anfang an waren alle Beteiligten sich einig, daß die Grabung ein Vergnügen nicht nur für Archäologen sein sollte. Die Ingenieure bauten an der Ostseite des Kastens eine hölzerne Galerie, 40 m lang und 1,80 m breit, von der aus, wer immer wollte, den Archäologen bei der Arbeit zusehen konnte. Das Nationalmuseum erlaubte einer privaten Gesellschaft, mit Booten am Kasten anzulegen, und obwohl damals nur kleine zeitraubende Straßen nach Skuldelev führten, besuchten in drei Sommermonaten dreißigtausend Männer, Frauen und Kinder die Ausgrabung.

An der Südmauer des Kastens ließen die Ingenieure Pfähle in den Fjordboden rammen und setzten eine kleine Hütte darauf, in der Olsen und Crumlin-Pedersen ihre Schreibtische und ihre Betten aufstellten. Für die Studenten bauten sie 80 m weiter draußen im Fjord eine große Baracke mit Kantine und Schlafräumen, von der aus ein niedriger, schmaler Steg übers Wasser zum Kasten lief.

Von allen Hochschulen des Landes meldeten sich begeisterte Helfer, und Olsen wählte 32 aus. Jeder Student und jede Studentin sollte drei Wochen lang helfen dürfen in einem festen Team von sieben bis acht Leuten. Doch schließlich arbeiteten zwölf bis vierzehn gleichzeitig. Zwei erfahrene Assistenten unterstützten Olsen und Crumlin-Pedersen.

Am 6. Juli 1962 begann die Ausgrabung.

Die Studenten lagen bäuchlings auf schlüpfrigen, hölzernen Planken, die über den Wracks auf Balken ruhten, und arbeiteten mit dem Kopf nach unten. Zuerst mußten sie den dichten Algenteppich abkratzen, der das Fjordbett bedeckte, und dann Schlick und Sand von den Steinen. In den ersten Tagen sahen sie weder etwas von der Pfahlsperre noch von den Schiffen. Olsen hatte ihnen Spielzeugschaufeln und Küchengeräte – Meßbecher und Schaber – aus weichem Plastik gekauft, aber sie rissen die Algen lieber mit den Händen ab. Sand und Steine lösten sie mit Wasserpistolen und benutzten als Schaufeln wieder ihre Hände. Auch als das Holz hervorkam, fanden sie die Pistolen nützlicher als die Messer und Bürsten, die Archäologen normalerweise gebrauchen. Diese Pistolen sind einfach Wasserschläuche mit Düsen am Ende, die wie große Wasserpistolen von Kindern aussehen und durch Druck der Finger am Griff hart oder weich eingestellt werden. Vier elektrische Pumpen speisten sie mit Wasser aus dem Fjord. Ein ohrenbetäubender Lärm lag über der Ausgrabung.

Aber es blieb nicht allein beim Lärm. Als die ersten Schiffsteile aus dem Wasser auftauchten, kam Dauerregen dazu. Crumlin-Pedersen und Olsen ließen das Wasser aus dem Kasten nur ganz allmählich herauspumpen, damit die Steine auf den Schiffen nicht ihren Auftrieb verloren und sich schwer auf das weiche Holz legten und es zerdrückten. Nur die oberste Lage von Sand und Steinen durfte über der Wasseroberfläche erscheinen. Erst wenn sie fortgeschafft war, wurde weitergepumpt. Als das kostbare Holz aus dem Wasser ragte, ließen sie es von neunzehn kleinen Rasensprengern Tag und Nacht besprühen, damit es nicht austrocknete und schrumpfte. Die Studenten durften die Rasensprenger nur während des Fotografierens und Ausmessens abstellen. Doch bald merkte Olsen, daß sie es mit dem Anstellen nicht allzu genau nahmen und auch zwischendurch einmal die Sprenger herunterdrehten. Er konnte das gut verstehen. Obwohl jeder Gummizeug trug, war die Arbeit sehr naß, und denen, die auf den Stegen lagen, rieselte das Wasser in den Nacken, lief an ihren Ohren vorbei und tropfte vom Kinn. Immer wieder mußten Olsen und Crumlin-Pedersen sie ermahnen, die Sprenger voll aufzudrehen, damit das Holz wirklich klatschnaß blieb. Zu einem großen Krach kam es aber nicht, denn zur Freude der beiden Ausgräber war dies der kälteste Sommer seit 34 Jahren, naß und grau, ideal für eine Ausgrabung von wassergetränkten Holzschiffen.

Das schichtweise Ausmessen von sechs Wracks auf einmal hätte viel zu lange gedauert. Deshalb benutzten Olsen und Crumlin-Pedersen eine Methode, die Photogrammetrie heißt: Sie fotografierten mit einer Spezial-Stereo-Kamera, erhielten also von einer Wrackstelle Fotos aus der gleichen Höhe, aber seitlich leicht verschobenem Abstand. Wenn sie diese Fotos in einem besonderen Apparat betrachteten, sahen sie ein räumliches Bild des Holzes, an dem sie die Maße abnehmen und in Zeichnungen übertragen konnten. Mit der Spezialkamera konnten sie eine Wrackschicht in einer Stunde durchfotografieren. Später waren sie allerdings etwas unzufrieden mit den Meßergebnissen, und sie versuchten, die Methode weiter zu verbessern.

Die Studenten banden jedem Stück Holz ein Nummernschild aus Plastik um, fotografierten es einzeln und vermaßen es. Auf einer Karteikarte notierten sie seine Maße, seine Nachbarn und beschrieben es kurz. Sie füllten fünfundvierzigtausend Karteikarten aus: fünfundvierzigtausend Wrackteile und -teilchen wurden hier gehoben, kamen vielleicht beim Transport oder beim Konservieren durcheinander, und später sollten Schiffszimmerleute sie doch wieder zu den ursprünglichen Schiffen zusammenbauen.

Das Heben war schwierig. Manchmal mußten zehn Studenten zugleich eine zerbrechliche Planke anfassen. Sie legten die Hölzer auf wasserfeste Hartfaserplatten, schlugen sie in grobe Juteleinwand ein, verpackten sie in Polyäthylensäcke und brachten sie auf Flöße am Anlegesteg des Kastens. Ein Schiff zog die Flöße in den kleinen Hafen von Skuldelev, wo die Studenten die Hölzer auf Lastwagen verluden. Die Lastwagen fuhren sie zur Konservierungshalle, die das Nationalmuseum in Brede, nördlich von Kopenhagen, in einer alten Fabrik eingerichtet hatte.

Ehe die Hölzer für Jahre in den Konservierungsbecken verschwanden, ließ Ole Crumlin-Pedersen sie in voller Größe auf Blätter aus durchsichtigem Polyester zeichnen: Die Zeichner legten die Blätter auf eine Glasscheibe über dem Holz, richteten die Lampen senkrecht und zeichneten die Umrisse nach. So ging es am genauesten und am schnellsten. Ein Fotograf nahm die Zeichnungen auf und verkleinerte sie dabei, so daß die Archäologen die Abbildungen der Hölzer am Schreibtisch wie Puzzle-Steine zusammenlegen und die Schiffe rekonstruieren konnten.

Die Ausgräber sahen, daß die Wikinger alle Schiffe ausgeschlachtet, auch Masten und Decksplanken fortgenommen hatten, ehe sie sie mit Steinen beluden und versenkten. Sie hatten die Schiffe mit Zweigen ausgepolstert, damit die Steine beim Beladen den Boden nicht durchschlugen. Die Studenten fanden nur eine Knochennadel, einige Tierknochen und zwei Topfscherben.

Am 17. Oktober hatten sie alle Schiffe gehoben, und Christiani & Nielsen bauten ihren Kasten wieder ab.

Es dauerte einige Jahre, bis Olaf Olsen und Ole Crumlin-Pedersen genau wußten, was sie gefunden hatten. 1968 veröffentlichten sie ihre Ergebnisse. Erst anhand der Fotos und Zeichnungen erkannten sie, daß sie es nicht mit sechs, sondern nur mit fünf Wracks zu tun hatten: Nr. 2 und Nr. 4 gehörten zum selben Schiff. Ihr genaues Messen und Dokumentieren bewahrte sie vor dem Fehler, der Cousteaus große Entdeckung bei Grand Congloué bedeutungslos gemacht hatte.

Wrack Nr. 1 ist ein Ozeanschiff, breit, hoch und kräftig gebaut, mit vollem, rundem Bug und Heck. Solche stark gewölbten Schiffe mit großem Laderaum werden in den Sagas »knarr« genannt, und die Dichter erzählen, von einigen isländischen Frauen hieß es, sie hätten einen Busen wie eine »knarr«. Die Wikinger benutzten diese hochseetüchtigen Frachtschiffe für ihre Reisen nach England und ihre Fahrten über den Nordatlantik: nach Island mit Auswanderern und deren Vieh oder nach Grönland mit Waren für die Bauern, die dort siedelten, und vielleicht auch für Fahrten nach Kanada, wo sie Holz holten. Seeleute und Passagiere an Bord fanden vor dem harten Atlantikwetter keinen Schutz, denn nur vorn und achtern gab es ein kleines, niedriges Halbdeck. Das Schiff hat einen Kiel aus Eiche und Planken aus Kiefer und ist vermutlich in Südnorwegen gebaut, denn Kiefern für den Schiffbau gab es in Dänemark nicht. Seine wichtigste Antriebskraft war ein breites Rahsegel. Vom Schiff sind zwei Drittel erhalten, es war 16,50 m lang, 4,50 m breit und mittschiffs 1,90 m hoch.

Wrack Nr. 3 dagegen ist ein leichter gebautes Küstenhandelsschiff, in dem die Wikinger Waren über die Ostsee und die großen Flüsse aufwärts brachten, vielleicht auch nach England. Sie verstauten die Waren im offenen Mittelschiff unter Häuten. Die Besatzung, höchstens vier bis sechs Mann, hielt sich auf den Halbdecks vorn und achtern auf. Von dort aus konnten sie das Schiff mit Rudern, die sie durch Löcher in der obersten Bordplanke steckten, bewegen, aber meistens ließen sie es segeln. Es ließ sich sehr gut segeln, konnte leicht an den Strand gezogen werden und sogar, leer, auf kurze Entfernungen über Land. Drei Viertel dieses Schiffs haben ein Jahrtausend überdauert. Sein schön geschwungener Vordersteven ist bis zur obersten Spitze erhalten. Es war 13,50 m lang, 3,30 m breit und 1,60 m hoch.

Das kleine Kriegsschiff der Wikingerzeit – Wrack Nr. 5 – wiederum war im Verhältnis zu seiner Länge sehr schmal und flach: 18 m lang, 2,60 m breit und mittschiffs 1,10 m hoch. Von diesem Schiff ist die Hälfte erhalten. Früher war es einmal ein schneller, wendiger Segler. Bei Windstille konnten 24 Männer es rudern, die auf schmalen Bänken an den Schiffsseiten entlang saßen. Es ist aus Eiche und hatte ein durchgehendes Deck, kaum Laderaum. Pferde konnten am Strand über das niedrige Dollbord springen. Solche Schiffe kennen wir vom Wandteppich von Bayeux, der in gestickten Bildern erzählt, wie Wilhelm der Eroberer 1066 nach England fuhr. Entweder war das Wrack einmal das persönliche Schiff eines Häuptlings, ein Symbol für Macht und Kraft, wie heute nicht einmal die schnellsten Autos es sind, oder es war ein Fahrzeug für 26 bis dreißig Krieger, »ein richtiges Piraten- und Landungsboot«, schrieb Ole Crumlin-Pedersen.

Das berühmte Langschiff der Wikinger ist so lang, daß Crumlin-Pedersen und Olsen es erst für zwei Schiffe hielten: Wrack Nr. 2 und Nr. 4. Von ihm ist nur ein Fünftel erhalten, aber immerhin: Es ist der nach den Sagas gefürchtetste Schiffstyp der Wikingerzeit, außerordentlich seetüchtig und gleichzeitig leicht ans Ufer zu setzen, 28 m lang, aus Eiche, vermutlich mit zwanzig bis 26 Riemenpaaren, die entlang der Bordwände in Abständen von kaum mehr als 60 cm verteilt waren. Dieses Schiff ist entworfen und gebaut, um eine Gesellschaft von fünfzig bis sechzig Kriegern zu tragen. Wo solche Schiffe am Horizont auftauchten, banden die Leute ihr Vieh los, rafften ihre Habe und rannten ins Land.

Das kleinste der Schiffe – Wrack Nr. 6 – war 12 m lang, 2,50 m breit und mittschiffs 1,20 m hoch. Es trug wie die übrigen Schiffe Mast und Segel, aber nirgends gibt es Spuren von Riemenlöchern, obwohl siebzig Prozent des Holzes erhalten sind. Auch beide Steven fehlen. Crumlin-Pedersen weiß nicht, was für ein Schiff es ist, vielleicht eine Fähre, vielleicht ein Fischerboot.

Die Schiffbauer nahmen damals nur das beste Holz. Crumlin-Pedersen und seine Helfer fanden auf den Hölzern die Spuren ihrer Werkzeuge. Sie nahmen Abdrücke der Spuren, ehe die Hölzer im Konservierungsbad verschwanden, und Crumlin-Pedersen untersuchte, welche Spuren an welchen Teilen der Schiffe saßen und an welcher Holzart. So gelang es ihm, einige der Arbeiten vor Beginn eines Schiffbaus kennenzulernen, zum Beispiel wie die Wikinger die verschiedenen Bauteile aus einer Eiche zuschnitten. Trotz sorgfältiger Suche fanden er und seine Helfer keine Spuren von Sägen. Die Schiffbauer arbeiteten nur mit Äxten und Beilen.

Olaf Olsen schickte Holzproben in ein Labor, wo Chemiker das Alter der Schiffe nach der 14-C-Methode bestimmten.

Diese Methode heißt auch Radio-Carbon-Methode. Willard F. Libby von der Universität Chicago gab sie 1949 bekannt. Sie beruht auf der Tatsache, daß jedes Lebewesen leicht radioaktiv ist: Zusätzlich zum gewöhnlichen Kohlenstoff 12-C gibt es in der Atmosphäre die radioaktive Kohlenstoffart 14-C. Sie kommt nur in einem sehr geringen, aber gleichbleibenden Verhältnis zu 12-C vor, und jedes Lebewesen, ob Baum, Tier oder Mensch, nimmt sie mit seiner Nahrung auf, ist also ebenso radioaktiv wie seine Umgebung. Wenn aber ein Baum, ein Tier oder ein Mensch stirbt, kommt kein neuer radioaktiver Kohlenstoff mehr in seinen Körper. Das vorhandene 14-C zerfällt, und zwar, wie Libby ausgerechnet hat, in einer Zeit von 5568 plus/minus 30 Jahren um die Hälfte. Man muß also messen, wieviel 14-C in einem organischen Stoff wie zum Beispiel Holz noch vorhanden ist, die Zahl mit dem bekannten Verhältnis von 14-C zu 12-C in der Atmosphäre vergleichen und weiß nach einigem Rechnen, wie lange das Holz schon tot ist.

Das ist das Prinzip. Theorie und Praxis sind verwickelter, zumal die Methode in den letzten Jahren immer weiter verfeinert wurde. Sie gab aber schon den Archäologen der fünfziger und sechziger Jahre eine nie zuvor gekannte Sicherheit bei der Altersbestimmung und warf manche ihrer historischen Annahmen über den Haufen. Viele Funde in Europa zum Beispiel sind sehr viel älter, als man bis dahin angenommen hatte.

Die Chemiker stellten fest, daß die Bäume für die Skuldelev-Schiffe in den Jahren zwischen 950 und 1050 n. Chr. gefällt wurden.

Ole Crumlin-Pedersen verglich nun die einzelnen Bauteile seiner Schiffe mit denen der älteren Wikingerschiffe in Oslo und mit Teilen von Schiffen, die sich in den Magazinen einiger skandinavischer Museen in den letzten Jahrzehnten angesammelt hatten. Er fing an, darüber nachzudenken, wie die Wikinger die technischen Probleme beim Bau schneller, seetüchtiger Rahsegler von Jahrhundert zu Jahrhundert immer besser lösten.

1966 begann in Roskilde der Bau der Wikingerschiffshalle, und ab 1969 konnten Museumsbesucher zuschauen, wie Schiffszimmerleute die Schiffe zusammensetzten, und die Männer ausfragen. Hunderttausende von Besuchern kamen und kommen noch immer und erfreuen sich an den herrlichen Linien der Schiffe und am weiten Blick über den Fjord.

Olaf Olsen ist Direktor des Nationalmuseums geworden und Ole Crumlin-Pedersen Leiter der Abteilung Meeresarchäologie. Damals, 1962, als Studenten die Wracks hoben, waren die Sensationen der beiden Jahre 1961 und 1962 mit der *Wasa* und den Wikingerschiffen noch nicht vorüber. Genau acht Tage vor Grabungsschluß in Skuldelev tauchte aus der Weser in Bremen eine vollständige Hanse-Kogge auf.

Eine Hanse-Kogge

Am 9. Oktober 1962 legte das Baggerschiff *Arlesienne* beim Ausbaggern eines Hafenbeckens in Bremen ein hölzernes Wrack frei. Niemals hatten die Männer ein seltsameres Schiff gesehen. Der Leiter des Hafenbauamtes rief das Bremer Landesmuseum an. Siegfried Fliedner, Kunsthistoriker und zuständig für die Museumsabteilungen Mittelalter und Schiffahrt, fuhr sofort an die Weser. Als er das Wrack sah, hielt er den Atem an.

Das Schiff steckte seitlich im sandigen Abhang der Landzunge, die die *Arlesienne* abräumen sollte. Es lag mit siebzig Grad Schlagseite nach Steuerbord geneigt und sah aus, als sei es gestrandet. Fliedner sah die Backbordwand aus gewaltig breiten Planken, die sich überlappten, sah die Reste eines Kastells über dem Heck: Dort lag eine Hanse-Kogge.

Die Flut hatte eingesetzt, das Weserwasser stieg, und das Schiff verschwand wieder. Ganz sicher war Fliedner nicht. Er kannte Koggen nur von den Siegeln der Hansestädte. Auf den Siegeln sind sie sehr klein wiedergegeben, in Seitenansicht und stilisiert. Sprach er zu früh das Wort »Kogge« aus und stellte sich in ein paar Tagen heraus, daß es doch keine Kogge sein konnte, zerstörte er seinen Ruf als Wissenschaftler. Schwieg er zu lange, würden Ebbe und Flut oder das Hafenbauamt das Wrack zerschlagen. Er beschloß, seinen Ruf zu riskieren, um eine Kogge zu retten. Aber er wollte wenigstens auf die nächste Ebbe bei Tageslicht warten, um sich nochmals zu vergewissern. 3, 4 m hoch über dem Wrack stand die Abbruchkante aus Sand und Klei. Sie konnte in der Nacht, wenn die Ebbe einsetzte, absacken und das Wrack zertrümmern, und die Flut würde Holzteile und Sand mit sich zum Meer reißen. Fliedner bat die Leute vom Hafenbauamt, die Baggerarbeiten beim Wrack einzustellen und mit einer Planierraupe den drohenden Sandberg wegzuschieben.

Der Raupenfahrer arbeitete die ganze Nacht. Die Morgenflut schwemmte das Wrack beim Zurückweichen weiter frei.

Gabriele Hoffmann

Bei Ebbe wurde Siegfried Fliedner ganz sicher: Es war wirklich eine Kogge.

Eine Hanse-Kogge – das war eine Sensation für Historiker. Jahrhundertelang haben die Koggen im Mittelalter Nord- und Ostsee beherrscht und ihren Eigentümern Reichtum und Macht gebracht. Doch so wichtig sie für die europäische Handels- und Seefahrtsgeschichte sind, über ihr Aussehen und ihre Bauweise wußte man so gut wie nichts.

Die Hansen waren anfangs reisende Fernhändler, die sich zu einem losen Bund zusammenschlossen, um sich bei ihren Handelsfahrten in die Länder rings um Nord- und Ostsee gegenseitig zu unterstützen. Ab Mitte des 12. Jahrhunderts wurden entlang der Ostseeküste die ersten Städte gegründet, und aus der Genossenschaft wuchs allmählich ein Städtebund, der sich über ganz Nordeuropa ausdehnte. An der Ostsee stieg Lübeck zur mächtigsten Hansestadt auf und im Westen Köln am Rhein. Handelskontore entstanden, der Stalhof in London, die Brücke in Bergen, der Petershof in Nowgorod.

Die Koggen waren Massengutfrachter, hochbordig und massiv und mit ihrer Ladekapazität den Wikingerschiffen überlegen. Von ihren erhöhten Vor- und Achterkastellen aus waren sie gut zu verteidigen in einer Zeit, in der jeder auf See gegen jeden kämpfen können mußte. 1304 wurde das dänische Verteidigungssystem, das im 13. Jahrhundert aus eintausendeinhundert Langschiffen bestand, auf Koggen umgestellt. Hanse-Koggen brachten Getreide, Heringe und Holz nach Westen und Tuche, Waffen, Hausgerät und vor allem Salz zum Einlegen von Fleisch und Fisch in die wachsenden Städte im Osten. Lübeck machte der Import von Heringen aus Schonen und Stockfischen aus Norwegen reich, und Köln der Export von Rheinweinen und Tonkrügen.

Die verbündeten Städte versuchten, ihre Kaufleute gegen Seeräuber und Könige zu schützen und Handelsvorrechte, Monopole, zu erhalten, und gemeinsam verteidigten sie sich in Kriegen. Als zum Beispiel die Norweger sich gegen die deutschen Kaufleute auflehnten, die ihnen die Preise diktierten, blockierten die Hansestädte das ganze Land, verschifften weder Getreide noch Gemüse dorthin, und bald entstand eine Hungersnot. Die Norweger mußten zähneknirschend nachgeben und mehr Handelsvorrechte einräumen als zuvor.

Im 15./16. Jahrhundert aber fanden englische und holländische Kaufleute Rückhalt bei ihren sich herausbildenden Staaten und drängten den Einfluß der Hansekaufleute zurück. Der Ostseehandel nahm zwar an Umfang weiter zu, doch es waren bald nicht mehr Hansekaufleute, die ihn beherrschten. Nach und nach ging jede Hansestadt ihre eigenen Wege, und die Hanse löste sich auf.

Nicht eine einzige Kogge war übriggeblieben. Alte Hafenpapiere berichten von Koggen, aber niemand wußte mehr, welche Schiffe Koggen genannt wurden. Nur einzelne Teile von mittelalterlichen Schiffen waren in Skandinavien aufgetaucht, aber man wußte nicht so recht, wie man sie verstehen sollte. 1873 allerdings fanden Arbeiter in Danzig beim Hafenbau wohl eine Kogge, doch alles, was von ihr erhalten blieb, ist eine ungenaue Zeichnung in der ›Leipziger Illustrierten Zeitung‹ vom 18. Januar 1873 von einem großen Schiff in den Dünen, das drei Männer zersägen und zerhacken.

Damals, 1962, als die erste Hanse-Kogge auftauchte, drohte der Winter mit Eisgang. Das Hafenbauamt wollte weiterarbeiten. Wenn Siegfried Fliedner die Kogge haben wollte, mußte er sie unverzüglich bergen. Wieder wechselten Ebbe und Flut, das Wasser nahm den Schlamm unter dem Heck fort, und die Kogge sackte ab. Natürlich wollte Fliedner sich beeilen. Kein Museum der Welt konnte seinen Besuchern eine originale Hanse-Kogge bieten. Nur – ein kulturgeschichtliches Museum, dessen Wissenschaftler mit Möbeln, Heiligenstatuen, Silber, Porzellanen und Gemälden zu tun haben, ist nicht darauf eingerichtet, ein Frachtschiff zu heben. Der Direktor des Museums wollte nichts von der Kogge hören, er war mit einem Neubau beschäftigt und fürchtete, die Kogge würde ihn nur das Geld kosten, das er für anderes vorgesehen hatte. Auch der Senatsrat, der höchste Vorgesetzte, an den Fliedner herankam, blockte ab. Museumsdirektor und Senatsrat waren beide Kunsthistoriker, und es gelang Fliedner nicht, ihnen die Bedeutung eines technischen Kulturdenkmals klarzumachen. Technik war ihnen unheimlich, der Museumsdirektor besaß nicht einmal einen Führerschein für Autos.

Die ersten Herbststürme setzten ein. Fliedner lief von einem einflußreichen Bremer Bürger zum anderen. Schließlich hatte er etwas Geld zusammengebracht. Einige Mitarbeiter des Museums ließen ihre Arbeit in den warmen Büros, Direktor hin, Direktor her, im

Stich, und auch die Leute vom Hafenbauamt halfen nach Kräften, die Kogge zu retten.

Fliedner und seine Helfer wußten über die Hebungen der *Wasa* und der Wikingerschiffe Bescheid. Doch es war keine Zeit mehr, über einen Kasten aus Spundwänden nachzudenken, und im ganzen wie die *Wasa* konnten sie die Kogge nicht heben, von den Kosten einmal abgesehen. Berührten sie Eisennägel und Holzdübel an der Bordwand, fielen sie ihnen in die Hand. Die Schiffshölzer hielten nicht mehr zusammen. Sie mußten die Kogge Stück für Stück auseinandernehmen.

Fliedner ließ alle Balken und Planken, die bei Niedrigwasser aus der Weser ragten, numerieren, vermessen und herausholen. Er ließ große Pfosten rings um die Kogge rammen und Maschendraht spannen, damit die Gezeitenströme nichts davontragen konnten. Ein Helmtaucher holte die Schiffsteile, die nicht zu tief im Sand steckten, einzeln heraus. Der Taucher konnte im trüben Weserwasser nur tasten, konnte unter Wasser weder vermessen noch fotografieren oder gar zeichnen. Er spülte die versandeten Teile mit einem Saugrohr frei und löste sie aus dem Verband. Die Planken wogen zwischen 100 und 200 kg, Steven, Kiel und Querstreben waren 6 bis 11 m lang und wogen bis zu 1 t. Ein Schwimmkran hob sie einzeln auf einen Ponton. Ein Zeichner fügte jedes Stück Holz, das der Kran absetzte, in eine vorläufige Rekonstruktionszeichnung ein. Auf dem Papier wuchs das Schiff, das im ganzen noch niemand gesehen hatte.

Damals kannte Fliedner die genauen Maße der Kogge noch nicht, doch ich will vorgreifen. Die Kogge muß mit einer Länge von 23,23 m, einer Breite von 7,78 m und einer Rumpfhöhe – einschließlich Achterkastell und Gangspill – von 7,04 m die Durchschnittsgröße einer Kogge aus dem 13. und 14. Jahrhundert schon ein wenig überschritten haben. Sie ist ein flachbödiges Schiff, dessen Planken am Boden aneinanderstoßen, sich an den Seiten aber in Klinkerbauweise überlappen. Die Planken sind gesägt. Gesägte Planken waren schneller und billiger herzustellen als die gespaltenen der Wikingerschiffe. Die Kogge hatte einen Mast, der verloren ist, hat gerade, nach vorn und hinten geneigte Steven und statt des altherkömmlichen Seitenruders ein neuartiges Steuerruder direkt am Achtersteven.

Der Winter setzte 1962 ungewöhnlich früh ein. Der erste Eisgang auf der Weser kam schon im Dezember. Doch da war die Kogge so weit geborgen, daß Hochwasser, Eis und Stürme keinen Schaden mehr anrichten konnten. Die Hölzer lagen in einem Hafenschuppen in großen Wasserwannen. Ein Mittel gegen Pilzbefall war im Wasser gelöst. Nachdem sie Hunderte von Jahren in der Weser gelegen hatte, sollten nun nicht Pilze sie auffressen.

Siegfried Fliedner dachte darüber nach, wie er den Rest der Kogge bergen und das notwendige Geld dafür auftreiben konnte. Noch stand er ganz allein mit seiner Behauptung, nach einem Vergleich der Städtesiegel müsse das Schiff aus dem 13./14. Jahrhundert stammen. Er brauchte einen unanfechtbaren Beweis für das Alter des Schiffs. Er hatte kein Geschirr gefunden, keine Münze. Außerdem brauchte er einen Beweis, daß das Schiff nicht nur ein Liebhaberstück für ein Museum war, sondern ein interessanter Fall für die Forschung.

Er fuhr nach Hamburg in die Bundesanstalt für Forst- und Holzwirtschaft. Von dort hatte er schon guten Rat für das Lagern der Hölzer bekommen. Er traf sich mit den Professoren Walter Liese, Holzbiologe, Detlef Noack, Holzphysiker, und Hans-Hermann Dietrichs, Holzchemiker. Die drei Naturwissenschaftler zeigten mehr historische Neugier als Fliedners Bremer Kunsthistoriker-Kollegen. Sie fanden die neuen Probleme, die *Wasa*, Skuldelev-Schiffe und Kogge aufwarfen, sehr spannend. Sie wollten herausfinden, wie man ein großes, wasserdurchtränktes, weiches Schiff so behandelt, daß es eines Tages zur Freude der Besucher frei in einer Museumshalle stehen kann. Außerdem machte es ihnen Spaß, nach Stockholm und Roskilde zu fahren und zu sehen, was die Kollegen dort sich gerade ausdachten. Liese arbeitete in seinem Institut schon lange daran, wie man das Alter eines Holzgegenstandes am Holz selbst ablesen kann. Fliedner kehrte getröstet nach Bremen zurück und schickte Pakete mit Koggenholz nach Hamburg.

Professor Lieses Assistent, Josef Bauch, heute selbst Professor, machte sich an die Arbeit: Zum ersten Mal gelang es, das Alter eines Schiffs aus seinem Holz auf ein Jahr genau abzulesen.

Die Kogge brachte im Holz ihren eigenen Kalender mit, einen Teil ihrer Geschichte. Als ich Prof. Bauch einige Jahre später kennenlernte, war er bereits Spezialist auch für Gemälde und mußte zum Kummer der Kunsthistoriker in Kassel feststellen, daß ein Rubens

Gabriele Hoffmann

auf eine Holztafel gemalt ist, die noch als Baum im Wald stand, als der große Meister schon ein paar Jahre tot war. Diese Methode der Altersbestimmung – sie heißt Dendrochronologie – ist besonders für die Archäologen, die unter Wasser Holz ausgraben, eine wichtige Hilfe geworden. Ihr Prinzip ist ganz einfach:

Eichen bilden jeden Sommer eine neue Schicht Holz. Jeder, der schon einmal eine Baumscheibe gesehen hat, kennt diese Schichten, die Jahresringe. Je nachdem, wie das Wetter ist, wachsen sie unterschiedlich breit, und wenn man sie ausmißt und ihre Breite in ein Diagramm einträgt – eine Zeichnung auf Millimeterpapier, in der zum Beispiel jedes Karo nach rechts ein Jahr und jedes Karo nach oben 1 mm Holz bedeutet –, dann erhält man eine unverwechselbar gezackte Kurve. Wenn ein Wissenschaftler heute einen Baum fällt, kennt er ja das Jahr, in dem der letzte Ring gewachsen ist. Nun kann er alle Jahresringe rückwärts zählen und weiß, daß seine Sägezahnkurve aus diesem Baum zum Beispiel bis zum Jahre 1800 zurückreicht. Nun sucht er sich einen älteren Eichenbalken, aus einem Fachwerkhaus oder einer Brücke, und zählt ihn aus. Der Anfang der Kurve des Balkens aus dem Haus gleicht vielleicht dem Ende der Kurve des Baums, den er gefällt hat: Er kann die beiden Kurven zusammenhaken. So kommt er noch einmal hundert oder einhundertfünfzig Jahre weiter zurück. Jetzt sucht er sich noch ältere Eichenhölzer, aus einem Bilderrahmen oder einer Kirche. Das wiederholt er an sehr vielen einzelnen Proben, denn auch die Standorte der Bäume – an einem Sonnenhang, an einem Bach – beeinflussen die Breite ihrer Jahresringe. Schließlich hat er eine Durchschnittskurve.

Solche Standardkurven gibt es in mehreren Ländern der Welt für verschiedene Landschaften. Mit jeder Forschergeneration nehmen ihre Anzahl und ihre Genauigkeit für immer mehr Holzarten zu. Die Kurven sind heutzutage in Computer eingefüttert, und wenn jemand wissen will, wie alt ein Holzstück ist, zählt und mißt er die Jahresringe aus und gibt die Kurve in den Computer. Wenn er Glück hat, kann der Computer sie irgendwo in eine der Standardkurven einpassen. Dann ist klar, wann das Holzstück als Baum gewachsen sein muß.

Die Kurven, die Josef Bauch von Koggehölzern zeichnete, wollten anfangs nirgendwo hineinpassen in die damals vorhandenen Eichen-Standardkurven vom Rheingebiet, Hessen und Süddeutschland. Offenbar wuchsen die Eichen in Norddeutschland anders, aber eine norddeutsche Standardkurve gab es noch nicht. Er bat Fliedner, ihm noch einmal Holz zu schicken.

An einigen Stellen dieses Koggeholzes war die rohe Waldkante erhalten, mit dem allerletzten Jahrring also. Die Holzteile paßten in die hessische Standardkurve: Der Baum war im Jahre 1378 gefällt worden.

Aus schriftlichen Quellen wissen wir, daß schon im 13. Jahrhundert Flöße mit Eichenholz aus dem Weserbergland die Weser abwärts ins Flachland kamen. Einige Städte am Fluß besaßen das Stapelrecht, auch Bremen: Die Flößer mußten ihr Holz zum Verkauf anbieten, meist eine Woche lang. Vielleicht verging so ein Sommer, bis das im Winter geschlagene Holz in Bremen landete.

Lange können die Schiffbauer das teure Eichenholz nicht gelagert haben. Das erkannte Bauch daran, daß er selbst unter dem Mikroskop weder Spuren von Bläuepilzen noch von holzbohrenden Insekten fand, die gleich herbeikommen, wenn irgendwo Holz lagert. Er sah es auch an den Spuren, die die Werkzeuge der Schiffszimmerer hinterlassen hatten. So sauber wie die Balkenköpfe der Kogge konnten sie nur saftfrisches Hirnholz abbeilen. Josef Bauch setzte für den Bau der Kogge das Jahr 1380 an, ein bis zwei Jahre nach dem Einschlag der Hölzer.

Siegfried Fliedner war sehr erleichtert und glücklich, als er dieses Ergebnis hörte.

1380 – damals stand die Hanse auf der Höhe ihrer Macht. 22 Jahre zuvor hatten Bremer Kaufleute, die sich seit zwei Generationen von der Hanse fernhielten, es doch vorteilhafter gefunden, die Wiederaufnahme in die Hanse, trotz schwerer Bedingungen, zu erbitten. Zehn Jahre zuvor hatten die vereinten Hansestädte den dänischen König Waldemar IV. besiegt und den für sie glänzenden Frieden von Stralsund geschlossen, der ihnen weitere Handelsrechte, vollen Ersatz ihrer Kriegskosten und sogar das Mitspracherecht bei der Wahl des nächsten dänischen Königs brachte. Als ein uns unbekannter Bremer Kaufmann sich eine neue Kogge bauen ließ, beherrschte die Hanse den Norden.

Im Sommer 1963 versuchte Siegfried Fliedner, den restlichen Teil der Kogge zu bergen. Er arbeitete mit Helmtauchern, doch sie kamen nicht recht voran im trüben Fluß. Im Oktober erfuhr er, daß die Wasser- und Schiffahrtsdirektion Duisburg gerade ein Tauchglokkenschiff gekauft hatte, die *Carl Straat*, das ein Flußbett bis zu 10 m Tiefe absuchen konnte. Die Duisburger waren auch bereit, ihr Schiff auszuleihen, doch die Schleppfahrt vom Rhein über die Nordsee an die Weser und die Arbeit der Männer müßte Fliedner bezahlen.

Ab April 1964 kämpfte er nicht mehr allein um die Kogge. Frisch von der Universität Münster kam Dr. Rosemarie Pohl-Weber und leitete nun die Abteilung Volkskunde – »also Spinnräder, alte Kleider, Möbel, Kerzenhalter«, wie sie mir lachend Jahre später erklärte. Sie hatte auch Prähistorie studiert und wußte theoretisch Bescheid über das Vermessen und Abtragen von Schichten. Fliedner fragte die neue junge Kollegin, ob sie bei der Bergung mitmachen wollte. Sie sagte vergnügt zu, »in einer Mischung aus wissenschaftlichem Interesse am mittelalterlichen Holzschiffbau aus der Volkskunde und aus Spaß am Abenteuer: wann je würde ich in meinem Leben wieder die Chance haben, in einer Taucherglocke auf dem Grund eines Flusses zu arbeiten«. Frau Pohl-Weber, später Direktorin des Bremer Landesmuseums, bewunderte Fliedner: »seinen Mut, der nie richtig honoriert wurde – noch niemand hatte eine Kogge gesehen, und er stellte sich der Welt«.

Der damalige Museumsdirektor eröffnete den Neubau im Oktober 1964 und wollte seine beiden Abteilungsleiter nun vier-, fünfmal am Tag für Führungen haben und auch sonst niemanden vom Museum für das schreckliche Schiff freigeben. Doch nach dem ersten Besucheransturm auf das neue Haus arbeiteten Fliedner und Pohl-Weber im Winter Pläne für das Heben der Kogge aus und entwarfen einen Antrag auf Forschungsgeld. Rosemarie Pohl-Weber fuhr mit den Plänen zu ihrem Archäologieprofessor nach Münster. Dieser sah sich alles an und sagte: »Mach das, Mädchen, das sieht gut aus. Raten kann ich dir nichts, denn so etwas hat noch keiner probiert.«

Im März 1965 bewilligte die Stiftung Volkswagenwerk das Geld. Nun mußte der Museumsdirektor seine beiden Abteilungsleiter freistellen, denn dies war ein ehrenhafter Forschungsauftrag. Ärzte des Gesundheitsamtes prüften, ob sie in erhöhtem Druck von einer Atmosphäre arbeiten konnten. Fliedner war über fünfzig, und die Ärzte rieten ihm ab, lange in der Glocke zu bleiben. Er wollte die Arbeit auf der Brücke des Schiffs übernehmen.

Wieder stand er unter Zeitdruck wie im Herbst 1962, denn nun sollte der Fluß an der Fundstelle auf 10 m ausgetieft werden, und das Hafenbauamt drängte. Doch der Direktor des Hafenbauamtes, der Präsident der Wasser- und Schiffahrtsdirektion Bremen und ihre Mitarbeiter halfen. Wieder einmal waren Seeleute und Ingenieure neugierig auf ein altes Schiff und wollten es sehen. Der Hafenbaudirektor lieh Fliedner sein Vermessungsschiff: Fliedner brauchte Landmarken zum Peilen jeder Glockenposition. Die Ingenieure maßen auch die Wassertiefe aus und stellten fest, daß sich über der Kogge inzwischen 2 m Schlick abgelagert hatten. Mit dieser Überraschung hatte Fliedner nicht gerechnet. Er besaß nur Geld für zwei Wochen Tauchglockenschiff. Aber es half nichts: Die Mannschaft des Saugbaggers *Saale* mußte den Boden erst reinigen.

Die *Carl Straat* traf am 5. Juni 1965 an der Kogge-Fundstelle in Bremen ein. Am nächsten Morgen erschien Rosemarie Pohl-Weber in einem hellen Trenchcoat, mit flotter Mütze und in Halbschuhen: »Ich hatte ja keine Ahnung, niemand hat mir gesagt, wie es in einer Tauchglocke aussieht.« Von nun an steckte sie die Haare auf, trug nur noch gewaltige schwarze Gummistiefel, Hosen und zwei Pullover. Sie hatte sich aber nicht blamiert: Am zweiten Tag wollte die Besatzung des Glockenschiffs nicht weiter im nassen, kalten Schlamm wühlen, die Arbeit war ihnen zu dreckig, auf so was waren sie nicht eingestellt, sie holten sonst nur nette saubere Steine aus dem Rhein. Rosemarie Pohl-Weber merkte, daß die Rheinländer gar nicht wußten, worum es hier eigentlich ging. Sie erzählte ihnen von der sechshundert Jahre alten Hanse-Kogge, erklärte, was sie hier suchte und warum diese umständliche Messerei notwendig war – sie mußte später beweisen können, daß ein Holz auch wirklich zur Kogge gehörte –, und die Männer ließen sich von ihrem begeisterten Schwung anstecken.

Die Glocke war ein viereckiger Kasten mit abgerundeten Ecken und 110 t Betonklötzen auf dem Dach. Sie stand unten im Fluß leicht über der Stromsohle, und Luftüberdruck in der Glocke verdrängte das Wasser. Auf einer Fläche von 4 m mal 6 m konnten die Männer und Rosemarie Pohl-Weber das Flußbett durchsuchen. Sie erreichten die Glocke über eine Luftschleuse, in der sie warten mußten, bis der Druck stieg und es nicht mehr in ihren Ohren knackte. Das Einschleusen dauerte in den ersten Tagen eine Viertelstunde, später

Gabriele Hoffmann

ging es schneller. Die Männer des Glockenschiffs waren sehr vorsichtig mit der Wissenschaftlerin.

Eine Treppe führte in die Glocke hinunter, die ringsum einen Laufrost hatte. Rosemarie Pohl-Weber mußte sich erst an das sprudelnde Geräusch in der Glocke gewöhnen: Ein Teil des Luftüberdrucks entwich unter dem Glockenrand ins Wasser, und die Blasen stiegen außen an der Wand entlang nach oben. Aber wenn das Geräusch aufhörte, war die Stille ein Alarmzeichen: Die Glocke saß fest, der Druck stieg. Die Männer hatten einen Druckmesser, und wenn die Sache ihnen zu kritisch wurde, telefonierten sie nach oben, der Kapitän möge die Glocke ein Stück anheben. Beim Versetzen der Glocke auf die nächste Stelle standen sie auf den 50 cm breiten Laufgittern an der Wand entlang. Wenn die Glocke angehoben wurde, stieg Waschküchenluft auf.

Tag für Tag arbeiteten fünf Leute acht bis zehn Stunden in der Glocke, unterbrochen von einer Stunde Mittagspause: Rosemarie Pohl-Weber, ein Fotograf und zugleich Restaurator aus dem Museum, zwei Arbeiter und der Geräteführer. Der Fotograf mußte oft mit anpacken. Da er sich die verschlammten Hände zum Fotografieren nicht waschen konnte, blieb vieles Wichtige undokumentiert. Es war kalt in der Glocke, und die Arbeit im erhöhten Luftdruck machte müde. Aber sie war gesund: Rosemarie Pohl-Weber verlor ihre Migräne und der Fotograf einige überflüssige Pfunde.

Die Arbeit im Fluß war mühsam. Dünnflüssiger Schlick lief von allen Seiten nach. Der Saugbagger *Saale* mußte bleiben, seine Besatzung legte sogar Nachtschichten ein. Besorgt zählte Fliedner sein Geld.

Die Männer suchten den Schlick mit langen Eisenstangen ab. Mit einem Minensuchgerät fanden sie Kalfatklammern und Eisennägel der Kogge. Der Kapitän der *Carl Straat* peilte jede neue Lage der Glocke ein und gab die Zahlen per Telefon zu Rosemarie Pohl-Weber in die Glocke. Sie vermaß jeden Fund noch mit Hilfe einer Meßskala an der Glockenwand, schrieb alles auf, numerierte die Funde, verpackte sie in Plastikhüllen, und die Männer transportierten sie durch Treppenschacht und Luftschleuse hinauf. Was nicht durch Schacht und Schleuse paßte, weil es zu lang war, hob der Kapitän mit der gesamten Glocke über Wasser. Arbeiter luden es in eine Barkasse und brachten es an Bord.

An Deck der *Carl Straat* reinigten Helfer die geborgenen Teile, fotografierten und vermaßen sie, sofern die Zeit reichte, und legten sie in eine wassergefüllte Schaluppe. War die Schaluppe voll, zog die Barkasse sie zu einer Halle des Hafenbauamts im Industriehafen, wo die Hölzer in große Wasserbottiche kamen.

Die Männer bargen Kastellbretter, Unterzugsbalken, Spanten- und Plankenteile, Werkzeuge von Zimmerleuten.

Der Museumsdirektor vermied einen Besuch auf der *Carl Straat* – ebenso der Senatsrat. Für sie war die Kogge das private Spielzeug zweier verrückter Wissenschaftler. Die beiden Verrückten hatten schwere Geldsorgen und trauten sich nicht, ihren Forschungsetat zu überziehen. Die *Saale* war nicht vorgesehen, und die *Carl Straat* nur für vierzehn Tage. Doch sie brauchten Saugbagger und Glokkenschiff noch länger. Zwölftausend Mark fehlten. Wenn sie die nicht auftrieben, mußten sie die Suche abbrechen, wahrscheinlich für immer.

Als ihnen das eines Morgens klar wurde, gingen beide in letzter Verzweiflung doch zur Kulturbehörde, in schlammbespritzten Gummistiefeln. Der Senatsrat ließ sich nicht sprechen. Wie benommen verließen sie das Büro seiner Sekretärin. Auf der Treppe trafen sie ihn. Er schnitt ihnen das Wort ab, sagte, das ginge ihn alles nichts an.

Nun wurden sie wütend – Rosemarie Pohl-Weber wohl noch etwas wütender als Siegfried Fliedner. Sie marschierten sofort zur Bremer Landesbank und ließen sich bei einem der Herrn des Vorstands melden. Sie erklärten dem Herrn in feinen Nadelstreifen, daß sie die *Carl Straat* noch weitere vierzehn Tage bräuchten. »Ich muß zwar erst mit den übrigen Herren sprechen«, sagte der, »doch Sie können sicher sein: Sie kriegen das Geld.«

In der Öffentlichkeit war die Neugier auf die Kogge weit größer als bei den Kulturbeamten. Viele Leute wollten mehr über das alte Hanseschiff wissen, lasen die Artikel in den Zeitungen, und manche sprachen Fliedner und Pohl-Weber auf der Straße an. Einmal kam das gesamte Hafenbauamt per Schiff zur Kogge hinaus. Dieser Besuch tat Siegfried Fliedner und Rosemarie Pohl-Weber sehr wohl.

Vier Wochen arbeiteten sie Tag für Tag, nur an einem Wochenende ruhte die Arbeit. 274mal setzte die Besatzung die Glocke um, und die Leute in der Glocke durchsuchten 1400 m^2 Flußbett. Am 2. Juli war die Arbeit beendet, ein Schlepper zog das Glockenschiff zurück an den Rhein. Die gesamte Kogge lag nun in den Wasserbottichen. Die beiden Verrückten atmeten auf. Nun konnten sie in Ruhe Pläne schmieden: für ein Koggemuseum und für den Aufbau der Kogge.

Die Archäologie und die Öffentlichkeit

E in barocker Dreimaster, fünf Wikingerschiffe und eine Hanse-Kogge waren aus ferner Vergangenheit aufgetaucht. Die fremden Schiffe erregten in vielen Ländern Aufsehen und Staunen in der Öffentlichkeit, besonders die *Wasa*. Wie in einer Zeitkapsel war in diesem Schiff der Alltag vor dreihundertdreißig Jahren eingeschlossen gewesen: Handwerkszeug, Haushaltsgerät und persönliches Eigentum der kleinen Leute, der arbeitenden Bevölkerung.

Die Neugier auf das Alltags- und Arbeitsleben früherer Generationen ist selbst eine historische Erscheinung. Das Hauptinteresse der Archäologen hatte seit Beginn ihrer Wissenschaft im 18. Jahrhundert den Kunstwerken Griechenlands und Roms gegolten. Alltagsgegenstände wurden lange Zeit nur als Nebenprodukte der Grabungen betrachtet. Noch bei den Schiffsfunden von Antikythera und Mahdia ging es nur um die Statuen. Die Funde, die etwas verraten konnten über das Leben der Männer, die die Statuen gemacht und die sie transportiert hatten, zerfielen vergessen in den Museumsmagazinen. Nur die Kunstwerke waren eine Sensation als Zeugen einer vermeintlich edleren Welt, an der die trübe Gegenwart sich aufrichten sollte.

Seit der ersten Hälfte des 19. Jahrhunderts entwickelte sich allmählich die Prähistorie Nord- und Westeuropas. Die oftmals unansehnlichen Funde der Vorgeschichtler in den ersten Ausstellungen vermittelten den Besuchern, der Öffentlichkeit, kein erhebendes Gefühl – sie beeindruckten sie tief. Bis ins 19. Jahrhundert hinein hatte die Bibel die Frage nach dem Ursprung der Welt und der Menschen beantwortet. Luther betrachtete das Jahr 4000 v. Chr. als Jahr der Weltschöpfung, er hatte eine Schwäche für runde Zahlen. Nach einem langen Gelehrtenstreit kam der irische Erzbischof James Ussher in seinem 1658 erschienenen Buch zu dem Schluß, Gott habe den Menschen am Freitag, dem 28. Oktober 4004 v. Chr., geschaffen. Noch Goethe, der naturwissenschaftlich gut unterrichtet war, meinte, daß es die Welt und die Menschen erst seit sechstausend Jahren gab. Nun aber gruben die neuen Urgeschichtler immer mehr Funde aus, die bewiesen, daß Menschen lange vorher gelebt hatten. Steinschaber und Steinbeile hatte man auch früher schon beim Pflügen auf den Äckern gefunden und Gespenstersagen um sie gesponnen. Doch nun glaubte man den Kirchen nicht mehr. Man wollte selbst nachdenken, und es war, als ob eine Binde von vielen Augen gelöst wurde. Der Blick fiel auf Zehntausende von Jahren voller Geschichte. Wie hatten die Menschen jener prähistorischen Zeit gelebt, wie waren sie mit diesen eigenartigen Werkzeugen umgegangen?

In diese Zeit, in der das geschichtliche Selbstverständnis vieler Menschen sich zu ändern begann, fiel 1859 das Erscheinen von Charles Darwins Buch über die Entstehung aller Lebewesen, auch der Menschen, aus gemeinsamen Urformen durch die Evolution. Die Welt war nicht nur älter als sechstausend Jahre, sondern der Mensch war auch nicht fix und fertig mit einemmal dagewesen. Die nächste, entfernt vergleichbar große Erschütterung in unserem Selbstverständnis waren die Fotos und Fernsehbilder, die uns zum ersten Mal unseren Planeten vom Weltraum aus zeigten. Zum ersten Mal wurde einer großen Mehrheit klar, wie klein und verletzlich die Erde ist, eine Raumkapsel mit begrenzten Vorräten. Dabei sahen wir nur, was wir schon lange vorher wußten. Darwins Gedanken aber trafen die Öffentlichkeit unvorbereitet.

An vielen Stellen der Welt gruben Archäologen nun die Spuren vergangener Kulturen aus, und diese Kulturen waren sehr unterschiedlich, wiesen aber oftmals auch große Gemeinsamkeiten auf. Wie entstanden Kulturen? Wie entstanden die Unterschiede, und vor allem, wie die Gemeinsamkeiten? An einem Ort, von dem aus sie sich ausbreiteten? Und wie breiteten die Gemeinsamkeiten sich aus? Oder entstanden sie an verschiedenen Stellen gleichzeitig?

Im 18. Jahrhundert hatten Könige die Suche der Ausgräber nach Kunstwerken bezahlt, später, im 19. Jahrhundert, bezahlten wissenschaftliche Akademien und die ersten Nationalmuseen, die das wohlhabende gebildete Bürgertum Europas sich leistete, diese Suche. Dann entstanden Realgymnasien, Schulen, in denen die Lehrer ihre Schüler vorbereiten sollten auf das Leben in einer von den

Gabriele Hoffmann

Naturwissenschaften und der Technik bestimmten Welt. Gleichzeitig begannen Leute, die nichts besaßen, sich das Recht auf Bildung und auf Teilnahme an der Politik zu erkämpfen. Nach wenigen Jahrzehnten entschieden auch andere soziale Schichten als nur die Reichen über die Verteilung von Forschungsgeldern, den Bau von Instituten, die Anstellung von Wissenschaftlern.

Auch die Leute, die nun das politische Leben mit beherrschten und das Geld mit verteilten, wollten am liebsten über das Bescheid wissen, was sie selbst anging: Wie lebten die Menschen vor uns, die uns glichen, aus welcher Tradition kommen wir? Die meisten von ihnen hatten keine klassische Bildung, konnten weder Griechisch noch Latein. Sie erfreuten sich an den Kunstwerken der Antike, aber daneben wollten sie wissen, wie ihre eigene Geschichte aussah.

In einer Wechselwirkung verstärkten die Funde, die die Archäologen nun zeigten, die Neugier der Ausstellungsbesucher. Das Interesse an Archäologie nahm zu, als es nicht mehr nötig war, eine klassische Bildung zu haben, um die Ergebnisse der Ausgrabungen zu verstehen. Die Wissenschaftler sind ebenso von ihrer Herkunft, ihrer Bildung, ihren Erlebnissen, ihrem Glauben geprägt wie jedermann, sind Kinder ihrer Zeit, Teil der Öffentlichkeit. Wissenschaft ist nur eine besondere Weise, Fragen zu beantworten. Der berühmte englische Prähistoriker General Pitt-Rivers hatte 1898 geschrieben: »Gewöhnliche Dinge sind wichtiger als die besonderen, weil sie weiter verbreitet sind.« Mehr und mehr Archäologen übernahmen seine Ansicht und handelten danach. Die Ausstellungen in den Museen änderten sich, und die Besucher waren begeistert. Auch von den Historikern verlangte man verstärkt, nicht immer nur über Könige und ihre Schlachten zu schreiben. Man wollte wissen, wie Menschen wie man selbst im Alltag gelebt, wie sie gedacht hatten.

Bis in die Gegenwart wächst die Zahl derjenigen, die wissen wollen, woher die Menschheit kommt und wie ihr Weg aussah, in der Hoffnung, sich, ihre Zeit und ihre Stellung in der Gesellschaft besser verstehen zu können. Archäologen, die sich mit der Geschichte des alltäglichen Lebens beschäftigten, mit den Spuren von Handel und Gewerbe in der Erde unserer Städte, bekamen – verstärkt seit dem Zweiten Weltkrieg – Geld für ihre Grabungen. Der Schweizer Archäologe Ulrich Ruoff meint, wo früher die Museumsbesucher staunend vor einem Tontopf standen, klopfen sie heute an die Türen der Wissenschaftler im Museum und wollen wissen, was der Mensch, dem dieser Topf vor vielen tausend Jahren gehörte, darin kochte. So ein bißchen läuft das große Interesse an Archäologie wohl auch auf die Fragen hinaus: Wie wäre es mir vielleicht ergangen, wenn ich damals gelebt hätte – wieviel von mir bin ich selbst, und wieviel ist meine Zeit. Ein weiteres Motiv für das Interesse der Öffentlichkeit sprach Anders Franzén aus: Es ist schön, sich an große Zeiten in der Geschichte seines Landes erinnern zu können. Auch das zu ermöglichen, ist eine Funktion der Archäologie.

Seit Anfang des 19. Jahrhunderts haben Technik und Industrialisierung das gesamte Leben umgewälzt. Immer mehr Leute verdienten ihr Geld in technischen Berufen, und das Interesse an der Entwicklung der Technik und an ihren Zusammenhängen mit Politik, Wirtschaft und sozialem Leben wuchs. Alte Herstellungsmethoden gerieten in Vergessenheit; an manchen Orten jedoch wollten die Bewohner das Wissen bewahren, richteten alte Bauernhöfe ein, Heimatmuseen, Freilichtmuseen, und heute stellt man schon alte Fabriken und Bahnhöfe unter Denkmalschutz. Das Deutsche Museum von Meisterwerken der Naturwissenschaft und Technik in München ist das meistbesuchte in Deutschland. Man kann oft beobachten, daß das Interesse für einen Gegenstand in dem Moment erwacht, in dem der Gegenstand aufhört, gewöhnlich zu sein, und aus dem Alltag verschwindet. Kein Mensch hat sich zum Beispiel vor dreißig Jahren für Zinkeimer interessiert. Ich kenne eine Museumsdirektorin, die vor ein paar Jahren die Haushaltsgeschäfte ihrer kleinen Stadt nach dem letzten Zinkeimer durchkämmte, um ihn im Magazin aufzubewahren.

Die romantische Verklärung der großen Segelschiffe setzte ein, als die letzten von den Weltmeeren verschwanden. Die Segelschiffstradition blieb lebendig bei den Sportschiffern, bei den vielen Leuten, die sich eine Jacht leisten, und sei sie aus Plastik, aber von einem Holzschiff träumen, möglichst noch mit Gaffelsegel, und bei den wenigen, die einen Oldtimer wieder flottmachen. Sie alle möchten gerne wissen, wie es früher war.

Mit dem Auftauchen der *Wasa* kam das Studium des frühen Schiffbaus nach archäologischen Funden richtig in Schwung.

Schon seit dem Mittelalter haben Chronisten über Funde alter Wracks berichtet, aber die Küstenbewohner benutzten das Schiffs-

Gabriele Hoffmann

holz zum Bau ihrer Häuser oder verheizten es in ihren Küchenherden. Im Rahmen der erwachenden Prähistorie begannen in Skandinavien einige Forscher, sich mit Bootsgräbern zu beschäftigen und Schiffe auszugraben, doch das waren vereinzelte Unternehmen, und sie hoben keines der Schiffe auf. Die Gleichgültigkeit Schiffen gegenüber änderte sich langsam, seit der dänische Archäologe Conrad Engelhard in einem Moor bei Nydam, nordöstlich von Flensburg, 1863 ein relativ gut erhaltenes Schiff von fast 24 m Länge sorgfältig ausgrub. Ein zweites Moorschiff verfeuerten die Soldaten im preußisch-österreichisch-dänischen Krieg um Schleswig-Holstein ein Jahr später unter ihren Gulaschkanonen. Das Nydam-Boot steht heute im Archäologischen Landesmuseum in Schleswig, und die Archäologen nehmen an, daß es wohl den Schiffen glich, mit denen die Angeln und Sachsen vor eintausendfünfhundert Jahren nach England auswanderten. Großes Aufsehen erregten natürlich die Wikingerschiffe am Oslofjord mit ihrer kostbaren Fracht. Aber sie waren, wie Ole Crumlin-Pedersen sagte, eben Teile von etwas anderem, von Fürstengräbern. Die Schiffshölzer, die Arbeiter immer wieder bei Neubauten oder Hafenerweiterungen in alten Küstenstädten fanden, beachteten die Museumsarchäologen nach wie vor kaum. Nun, als Tausende von Besuchern zur *Wasa*-Werft strömten, begannen sie in manchen Museen, die Teile von alten Schiffen hervorzusuchen, die seit Jahren unbeachtet in den Magazinen einstaubten. Detlev Ellmers, Direktor des Deutschen Schiffahrtsmuseums in Bremerhaven, in dem heute die Kogge steht, sammelte für seine Arbeit über frühmittelalterliche Handelsschiffahrt in Mittel- und Nordeuropa alle Schiffe, Schiffsteile und Nachrichten von Schiffsfunden in einer langen Liste. An vielen Stellen ist die Liste eine traurige Lektüre: Manche Schiffe und Schiffsteile hat man früher ausgemessen, beschrieben, manche sogar gezeichnet, doch die Stücke selbst sind verschollen, vielleicht irgendwann beim Aufräumen der Magazine weggeworfen, vielleicht auch gar nicht erst aufgehoben worden für spätere Studien und Vergleiche.

Die Aqualunge spielte bei der Hebung der *Wasa* eine untergeordnete Rolle, beim Ausgraben der Skuldelev-Schiffe eine Randrolle und bei der Bergung der Kogge überhaupt keine. Nicht die Tatsache, daß eine Technik bereitliegt, ist anfangs das Entscheidende für einen neuen Forschungszweig, sondern Phantasie und Neugier. Wer ein Ziel vor Augen hat, sieht sich nach der geeigneten Technik und nach Helfern um. Das Entstehen des Interesses an der Urgeschichte zum Beispiel war ganz unabhängig von technischen Möglichkeiten. Es hätte, von der Ausgrabungstechnik her gesehen, genausogut vor fünfhundert Jahren oder noch früher einsetzen können. Eine neue geistige Befindlichkeit ermöglichte die Erforschung der Urgeschichte, eine Neugier war erwacht, die Antwort suchte auf ihre Fragen. Diese Neugier zunächst nur einzelner stieß auf breites Interesse in der Öffentlichkeit. Die Aqualunge hatte in der Archäologie unter Wasser anfangs vor allem eine Verstärkerfunktion. Da sie nun einmal da war, träumten immer mehr Leute den spannenden Traum, ins Meer hinabzutauchen und versunkene Welten zu finden. Und da viele Amateurtaucher wirklich alte Schiffe und Siedlungen entdeckten und ihre Funde Museen und Behörden meldeten, übten sie auch einen Druck aus, sich damit zu beschäftigen.

Die *Wasa*, die Wikingerschiffe und die Kogge weckten Erwartungen im Bewußtsein der Öffentlichkeit. Ein versunkenes Schiff war eine Zeitkapsel, hatte einen echten Ausschnitt aus der Vergangenheit bewahrt, mit den organischen Stoffen des Alltags, wie es ihn an Land fast nirgends mehr gab. In Stockholm, Kopenhagen und Bremen träumten die ersten erfolgreichen Ausgräber von neuartigen Schiffsmuseen und Meeresarchäologischen Abteilungen, und Geldgeber waren bereit, ihnen zuzuhören. Die Neugier der Öffentlichkeit half den Ausgräbern und trieb andere Archäologen voran.

Die gewandelte Situation nach dem Heben der *Wasa* illustriert eine kleine Geschichte aus Schweden. Schon 1950, zwei Jahre vor Cousteau und Grand Congloué, hatte Jerker Lundell, der Vorsitzende des Amateurtaucherclubs von Göteborg, ein Programm zum Suchen und Aufzeichnen historisch bedeutsamer Wracks vor der westschwedischen Küste entworfen. Doch er fand keinen Archäologen, der sich für Archäologie unter Wasser interessierte, und die Sache verlief sich. Nachdem aber die *Wasa* an Land war und der Besucherstrom nicht abriß, lernten mehrere schwedische Museumsarchäologen mit Aqualungen tauchen und begannen, selbst Wracks anzuschauen.

Doch nur sehr wenige Archäologen glaubten 1961/62, daß ein wissenschaftliches Graben – das heißt methodisch und von anderen nachprüfbar – unter Wasser möglich sei. Eine professionelle Bergungsgesellschaft hatte die *Wasa* gehoben, und Archäologen gruben erst im Trockendock ihren Inhalt aus. Eine Ingenieurfirma hatte um die Wikingerschiffe einen Kasten gebaut und das Wasser abgepumpt, und die dänischen Kollegen hatten die Schiffe zwar einwandfrei ausgegraben, aber nicht unter Wasser. Die Kogge endlich hatte ein Kunsthistoriker in einer Rettungsgrabung in Stücken aus der Weser gezogen. Der Beweis, daß Archäologen genauso sorgfältig wie an Land auch in der Tiefe auf dem Grund des Meeres einen Fund freilegen konnten, stand noch aus.

Im Spätherbst 1962 fuhr Ole Crumlin-Pedersen nach London zur Konferenz der kleinen, verlachten Schar, die an eine Arbeit unter Wasser glaubte, um von den Wikingerschiffen zu berichten. Er traf dort einen Amerikaner, George Bass. George Bass trug den Versammelten einen Bericht über seine Arbeit an der türkischen Mittelmeerküste zur kritischen Prüfung vor. In diesen für die Geschichte der Archäologie unter Wasser so ereignisreichen Jahren war es ihm gelungen, in großer Tiefe eine dreitausend Jahre alte Schiffsfracht nach allen Regeln der Archäologenzunft zu heben, und er war nun dabei, den Rumpf eines fast zweitausend Jahre alten Wracks auszugraben.

EXPERIMENTE

Abenteurer und Archäologen

I m nächsten Kapitel der Archäologie unter Wasser spielen zwei Männer und eine Frau die Hauptrollen: Peter Throckmorton, der Abenteurer, der alles ins Rollen brachte, Honor Frost, die Zeichnerin, die für Beweise sorgte, und George Bass, der Wissenschaftler, der zeigen wollte, daß Archäologen in der Tiefe genauso sorgfältig graben können wie an Land. Er hatte dabei mehr Glück als Nino Lamboglia 1958 in Spargi, dem die Schiffshölzer davonschwammen.

Die Geschichte beginnt im selben Jahr 1958, als Peter Throckmorton in einem klapprigen Jeep von Afghanistan in die Türkei fuhr. Der Amerikaner hatte in Korea Kriegsfotos für Zeitschriften gemacht und im Indischen Ozean nach Kanonen und Silbermünzen getaucht. Er hatte in Paris ein wenig studiert und in Algerien als Rebell verkleidet die Revolution beobachtet. In Indien hatte er eine Tigerjagd fotografiert. Fotos und Schiffe waren das Beständige in seinem Leben. Seit er als Junge auf Schonern vor der Küste von Maine und Neuschottland segelte, hatte er eine Leidenschaft für Segelschiffe. Sie waren für ihn die schönsten Schöpfungen des menschlichen Geistes: Im Segelschiff vereinigt sich das Wissen vieler Generationen und die Erfindungsgabe zahlreicher Handwerker. In Schiffen sah er, wie in großer Architektur, einen Ausdruck der Gesellschaft, die sie schuf.

Throckmorton hörte in Istanbul von einer Bronzebüste, die man damals für die Göttin Demeter hielt, eine verhalten lächelnde, mit leichten Schleiern bekleidete Frau. Ein Schwammfischer aus Bodrum, südlich von Izmir, hatte sie in seinem Netz gefunden und an den Strand geworfen, wo sie lag, bis der englische Archäologe George Bean 1953 über sie stolperte und sie dem Museum in Izmir übergab. Throckmorton beschloß, das Wrack zu suchen, von dem die Demeter stammte, und ein Buch über Schwammtaucher zu schreiben.

Gabriele Hoffmann

In Izmir traf er Mustafa Kapkin. Der 37 jährige Kapkin war einer der besten Industriefotografen der Türkei und ein archäologiebegeisterter Sporttaucher. Mit ihm und seinen Tauchfreunden fuhr Throckmorton zum ersten Mal durch die Berge nach Bodrum. Nach vier Stunden auf einer unasphaltierten, staubigen Straße sah er plötzlich unter sich die Stadt, das tiefdunkelblaue Hafenwasser und dahinter die See, sah die roten Ziegeldächer der weißen Häuser zwischen dunkelgrünen Bäumen, die Kuppeln von Zisternen und die spitzen Minaretts der Moscheen. Die Hügel auf beiden Seiten der weiten Bucht waren kahl und braun. Auf einer Halbinsel in der Mitte der Bucht sah er ein Kastell mit mächtigen Mauern und zwei dicken Türmen. An den Kais lagen die Boote der Schwammtaucher.

Das Kastell, das Kreuzfahrer im 15. Jahrhundert erbauten, beherrscht Hafen und Stadt. An windstillen Tagen kann man von den Türmen aus die Steinwälle des alten Hafens im Wasser erkennen. Bodrum ist das antike Halikarnassos. Hier kam der Historiker Herodot zur Welt, hier stand das Grab des Königs Mausolos, eines der sieben Weltwunder der Antike. Alexander der Große eroberte Halikarnassos 334 v. Chr., und seine Soldaten plünderten es. Die Stadt erholte sich lange nicht, ging von einer Hand in die andere. Heute rufen fünfmal am Tag die Muezzins die Gläubigen zum Gebet.

Mustafa Kapkin machte Throckmorton mit den Kapitänen der Schwammtaucherboote bekannt. Throckmorton hörte enttäuscht, daß die Demeter-Statue aus einer Tiefe von 100 m hochgefischt worden war, was viel zu tief war für ihn und seine Ausrüstung. Doch Kapkin tauchte mit ihm zu anderen Wracks, und Throckmorton glaubte, durch viele Jahrhunderte der Geschichte zu schwimmen. Es bewegte ihn tief, die Hölzer von Schiffen zu sehen, auf denen Seeleute vor Hunderten, vielleicht Tausenden von Jahren gefahren waren. Die Kunst des Segelns würde vielleicht noch während seines Lebens verschwinden. Er mußte die alten Arbeitsschiffe retten. Sie waren wie eine Offenbarung für ihn. Kapitän Kemal Aras versprach gutmütig, ihm die Wrackreste zu zeigen, die er bei seiner Schwammsuche auf dem Meeresgrund entdeckt hatte, und lud ihn und Kapkin zu einer Fahrt auf seinem Boot *Mandalinçi* ein.

Peter war keiner, der Offenbarungen ausließ, sagte später Honor

Frost über Throckmorton. Sie stand eines Tages mit einer Preßluftflasche unterm Arm im Café der Schwammtaucher, wo Kapitän Kemal, Kapkin und Throckmorton Kaffee tranken. Sie suchte antike Wracks.

Honor Frost war eine Dame, und sie war kühn. Sie hatte zwei große Leidenschaften: den Orient und das Tauchen. Die Engländerin, die ihre Kindheit im Libanon verbracht hat, war damals eine Einzelgängerin, phantasievoll, erlebnisfähig und mit einem klaren, logisch arbeitenden Verstand ausgestattet. Kurz nach dem Krieg hatte sie während eines Erholungsurlaubs an der Côte d'Azur mit der neuen Aqualunge tauchen gelernt. Sie traf die bestaunten Tauchpioniere der Riviera und tauchte mit ihnen nach römischen Wracks.

Sie wollte in den Libanon zurückkehren, und sie wollte in die Tiefe tauchen. Also wurde sie archäologische Zeichnerin. 1957 lernte sie in Jericho eine Ausgrabung in großem Maßstab kennen. Kathleen Kenyon grub im sechsten Jahr mit einem Team aus Archäologen, Anthropologen und Zoologen einen Tell aus, einen Hügel aus Lehmziegel-Städten, deren jede auf den Ruinen ihrer Vorgängerin stand. In der 27. Besiedlungsschicht stießen sie auf eine ummauerte Stadt mit einem Verteidigungsturm: Sie war vor elftausend Jahren zerstört worden. Bis zu dieser Entdeckung glaubten Archäologen, daß die Menschen dieser frühen Zeit noch nicht in festsiedelnden Gemeinschaften gelebt hätten.

Honor Frost war gefesselt vom Detektivspiel der Wissenschaftler, vom Zusammenwirken von Methode und Gelehrsamkeit. Von nun an war Archäologie für sie mehr als nur ein Job, der sie jedes Jahr ein paar Monate an die Levante brachte. Wracks, überlegte sie, boten ebenso aufregende Möglichkeiten, das Leben vergangener Zeiten zu erforschen. Der Gedanke, zu einem Wrack hinabzutauchen und herauszufinden, ob sie die obersten Schichten vermessen und zeichnen konnte, wurde für sie zu einer Besessenheit. Soweit sie wußte, hatte das noch keiner versucht.

Nach der Ausgrabung in Jericho flog sie für den Winter nach Beirut und fragte libanesische Taucher nach Wracks vor der Küste aus. Die Fragen waren überflüssig, denn der Libanon ist zwar bergig und schön, doch der Meeresboden vor seiner Küste ist meilenweit flach. Schiffe, die hier einmal gesunken waren, waren längst zerbrochen und weggeschwemmt. Honor Frost schwamm über die Einöde des sandigen Seegrunds, über Plastikmüll, Konservendosen und Orangenschalen.

Dann machte sie Osterferien in Istanbul. Ein türkischer Freund erzählte von Bodrum. Er beschrieb die wilde, felsige Küste, die antiken Ruinen, das Kreuzfahrerkastell, erzählte von den Schwammfischern und von Seehunden, die auf einer unbewohnten Insel vor dem Hafen lebten. Er hatte mit seinen Freunden in einer heißen Quelle auf der Insel gebadet und war danach Hand in Hand mit ihnen über den Strand getanzt. Halikarnassos – allein schon der Name zog Honor Frost an. Sie besorgte sich Bücher und Karten und sah, daß dies der Ort war, den sie suchte. Von ihrer Geographie und ihrer Geschichte her mußte die Küste Wracks haben, und die Schwammfischer mußten wissen, wo sie lagen.

Und nun saß sie im Café mit Kapitän Kemal, Mustafa Kapkin und Peter Throckmorton. Als die Männer hörten, daß sie Zeichnerin war, luden sie sie ein zu ihrer Fahrt auf der *Mandalinçi*.

Trotz Peter Throckmortons und Honor Frosts Aufregung hätte die Reise ohne die Taucher aus Izmir nur ein paar Fotos, Zeichnungen und Zeitschriftenartikel erbracht. Die türkischen Sporttaucher wollten archäologisch forschen, und es war ihnen gelungen, den Direktor des Museums in Izmir dafür zu begeistern. Der Archäologe Hakki Gültekin, zuständig für den ganzen Distrikt bis Bodrum, erkannte die Wichtigkeit der Funde, die Taucher mit nach oben brachten. Er hatte nur kein Geld für Grabungen. Doch er besorgte dem Amerikaner und der Engländerin die Erlaubnis, nach antiken Schiffen in türkischen Gewässern zu suchen, und gab ihren überschäumenden Gedanken Richtung und Ziel. Nach ihrer Rückkehr gelang es ihm, aus dem Kreuzfahrerkastell ein Museum für Altertümer aus dem Meer zu machen.

Vier Wochen lang teilten Peter Throckmorton, Mustafa Kapkin und Honor Frost das harte Leben der Schwammtaucher auf dem 12 m langen, überfüllten Boot. Während die Taucher in ihren Helmanzügen Schwämme sammelten, suchten und fotografierten sie Wracks oder fingen mit Speeren Fische zum Abendessen. Wenn die Nacht fiel, ankerte die *Mandalinçi* in einer Bucht oder hinter einem Wellenbrecher aus alter Zeit vor Ruinenstädten. Sie breiteten die Segel auf dem Vordeck aus und rollten sich in ihre Decken.

Selten sahen sie ein anderes Boot. Die Küste ist wild und schön mit hohen Bergen, die steil aus der See aufragen, und verlassenen Tälern, in denen Feigenbäume wachsen.

Die Taucher lebten in ständiger Furcht vor der Taucherkrankheit. Wenn sie heraufkamen, betrachteten sie ihren Körper mit mehr Aufmerksamkeit als ein Mechaniker einen Rennwagen. Sie tauchten zu oft, zu tief und zu lang. Schwammtaucher war ein aussterbender Beruf, die jungen Leute wollten nicht tauchen, zu viele Taucher waren gestorben oder hinkten verkrüppelt an den Kais.

Kapitän Kemal zeigte seinen Gästen einen Schiffsfriedhof bei Yassi Ada, einer flachen, kahlen Insel, ungefähr sechzehn Seemeilen von Bodrum entfernt. Vor der Insel ragt ein Riff bis zu 1,80 m unter der Wasseroberfläche empor. In 36 m Tiefe entdeckten sie die Fracht eines Schiffs, das zu Mohammeds Zeiten die Meere befahren hatte. Einige Meter weiter lagen Amphoren und Krüge, die noch älter waren. Auf dem Riff sahen sie Kanonenkugeln aus der Zeit des Ottomanischen Reichs. Kapkin und Throckmorton fotografierten, und Honor Frost zeichnete. Neugierige Fische standen über ihren Schultern. Gegen Ende der Reise hatten sie 38 Schiffe im klaren Wasser gesehen.

Zurück in Bodrum erzählte Kapitän Kemal ihnen beiläufig von einer Ladung Bronze auf dem Meeresboden vor Kap Gelidonya, dem Kap der Schwalben, südlich von Antalya. Er hatte dort einmal einen Bronzespeer gefunden und eine kleine Schachtel aus Bronze, die er aber wegwarf, weil sie leer war. Im nächsten Frühling wollte er die Ladung mit Dynamit sprengen und die Bronze als Altmetall verkaufen. Peter Throckmorton ließ sich das Metall genau beschreiben. Bronze aus römischer Zeit war meist noch recht gut erhalten, diese aber mußte weit älter sein. Er überredete Kapitän Kemal, die Ladung noch nicht zu sprengen, und versprach ihm den doppelten Altmetallpreis für alles, was er selbst von dort hochholte.

Wo er das Geld herkriegen sollte, wußte Throckmorton nicht. Er hatte auch keine Ahnung, wie er bis zum nächsten Jahr eine Suchfahrt zum Kap der Schwalben zuwege bringen könnte.

Im Winter lernte er in Athen durch Freunde Drayton Cochran kennen, einen Millionär, der mit seiner siebzig-Fuß-Jacht *Little Vigilant* im Mittelmeer unterwegs war. Cochran gefiel der Gedanke, nach einem Bronzeschiff zu suchen. Im Sommer 1959 segelten sie los. An Bord waren auch Mustafa Kapkin und Hakki Gültekin, der Museumsdirektor aus Izmir. Throckmorton hatte Frédéric Dumas eingeladen, den besten Aqualungentaucher der Welt, doch Dumas wollte mit einem reichen Amerikaner nichts zu tun haben, in dem er nur einen Souvenirjäger vermutete.

Am 17. Juli 1959 kamen sie am Kap Gelidonya an. Vor dem Kap erstreckt sich eine Kette von fünf winzigen Inseln ins Meer. Throckmorton fand die Inseln abschreckend und wild. Die Gegend hat unter Seeleuten einen schlechten Ruf. Im Herbst und Winter lassen südliche Stürme das Meer gegen die Strände von Anatolien und die Inseln branden, schwere Regenfälle unterspülen die Klippen, und Tonnen von Fels krachen in die See oder auf den Strand. An den meisten Stellen hängen Kliffs über, und die scharfen Klauen der ausgewaschenen Felsen schneiden die Schuhsohlen auf. Zwischen den beiden Inseln, die dem Kap am nächsten liegen, sollte das Bronzeschiff gesunken sein.

Sie suchten mehrere Tage nach dem Wrack und setzten schließlich ihren Abreisetermin fest. Da, beim letzten Tauchen, fanden Susan Phipps, die Freundin des Schiffseigners, und John Cochran, sein Sohn, in 27 m Tiefe die Fracht. Wassergewächse überwucherten sie.

Sie brachten zwei Metallbarren und Werkzeuge aus Bronze nach oben. Die Strömung schwemmte zwei Taucher durch den Kanal zwischen den beiden Inseln davon, und die Leute an Bord mußten sie mit dem Beiboot retten. Etwas später riß die Strömung den Anker der *Little Vigilant* los. Aber nun konnten sie abreisen.

Als Honor Frost aus Beirut nach einer Reise in Bussen und Sammeltaxis in Bodrum eintraf, war Throckmorton gerade zurück vom Kap der Schwalben. Honor Frost wollte eigentlich eines der Wracks an der kahlen Insel zeichnen. Nun verbrachte sie den Winter im Kreuzfahrerkastell und zeichnete die Bronzen vom Kap Gelidonya. Hakki Gültekin wollte unbedingt, daß ein finanziell bessergestellter Kollege als er, gleich aus welchem Land, das Wrack untersuchte.

Auch andere Archäologen in der Türkei und in Griechenland, denen Throckmorton Honor Frosts erste Zeichnungen vorlegte, meinten, die Bronzen seien wohl dreitausend Jahre alt: Throckmorton hatte ein Wrack aus der Zeit des Trojanischen Krieges gefunden, aus der Zeit der Helden Homers, des Agamemnon, Odysseus, Achilles und der schönen Helena.

Er flog in die USA, wandte sich an Freunde und Experten und bekam schließlich eine Empfehlung an Professor Rodney Young vom Museum der Universität Pennsylvania, das seit der Jahrhundertwende an großen Ausgrabungen im Nahen Osten beteiligt ist.

Inzwischen gab es einige Aufregung in der Türkei. Cochran oder einer seiner Mitsegler hatte doch heimlich Bronzefunde in die USA mitgenommen und sie im Fernsehen gezeigt. Die Zeitungen berichteten über ihn, und in der Türkei war man erbost, daß Gäste die Altertumsgesetze des Landes gebrochen hatten. Hakki Gültekin verlangte, daß die Bronzen dem neuen Museum in Bodrum zurückgegeben wurden, was auch geschah, und sah im übrigen darüber hinweg, daß die Amerikaner ihn hintergangen hatten. Die Ausgrabung war ihm wichtiger. Doch ein Mißtrauen blieb fortan in Bodrum.

In Pennsylvania saß Professor Young aufgeregt und begeistert vor Honor Frosts Zeichnungen. Er rief George Bass in sein Büro, einen Assistenten und Spezialisten für die Bronzezeit im östlichen Mittelmeerraum.

»Würden Sie tauchen lernen, um Archäologe der Expedition zu werden?« fragte Young.

»Sicher«, sagte Bass.

George Bass fühlte sich in Wirklichkeit gar nicht sicher. Er war 27 Jahre alt und nach zwei Jahren in der Armee gerade an die Universität zurückgekehrt. Er hatte auf einer einsamen Hochebene in Korea Ping-Pong gelernt und an vierhundert Abenden vierhundert Filme gesehen. Er verstand jetzt einiges von Lastwagen, Generatoren und Wasserpumpen, doch er hatte das Gefühl, daß er nicht mehr sehr viel über Geschichte und Archäologie wußte.

Gleich nach Weihnachten 1960 trafen George Bass und Peter Throckmorton sich in der Empfangshalle eines New Yorker Hotels. Bass war betroffen von dem Nachdruck, mit dem Throckmorton sprach, und der Stärke, die er ausstrahlte. Er behielt seinen leichten Mantel an, als ob er immer bereit war, gleich weiterzureisen. Throckmorton, Bergungstaucher im Pazifik, Tigerjäger in Indien, hatte all das getan, was Bass nur aus Büchern kannte.

Throckmorton übernahm die Organisation der Expedition, besuchte Fabrikanten von Tauch- und Fotoausrüstungen, bekam Preissenkungen und Geschenke. George Bass meldete sich zu einem

Tauchkurs in Philadelphia an. Seine Examensaufgabe bestand darin, in einem Schwimmbad 3 m tief zu tauchen. Das schaffte er.

Throckmorton und er arbeiteten im Museum die Nächte durch, zimmerten Kisten und packten. An einem Wochenende fuhr Bass rasch nach South Carolina und heiratete. Seine Frau Ann kehrte zu ihrem Studium an einer Musikschule zurück. Throckmorton und Bass reisten in die Türkei.

In Istanbul sprachen die Leute im April 1960 nur von einer bevorstehenden Revolution gegen die Regierung Menderes. Jeden Abend war Sperrstunde, und Bass und Throckmorton durften ihr Hotel nicht verlassen. Es war die falsche Zeit für offizielle Geschäfte. Kisten mit ihrer Ausrüstung kamen an, per Schiff und per Bahn, aus Amerika, Frankreich, Deutschland und Griechenland. Einen Monat lang machten sie jeden Tag dieselbe Runde durch die Zollbüros und tranken mit den Beamten zahllose kleine Tassen mit türkischem Kaffee.

In ihrem Hotelzimmer stapelten sich Kochtöpfe, Seile, Brecheisen, Vorschlaghämmer und andere Werkzeuge, die sie in den Basaren kauften. Für eine Camping-Ausrüstung mit Zelten und Wolldecken hatten sie kein Geld. Doch sie fanden Freunde in einem Ausrüstungshof der türkischen Armee und erbten ausrangierte Fallschirme, alte Matratzen, Moskitonetze, einen Kompressor und einen zerbeulten Jeep. Ihr Armeetraining im Schnorren war plötzlich wichtiger als die Universitätskurse, in denen Bass Archäologe geworden war.

George Bass konnte immer noch nicht tiefer als 3 m tauchen, dabei sollte er den ganzen Sommer über in fast 30 m Tiefe arbeiten. Ein türkischer Taucher nahm ihn mit hinaus auf den Bosporus zu einer Tauchplattform seines Clubs. Ein anderer Türke lieh ihm seinen Gummianzug. George Bass hatte nie zuvor einen Naßanzug gesehen, Jacke und Hose aus Gummi, das eine dünne Schicht Wasser am Körper hält, die, schnell erwärmt, den Taucher vor Kälte schützt. Die Taucher hängten George Bass Gewichte an den Gürtel, und er sprang ins klare grüne Wasser. Bei 3 m Tiefe spürte er einen schlimmen Schmerz in den Ohren und tauchte wieder auf. Die Taucher gaben ihm Ratschläge, und immer wieder sprang er ins Wasser. Es nützte nichts. Niedergeschlagen kehrte er ins Hotel zurück.

Ein paar Tage später tauchte Claude Duhuit mit ihm. Duhuit, ein französischer Freund Throckmortons, war gerade mit Airlift und Zeichenmaterial aus Paris angekommen. Sie tauchten von einem Strand aus. Duhuit sagte Bass, er solle sich wegen seiner Ohren nicht sorgen, sie wollten nur ein paar Meter herumschwimmen, damit er sich an die Ausrüstung gewöhne. Nervös ging Bass ins Wasser. Er schwamm kleinen silbernen Fischen hinterher und horchte auf seine Atemzüge, auf die Luft, die er einsog und hinausstieß in einem Schwall von Blasen, irgendwo über ihm, auf den Ton des Tauchens. Sie schwammen unter ein kleines Boot und folgten einer rostigen Ankerkette zum Anker. Duhuit kniete im wogenden Seegras und zeigte Bass den Tiefenmesser: 10 m. Bass hatte seine Ohren und seine Nervosität ganz vergessen. Die Barriere war gebrochen.

Schließlich erhielt er die Erlaubnis für die Ausgrabung und die Zollpapiere für die Ausrüstung. Doch dann fuhren Panzer durch die Straßen Istanbuls. Die Regierung war gestürzt, die hohen Beamten flohen aus der Hauptstadt Ankara. Würde die neue Regierung die Erlaubnis anerkennen, die Bass von der alten erhalten hatte? Er konnte nicht länger warten. Voller Sorge reiste er mit Throckmorton und Duhuit nach Izmir, wo sich das Forschungsteam, das Throckmorton zusammengestellt hatte, traf.

Im Haus von Mustafa Kapkin lernte Bass die zwölf Mitglieder seiner Expedition kennen. Honor Frost war dabei und Yüksel Egdemir, ein türkischer Zeichner. Joan du Plat Taylor vom Institut für Archäologie der Universität London hatte Ausrüstung und Geld mitgebracht. Sie war eine erfahrene Archäologin und würde das Versorgen der Funde übernehmen. Und dann war da Frédéric Dumas. Bass kannte sein Gesicht aus Cousteaus Film »Die schweigende Welt«. Dumas war nun fast fünfzig Jahre alt und galt noch immer als der größte und erfahrenste Taucher der Welt.

Die Gruppe gefiel George Bass. Aber er fühlte sich nicht ganz wohl. Als Vertreter des Universitätsmuseums von Pennsylvania, dem die türkische Regierung die Ausgrabung gestattet hatte, war er der Direktor der Grabung. Mit 27 Jahren war er jedoch der jüngste im Team und der einzige unerfahrene Taucher. Er sprach kein Türkisch, und er sollte mit einer anerkannten Archäologin arbeiten, die grub und schrieb, seit er geboren war.

Bass wollte in diesem Sommer das Wrack am Kap der Schwalben

Gabriele Hoffmann

ausgraben und eines der byzantinischen Wracks an der kahlen Insel. Zweierlei wollte er dabei beweisen. Erstens: Nur ein Archäologe kann eine archäologische Grabung leiten, ganz gleich, wo sie stattfindet, ob an Land oder unter Wasser. Und zweitens: Das, was an Land möglich ist, kann ebensogut unter Wasser getan werden. Die Spezialisten in seinem Team waren nach ihren beruflichen Fähigkeiten ausgewählt, zu denen das Tauchen nicht gehörte. Es dauert Jahre, Architekten, Ingenieure, Zeichner oder Archäologen auszubilden, aber nur einige Tage, bis jemand gelernt hat, mit der Aqualunge zu tauchen. Wie an Land sollte auch auf dem Meeresgrund nichts ohne Aufsicht eines Archäologen entfernt werden dürfen, nach einem alten Rat von General Pitt-Rivers. Pitt-Rivers hatte 1887 außerdem geschrieben: »In der Regel berichten Ausgräber nur über das, was ihnen jeweils gerade wichtig erscheint; in Archäologie und Anthropologie aber tauchen ständig neue Probleme auf. Wenn Anthropologen auf der Suche nach Beweismitteln auf alte Berichte zurückgreifen, wird ihnen kaum entgehen, daß gerade das, was für sie besonders wertvoll gewesen wäre, zu jener Zeit als uninteressant übergangen worden ist. Darum sollte jede Einzelheit so aufgezeichnet werden, daß sie jederzeit in einen weiteren Rahmen gestellt werden könnte, und es sollte stets das Bestreben der Ausgräber sein, den subjektiven Faktor auf ein Mindestmaß zu beschränken.«

Ein Historiker, der in ein Archiv geht und sich Chroniken, Urkunden, Briefe vorlegen läßt, gibt diese Quellen seiner Wissenschaft unversehrt dem Archivar zurück. Wer also die Angaben dieses Historikers bezweifelt oder wer neue Fragen hat, kann die Quellen wieder selbst lesen und prüfen. Ein Ausgräber dagegen zerstört seinen Fund. Nie wieder kann ein anderer ein Grab oder einen Tempel so betrachten, wie er vor der Ausgrabung war. Ein Archäologe muß daher alle Einzelheiten vor und während seiner Arbeit aufzeichnen, damit die Kollegen wenigstens auf dem Papier den ursprünglichen Zustand wiederherstellen können. Ohne Aufzeichnungen ist eine Ausgrabung nur ein Sammeln von Altertümern, eine Schatzsuche.

Der englische Archäologe Mortimer Wheeler bedauerte noch 1956, vier Jahre, ehe Bass zum Kap der Schwalben fuhr, daß für dieses Grundprinzip bei vielen Archäologen immer noch kein Verständnis vorhanden war. Manchmal sind Ablagerungsschichten vor

Jahren bei einem Erdbeben oder bei der Grabung selbst durcheinandergekommen, so daß die Regel, daß das, was unten liegt, das ältere ist, nicht stimmt. Es ist eine Kunst, trotz Störungen in der Reihenfolge der einzelnen Schichten den Kalender in der Erde herauszubekommen, und das geht oft nur auf dem Papier. Wheeler pries den alten General: »In der Praxis verfolgte Pitt-Rivers die Methode, jeden Gegenstand in solcher Weise aufzuzeichnen, daß er genau an seinen Fundort zurückgeführt werden konnte, sowohl im Plan wie auch in der Grabung. Das ist das A und O der dreidimensionalen Berichterstattung, und die dreidimensionale Berichterstattung ist das A und O der modernen Ausgrabung.«

Wie aber konnte Bass in der Tiefe Schichten und Funde genau vermessen, wenn er nur kurz unten bleiben durfte, wenn Strömungen die Meßbänder davontrugen, Fotos verzerrt waren, Entfernungen für das Auge trügerisch? Bass war entschlossen, es zu schaffen. Sein wissenschaftliches Fortkommen hing vielleicht davon ab. Das Graben unter Wasser war ein neues Gebiet und eine Chance für einen jungen Archäologen, sich einen Namen zu machen. Außerdem wollte er zeigen, daß die enormen Kosten früherer Grabungen nicht nötig waren. Antikythera und Mahdia waren sehr teuer gewesen, Grand Congloué hatte eine Viertelmillion Dollar oder mehr gekostet. Bass fand Bergungsschiffe, große Mannschaften und teure Ausrüstungen unnötig. Er und sein Team würden an Land kampieren und örtliche Fischerboote mieten, die sie zum Wrack hinausfuhren. Er brauchte nur genügend Zeit. Im Mai hatte er mit dem Tauchen beginnen wollen. Doch nun war schon Juni.

Als sie in Bodrum eintrafen, streckten sich viele Hände durch das offene Wagenfenster, um Throckmorton zu begrüßen. Das heiße, luftlose Hotel war voll belegt, und Throckmorton und Bass bekamen Betten auf dem Dach. Vom Basar hörten sie das Schreien der Esel und das Bimmeln der Kamelglocken.

Die Bodrumer nahmen regen Anteil an der Expedition, und die Archäologen mußten mit zahlreichen Schwammtauchern Tee trinken. Kapitän Kemal Aras würde mit seinem Boot und seiner Mannschaft für sie arbeiten, ebenso der Schwammtaucherkapitän Nazif Göymen mit seinem Boot *Lutfi Gelil*. Jedes ausländische archäologische Team bekam einen Kommissar der türkischen Altertumsabteilung zur Seite, der einerseits prüfte, ob die Arbeit wissenschaftlich und gesetzlich war, andererseits bei Formalitäten half. George Bass hatte Glück, denn Hakki Gültekin selbst kam als Kommissar mit zum Kap der Schwalben. Das hieß nicht nur, daß seine Ausgrabungserlaubnis trotz Revolution noch gültig war, sondern daß ihm ein freundlicher Mann zur Seite stand, der selbst Archäologe war und tauchte.

Trotz der herzlichen Unterstützung umgab auch Mißtrauen das Team. Der Diebstahl von Mitgliedern der Cochran-Jacht war nicht vergessen. George Bass verstand die Türken gut. Die Länder am Mittelmeer hatten zu Recht genug von Ausländern, die die Zeugen ihrer Geschichte davontrugen.

Ein paar Nächte später fuhren sie auf der *Mandalinçi* und der *Lutfi Gelil* nach Süden. George Bass wußte, diese Seereise war der Beginn eines Abenteuers. Er wußte nicht, daß sie für ihn der Beginn eines neuen Lebens war.

Das Kap der Schwalben

George Bass und sein Forscherteam erreichten Kap Gelidonya und die fünf ihm vorgelagerten Inseln am 13. Juni 1960. Nur Adler lebten in den wilden Felsenklippen. Es war unmöglich, ein Lager auf dem Kap oder einer der Inseln aufzuschlagen.

Kapitän Kemal erinnerte sich an zwei Wasserquellen in einer schmalen Bucht, fast eine Stunde Fahrt am Kap vorbei. 30 m hohe Felswände schlossen die kleine Bucht an drei Seiten vor jedem Luftzug ab, und sie fuhren wie in einen Ofen. Sie bauten ihr Lager auf dem 10 m tiefen, felsübersäten Strand. Küche, Maschinenraum, Konservierungslabor, Frühstückszimmer waren schattige Stellen am Strand. In einer Höhle richtete der Fotograf sich eine Dunkelkammer ein. Zwei kleine Generatoren lieferten Elektrizität für Dunkelkammer und Lager. Ein ständiger feiner Steinregen fiel von den Seiten der Kliffe herunter. Einige Abende nach ihrer Ankunft fand Honor Frost einen soliden Felsbrocken auf ihrem Kopfkissen.

George Bass machte seinen ersten Tauchversuch am Wrack. Das Wasser war so klar, daß er den Seeboden 30 m unter sich sehen konnte, sobald er den Kopf untertauchte. Wie besorgte Glucken umschwebten ihn Frédéric Dumas und Claude Duhuit, doch ihm geschah weiter nichts, als daß er immer wieder rücklings auf seine Tanks fiel und wie ein Käfer mit Armen und Beinen kämpfte, um sich aufzurichten. Grünes Licht verstärkte die Öde des Meeresgrundes, über den ein paar kleine Fische schwammen. Bass sah eine flache Felsplattform, vielleicht 3 m im Durchmesser und 1 m höher als der Sandboden am Fuß der Insel. Knapp 2 m vom Inselsockel entfernt lag ein Felsbrocken, groß wie ein Lastwagen. Dunkle Seegewächse bedeckten die Felsen. Das Wrack war enttäuschend.

Nach vier Tagen nahm Dumas einen Geologenhammer und schlug ein Stück von der flachen Felsplattform ab. Dabei entdeckte er, daß sie gar nicht aus Fels bestand, sondern aus einer dicken Masse von Metallgegenständen, eingebettet in felsähnliche Meeresablagerungen. Er schwamm in den 2 m breiten Gang zwischen dem Lastwagenfelsen und der Insel und fand Metallbarren und Bronzewerkzeuge. Glücklich und aufgeregt schrieb George Bass an Professor Young nach Philadelphia, Dumas schätze, auf dem Meeresgrund läge mindestens 1 t Metall: »Es sieht so aus, als ob das byzantinische Wrack noch ein weiteres Jahr warten muß, weil wir die Gegenstände nicht leicht vom Felsen losbekommen. Ist dies nicht der größte Schatz von Metall aus der Bronzezeit, der je gefunden wurde?«

Dumas hatte einen Meßrahmen zum Kap der Schwalben mitgebracht, der nach Meinung aller die sinnvolle Weiterentwicklung des Systems von Lamboglia war. Doch die Taucher konnten den Rahmen nicht aufstellen, weil der Meeresboden zu uneben und zu felsig war. Schließlich trieben sie eiserne Stäbe in den Felsen um das Wrack und vermaßen von ihnen aus Länge, Breite und Höhe der Funde. Da es unter Wasser keinen Horizont für die Höhenmessungen gibt, waren die Zahlen zum Kummer von Bass ungenau. Dumas schlug vor, die großen Klumpen, zu denen die Barren und Werkzeuge zusammengewachsen waren, mit einem Wagenheber vom Boden loszubrechen und mit einer Winde an Bord zu ziehen und sie erst am Strand zu zerlegen und im einzelnen aufzuzeichnen. Das gefiel Bass nicht.

Honor Frost heftete Plastikpapier auf ein Zeichenbrett und zeichnete unter Wasser mit einem gewöhnlichen Bleistift. Abwechselnd hielten die anderen ihr das Maßband. Der Fotograf nahm die

Gabriele Hoffmann

Wrackstelle von oben auf, und Bass setzte die Fotos zu einem großen Gesamtbild zusammen. Dieses Bild half ihm, die Arbeit eines jeden Tages zu planen. Er konnte nicht, wie an Land, jederzeit gerufen werden, und unter Wasser konnten sie nicht miteinander reden. Jeden Morgen besprach er mit jedem Taucher den Tagesplan, und abends klärte er am Foto Berichte, die durch Eile oder durch einen leichten Tiefenrausch ungenau waren.

Nach einigen Tagen sah es in der Tiefe aus wie an einer archäologischen Grabungsstelle an Land mit Meterstöcken, Meßbändern, Werkzeugkästen. Jeder Taucher blieb vierzig Minuten beim ersten und dreißig Minuten beim zweiten Tauchgang unten. Die Dekompressionszeit, die Zeit für das Ausatmen des angesammelten Stickstoffs, betrug nur fünf Minuten, wenn zwischen beiden Tauchgängen eine sechsstündige Pause lag. Die Dekompressions-Kammer für Notfälle war noch beim Zoll. George Bass wartete in der ersten Stunde nach jedem Tauchen angespannt auf Anzeichen der Taucherkrankheit. Tauchen war harte Arbeit, lernte er. Es kam ihm vor, als ob die Leute nach dem Tauchen nicht so freundlich waren wie sonst.

Die ersten Konflikte zwischen George Bass und Frédéric Dumas, dem Archäologen und dem Berufstaucher, bahnten sich an. Ein Berufstaucher lernt, daß Tauchzeit gleich Geld ist, und arbeitet deshalb in zügigem Tempo. Bass dagegen verbrachte oft seine gesamte Tauchzeit damit, ein vermodertes Holzstück zu betrachten und sich zu überlegen, was damit geschehen sollte. Bass wiederum ging es auf die Nerven, daß Dumas dazu neigte, die Schwierigkeit der Arbeit unter Wasser zu übertreiben. Außerdem meinte er, daß Berufstaucher nicht immer genug Interesse für die zermürbenden Routinearbeiten zeigten. Dumas erschien es oft lächerlich, wie diese noch unsicheren und übereifrigen Amerikaner sich bei den simpelsten Sachen auf ihre technischen Geräte verließen, statt die Augen aufzumachen. Er erklärte Bass, daß die Funde zu lange der See ausgesetzt gewesen seien. Dreitausend Jahre lang hätten sie in ihrem Steinbett in einem Zustand angehaltenen Zerfalls gelegen. Nun, da die Kruste fort sei, setze der Zerfall sofort wieder ein. Bis alle vielgepriesene Papierarbeit getan sei, meinte er, bliebe von einem Gegenstand nicht mehr viel übrig. Bass hörte auf Dumas und ließ nun jeden Abend halb freigelegte Gebiete mit einem Plastiktuch abdecken.

Auf dem Boden des Frischwasserbeckens, das sie am Strand in der Bucht gebaut hatten, lagen jetzt Äxte, Pickel und Beile aus dem Wrack, Metallbarren mit vier Handgriffen und Tonscherben. In verschiedenen Säurebädern entfernte Miss Taylor mühselig die Ablagerungen von den Bronzen und Scherben. Die Taucher fanden blaue und weiße Perlen, von denen Miss Taylor sagte, sie seien phönizisch. Sie fanden Werkzeuge mit eingeritzten Buchstaben in der zyprisch-minoischen Schrift, die auf Zypern in der späten Bronzezeit benutzt wurde und die noch niemand lesen konnte. Die bronzene Werkzeugsammlung aus der Tiefe glich dem stählernen Inhalt des Werkzeugkastens auf der *Mandalinçi*. Als Throckmorton ein eigenartiges Instrument säuberte und Kapitän Kemal fragte, was er davon hielte, meinte der Kapitän, das sei ein Spieß für Schisch-Kebab. Die Antwort leuchtete allen sehr ein.

Die Taucher fanden zerbrochene Werkzeuge und solche, die erst halbfertig waren. Konnte der Schiffseigner ein Altmetallhändler gewesen sein? Oder war er ein reisender Schmied, der von Hafen zu Hafen zog, neue Geräte gegen alte eintauschte, wie die Kesselflicker in der Türkei, die von Dorf zu Dorf wandern und mit Kupferkesseln handeln? Als Kapitän Kemal die Altwarenhändler-Theorie der Taucher hörte, lachte er, bis er schrie: »Schrott heben ist schlimm genug, aber dreitausend Jahre alten Schrott – lächerlich!«

Die einsame Lage der Ausgrabungsstelle hatte ärgerliche und zeitraubende Folgen. Die Bucht lag fast zwanzig Seemeilen von Finike, der nächsten Küstenstadt, entfernt, und die Taucher besaßen keinen Kühlschrank. Sie waren glücklich, wenn sie einmal in der Woche eine magere Ziege unter achtzehn Leuten teilen konnten. Dumas klagte laut und herzzerreißend über den zementähnlichen Käse und das harte Brot. Die übrigen waren überrascht, daß er, der mehr Zeit auf einsamen Inseln verbracht hatte als sie alle zusammen, so anspruchsvoll war. Aber er war immer auf der *Calypso* gewesen mit ihrem französischen Koch. Das Tauchen war ein harter Job, und alle begannen, schwach zu werden. Nach zwei Wochen pausenloser Arbeit schickte Bass sie für einen Tag nach Antalya. In Antalya fühlte Dumas sich wie bei Lukullus zu Gast. Mit Kisten und Körben voll frischem Obst, Gemüse und Fleisch kehrten sie in die heiße Bucht zurück. Doch um zehn Uhr morgens hatten sie über dreißig Grad im Schatten, und Nazif, der Kapitän der *Lutfi Gelil* und Lagerchef,

Cousteau (rechts) probierte mit Dumas (links) Tauchgeräte aus. Immer neue gefährliche Zwischenfälle steigerten ihren Eifer für Verbesserungen gewaltig.

Stürme peitschten den ganzen Dezember über die Insel Grand Conglouè. In einer Nacht stürzte die See über die Maschinenplattform und fegte die Preßluftflaschen weg.

Vorige Seite: Moderne Nachsuche auf den Silberbänken

Der Mann im Boot hieß Anders Franzén. Abends, an den Wochenenden und in den Ferien fischte er auf seltsame Weise: Er suchte ein Kriegsschiff.

Kapitän Hedberg ließ die Wasa ins Dock schleppen. Wieder gab es Aufregung. Die beiden Hebepontons, die sie zwischen sich hielten, paßten nicht mit hinein.

Unten auf dem Batteriedeck arbeiteten die Archäologen zwölf Stunden täglich. Sie rutschten in dem ekelerregenden, zähen Schlamm aus, krochen auf Händen und Knien durch enge Löcher, schwitzten in ihrem Gummizeug und stolperten über Röhren und Schläuche. Aber sie waren begeistert.

*Eines Tages tauchte der Löwe selbst auf,
die Galionsfigur der* Wasa.

Die Wasa *war einst ein schwimmender Palast, goldglänzend und farbenprächtig und
mit Sinnbildern geschmückt, die den Feinden Furcht einjagen sollten.*

Ingenieure rammten die Spundwände um die 1000 Jahre alten Wikingerschiffe tief in den Roskilde-Fjord. Ohrenbetäubender Lärm lag über der Ausgrabung. Als die ersten Schiffsteile auftauchten, kam Dauerregen dazu. Die Studenten durften die Rasensprenger nur beim Fotografieren und Ausmessen abstellen.

Segeln mit nur einem Rahsegel: Pfadfinder bauten das Wikingerschiff Nr. 3 mit Äxten nach

kochte das Fleisch, salzte es und kochte es jeden Tag wieder. Am dritten Tag schon schmeckte es wenig vertrauenswürdig.

Aus Antalya brachten die Taucher auch Ann Bass mit, die junge Ehefrau. George Bass schwamm dem Boot entgegen und fragte sich, ob sie ihn mit seinem langen roten Vollbart wiedererkennen würde. Claude Duhuit bestand darauf, daß sie sein kleines Zelt nahmen, das einzige im Lager, als ihren Honeymoon-Bungalow.

Auf einem der beiden Boote gab es immer Ärger mit der Maschine. Das bedeutete, daß die Taucher wählen mußten, ob sie mit dem anderen Boot zum Wrack fahren oder es nach Finike zum Gemüsekaufen schicken wollten. Sie zogen immer die Arbeit vor. Am schlimmsten Tag der Grabung bestand das Frühstück aus Tee und Malariatabletten.

Auch mit den Kompressoren für die Tauchtanks hatten sie dauernd Ärger. Anfang Juli kamen jedoch zwei Deutsche und ein Amerikaner vorbei und fragten, ob sie eine Woche mitarbeiten könnten. Sie besaßen einen kleinen Kompressor, der jeden Tag ein paar Tanks lud. Einer der Deutschen, Wlady Illing, blieb viele Jahre lang bei George Bass.

Bass konnte zu seiner großen Enttäuschung die Methoden des schichtweisen Ausgrabens kaum unter Wasser anwenden. Die dicken Klumpen verrieten nicht einmal, was sie verbargen. Er folgte nun doch dem Rat von Dumas, die Ladung mit dem Wagenheber des Jeeps in möglichst großen Stücken vom Fels zu brechen. Am Strand konnte er sie dann genauso hinlegen, wie sie in der Tiefe gelegen hatten. Dumas tröstete Bass, dies sei keine typische Wrackstelle. Es gab hier einfach nicht genügend Sand auf dem felsigen Boden zum Schutz des Schiffs vor Meereslebewesen. Sicher war der Rumpf schon wenige Monate nach dem Schiffbruch vor dreitausend Jahren zusammengestürzt und davongetrieben. Sie hatten einfach Pech.

Die Taucher zerschlugen die Brocken in Stücke von etwa 100 kg und befestigten an ihnen die beiden Plastikballons, die Dumas mitgebracht hatte und die sie aus ihren Mundstücken jetzt mit Luft füllten. Sicher und sanft trieb jeder Brocken an die Oberfläche. Beim Hämmern beschwerten sie sich mit dreißig bis vierzig Pfund Blei und banden sich an den Felsen fest, damit die Strömung sie nicht wegschwemmte. Ein Taucher hielt den Meißel, und ein zweiter hämmerte. Alle waren sehr kräftig geworden und schwangen zehn Pfund schwere Hämmer unter Wasser.

An Land paßten sie die ausgebrochenen Stücke aneinander, vermaßen sie und befreiten die alte Fracht sorgsam von ihrer 15 cm dikken Steinkruste. Sie legten so Bronzebarren frei und Kupferbarren, die noch in Weidenkörben lagen – nach dreitausend Jahren. Sie fanden 34 Barren mit vier Handgriffen, jeder wog ungefähr 25 kg und war aus fast reinem Kupfer. Sie fanden scheibenähnliche Kupferbarren, die um 3 kg das Stück wogen, ovale, flache Barren, einen Bronzebarren. Sie fanden mehrere hundert Werkzeuge, Waffen und Haushaltsgeräte: Äxte, Breitbeile, Hacken, einen Spaten, Meißel, Speerund Pfeilspitzen, Messer, Ahlen und einen Bronzespiegel. Sie waren alle sehr aufgeregt, als sie endlich im Wasser unter einem verkrusteten Block Holz hervorragen sahen. Vorsichtig meißelten sie den Block frei und brachten Stöcke und Zweige nach oben.

Während das Lager schlief, grübelte George Bass über dem wachsenden Stapel von Fotos und Zeichnungen. Was waren diese Hölzer? Feuerholz? Werkzeuggriffe? Teile des Schiffs? Schließlich fand er eine Antwort. Es war Reisig aus der Bilge, auf der die Ladung gut und trocken ruhte. Schiffe, die die alten Handelsrouten immer noch befuhren und von Beirut Weintrauben und Zitrusfrüchte nach Zypern brachten, trugen ihre Ladung auch auf Buschwerk.

Die Taucher entdeckten auch Holzstücke mit Dübeln, die in die gebohrten Löcher anderer Plankenreste paßten. Aber insgesamt fanden sie zu wenig Holz. Das Wrack gab quälende Fingerzeige, doch es verweigerte ihnen einen Beweis, wie es ausgesehen hatte.

Die Arbeit ging nur langsam voran. Die Fliegenplage am Strand wurde so schlimm, daß die Zeichner unter Netzen arbeiten mußten. Kleine Schnitte in der Haut, die das Seewasser offenhielt, mußten die Taucher am Strand sofort bedecken, weil die Fliegen sich auf die Wunden setzten.

Eines Tages umkreiste ein fremdes Segelschiff die Wrackstelle und verschwand, als Kapitän Kemal es anrief. Beim nächsten Besuch in Finike löste er das Geheimnis. Eine Zeitung hatte eine Geschichte über die Yankee-Schatzräuber gebracht, die bislang 2 t Gold geborgen hätten. Von nun an befürchteten die Taucher, daß jemand in dunkler Nacht aus Habgier ihr Wrack zerstörte.

Der Ärger mit den Kompressoren hörte nicht auf. Nachts hämmerten Throckmorton und Kapitän Kemal im Schein einer Gaslaterne. Die Erschöpfung machte die Taucher sorglos und unvorsichtig, und das verursachte noch mehr Arbeit. Die beiden Kapitäne sprachen plötzlich nicht mehr miteinander. Der Strom trug eine teure Unterwasserkamera samt Fotografen fort. Den Fotografen bekamen sie wieder.

Dann, eines Nachmittags, zog Wlady Illing sich an Deck, grinste und zeigte George Bass etwas. Bass fing an zu rufen und zu tanzen, so daß die übrigen meinten, nun habe er wirklich einen Sonnenstich. Er hielt einen bleistiftdicken, 3,5 cm langen schwarzen Stein in der Hand, in den Bilder eingeritzt waren: Zwei beturbante Semiten in langen Roben sahen einen unbekannten Gott an, der ägyptische Kleider und eine Krone trug. Es war ein Zylindersiegel, mit dem Kaufleute aus Syrien vor drei Jahrtausenden Tonschriften und kostbare Handelsgüter siegelten. Endlich sah alles besser aus. Auch die Kapitäne vertrugen sich und sprachen wieder miteinander.

Die Taucher arbeiteten beschwingt weiter. Sie untersuchten nun die sandigen Stellen auf dem Meeresgrund, wedelten den Sand mit den Händen hoch und saugten ihn mit Airlifts ab. Sie fanden Gewichte aus rötlichem Eisenerz und ein Bronzearmband.

Dann gab ein Kompressor nach dem anderen den Geist auf. Sie konnten die Tanks nicht mehr füllen, und die Ausgrabung kam zum Stillstand. Der alte Tauchkompressor auf der *Mandalinçi* versorgte Kemals Helmtaucher mit Luft, wenn sie bei schwerer Arbeit am Wrack halfen, und betrieb die Airlifts. Mit ihm konnte man keine Hochdrucktanks füllen. Die Taucher bauten sich eine Nargileh. Die Dichtungen schnitten sie aus Schuhen zurecht.

Tauchen mit Aqualungen war hier schon schwierig, aber Tauchen mit über 30 m Schlauch war verrückt. Die Strömung lief zwischen den Inseln mit drei Knoten. Die Taucher stiegen an einer Hilfsleine ab, ihre Körper hingen waagerecht im Strom wie Wimpel an einer Flaggleine, und sie brauchten alle Kraft zum Festhalten. Am Boden zogen sie sich von Fels zu Fels über die Grabungsstelle. Manchmal knickte die Strömung die Schläuche ab, und sie bekamen keine Luft mehr. Frédéric Dumas sagte ihnen, sie seien tollkühn, und weigerte sich, weiter mit diesem Apparat zu tauchen. Es war ja schön und gut, studierter Archäologe zu sein, doch auf die Dauer brauchte man eben Berufstaucher. Damit traf er Bass an einer empfindlichen

Stelle. Bass glaubte, keine andere Wahl zu haben. Jahre später, als er bewiesen hatte, daß Archäologen unter Wasser graben können wie an Land, gab er zu, daß es damals idiotisch war, so zu tauchen.

Am 30. Juli fanden die Taucher drei Skarabäen – Mistkäfer –, zwei aus Fayence, einen aus Elfenbein, mit Inschriften in ägyptischen Hieroglyphen, uralte Glücksbringer. An einer Stelle, die sie aus Spaß die Kapitänskajüte nannten, fanden sie noch mehr Skarabäen, Bergkristall, Wetzsteine, Fischknochen und Olivenkerne, den Knöchel eines Schafes oder einer Ziege und eine Öllampe. Das Wrack mußte um 1200 v. Chr. gesunken sein, in einer Zeit politischer Umwälzungen im Mittelmeer. Trug es Syrer oder Zyprioten, die mit ihren Reichtümern flohen? Oder einen Schmied mit Rohmaterial für neue Waffen für die Griechen und Trojaner, die sich vor Troja mit ihren Bronzespeeren schlugen?

Allmählich schmolz das Team. Honor Frost, Frédéric Dumas, Joan du Plat Taylor und Yüksel Egdemir mußten zu ihren Jobs zurück. Das Pennsylvania-Museum hatte noch einmal sechstausend Dollar bewilligt, so daß Geld nun kein Problem mehr war, aber bald mußte auch Bass nach Amerika zurückkehren und Vorlesungen halten.

Anfang September kam ein Fotograf der National Geographic Society aus den USA zum Kap der Schwalben. Er brachte einen Metalldetektor mit, so daß die Taucher den Sand noch einmal sorgfältig nach Bronze absuchen konnten. Der Fundort sah nun nackt aus, das Seegras war ausgerissen und die Schiffsfracht fort.

Das Ende der Grabung kam plötzlich. Am Strand in der Bucht hatte das Meer längst ihren Eßtisch und ihre Bänke fortgewaschen. Eines Nachts wachten sie auf und lagen im Wasser: Der Herbstwind blies. Sie fürchteten Regenfälle und einen Felsrutsch und brachen das Lager noch während der Nacht ab. In der Morgendämmerung des 13. September 1960 verließen sie die kleine Bucht ohne Bedauern. Als ihre Boote Finike erreichten, goß es in Strömen. Doch sie hatten gewonnen. Sie hatten viele Tonnen von Fels und Sand in der Tiefe bewegt ohne einen schweren Unfall. Kapitän Kemal Aras brachte auf der *Mandalinçi* 1 t Werkzeuge und Barren aus Bronze und Kupfer nach Bodrum, den größten Metallschatz, der je entdeckt worden war aus dieser fernen Zeit, und Hakki Gültekin stellte ihn im Kreuzfahrerkastell aus.

Als sie in Bodrum ankamen, waren sie müde, abgemagert und

sauer. Sie waren zu lange fern von anderen Menschen gewesen. Peter Throckmorton und George Bass setzten sich unter den Sternen auf einen Wellenbrecher am Hafen. Sie gerieten in einen Riesenstreit über nichts.

So endete die erste wissenschaftliche Ausgrabung eines antiken Wracks auf dem Meeresgrund. Einer nach dem andern trieben die Gruppenmitglieder davon. Nur Claude Duhuit und Wlady Illing blieben in Bodrum. Sie bauten Wassertanks für die Bronzen, Handwerker legten einen Steinfußboden im Kastell, zimmerten Regale und Tische, und Claude Duhuit und Wlady Illing katalogisierten die Funde.

George und Ann Bass kehrten nach Philadelphia, Pennsylvania, zurück, und Bass begann auszutüfteln, was eigentlich genau sie in diesem Sommer gefunden hatten.

Eine Detektivgeschichte

Die Ausgrabung am Kap der Schwalben war vorüber, aber die Arbeit am Wrack hatte kaum begonnen. Es ist aufregend, ein altes Schiff zu finden, aber noch aufregender ist es zu entdecken, wann und wo es gebaut wurde, wer auf ihm fuhr und welche neuen Informationen über eine entfernte Vergangenheit es enthält. Aus 1 t angenagten Metalls wollte George Bass die Geschichte des Schiffs und seiner Besatzung herausbekommen. Die Funde aus dem Meer lagen in Bodrum, er arbeitete mit Zeichnungen, Fotos, Beschreibungen.

Über das Schiff selbst konnte er wenig sagen. Es hatte zu lange frei in der See gelegen, war davongetrieben oder von Seewürmern aufgefressen worden. Die Ausbreitung seiner Fracht legte nahe, daß es ungefähr 11 bis 12 m lang gewesen war, so groß wie die *Mandalınçi*. Die Schiffbauer hatten dünne Planken mit hölzernen Dübeln aneinander befestigt und den Schiffsboden von innen mit einer schützenden Lage von Zweigen bedeckt. Eine doppelschneidige Axt und die Krummäxte aus der Ladung ähnelten den Werkzeugen, mit denen Odysseus – nach Homers Beschreibung – ein Schiff baute.

Das Alter der Scherben von Krügen und Kannen erfuhr Bass aus London, wo Joan du Plat Taylor ebenfalls mit Fotos und Zeichnungen arbeitete. Sie schrieb ihm, die Krüge und Kannen zeigten den typischen Stil der Zeit um 1200 v. Chr. plus/minus fünfzig Jahre. Fast gleichzeitig mit ihrem Brief erhielt Bass Nachricht aus dem 14-C-Labor des Universitätsmuseums Philadelphia. Die Chemiker hatten das Holz untersucht, und ihr Ergebnis war das gleiche wie das von Joan Taylor: 1200 v. Chr. plus/minus fünfzig Jahre. Schiff und Fracht stammten also tatsächlich aus dem Zeitalter der Helden Homers. Die Griechen besiegten Troja zwischen dem 13. und 11. Jahrhundert v. Chr. – das genaue Datum ist noch umstritten.

Bass fing an, die Kupferbarren zu studieren, die mit ihren eigenartigen Griffen aussahen wie kleine Krankentragen. Sie hatten eine grüne Patina, doch wenn er mit dem Fingernagel daran kratzte, blinkte das Kupfer.

Er wälzte Bücher und las, daß gleiche Barren aus der Bronzezeit gefunden worden waren von Mesopotamien bis Sardinien und daß viele Anfang des 20. Jahrhunderts in Fischernetzen aus dem Meer aufgetaucht waren. Ein deutscher Wissenschaftler hatte nach einer sorgfältigen Studie dieser Barren herausgefunden, daß man ihr Alter ablesen konnte an ihrer Form und an der Länge ihrer Griffe.

Als Bass dies las, brachte der Briefträger die Ergebnisse einer zweiten Laboranalyse, die er in Auftrag gegeben hatte: Eine weiße, zahnpastaähnliche Masse – von mehreren Stellen zwischen den Kupferbarren auf dem Seeboden – war der Rest von Zinnbarren, den ältesten, die ein Archäologe bislang gefunden hatte.

Nun besaß er den Beweis, daß das Schiff die Rohstoffe für neue Bronze an Bord gehabt hatte: Kupfer und Zinn. Die Bronze in den runden Barren und die zerbrochenen Bronzewerkzeuge waren einfach Altmetall, das wieder eingeschmolzen und neu gegossen werden sollte.

Bis zu diesem Punkt hatte Bass noch nichts, was darauf hinwies, daß die Fracht aus Rohstoffen und Schrott zu einem anderen Zweck bestimmt war als zum Verkauf.

Nun sah er sich die übrigen Funde genauer an. Die polierten Steinhämmer – die Taucher hatten sie für Rangzeichen der Schiffsoffiziere gehalten – ähnelten, das erkannte er nun, den Hämmern, die zu jener Zeit noch in einfachen Gesellschaften benutzt wurden, um Bronze zu schmieden. Ein großer harter Stein, oben flach, konnte als Amboß gedient haben. Dann war da noch ein eigenartiger Block aus Bronze mit verschieden großen Vertiefungen und Löchern. Bass schickte eine Fotografie von ihm an einen Metallexperten. Der Experte antwortete, es handele sich um ein kleines, amboßähnliches Werkzeug, das benutzt werde, um Metall in die Vertiefungen und Löcher zu gießen, um eine Gußform also. Die erstaunlich große Anzahl von Wetzsteinen und Steinpolierern aus dem Wrack konnte Bass sich nur damit erklären, daß jemand Dutzende neuer Bronzeschneiden schärfen wollte.

Nichts von alledem bewies die Anwesenheit eines fahrenden Schmiedes, des Mannes selbst. Aber Bass konnte seine Gegenwart fast spüren.

Das Schiff war zuletzt auf Zypern beladen worden. Die Werkzeuge trugen die Schrift des bronzezeitlichen Zyperns, und sie waren Zwillinge von anderen, die Archäologen auf der Insel aus der Erde gegraben hatten, zusammen mit ihren Gußformen aus Stein und Metall. Auch die Kupferbarren stammten wohl aus den reichen Minen der Insel.

Wo aber lag der Heimathafen des Schiffs – in Zypern, Ägypten, Syrien, Kreta oder Griechenland?

Bass nahm zunächst an, daß das Schiff mykenisch war, das heißt, daß es aus dem Griechenland der späten Bronzezeit stammte, als Agamemnon auf seiner Festung Mykenä regierte. Die meisten Archäologen waren sicher, daß der Handel im Mittelmeer damals fest in den Händen mykenischer Kaufleute lag, und hatten nach Landfunden auch gute Gründe dafür. Sie hatten nämlich mykenische Tonscherben in Italien und auf Sizilien und an der Levante gefunden, meistens in Küstenorten und in Flußstädten. Sie schlossen daraus, daß griechisches Geschirr diese Städte an Bord von griechischen Schiffen erreicht hatte: Mykenische Kaufleute und Reeder beherrschten das östliche Mittelmeer von 1600 v. Chr. bis zu den turbulenten Jahren um 1200 v. Chr. Die seefahrenden Phönizier begannen erst einige Jahrhunderte später, ihre Handelsfahrten nach Westen auszudehnen. Homers Erwähnung phönizischer Seefahrer schon zur Zeit des Trojanischen Krieges betrachtete man als Anachronismus, als Fehler, denn Homer, wer immer er war, lebte zu einer Zeit, als die Geschichten, die er erzählte, längst Vergangenheit waren. Er wußte es eben nicht besser.

Hatte Homer sich wirklich geirrt?

Waren das Zylindersiegel aus Syrien und die syro-palästinensischen Skarabäen im Wrack einfach Schmuck, Souvenirs, die griechische Matrosen in irgendeinem nahöstlichen Hafen gekauft hatten? War es wahrscheinlich, daß es auf einem griechischen Schiffswrack keinen Gegenstand aus Griechenland gab?

Diese zweifelnden Fragen drängten sich Bass zum ersten Mal auf, als er die Gewichte aus dem Wrack studierte. Er wog die Steine und teilte jedes Steingewicht durch die Zahlen von eins bis sechzig. Das Ergebnis war überraschend. Ein Dutzend der Gewichte waren das genaue Vielfache von 9,32 g und damit des Gewichts eines ägyptischen »quedet«. Das war ein sehr verbreitetes Maß in Syrien, Zypern, Palästina, dem Hethiter-Reich und Troja, möglicherweise auch in Kreta und Griechenland. Andere Teilungen ergaben 7,32 g, und das war der sogenannte phönizische Standard, der in Ägypten, Syrien, Palästina und Kreta benutzt wurde. Bass erhielt auch einige syrische Gewichtseinheiten von 10,20 g und einige hebräische von 11,50 g.

Wenn der Seehandel aber vollständig in griechischer Hand war, überlegte Bass, wieso benutzte dann ein Kaufmann so weit westlich Gewichtseinheiten, die fast alle aus dem Nahen Osten stammten?

Bass sah noch einmal auf die Ladung der Kupferbarren. Peter Throckmorton hatte ihm gesagt, daß gleiche Barren auf der Wand eines ägyptischen Grabes gemalt sind, wo eine Prozession von Trägern sie auf ihren Schultern bringt. Bass suchte sich eine Wiedergabe des Bildes hervor. In ägyptischer Schrift stand darunter, daß dieses Bild Tribute zeigt, die die Großen von Keftiu dem Pharao bringen. Die Barrenträger aus Keftiu sind nackt bis auf reich gemusterte Röcke und Schuhe. Ihre Haut ist dunkelrot. Langes, schwarzes Haar fällt ihnen fast bis zur Taille, und sie sind sauber rasiert.

Keftiu gilt als der ägyptische Name für Kreta, und da dies das am häufigsten abgedruckte Bild von Barren aus der Antike war, nahmen die meisten Archäologen an – meinte Bass –, daß die Barren aus Kreta kamen. Sie übersahen dabei eine andere Reihe von Barrenträgern weiter unten auf dem Bild: braunbärtige Syrer in langen, weißen Kleidern.

Die minoische Zivilisation auf Kreta ist älter als die mykenische auf dem griechischen Festland. Aber ging nach dem Untergang der

Minoer der wichtige Kupferhandel tatsächlich in mykenische Hände über?

Bass überlegte, ob es wohl noch mehr Bilder gab. Er und seine Frau Ann begannen eine Suche nach Barren auf ägyptischen Grabmalereien und Reliefs. Die Sachverzeichnisse in den Büchern waren von geringer Hilfe. Oft erwähnten die Verfasser Barren überhaupt nicht oder sahen sie als Säcke an. Es gab nur einen Weg: George und Ann Bass mußten jedes Bild in jedem Buch über Ägypten im Universitätsmuseum ansehen.

Nächtelang saßen sie im ägyptischen Seminarraum. Bald kannten sie den Nachtwächter besser als irgend jemand anders im Museum. Sie tranken mit ihm Kaffee um Mitternacht und freuten sich auf die Äpfel, die er ihnen in den frühen Morgenstunden brachte.

Als sie im Seminarraum fertig waren, durchsuchten sie die Zeitschriften in der Hauptbibliothek des Museums. George fing an einem Ende des Regals an und Ann am anderen, und so arbeiteten sie sich ihren Weg bis zur Mitte.

Als sie fertig waren, hatten sie sechzehn Malereien und Reliefs entdeckt, die Barren zeigten wie die, die sie am Kap der Schwalben aus dem Meer geholt hatten. Nur zweimal trugen Männer aus Keftiu – Kreta – die Barren, und in beiden Fällen gab es auf dem Gemälde auch Männer aus Nordsyrien mit Barren. Das Kupfer, erzählten die Hieroglyphen, stamme aus dem Lande Retnu. Das war Nordsyrien. Die beiden Bilder mit Männern aus Keftiu waren über zweihundert Jahre vor dem Schiffsuntergang am Kap Gelidonya gemalt worden, in einer Zeit, als Kreta noch eine große wirtschaftliche Macht im östlichen Mittelmeer war. Über jedes andere Bild jedoch, in dem Hieroglyphen die Herkunft des Kupfers angaben, hieß es, das Kupfer stamme aus Nordsyrien. Ein Bild aus dem Grab eines Adligen in Theben zeigte sogar das syrische Schiff, das das Kupfer nach Ägypten gebracht hatte. Alles wies darauf hin, daß Kupfer in der Zeit, in der das Schiff am Kap Gelidonya sank, aus Syrien kam.

Und das Schiff?

Bass nahm sich noch einmal das persönliche Eigentum der Schiffsbesatzung vor. Die Lampe, die Steinmörser und die Steinhämmer waren ebenso nahöstlich in der Machart wie das Siegel und die Skarabäen. Er konnte sich einfach nicht vorstellen, daß sie nur Souvenirs aus irgendwelchen Häfen waren. Unter 1 t Material war mit Sicherheit kein einziger Gegenstand aus Griechenland.

Alles aber paßte zusammen, wenn er annahm, daß das Gelidonya-Schiff nicht aus Griechenland, sondern aus Syrien stammte.

Doch war das historisch wichtig? Ein einzelnes Schiff mußte nicht notwendig gleich eine seefahrende Nation bedeuten.

So kam es, daß Bass sich die alten Beweise ansah, auf die die Archäologen ihre Annahme von einem Seefahrtsmonopol der Mykener in der Ägäis gründeten. In der griechischen Überlieferung war tatsächlich von einem solchen Monopol die Rede. Aber Keilschrifttafeln aus dem Nahen Osten erwähnten zur selben Zeit große nahöstliche Flotten. Und ausländische Flotten auf ägyptischen Bildern waren immer syrisch, niemals ägäisch.

Die vorherrschende Ansicht, daß bronzezeitlicher Handel fast ganz in den Händen mykenischer Händler lag, basierte, wie gesagt, auf der Menge von mykenischen Topfscherben, die Archäologen entlang der Küste und der schiffbaren Flüsse von Zypern, Ägypten und Syrien gefunden hatten. Eine gleiche Menge von Waren aus dem Nahen Osten hatte niemand in Griechenland und auf den ägäischen Inseln gefunden. Was bedeutete das? Töpfe und ihr Inhalt wurden ja nicht umsonst verteilt. Sie wurden gehandelt gegen andere Ware. Gegen Dinge aus Syrien, die Archäologen in Griechenland nicht finden konnten, Ware, die verschwunden war und nicht in Toncontainern ankam. Textilien? Holz? Oder Metall? Welches kostbarere Rohmaterial gab es damals als Metall? Wenn Archäologen es in einer mykenischen Stadt fänden, würden sie seine Herkunft nicht erkennen können, denn sicher war es bald nach der Ankunft in Griechenland verarbeitet und in typisch mykenische Formen für den mykenischen Markt gegossen worden. Wer handelte also mit diesem Rohmaterial, die Mykener oder die Leute aus Syrien? Waren die Töpfe und Krüge wirklich auf mykenischen Schiffen exportiert – oder nicht vielmehr von syrischen Schiffen mit nach Hause gebracht worden?

Bass wußte von Joan Taylor, daß die zerbrochenen Bronzewerkzeuge aus dem Wrack sehr wahrscheinlich aus Zypern stammten. Die herrschende Forschungsmeinung besagte, daß diese Werkzeuge ihren frühen Ursprung in Griechenland hatten, von wo Kolonisten sie mit nach Zypern brachten.

Gabriele Hoffmann

Aber Bass war jetzt mißtrauisch geworden. Er beantragte ein Reisestipendium und besuchte, als er es bekam, Museen in Syrien, im Libanon, in Griechenland und auf Zypern, um die Funde selbst studieren und die dortigen Kollegen nach der Herkunft der Gegenstände befragen zu können. Zu seiner Überraschung fand er heraus, daß die frühesten Beispiele dieser Werkzeuge nicht in Griechenland, sondern an der syrisch-palästinensischen Küste gefunden worden waren. Nicht griechische Seefahrer, Händler und Handwerker, sondern Männer aus dem Nahen Osten hatten die Bronzearbeit auf Zypern beeinflußt.

Sieben Jahre nach der Ausgrabung der Schiffsfracht am Kap der Schwalben erschienen die Abschlußberichte der beteiligten Wissenschaftler. Der Bericht von George Bass war zugleich seine Habilitation. Er veröffentlichte darin, daß das Schiff syrisch war und daß im Mittelmeer der Bronzezeit der syrisch-palästinensische Seehandel vorherrschte: Phönizische Händler hatten Jahrhunderte früher, als man bisher glaubte, Kontakt mit den Griechen gehabt.

Diese Forschungsergebnisse nahm die Fachwelt keineswegs mit Jubel auf. Im Gegenteil, manche Forscher widersprachen heftig. Vor allem kreideten sie es Bass als Schnitzer an, daß er das Siegel, das beim Untergang des Schiffs schon fünfhundert Jahre alt war, für das Eigentum des Kapitäns hielt und auch daraus auf das Heimatland des Schiffs schließen wollte. Bass ließ das Siegel als Beweis in einem späteren Buch fallen, hielt aber an den übrigen Argumenten fest. Die Reaktion auf seine Arbeit war für ihn eine Enttäuschung. Er wollte ja gar nicht an der Bedeutung der griechischen Kultur für das Abendland zweifeln, obwohl er es nun bedenkenswert fand, daß sie eine heilige Kuh der Wissenschaft zu sein schien. Er zog sich auf den Standpunkt zurück, er habe alles Material, die Zeichnungen und Pläne, veröffentlicht, und jeder möge selbst entscheiden.

Als er diese Enttäuschung ab 1967 erlebte, hatte George Bass, inzwischen Professor in Philadelphia, Jahre harter Ausgrabungsarbeit hinter sich, war Sommer für Sommer getaucht und stand nun vor Problemen, die mit der Bronzezeit nichts mehr zu tun hatten.

Die flache Insel

George Bass hatte im September 1960 Fotos und Zeichnungen von aufregenden Funden mit nach Hause gebracht. Er hatte bewiesen, daß Archäologen und Zeichner unter Wasser arbeiten konnten. Doch er hatte nur eine Fracht ausgegraben, kein Schiff, und das Problem nicht gelöst, wie man den Lageplan eines Wracks unter Wasser zeichnet und die Funde in einer Schicht nach der anderen vermißt.

Zweimal war er vor seiner Abreise aus Bodrum mit Mustafa Kapkin zu dem byzantinischen Wrack hinabgetaucht, das Peter Throckmorton am Riff vor Yassi Ada entdeckt hatte. »Yassi Ada« heißt auf deutsch »flache Insel«. Die Insel sah aus wie ein großer rötlichbrauner Pfannkuchen.

Doch warum sollte er ein byzantinisches Handelsschiff ausgraben? Er war auf die Bronzezeit spezialisiert und würde an Land niemals eine Ausgrabung byzantinischer Spuren leiten wollen. Wlady Illing und Claude Duhuit hatten ihn vor der Abreise aus Bodrum gedrängt, weiter zu experimentieren. Sie wußten von keinem anderen Archäologen, der in so großer Tiefe gearbeitet hatte. Die Tiefe enthielt unglaubliche Schätze für die Wissenschaft.

Bass begann, nachts wach zu liegen und zu überlegen, wie er dieses Schiff ausgraben würde. Er würde mehr Taucher brauchen. Er würde sich dieselbe Art von Leuten suchen, die man bei jeder Landgrabung trifft, Zeichner, Fotografen, Architekten, Archäologen, einen Mechaniker, einen Arzt. Wenn sie nicht tauchen konnten, mußten sie es eben lernen.

Die erste Grabung an der flachen Insel dauerte vier Sommer.

Viele Studenten meldeten sich bei Bass und wollten unter Wasser graben. Bass hielt aus irgendeiner Regung seines Unterbewußtseins heraus Ausschau nach robusten Athleten mit starken Kinnbacken und dichten Haaren auf der Brust. Aber von allen Anwärtern konnte eine zierliche Frau am besten zeichnen, eine sehr junge Studentin mit blonden Haaren, die in Kniestrümpfen und Wollrock zum Vorstellungsgespräch kam. Tauchen konnte sie nicht, war aber bereit, es zu lernen. Bass setzte ihren Namen auf die Liste, Susan Wormer. Später gehörte sie zu seinen besten Tauchern. Er wählte auch Frederick van Doorninck aus, ein schmales Hemd und Brillenträger. Fred

Gabriele Hoffmann

wußte von allen das meiste über das antike Griechenland. Aus dem vorigen Team meldeten sich Claude Duhuit, Wlady Illing und Herb Greer, der Fotograf. Peter Throckmorton konnte nicht mehr helfen, die Türkei hatte ihn ausgewiesen, weil er – wie er meinte – den Neffen eines einflußreichen Onkels entlassen hatte, vielleicht aber auch wegen der Gerüchte um den Diebstahl der Cochran-Expedition. Throckmorton tauchte nach Wracks in Griechenland.

Sein Team hatte Bass nun. Jetzt brauchte er Geld und Ausrüstung. Das Universitätsmuseum wollte die Grabung bezahlen, doch die zur Verfügung gestellte Summe war knapp. Der gleiche Papierkrieg, die gleiche Besuchsrunde wie im vorigen Jahr begannen und kosteten Bass viel Zeit, bis er alles zusammengebettelt hatte.

In Bodrum trieb Wlady Illing einen hölzernen Lastkahn als Tauchplattform auf und mietete zwei Häuser, eins für zehn, eins für fünfzehn Dollar im Monat. Während George Bass nach Ankara fuhr, um die Ausgrabungserlaubnis zu holen, kämpfte das Team sich durch das übliche Durcheinander vor Arbeitsbeginn, schaffte die Ausrüstung vom Hafen in Izmir nach Bodrum, setzte die Werkzeuge der vorjährigen Grabung instand, und die Erfahrenen brachten den Neuen das Tauchen bei. Mustafa Kapkin war wieder da, ebenso Kapitän Kemal mit seiner *Mandalinçi*. In der zweiten Juliwoche 1961 schleppten zwei Schiffe den Lastkahn die sechzehn Seemeilen hinaus zur flachen Insel. Der Kahn war hoch beladen mit Kompressoren, Wassertanks, Generatoren, Unterwasserscheinwerfern, Airlifts, Rohren, Schläuchen, Aqualungen, Hängematten, Leinen und Kisten.

Das Wrack lag 100 m südlich der Insel: ein großer Hügel von kugelrunden Weinamphoren, knapp 18 m lang und 8 m breit auf einem öden, sanft abfallenden Sandhang. Das Wasser war hier ganz anders als am Kap der Schwalben, und anfangs kam es Bass unheimlich vor, in die blaue Tiefe hinabzuschwimmen, ohne den Boden gleich zu sehen. Das Wrack begann bei 32 m Tiefe und senkte sich auf 38 m. Am oberen Ende sahen die Taucher sechs Eisenanker. In der Mitte, dem tieferen Ende zu, lagen Scherben von Dachziegeln und Kochtöpfen. Bass wußte nicht mehr über das Wrack, als daß es aus der byzantinischen Zeit stammte.

Die Byzantiner hatten die Römer abgelöst: Im 3. Jahrhundert n. Chr. erschütterten wirtschaftliche Krisen, Thronstreitigkeiten und Angriffe der Germanen den Westen des Römischen Reichs, und sein wirtschaftlicher und politischer Schwerpunkt verlagerte sich nach Osten. Konstantin der Große verlegte schließlich 330 die Residenz der Kaiser von Rom nach Byzanz am Bosporus.

Die Byzantiner kontrollierten die Landbrücke zwischen Europa und Asien und gleichzeitig den Wasserweg zwischen dem Schwarzen Meer und der Ägäis. Byzanz wuchs zum Knotenpunkt des Handels zwischen Europa und Asien. In den nächsten zweihundert Jahren blieb die Herrschaft der oströmischen Kaiser in Byzanz – ab 395 war das Römische Reich geteilt – noch auf das östliche Mittelmeer beschränkt, denn starke Germanenstämme eroberten das westliche Mittelmeer. Doch von 527 bis 565 herrschte Kaiser Justinian I. in Byzanz, und ihm gelang es, die Vandalen zu besiegen und das westliche Mittelmeer unter seine Herrschaft zu bringen. Er bekriegte die Ostgoten, und um 540 war der größte Teil Italiens in byzantinischer Hand. Byzanz beherrschte nun das Schwarze Meer, Italien, eroberte das südwestliche Spanien und die gegenüberliegende afrikanische Küste.

Irgendwann in der großen Zeit des byzantinischen Reichs war das Wrack auf das Riff vor der flachen Insel gelaufen und untergegangen. Wann genau, wußten die Amerikaner nicht.

Jeden Morgen fuhren sie nun mit der *Mandalinçi* zwei Stunden zum Wrack und abends zwei zurück. Der Lastkahn, ihre Tauchplattform, war am Wrack verankert, und jede Nacht blieben drei Mann als Wache dort. Das Team konnte auf der Insel kein Lager aufschlagen, denn dort lebten Hunderte von Ratten. Gegen Ende des Sommers gelang es den Ratten, den 30 m vom Strand entfernten Kahn zu erreichen und die schlafenden Archäologen zu beißen.

In den ersten beiden Wochen rissen die Taucher die Seepflanzen von den Amphoren und säuberten die Krüge mit steifen Drahtbürsten. Sie banden jedem sichtbaren Gegenstand mit Draht ein Nummernschild aus Plastik um, und zwar so, daß die Zahlen nach oben schauten. Herb Greer fotografierte. Die Arbeit war hart und erforderte Geduld. Jeder Taucher war täglich fünfundvierzig Minuten am Wrack, in zwei Tauchgängen, hing täglich zweimal eine halbe Stunde an einer Leine unter dem Lastkahn und atmete den angesammelten Stickstoff aus, fror und langweilte sich. Aber die Archäologen wollten Pläne zeichnen, nach denen ein Schiffbauer den fremden Rumpf Planke um Planke, Dübel um Dübel nachbauen könnte.

Gabriele Hoffmann

George Bass und sein Team verbrachten den größten Teil der Saison 1961 damit, Vermessungs- und Zeichenmethoden auszuprobieren. Mehrere Methoden, mit denen sie experimentierten, darunter auch das Arbeiten mit dem Meßrahmen von Dumas, erwiesen sich als zu zeitraubend. Schließlich ließen sie sich von den Schmieden in Bodrum Gitter in drei verschiedenen Größen anfertigen, einige maßen 1 m², einige 4 und 9 m². Die kleinen Quadrate innerhalb jedes Gitters maßen 10 cm mal 10 cm. Sie legten die Drahtgitter über mehrere Stellen des Wracks, richteten sie waagerecht aus und trugen den Ausschnitt, den die Gitter bedeckten, in den Hauptplan der Ausgrabung ein. Sie mußten sich nur noch um die kleineren Maße innerhalb dieses Rahmens kümmern. Die Zeichner schwebten über den Gittern und zeichneten, was sie in den kleinen Quadraten sahen. Die Lage eines Fundes in der Ebene, also Länge und Breite, konnten sie am Gitter abzählen, seine Höhe maßen sie mit einem Stab vom Gitter nach unten.

In zweieinhalb Monaten erlebten die Taucher nur zehn windstille Tage. Am Kap Gelidonya waren sie gebraten worden, nun froren sie im Nordwind und trugen trotz der strahlenden Mittelmeersonne dicke Pullover unter Skijacken. Jeden Abend kamen sie – von Spritzwasser naß und mit blauen Lippen – nach Einbruch der Dunkelheit von Bord der *Mandalinçi*. Bis sie gegessen hatten, die Tauchausrüstung repariert, die Fotos entwickelt, die Arbeit des Tages notiert hatten, war Mitternacht vorüber. Morgens um halb sechs gab es Frühstück, um sechs fuhr das Boot zum Wrack. Die Wellen machten ihnen oft Angst, doch Kapitän Kemal lachte nur, wenn der Mast weit überholte. Dennoch waren sie alle guter Dinge.

Eines Morgens, als die *Mandalinçi* anlegte, kam Wlady Illing gerade vom ersten Tauchgang hoch. Über das ganze Gesicht grinsend öffnete er eine alte Filmdose und hob ein Stück Baumwolle heraus. Auf der Baumwolle funkelte eine kleine Goldmünze.

Sie sahen das Profil eines jungen Mannes, der Bänder um seinen Kopf geschlungen hatte und einen Schulterumhang trug. Am Rand stand sein Name: Heraklius. Der Imperator Heraklius regierte von 610 bis 641. In diesen Jahren also könnte ihr Wrack gesunken sein.

Es war die erste von zehn Goldmünzen und über fünfzig Kupfermünzen, die sie im Wrack fanden.

Frederick van Doorninck war so besessen von dem Wrack, daß

sein Tauchpartner ihn jedesmal, wenn die Tauchzeit vorüber war, an seinen Lufttanks mit nach oben ziehen mußte. Er war immer blau vor Kälte, seine Maske mit Blut aus gebrochenen Adern in seiner Nase verschmiert, und manchmal pfiff die komprimierte Luft unter einer losen Zahnfüllung, wenn er auf die Plattform kletterte und, noch ehe er die Tanks abnahm, anfing zu erzählen, was er gesehen hatte und was es bedeutete.

Sie hatten keinen Fall von Tiefenrausch, doch ihre Gehirnleistung war beim Tauchen stark vermindert, und es kam zu Fehlern beim Auslegen der Meßgitter. Ein Forscher, der so weit unten arbeitet, muß vorher in Gedanken genau durchspielen, was er während seiner kurzen Tauchzeit alles zu tun hat. Einmal unten, erzählt Bass, konnte man verzweifeln, wenn der Tauchpartner plötzlich zum falschen Ende des Wracks schwamm und die kostbare Tauchzeit verschwendete.

Im ruhigen Einerlei zufriedener, arbeitsreicher Tage war es ein böser Schock für das Team, als Laurence Joline, Biologe und staatlich geprüfter Tauchlehrer, von der Hüfte abwärts gelähmt nach oben kam. Auf Unglücksfälle waren sie nicht vorbereitet, denn ein Tauchexperte hatte Bass gesagt, bei ihrer übervorsichtigen Dekompressionszeit sei die Taucherkrankheit so gut wie ausgeschlossen. Sie brachten Larry Joline in ihre kleine Dekompressionskammer nach Bodrum, aus der sie ihn nach acht Stunden wieder herausholten. Sein Zustand war unverändert. Sie hatten das amerikanische Konsulat in Izmir angerufen, und ein Armeeflugzeug stand bereit, Joline zu einer großen Überdruckkammer nach Istanbul zu fliegen. Nachts fuhren sie ihn im Volkswagen fünf Stunden auf der felsigen Straße nach Izmir.

Die Zurückgebliebenen fragten sich beklommen, ob sie weitermachen sollten oder nicht. Doch Susan Wormer sagte energisch, jetzt sei es nicht gefährlicher, als es den ganzen Sommer über war, sie wolle weitertauchen. Larry Joline blieb zwei Monate im Krankenhaus, ehe er nach Bodrum zurückkehrte. Noch nach Jahren hinkte er, wenn er müde war.

Die Taucher erfuhren mehr über die Seeleute, die auf dem gesunkenen Schiff gefahren waren. Sie fanden ihre Teller, Tassen, Schüsseln, Krüge und zwanzig Öllampen – den bei weitem größten byzantinischen Fund aus bekannten Jahrzehnten, den Archäologen

Gabriele Hoffmann

bis dahin entdeckt hatten. Allein die Lampen bewiesen die Bedeutung dieser Ausgrabung, denn obgleich Lampen dieser Form schon zu Hunderten bekannt waren, hatten die Archäologen sie bislang ins 5. oder 6. Jahrhundert eingeordnet. Nun war bewiesen, daß sie aus dem 7. Jahrhundert stammten, und wenn künftig ein Archäologe in der Brandschicht einer Stadt auf eine dieser Lampen stieß, wußte er, wann die Stadt gebrannt hatte. Die Taucher fanden auch ein Weihrauchgefäß und ein Bronzekreuz. Sie fanden Gewichte für eine Laufwaage, von denen eine als Gegengewicht eine bleigefüllte Büste der Athene besaß. Schließlich erfuhren sie auch die Namen einiger Seeleute: Ein Glasmedaillon trug das kreuzförmige Monogramm eines Theodor, und auf einem Bleisiegel war der Name Johannes eingekratzt. Am Ende der größten Laufgewichtswaage stand »Georgios der Ältere. Seekapitän«.

Als die ersten Herbststürme einsetzten, riß der Lastkahn sich los, und sein größter Anker verfing sich auf einem anderen Wrack, das tiefer gelegen und nach seinen Amphoren älter war als ihr byzantinisches. Sie bedeckten ihr Wrack mit Gummiplanen, häuften Sand und Steine darauf – etwas, das sie sich in Frankreich oder Italien hätten sparen können, wo das Wrack schon gleich nach der Abreise der Forscher von einheimischen Tauchern und Touristen völlig ausgeplündert worden wäre.

George Bass besaß nun den ersten wirklich genauen Lageplan eines Amphorenwracks, der jemals unter Wasser aufgenommen worden war. Doch das Herumtragen und Einmessen der losen Gitter war zu umständlich, es verging zu viel Zeit, bis er sicher sein konnte, daß eine Meßstelle genau über der vorigen, einer nun abgetragenen Schicht lag. Im nächsten Jahr wollten sie die Holzreste des Schiffsrumpfs zeichnen. Er mußte im Winter eine noch genauere und einfachere Meßmethode ersinnen.

Im Sommer 1962 zogen Bass und sein Team auf die flache Insel, um die täglichen vier Stunden Fahrt von und nach Bodrum zu sparen. Sie bauten sich ein Schlafhaus, einen Käfig aus Draht, in dem zwanzig Taucher friedlich schlafen konnten, während die Ratten hungrig über das Leinensegeltuchdach rannten. Ihnen war es ein Rätsel, wovon die Ratten lebten und was sie auf der wasserlosen Insel tranken. Waren sie Nachkommen von Ratten versunkener Schiffe?

Bass hatte neun rechteckige stabile Rahmen mitgebracht. Die Taucher schlugen für die Rahmen Pfähle in den abschüssigen Seeboden um das Wrack. Der gesamte, 18 m lange Wrackhügel lag nun unter einer riesigen neunstufigen Treppe. Die Taucher brachten die Stufen in die Waagerechte und vermaßen sie ein für allemal.

Außerdem hatte Bass zwei Fototürme aus Leichtmetall, jeder mit vier 4 m hohen Beinen, die oben wie eine Pyramide zuliefen. In der Spitze der Pyramide saß eine Kamera. Jeder Turm hatte unten eine Grundfläche von 2 m mal 2 m, die mit straff gespannten Schnüren in Abständen von je 20 cm in ein Gitter verwandelt war.

Nun unterteilten die Taucher jede der neun Treppenstufen in drei gleiche Teile, die ebenfalls 2 m mal 2 m groß waren. Somit hatten sie 27 feste Standorte für die beweglichen Fototürme. Sie konnten also nach jeder abgehobenen Schicht wieder auf eine unverrückbare Position zurückkommen, und die Fotos von den verschiedenen Schichten ihrer Ausgrabung paßten haargenau übereinander. Außerdem machten die Kameras nun Bilder aus ein und demselben Winkel, so daß die Verzerrung durch das Wasser stets die gleiche blieb und ausgerechnet werden konnte.

Wegen dieser Verzerrung waren die Fotos selbst als Karte nicht geeignet, sondern nur als Vorstufe – die Funde, die höher am Hang lagen, erschienen größer als die weiter unten liegenden. Jedes Foto mußte umgezeichnet und dabei im Maßstab korrigiert werden. Trotzdem war die Treppe mit den Fototürmen eine ganz große Verbesserung, und Fred van Doorninck, der sich hauptsächlich mit der Kartierung der Schiffshölzer beschäftigte, war entzückt von den Ergebnissen.

Doch dann standen die Taucher vor einem unerwarteten Problem: Jede ihrer Bewegungen trieb freigelegte Holzstücke fort. George Bass fragte Mustafa Kapkin, wo er Stricknadeln herbekommen könne. Kapkin wußte das auch nicht, aber als Bass ihm erklärte, wozu er die Stricknadeln brauche, schlug er Fahrradspeichen vor. Sie durchsuchten alle Geschäfte zwischen Bodrum und Izmir, bis sie über zweitausend Speichen hatten. Sie schärften die Spitzen an und spießten damit die Hölzer am Meeresboden fest. Dann kartierten sie den Rumpf von ihren Fototürmen aus.

Sie benutzten wieder die Nargileh, um unabhängig von den Lufttanks zu werden, doch diesmal waren Kompressoren und Schläuche

Gabriele Hoffmann

weit zuverlässiger als am Kap Gelidonya. Alle Arbeiten gingen reihum, damit jeder mit allen Geräten und Maschinen vertraut war. Sie arbeiteten von Sonnenaufgang bis Sonnenuntergang. Am Ende des zweiten Sommers war der größte Teil des Holzes vom Sand befreit.

Im Winter besuchten Marine- und Ziviltaucher George Bass in Philadelphia, um seine Kartierungsmethoden kennenzulernen. Aber er war noch nicht zufrieden. Er hatte zwar bewiesen, daß die vollständige Ausgrabung eines Schiffswracks technisch durchführbar war, doch die Arbeit auf dem Meeresboden dauerte einfach zu lange. Die Entwicklung der Archäologie unter Wasser hing jetzt auch davon ab, daß eine Grabung nicht viel teurer kam als an Land. Über zwei Drittel der gesamten Tauchzeit gingen mit Vermessen und Zeichnen verloren.

George Bass begann, sich für Stereo-Photogrammetrie zu interessieren, für die im Abstand leicht verschobenen Fotopaare, die dem Betrachter in einem Spezialgerät ein dreidimensionales, ein räumliches Bild also, vermitteln. Ole Crumlin-Pedersen hatte diese Methode in Skuldelev ausprobiert, und auch andere Archäologen experimentierten mit ihr an Land. Aber wie sollte das in der Tiefe funktionieren? Bass schrieb Firmen und Experten an. Sie antworteten, es gebe viel zu viele Probleme dabei, die US-Marine habe ihre Versuche damit schon eingestellt. Nur Professor Harold Edgerton, der seit vielen Jahren mit Cousteau neue Techniken unter Wasser ausprobierte, fand das alles nicht so schwierig. Er riet Bass, mit zwei Kameras an einer Stange über das Wrack zu schwimmen und die Stereo-Bilder aufzunehmen.

Im Sommer 1963 tüftelten George Bass und Don Rosencrantz, ein Chemiker bei einer Fotofirma, in der Türkei aus, wie sie die 10 m lange Stange beim Schwimmen ständig waagerecht halten konnten. Schließlich hatten sie Paare von Stereo-Fotos, die unter einem Spezialgerät das Wrack dreidimensional zeigten. Allerdings begann nun mit anderen Spezialgeräten eine höchst zeitraubende Ausrechnerei von Höhe, Länge und Breite eines Fundes. Aber rechnen konnte man an Land. Bass gab die Methode mit den neun Treppenstufen und den Fototürmen vorerst auf.

Fred van Doorninck wollte nun endlich den Rumpf heben und die empfindlichen Hölzer an Land in Ruhe studieren. Er kam von einem Schmied in Bodrum mit einem eigenartigen Drahtkorb zurück, der fast 7 m lang und nur 30 cm hoch und breit war. Vier Taucher beluden nun täglich den Korb in der Tiefe. Sie hatten Tennisschuhe an und trugen ihn vorsichtig in langsam gleitenden Schritten den Hang zur Insel empor zum Strand. Das Holz kam sofort in Wassertanks.

In der letzten Saison, 1964, kehrte Bass mit einem Zwei-Mann-U-Boot in die Türkei zurück. Im Sommer 1963 hatte der Schwammfischer Mehmet Imbat dem Museum in Bodrum ein neues Kunstwerk aus dem Meer geschenkt, einen Negerjungen mit einer Tunika, ein Drittel Lebensgröße. Mehmet Imbat war der Neffe des Schwammfischers, der die Demeter-Statue im Netz gehabt hatte. Auch Imbat hatte den bronzenen Negerjungen mit seinem Netz aus 100 m Tiefe, nicht weit von Yassi Ada, der flachen Insel, hochgeholt. Damit gab es schon Anzeichen für zwei Wracks mit einer Ladung antiker Statuen, und George Bass meinte, daß ein U-Boot für Archäologen von großem Nutzen sei. Nach dem üblichen Kampf um Geld konnte Ann Bass das U-Boot am 28. Mai 1964 auf den Namen *Asherah*, den Namen einer phönizischen Seegöttin, taufen. Nun stand es, in einer Kiste verpackt, in Izmir.

Die Taucher holten es mit einem Lastwagen vom Zoll, und ein Fischerboot aus Bodrum zog die *Asherah*, die wie eine große, orangefarbene Eistüte aussah, an seiner Seite nach Yassi Ada. Don Rosencrantz und Yüksel Egdemir, der nun Altertumskommissar der türkischen Regierung war, probierten das kleine U-Boot aus. Es konnte zwei Mann in eine Tiefe von 200 m tragen, hatte Fenster, starke Scheinwerfer und zwei wasserdichte Kameras für Stereo-Fotos. Rosencrantz und Egdemir nahmen Reihenbilder eines zweiten Amphorenwracks bei Yassi Ada auf, des Wracks, an dem sich zwei Jahre zuvor der Anker des Lastkahns verfangen hatte. Die Taucher, die 30 m über dem kleinen U-Boot schwammen, sahen, wie die großen Blitzlichter aufflammten, während die *Asherah* über das Wrack glitt, wendete und noch einmal das Wrack durchfotografierte.

Als am Abend die Bilder entwickelt waren, meinten alle, aus ihnen einen Lageplan der sichtbaren Wrackteile zeichnen zu können.

In diesem Sommer gab es einen neuen Archäologiestudenten im Team, Michael Katzev. Er war so neugierig und aufgeregt von der Möglichkeit, antike Statuen im Meer zu finden, daß er tauchen lernte und von seiner Universität nach Philadelphia zu George Bass

Gabriele Hoffmann

überwechselte. Er und Susan Wormer trafen sich auf der flachen Insel. Zwei Jahre später waren sie verheiratet.

Michael Katzev nahm sich die über hundert formlosen Klumpen vor, die die Taucher in vier Sommern vermessen und gehoben hatten, ohne zu wissen, was sie enthielten – falls sie überhaupt etwas enthielten. Katzev sägte die Klumpen auf. Sie waren innen hohl. Er goß flüssiges Gummi hinein und hatte die Werkzeuge eines Schiffszimmermanns als Abguß in der Hand. Eine dicke Masse von Meeresablagerungen, meist Kalk von Seetieren, hatte jedes Werkzeug eingehüllt, das Eisen war verrostet und verschwunden, die Werkzeugform zurückgeblieben. Katzev experimentierte in Bodrum, bis er die beste Methode für Abgüsse herausgefunden hatte. Schließlich lagen Krummäxte aus Gummi auf seinem Arbeitstisch, Hämmer, Meißel, Messer, Nägel, Äxte und Schaufeln, Sicheln und Sensen. Ein solches Handelsschiff konnte jederzeit in einer kleinen Bucht Feuerholz holen oder Bauholz für die Reparatur von Sturmschäden. Das Vermessen der Klumpen zahlte sich aus. Fred van Doorninck stellte in den nächsten Jahren fest, wo die Werkzeuge gelegen hatten: im Schrank der Kombüse.

Die Ausgrabung des byzantinischen Wracks neigte sich dem Ende zu, sie brachten die letzten Stücke vom Wrack an Land. Die Feindseligkeiten zwischen Griechen und Türken auf Zypern brachten Griechenland und die Türkei in einen Konflikt. Türkische Jets bombardierten Zypern, und es hieß, die Türkei wolle die Insel besetzen. Yassi Ada liegt fast genau auf der unsichtbaren Grenze, die türkische und griechische Gewässer voneinander trennt. Die Archäologen sorgten sich, die Militärs könnten ihr Zeltlager für ein feindliches Lager halten und die Telefonate zwischen Insel und *Asherah* für etwas anderes als Wissenschaft. Als Bomber niedrig über Yassi Ada flogen, hatten sie genug und brachen das Lager ab. So war keine Zeit geblieben, um mit der *Asherah* nach Statuenwracks zu suchen. Das Universitätsmuseum in Philadelphia, dem das U-Boot gehörte, vermietete es in den nächsten Jahren, allerdings nicht an Archäologen, und Bass konnte es erst 1967 wieder benutzen.

Doch schon 1965 suchten George Bass und seine Freunde nach den Statuenwracks, gemeinsam mit drei Schwammfischerkapitänen: mit Ahmet Erbin, dem Finder der Demeter, Mehmet Imbat, der dem Museum in Bodrum den *Negerjungen* schenkte, und einem dritten Kapitän, dem das Museum eine kleine Bronze der Göttin Fortuna verdankte. Die Kapitäne zeigten ihnen, wo sie die Netze über den Seeboden gezogen hatten.

Zwei Monate lang zogen die Amerikaner Fernsehkameras über den Meeresgrund. Acht Stunden täglich starrten sie auf den Monitor in der Kabine des Trawlers. Sie konnten die Seepflanzen in 100 m Tiefe klar sehen. Einmal sahen sie eine Amphore. Ein Wrack fanden sie nicht.

Dann suchten sie mit dem Tow-Vane, einer Kapsel, in der ein Mann liegen konnte.

Der Trawler zog sie an einer 300 m langen Nylonleine hinter sich her. Die Kapsel hatte Propeller, und der Pilot konnte sie ein wenig steuern. Doch er sah durch das Plexiglasfenster unter Wasser nur 3 bis 10 m weit.

Am Ende des Sommers war Bass vollkommen entmutigt. Sie hatten das Geld ihrer Förderer verbraucht und ihre eigene Zeit, nur um herauszufinden, daß das Meer sehr, sehr groß ist.

Sie brauchten etwas, das das flache Seebett in ihrem Suchgebiet auf Hunderte von Metern zugleich abstreichen konnte: ein Side-Scanning-Sonar (SSS). 1967, wenn die *Asherah* wieder frei war, wollten sie mit Sonar suchen.

Dieses Side-Scanning-Sonar wird uns in der Geschichte der Archäologie unter Wasser noch mehrfach begegnen: Ein Schiff zieht den Schleppkörper des SSS mit einer Geschwindigkeit zwischen zwei und fünfzehn Knoten über den Meeresboden. Dieser Schleppkörper enthält an jeder Seite einen sogenannten Transducer. Die beiden Transducer senden, jeder zu seiner Seite, einen Fächer aus Schallwellen aus, Hochenergielautimpulse mit einer Frequenz von 100 bis 500 kHz. Unebenheiten oder Gegenstände auf dem Meeresgrund werfen die Schallwellen wie Echos zurück. Die Transducer empfangen die Echos und schicken sie über Kabel in ein Empfängerinstrument an Bord des Schiffs. Der Empfänger verarbeitet die einlaufenden Echos und druckt sie auf einem Papier aus. Man erhält eine Zeichnung, die aufgebaut ist aus den Echos aller Unebenheiten auf dem Meeresboden und aus den weißen Schatten hinter den Unebenheiten, wohin die Schallwellen ja nicht gelangen könnten. Die Transducer können heute ein Gebiet von 600 m zu jeder Seite des Such-

Gabriele Hoffmann

schiffs abtasten. Damals, 1967, reichten die Geräte erst 200 m weit.

1967 war die orangefarbene *Asherah* wieder in der Türkei. Außerdem kamen zwei Gruppen von Sonarexperten, jede mit ihrem neuesten Gerät, nach Yassi Ada. Die US-Marine hatte Bass um sein Urteil über die beiden unterschiedlichen Geräte gebeten.

Das erste Team traf im August ein und fuhr nach Süden in das Gebiet der Demeter-Bronze. Innerhalb von zehn Tagen fanden die drei Experten über ein Dutzend möglicher Ziele – klumpige Unregelmäßigkeiten auf dem Meeresgrund, die Wracks, aber auch etwas anderes sein konnten. Als die drei nach dem *Negerjungen*-Wrack suchten, fuhr Bass mit. Er erlebte eine langwierige, metergenaue Ortsbestimmung auf See, denn es nutzt ja nichts, wenn man nur einen verheißungsvollen Zacken auf der Sonarzeichnung hat, man braucht den entsprechenden Ort, seine Länge und Breite auf der Erdkugel, um die Stelle im Meer auch wiederfinden zu können. Bass fand die Suche anfangs sehr aufregend, doch dann schnell langweilig. Alle zweieinhalb Minuten stellte der Kapitän die Position fest, und die Sonarexperten markierten die Sonarbilder und numerierten sie. Um zwei Uhr nachmittags kam Nordwind auf, die Wellen gingen hoch, und Hunderte von falschen Wracks erschienen auf dem Papier, das der Schreiber ausdruckte.

Der Wind legte sich tagelang nicht, die Sonarexperten mußten nach Kalifornien zurückkehren, und auch Bass und die Studenten mußten nach Hause.

Als die nächste Sonarexpertengruppe in Bodrum eintraf, vertrat Claude Duhuit George Bass. Die Männer brachten die *Asherah* mit einem Schiff zu einem der Ziele, die das Sonargerät gefunden hatte. Die Matrosen setzten das kleine U-Boot ins Wasser, und Rosencrantz und Egdemir tauchten. Sie gingen in 100 m Tiefe direkt auf einem riesigen Schiff voller Amphoren nieder. Es war das größte Wrack, das sie je gesehen hatten. Die Sicht betrug kaum 0,5 m, und sie erkannten nur die Umrisse der Amphoren. Am nächsten Tag tauchten sie wieder und sahen die Dachziegel der Kombüse. Die Sicht war immer noch schlecht, aber Rosencrantz machte ein paar Fotos.

Dies war der letzte Tauchgang der *Asherah* für George Bass. Die Versicherungsprämie für diesen Sommer hatte so viel gekostet wie eine kleine Landgrabung, denn die Universität meinte, daß sie

U-Boot-Fahrten nicht erlauben konnte ohne eine Versicherung über fünf Millionen Dollar. Die konnte Bass aus seinem Etat nicht noch einmal bezahlen. Er mußte die *Asherah* verkaufen. Das war eine große Enttäuschung für ihn.

Nach Grabungsschluß in Yassi Ada im Herbst 1964 gab George Bass die vielen Funde aus dem byzantinischen Wrack an Spezialisten weiter und bat sie, je ein Kapitel für den Schlußbericht zu schreiben: die Münzen, die Lampen, die Waagen, die Werkzeuge. Bass selbst untersuchte die Tonscherben aus der Kombüse und die Amphoren. Insgesamt vergingen fünfzehn Jahre, bis die Analysen aller Funde vorlagen. Die Schiffshölzer studierte Fred van Doorninck drei Jahre lang für seine Doktorarbeit, und wann immer seine Tauchfreunde ihn besuchten, saß er über Zeichnungen und Plänen. Nur zehn Prozent des Schiffs waren erhalten geblieben. Trotzdem gelang es ihm, aus diesen Hölzern und der Lage der Werkzeuge, der Keramik und der Amphoren im Wrack herauszufinden, wie das Schiff wohl einmal ausgesehen hat, und Bass bewunderte ihn sehr.

Van Doornincks wichtigste Entdeckung war, daß das Schiff den bis dahin ältesten Beweis für den Beginn heute gebräuchlicher Schiffbautechniken brachte. Heute errichtet ein Holzbootbauer gewöhnlich ein Skelett aus Kiel, Bug, Heck und Spanten, an das er die Planken annagelt. Die Schiffbauer aus griechischer und römischer Zeit dagegen bauten zunächst die Rumpfschale, die sie mit Dübeln zusammenhielten. Erst in die fertige Schale fügten sie die Spanten zur Verstärkung ein. Das Yassi-Ada-Wrack war bis zur Wasserlinie in dieser alten Weise gebaut. Aber dann, wahrscheinlich um Arbeitszeit und Geld zu sparen, paßten die Schiffbauer die Spanten ein und nagelten die restlichen Planken an ihnen fest.

Nach drei Jahren konnte Frederick van Doorninck die Geschichte des Schiffs erzählen und es zugleich in die Geschichte seiner Zeit einordnen: Mit dem Niedergang Roms verringerte sich die Menge der Waren, die Seeschiffe über das Mittelmeer trugen. Kriege und Seuchen herrschten, die Bevölkerung nahm ab, und man brauchte die 1200 t großen Schiffsriesen nicht mehr, die alljährlich ägyptisches Getreide nach Rom gebracht hatten. Außerdem war das Meer unsicher geworden. Die Kaufleute brauchten jetzt schnelle, schlanke Handelsschiffe, die einem Angreifer davonsegeln konnten.

Gabriele Hoffmann

Zur gleichen Zeit erfanden die Handwerker billigere Weisen, Schiffe zu bauen, und eine wachsende Anzahl von Bürgern aus dem Mittelstand konnte Eigner kleiner Handelsschiffe werden, wie man aus alten Seegesetzen weiß.

Ein solcher Bürger und Seekapitän namens Georgios, der während der Regierungszeit des Kaisers Heraklius lebte, 610–641 n. Chr., besaß ein Schiff oder Anteile an einem Schiff von etwas mehr als 40 t Tragfähigkeit. Wenn es auch billiger geworden war, solche Schiffe zu bauen, so war ein Schiff doch immer noch eine beachtliche Geldanlage. Zu einer Zeit, in der das jährliche Einkommen eines Arbeiters sieben solidi betrug, kostete es ungefähr dreihundert solidi.

Der stromlinienförmige Rumpf des Schiffs maß in der Länge knapp 19 m und an seiner breitesten Stelle 5,20 m. Achtersteven und Vordersteven waren aus Zypressenholz, die Planken aus Pinienholz.

Das Schiff hatte einen Mast, und vielleicht führte es ein Rahsegel wie die Schiffe auf einem Mosaik aus Georgios' Lebenszeit. Georgios segelte auf seiner letzten Fahrt mit neunhundert Amphoren voll Wein.

Am Heck stand eine Kombüse, eine hölzerne Querwand trennte sie vom Laderaum. Ihr Ziegeldach ragte nur 70 cm über das Deck hinaus. Durch ein Loch in einem Dachziegel zog der Rauch ab. Die Seeleute kochten auf einem Ziegelherd an der Backbordseite. Die Kombüse war reich ausgestattet mit zwanzig Kochtöpfen, einem Mörser und einem kupfernen Tablett. Georgios besaß ein schönes Tischgeschirr, mindestens drei Gedecke mit jeweils zwei verschieden großen roten Tellern. Er hatte über ein Dutzend Krüge und Kannen, einige glasierte Schüsseln und sehr elegante Kupfer- und Glasgefäße und eine Tasse mit einem Henkel. Das Geschirr stand in einem verschlossenen Schrank. Die einfacheren Krüge und Kannen hob Georgios im Vorratsraum achtern auf. Im Schrank stand auch ein bronzenes Weihrauchgefäß. Georgios war offenbar ein frommer Christ. Von der Decke der Kombüse hing eine große Laufgewichtswaage herab. Eine kleine Waage mit einer Schachtel voll silberner Gewichte stand im Schrank neben den zwanzig Lampen und Münzen. Das Prägedatum vieler Kupfermünzen ist noch lesbar: Das Schiff sank im Jahre 625 oder kurz danach.

Fred van Doornincks Bild vom Schiff und vom Leben seiner Besatzung an Bord war das beste, das es von dieser Zeit gab. Bislang kannten Historiker nur undeutliche Bilder und Beschreibungen. Die Route des Schiffs las George Bass von den Töpfen und Amphoren ab: Es kam aus dem Schwarzen Meer oder aus Byzanz und fuhr südwärts auf eine der Inseln, nach Kos oder Rhodos.

Das Ausgraben des byzantinischen Wracks hat vier Sommer gedauert und über einhunderttausend Dollar gekostet. Das war damals viel Geld. Bass studierte die Tauchtagebücher. Die Taucher hatten an 211 Tauchtagen in 3533 Tauchgängen insgesamt 1243 Arbeitsstunden unter Wasser verbracht. Seine Notizbücher zeigten Bass, womit: 64 Prozent der Zeit mit dem Entfernen von Sand und Muschelschalen mit Händen und Airlifts, neunzehn Prozent mit dem Herstellen von Plänen, Fotos und Zeichnungen, elf Prozent mit dem Heben der Amphorenladung, des Schiffsballasts und der kleinen Funde, vier Prozent mit dem Heben der Holzreste des Rumpfs, zwei Prozent mit anderen Dingen wie dem Festspießen von Holz unter Wasser mit Fahrradspeichen oder dem Verankern der Tauchplattform oder dem Bedecken des Wracks mit Sand am Ende jedes Sommers.

An Land hätten fünf Leute die gesamte Arbeit in einem Monat geschafft.

Bass rechnete: Wenn er das nächste Wrack in zwei Sommern ausgrub statt in vier, könnte er am Transport von Mannschaft und Geräten, an Versicherung, Miete örtlicher Schiffe und dem Bau des Lagers viel Geld sparen. Er wollte nun die Arbeitsstunden auf dem Meeresboden in einer Saison verdoppeln, indem er die Anzahl der Taucher vergrößerte. Die Produktivität jeder Arbeitsstunde wollte er mit größeren Maschinen steigern, durch eine Wasserpistole zum Beispiel, die den Sand hochblies, und einen Airlift von 25 cm Durchmesser, der ihn wegsaugte.

Das Schiff, das Bass sich für die neuen Experimente aussuchte, war ebenfalls bei Yassi Ada, der flachen Insel, gesunken. Die *Asherah* hatte es schon fotografiert. Es lag in 42 m Tiefe und stammte, nach den Amphorenformen zu schließen, aus dem 4. Jahrhundert n. Chr. Zwei Sommer lang, 1967 und 1969, grub Bass das Wrack aus.

Das Team war das größte, das er bisher hatte: Archäologen und Archäologiestudenten, Fotografen, Architekten, Mechaniker, ein Konservator, Elektroingenieure, Geologiestudenten, Ärzte, ins-

Gabriele Hoffmann

gesamt 44 Leute, von denen 25 in der Tiefe arbeiteten. Die Taucher blieben nun länger auf dem Meeresboden als früher, denn Bass hatte die Dekompressionszeit verlängert. Bislang mußten sie eine halbe Stunde müde, kalt und hungrig unter dem Floß hängen, und selbst die Entdeckung, daß Taschenbücher recht gut unter Wasser hielten, hatte ihnen die Zeit kaum angenehmer gemacht. In einem Eimer, der gerade 3 m tief hing, hatte jeder Taucher sein augenblickliches Lieblingsbuch liegen. Bass las in einem Sommer dort einen ganzen Roman, Norman Mailer, »The Deer Park«, ehe die Seiten sich auflösten, während er am Seil hing wie ein Pendler abends im Vorortzug am Haltegriff. Nun hatte er eine versenkbare Dekompressionskammer für vier Taucher mitgebracht: Vier müde Taucher konnten so eine Stunde lang in trockener Behaglichkeit sitzen, während die Kammer langsam mit ihnen aufstieg.

Im Sommer 1969 rettete die Kammer ein Leben. Einer der Taucher verlor 7 m unter Wasser das Bewußtsein. Nur die Geistesgegenwart und Geschicklichkeit seines Tauchpartners retteten ihn. Er zog ihn in die Kammer und alarmierte über Telefon die Ärzte auf der Insel. Der verunglückte Taucher wurde gerettet, doch er behielt eine Schwäche in beiden Beinen und in einem Arm. Die Furcht vor einem Unfall verließ die Archäologen nie. Die Schwammfischer hörten von ihrer Kammer und brachten ihnen einen verunglückten türkischen Taucher, und auch ihn konnten sie retten. Doch ein zweiter Taucher starb in der Kammer: Er hatte ein Magengeschwür, das aufbrach. Sie schraubten die Sicherheitsvorkehrungen noch höher. Die Angst vor der Taucherkrankheit blieb immer im Hintergrund.

In diesem Jahr konnten die Taucher vom Meeresgrund aus mit der flachen Insel telefonieren und auch unten miteinander reden, denn sie hatten nun eine Telefonzelle in der Tiefe, eine halbe Plexiglaskugel auf Eisenbeinen. Vier Taucher konnten in ihr stehen und sich in frischer Luft unterhalten, die eine Pumpe per Schlauch runterpumpte. In der Telefonzelle lag auch ein Speergewehr: Muränen steckten ihre Köpfe aus den Amphoren und zeigten ihre scharfen Zähne.

Der große Airlift aus Aluminium, den Bass 1967 eingeführt hatte, erwies sich als zu unhandlich. Deshalb wechselte er ihn 1969 gegen drei kleinere, leichtere aus PVC aus.

Mit guter Ausrüstung, erprobter Technik und erfahrenen Ausgräbern ging die Arbeit leicht und schnell voran. Die Amerikaner knüpften große Hoffnungen an ihre technischen Möglichkeiten. Sie genossen die Arbeit, die Freundschaft, die Abende auf der Insel bei gutem Essen und Musik. Obwohl das Wrack tiefer lag als Georgios' Schiff, hatten sie am Ende von zwei Sommern zwölfhundert Arbeitsstunden unter Wasser verbracht, fast so viele wie in den ersten vier Sommern. Bass war ganz zufrieden, obwohl zwei unvorhergesehene Dinge die Arbeit aufhielten: einmal die unerwartet dicke Sandschicht über ihrem Wrack und dann Teile eines Wracks mit glasierter grüner Töpferware aus dem 13. oder 14. Jahrhundert, das auf ihr Wrack gesunken war.

Ihr Wrack hatte elfhundert Amphoren getragen. Die Ladung hörte plötzlich auf dem Heck auf, wahrscheinlich an einem Schott, das einmal Laderaum und Kombüse trennte und nun verschwunden war. Frederick van Doorninck untersuchte das Holz vom Rumpf. Das Schiff war 18,5 m lang und 6,60 m breit, und sein Rumpf bestand aus Mittelmeerzypresse, nur der Kiel war aus Eiche. Am Heck hatte es eine geräumige, aber einfach eingerichtete Kombüse. Der Schiffseigner war offenbar kein vermögender Mann gewesen. Die Taucher fanden nur wenige Küchengeräte, sechs Behälter für Essen und Wasser, einen Trichter, vier Kochtöpfe, elf Krüge, eine Tasse, eine Schale, zwei große Teller, eine kleine Schüssel und vier Lampen, fünf Glasgefäße und eine Kupferkanne. Sie fanden acht Münzen, doch alle waren so verrostet, daß man nichts entziffern konnte. Eine der Lampen jedoch trug die Marke einer Werkstatt in Athen, von der man wußte, daß sie von 350 bis 425 gearbeitet hatte.

Im Herbst 1969 war das Schiff noch nicht ganz ausgegraben. Im nächsten Jahr verließ George Bass das Universitätsmuseum. Die Arbeit blieb unvollendet. In einem Aufsatz von 1980 schrieb Bass, daß die genaue Bedeutung der Funde nicht klar sei und man eine vollständige Ausgrabung abwarten müsse. Den Beweis aber, für den er in einer Nacht im Juni 1960 von Bodrum aus aufgebrochen war, hatte er an der flachen Insel erbracht: Archäologen konnten unter Wasser genauso exakt graben wie an Land. Und: Die neuen Methoden waren übertragbar.

Den Beweis dafür lieferte Michael Katzev vor Zypern.

Ein Schiff aus den Tagen
Alexanders des Großen

Anfang der sechziger Jahre rief der zypriotische Botschafter in Washington George Bass an und fragte, ob er nicht Lust hätte, vor Zypern ein Wrack auszugraben. Präsident Kennedy lud Bass zum Lunch ins Weiße Haus ein, und der Ehrengast, Erzbischof Makarios, Präsident von Zypern, wiederholte die Frage.

Bass hatte reichlich zu tun bei seinem Ausgrabungsprogramm in der Türkei. Aber Michael Katzev war 1967 der richtige Mann, um ein Wrack auszugraben. Er war zwar noch Student, doch nun erfahren und energisch. Am Ende des Sommers verließen er und seine Frau Susan Yassi Ada und fuhren nach Zypern. Sechs Archäologiestudenten begleiteten sie.

Auf Zypern lernten sie Andreas Cariolou kennen, Schwammfischer und Stadtrat. Cariolou hatte das Wrack gefunden und die Stelle niemandem verraten. Er war ein nationalstolzer Zypriote. Das Schiff durfte nicht geplündert werden, es war Teil der Geschichte seiner Vaterstadt Kyrenia und sollte zu ihrem Ruhm und zum Ruhm der Insel Zypern beitragen. Die Ernsthaftigkeit und die Erfahrung der amerikanischen Archäologen gefielen Cariolou, und er nahm sie in seinem Boot mit aufs Meer hinaus.

Die Taucher sahen in 30 m Tiefe, 1 km nordöstlich der Stadt Kyrenia, einhundert Amphoren auf einer Fläche von nur 5 m mal 3 m. Das sollte ein Wrack sein? Sie konnten nicht glauben, daß hier unter dem Sand ein Handelsschiff verborgen lag.

Doch in den nächsten Tagen breiteten sie, da sie schon einmal da waren, Vermessungsgitter aus, stießen mit Metallstäben in den Seeboden und fanden heraus, daß unter dem Sand auf einer Fläche von 10 m mal 20 m Wrackteile lagen. Sie suchten mit Metalldetektoren nach Eisenresten, fanden auch welche und vermaßen ihre Lage. Die Amphoren stammten ihrer Form nach von Rhodos, wahrscheinlich aus dem letzten Drittel des 4. Jahrhunderts v. Chr. – eine Schätzung, die ihnen eine Amphorenspezialistin in Athen bestätigte. Die acht Taucher waren begeistert. Sie hatten das älteste griechische Wrack vor sich, das je gefunden wurde, ein Schiff aus den Tagen Alexanders des Großen. Michael Katzev versprach Andreas Cariolou bei Champagner, es das Kyrenia-Schiff zu nennen.

Die Taucher bewegten nichts am Wrack. Sie untersuchten seine Ausdehnung und seine Achse. Michael Katzev kannte das Schiff also schon vor der Ausgrabung recht gut und entwarf ein Vermessungsgitter, das er über das gesamte Wrack stellen konnte und später nicht mehr bewegen mußte.

Er und seine Frau kehrten in die USA zurück. Seine Professoren in Philadelphia hörten ihm mit Interesse zu. Ein Schiff aus der Zeit Alexanders des Großen füllte die Lücke zwischen den Wracks, die George Bass am Kap Gelidonya und bei Yassi Ada ausgegraben hatte. Das Museum ermutigte Katzev zu sofortigen Ausgrabungen. Nun mußte er das fehlende Geld zusammenbringen, Stiftungen und Privatspender überzeugen, mußte die Ausrüstung einkaufen, von kleinen Nummernschildern bis zur kostspieligen Vier-Mann-Dekompressionskammer, mußte Zollbestimmungen und Frachtraten studieren und den üblichen Papierkrieg führen. Er mußte ein Team zusammenstellen aus Archäologen, Konservatoren, Fotografen, Zeichnern, Photogrammetrie-Experten, Mechanikern, Elektrikern, Ärzten und Studenten. Viele Freiwillige meldeten sich. Schließlich trafen über vierzig Leute aus zehn Ländern in Kyrenia ein.

Die ganze Stadt war neugierig auf die Ausgrabung. Zahlreiche Bürger halfen den Archäologen, die Probleme von Essen und Transport zu lösen. Erzbischof Makarios stellte ein altes Landhaus zur Verfügung und die Altertumsbehörde Arbeitsräume im Kreuzfahrerkastell von Kyrenia. Im Juni 1968 begann die Ausgrabung. Sie dauerte zwei Sommer.

Michael Katzev und vielen im Team war die ganze Methoden-Palette von George Bass so vertraut, daß sie sie mühelos für ihr Wrack abwandeln und verbessern konnten, was sie gemeinsam mit Bass an der flachen Insel herausgefunden hatten. Katzev hatte das Glück, das ausgraben zu können, was Bass schon so lange suchte: ein weitgehend erhaltenes Schiff, eine Zeitkapsel, zweitausenddreihundert Jahre alt.

Die Archäologen arbeiteten von einem Lastkahn aus in Teams von bis zu sechs Tauchern gleichzeitig. Jeder konnte zweimal am Tag tauchen und insgesamt siebzig Minuten unten bleiben. Michael Katzev führte die Telefonzelle auf dem Meeresgrund ein als Sprechzentrum und Fluchtort – Bass übernahm sie ein Jahr später. Die Ausgrabungsmethoden kennen wir bereits: Die Taucher bauten

Gabriele Hoffmann

über das gesamte Wrack ein festes Vermessungsgerüst aus Plastikröhren, das einmal zur Orientierung der Taucher diente und zum anderen zum Ausmessen der Lage von Gegenständen. Sie gruben Quadrat nach Quadrat aus, saugten erst den Sand ab und versahen dann alle Funde mit Nummernschildern. Zweimal täglich schwamm ein Fotograf über das Wrack und fotografierte gleichzeitig mit zwei Kameras, die je am Ende einer hier nur 2 m langen Stange saßen. Die Zeichner fertigten nach diesen paarweisen Aufnahmen Pläne mit einer Genauigkeit von bis zu 2 cm an und hielten so Schicht für Schicht fortlaufend fest, wie die Taucher einen Gegenstand nach dem anderen freilegten. Nur Tintenfische störten manchmal die Sorgfalt unter Wasser. Sie waren räuberisch wie Elstern, sammelten ein, was ihnen gefiel, und zogen es in ihre Wohnamphoren. Die wichtigsten Ausgrabungswerkzeuge der Taucher waren die Saugrohre, die Airlifts. Michael Katzev ließ sieben kleine auslegen, von 5 bis 15 cm Durchmesser, und jeder Taucher konnte so seinen leichten Airlift halb über das Wrack ziehen. Besonders wichtige Abschnitte, wie zum Beispiel den Rumpf, säuberten die Archäologen unter Wasser genauso wie ihre Kollegen an Land ihre Funde: mit Bürsten und Pinseln.

Als erstes hoben sie die rund zweitausenddreihundert Jahre alte Fracht der Seekaufleute. Die Hauptlast waren zwei Lagen Amphoren. Auf einer Seite des Schiffs lagen die Amphoren sehr ordentlich, auf der anderen waren sie durcheinandergefallen. Das zeigte Katzev, daß das Schiff sich beim Sinken auf seine Backbordseite gelegt hatte: Die Steuerbordseite war zusammengestürzt und die Ladung herausgefallen. Das Schiff trug zehn unterschiedliche Amphorensorten. Von insgesamt 404 Toncontainern stammten 343 aus Rhodos. Michael Katzev nahm an, daß sie einmal Wein von Rhodos enthielten, der überall in Griechenland und Italien beliebt war. Eine andere Amphorenform stammte von der Insel Samos. Die übrigen acht Amphorentypen konnten die Archäologen keiner Insel zuordnen – sie hatten wohl Reiseproviant enthalten oder seltene Artikel.

Die Taucher fanden im Schiff etwa zehntausend Mandeln. Sie waren ursprünglich sicher in nun verfaulten Säcken gestaut. Auch die Mandelkerne waren vermodert, doch die Schalen hatten über zwei Jahrtausende überstanden.

Außer mit Wein und Mandeln handelte der Kaufmann mit Getreidemühlen. 29 Mühlsteine lagen unter der untersten Amphorenschicht in drei ordentlichen Reihen über dem Kiel. Solche Mühlsteine kannten die Archäologen schon: Jeweils zwei Steine ergaben eine Mühle. Doch die 29 Mühlsteine paßten nicht paarweise zueinander, sie waren verschieden groß, weshalb die Taucher vermuteten, daß der Kapitän sie nicht verkaufen konnte und sie auf dem letzten Teil seiner Reise als Ballast benutzte. Sie wogen zusammen 1650 kg. Das Schiff war wohl auf seiner letzten Reise von Samos nach Kos oder Nisyros gesegelt, wo der Kapitän die Mühlsteine geladen hatte. Von da aus ging die Fahrt nach Rhodos, wo er die meisten Mühlsteine verkaufte und weingefüllte Amphoren an Bord nahm. Wahrscheinlich wollte er den Wein in die Küstenstädte Zyperns bringen.

Die Archäologen fanden Gegenstände, die ihnen etwas über den Alltag der Seeleute verrieten. Vorn und achtern im Wrack, vor und hinter der Ladung, lagen kleine Scherben. Aus dieser Verteilung schlossen sie auf zwei getrennte Kajüten an Bug und Heck. Sie fanden alle Becher im Bug und meinten, daß hier sich das Trinkwasser des Schiffs befunden hatte. Koch- und Eßgeschirr dagegen lagen im Heck: einfache, schwarzglasierte Teller und Schalen, kleine Gefäße und Ölkrüge, ein Kupferkessel, Schöpfkellen aus Terrakotta, Siebe und Tiegel, eine hölzerne Schale und vier Holzlöffel. Überhaupt zeichnete sich langsam ein Muster ab: vier Löffel, vier Ölkrüge, vier Becher, vier Salzschalen – vier Mann waren an Bord, nach den Scherben zu schließen Leute aus Rhodos. Die Archäologen fanden auch die Reste ihrer Nahrung: Fischgräten, Olivensteine, Weintraubenkerne und Feigensamen.

Viele neugierige Frager aus Kyrenia erwarteten abends die Archäologen am Kai, und Erzbischof Makarios und der amerikanische Botschafter besuchten die Ausgrabung. Die Archäologen stellten ihre Funde im Kastell aus, und die ganze Stadt pilgerte in die Ausstellung.

Die Taucher fanden keinen Beweis dafür, daß die Seeleute an Bord gekocht hatten. Vielleicht bereiteten sie die warmen Mahlzeiten abends am Strand zu und hängten den Kupferkessel dort über ein Feuer. Die Taucher entdeckten nur eine Scherbe einer Tonlampe. Das kleine Schiff blieb also offenbar über Nacht nicht auf See. Wie kam es aber, daß diese vorsichtigen Seeleute ihr Schiff kaum 1 km östlich des alten Ankerplatzes bei Kyrenia verloren?

Diese Frage beschäftigte die Taucher lange. Sie fanden verschiedene Antworten.

Für einen Brand an Bord gab es keinen Beweis. Auf ein Riff konnte das Schiff nicht gelaufen sein, denn Riffe gibt es nicht an der Nordküste von Zypern. Die Taucher fanden achtern Bleiringe, wie sie in alten Takelagen verwendet wurden: Die Segel waren damals also geborgen. In der gut erhaltenen Mastspur wies auch nichts darauf hin, daß der Mast aufgerichtet war. Vermutlich hatte die Mannschaft ihn niedergelegt, ehe das Schiff sank. Die Taucher fanden nur fünf kleine Bronzemünzen – etwas wenig als Ertrag einer langen Handelsreise. Sie entdeckten bis auf die Reste einer Ledersandale auch kein persönliches Eigentum der Seeleute. Überraschte ein Sturm das Schiff im Frühherbst, rettete die Mannschaft sich mit ihren Wertsachen an Land? Vielleicht konnte der Rumpf etwas verraten.

Die Steuerbordseite war fort, doch die Backbordseite lag tief im Schlick. Die Taucher erkannten, daß von dem ehemals vielleicht 15 m langen Schiff noch über 10 m gut erhalten waren. Der Bug aus Pinienholz war spitz, das stumpfe Heck schien eine Galerie getragen zu haben. Michael Katzev wollte den Rumpf im ganzen heben, doch das wassergetränkte Holz war zu weich. Also zerlegten die Taucher den Rumpf in Stücke, zeichneten alles genau auf, um ihn später an Land wieder zusammensetzen zu können. Sie brachten 5 t Holz mit Ballons an die Wasseroberfläche.

Sie entdeckten, daß die Schiffsplanken schon damals, vor zweitausenddreihundert Jahren, von Schiffswürmern zerfressen waren. Vielleicht war das Schiff gesunken, weil es zu alt war. Vielleicht hatte sich eines Tages einfach der Boden geöffnet. Vielleicht geschah es in einem Sturm. Sie stellten sich vor, wie der Sturm plötzlich aufkam, die Mannschaft die Segel barg, der Kapitän sein Geld an sich nahm. Dann verrutschten die Amphoren und die Mühlsteine nach Backbord, das Schiff sank, und die Leute sprangen ins Wasser und schwammen an Land.

Doch unter dem Rumpf fanden die Taucher acht eiserne Speerspitzen, einige von einem Zusammenstoß verbogen. Im Rumpf hatten sie keine Speere gefunden. Paßte das mit dem Fehlen der Wertgegenstände zusammen? Beides gemeinsam deutete auf einen Piratenangriff hin: Piraten griffen das Handelsschiff an, plünderten es und bohrten den Rumpf an. Niemand weiß nach zweitausenddreihundert

Jahren, ob die Piraten die Seeleute umbrachten oder gegen ein Lösegeld freiließen.

Nach den Bronzemünzen zu schließen, sank das Wrack um 306 v. Chr. Die Münzen waren unter der Herrschaft zweier Nachfolger Alexanders des Großen geprägt, Antigonos des Einäugigen und Demetrios des Städtebelagerers. Michael Katzev ließ das Alter der Mandeln und das Schiffsholz in einem 14-C-Labor bestimmen. Ergebnis: Die Mandeln stammten – plus/minus – von 288 v. Chr., die Bäume für die Schiffsplanken dagegen wurden schon 389 v. Chr. gefällt. Beide Daten zusammen bedeuteten, daß das Schiff, als es vor Kyrenia sank, mindestens achtzig Jahre alt war.

Michael und Susan Katzev beschäftigten sich viele Jahre mit dem Schiff. Sie konservierten es im alten Kastell von Kyrenia und legten im Oktober 1972 zum zweiten Mal den Kiel. Der Experte, der das Schiff aufbaute, fand heraus, daß es mindestens drei große Reparaturen erlebt hatte. Es konnte wohl vier bis fünf Knoten segeln und lag gut im Wind. Die Schiffbauer hatten zuerst den Kiel gelegt und dann die äußeren Planken zu einer Schale verbaut, die sie mit Nut und Zapfen verbanden und mit hölzernen Dübeln sicherten. Dann fügten sie zur inneren Verstärkung die Spanten ein und nagelten sie mit Kupfernägeln von außen fest. Über dem ganzen erhaltenen Rumpfteil schützten Bleiplatten das Schiff vor Bohrwürmern. Die Mastspur verriet, daß der Mast ziemlich weit vorne stand. Wahrscheinlich trug das Schiff also einmal ein asymmetrisch am Mast befestigtes Segel, vielleicht ein Lateinersegel. Bislang glaubte man, solche Segel seien erst im 2. Jahrhundert v. Chr. aufgekommen. Nun sah es so aus, als seien sie schon zweihundert Jahre früher bekannt gewesen.

Schließlich hatten Michael und Susan Katzev ein 14,75 m langes Handelsschiff vor sich, gut gebaut, das 30 t Fracht tragen konnte, ein Trampschiff, das vor zweitausenddreihundert Jahren durch die Ägäis und das östliche Mittelmeer mit Wein, Mühlsteinen, Mandeln und Feigen segelte. Sicher hatte es während der Lebenszeit Alexanders des Großen mit mehreren Generationen von Seeleuten zahlreiche ähnliche Reisen gemacht, bis die Piraten um 300 v. Chr. seine letzte Reise beendeten.

1974, das Schiff war kaum fertig, besetzten die Türken Nord-Zypern. Türkisches Militär hielt den Schwammtaucher und Stadtrat

Andreas Cariolou mit vierhundertachtzig anderen Griechen in einem Hotel in Kyrenia fest. Die meisten der viertausendfünfhundert griechischen Einwohner der Stadt waren nach Süden geflohen. Die Amerikaner mußten Zypern verlassen. Voll Sorge um ihre Freunde und um das Schiff reisten sie ab.

Das Schiff überstand den Krieg und ist heute im Kreuzfahrerkastell von Kyrenia aufgestellt.

Nach zehn Sommern

Zehn Sommer waren seit der ersten Grabung am Kap der Schwalben vergangen, als Michael Katzev das Kyrenia-Schiff an Land brachte und George Bass die Saison 1969 an der flachen Insel beendete. Die Experimentierphase der Archäologie unter Wasser war vorüber. Es war Archäologen möglich, auf dem Meeresboden so genau und wissenschaftlich überprüfbar zu graben wie an Land.

Während George Bass und seine Freunde ihr Handwerkszeug entwickelten, gruben auch andere Forscher unter Wasser. Peter Throckmorton vermaß in Griechenland und in Italien Schiffsladungen aus Säulen und Marmorsärgen. Honor Frost erforschte bronzezeitliche Häfen an der Levante und grub in Sizilien ein Wrack aus dem 3. Jahrhundert v. Chr. aus, das Marsala-Wrack. Sie waren nur zwei von vielen tauchenden Forschern, die weniger Geld und nicht so umfangreiche technische Möglichkeiten hatten wie die Amerikaner bei Yassi Ada und die doch gute Arbeit leisteten. Die gesamte technische Palette, die George Bass auffächerte in seinem Bestreben zu beweisen, daß unter Wasser Archäologie auch Wissenschaft ist, war nicht an allen Fundorten notwendig. Die tauchenden Archäologen überlegten, was am besten zu ihrem Fund paßte, was einfach zu handhaben und billig war, erfanden bei jeder neuen Ausgrabung Lösungen für die gleichen Grundprobleme. Die Hauptfragen sind noch heute die gleichen wie damals: Wie kann ich von Zufallsfunden loskommen und gezielt ein Wrack finden? Wie kann ich möglichst viel über ein Wrack erfahren, ehe ich mit dem Graben beginne? Mit welchen technischen Hilfsmitteln ist das Graben am einfachsten und billigsten und doch am genauesten?

In den ersten zehn Sommern von 1960 bis 1969 waren die Amerikaner getragen von einem Optimismus, der auf unbegrenzten technischen Fortschritt baute. Das Wrack, das die *Asherah* in 100 m Tiefe fand, lag außerhalb der Reichweite von Aqualungen-Tauchern, und George Bass hatte Visionen, wie eines Tages die Versuche von Cousteau, für Wochen in Häusern auf dem Meeresgrund zu leben und so mit dem Problem der Taucherkrankheit umzugehen, es auch Archäologen ermöglichen würden, Wracks in großer Tiefe zu erforschen. Doch nach diesem ersten Jahrzehnt begann auch Bass, seine Ausgrabungstechniken zu vereinfachen. Er fand es nun nicht mehr nötig, schon unter Wasser eine Unmenge von Maßen zu nehmen. Viele Maße konnten sie sehr gut an Land ablesen, wenn das Holz geborgen war. Am Vermessungsrahmen hielt er fest, aber Fototürme und die aufwendige und doch nie ganz zufriedenstellende Stereo-Fotografie gab er auf.

Das Zurückführen aller technischer Möglichkeiten auf ein zwar sinnreiches, aber einfaches Vorgehen war auch eine Folge von Geldknappheit. Denn Geld floß noch lange nicht für die Archäologie unter Wasser. Im Gegenteil, das Pennsylvania-Museum stellte das Graben in der Tiefe sogar ein.

Immer noch erkannten die etablierten Archäologen die tauchenden Kollegen nicht an. Zwar wurden in einigen Ländern Institutionen gegründet, in England zum Beispiel erreichte Joan du Plat Taylor 1965 die Gründung eines Committee for Nautical Archaeology, eines Komitees für Meeresarchäologie, dem Vertreter britischer Museen und Forschungsinstitute beitraten. Doch solche Gründungen waren Ausnahmen. Noch 1972 schrieb ein deutscher Wissenschaftler, Archäologie unter Wasser sei eher ein Sport als eine Wissenschaft.

George Bass hat sehr unter den Schwierigkeiten gelitten, anerkannt zu werden. Einer der einflußreichsten Archäologen Amerikas nannte seine Arbeit »dieses törichte Geschäft, das Sie unter Wasser treiben«. Bass hing es zum Hals heraus, von Kollegen immer wieder gefragt zu werden, wann er denn in die wirkliche Archäologie zurückkehren wolle.

Seinen Studenten erging es nicht besser. Fred van Doorninck kam von seiner ersten Stellenbewerbung verstört zurück: »Alles ging gut, bis sie mich fragten, worüber ich meine Doktorarbeit geschrieben habe, und als ich sagte, über ein byzantinisches Schiffswrack, brachen sie in Lachen aus.« Einer von Bass' besten Mitarbeitern, ein Engländer, sagte ihm, daß sein Professor nicht viel von Archäologie unter Wasser halte und er daher besser nicht mehr mit Bass tauche. Bass hatte oft Mühe, Studenten davon zu überzeugen, daß sie weitertauchen könnten, ohne ihre Karriere zu zerstören. Michael Katzev schwor sich damals, nie über ein Meeresthema zu schreiben, um nicht als Unterwasserarchäologe gebrandmarkt zu werden.

Wegen der ablehnenden Haltung der etablierten Archäologen kamen die Gelder für Ausgrabungen meist von Instituten, die sich mehr mit Technologie unter Wasser beschäftigten als mit Geschichte. Daraus ergaben sich neue Schwierigkeiten. Einige Leute waren bestürzt, wenn sie erfuhren, daß die Mittelmeerländer die Ausfuhr von Altertümern verbieten. Sie wollten etwas haben für ihr Geld. Hier mußte Bass gegen ein überholtes Verständnis von Archäologie als Schätzesammeln ankämpfen, mußte erklären, daß moderne Archäologen Wissen sammeln, daß er, mit Notizen, Fotos, Plänen und Zeichnungen versehen, die Funde kaum noch brauchte – schließlich könnten auch Astronomen die Sterne erforschen, ohne sie zu besitzen.

Nicht nur die Studenten, auch George Bass geriet schließlich durch die Archäologie unter Wasser in berufliche Schwierigkeiten. Die Tauchunfälle 1969 in Yassi Ada machten ihn nachdenklich, und er stellte fest, daß er zwei Jahre zuvor, 1967, nebenamtlich das größte Tauchprojekt der Welt geleitet hatte. Weder die US-Marine noch Ölgesellschaften, weder Bergungsfirmen noch Ozeanographische Institute hatten wie er 25 Taucher, die zweimal am Tag in über 40 m Tiefe arbeiteten, sechs Tage die Woche, monatelang. Selbst kleinere archäologische Landexpeditionen wurden von einem ständigen Team geleitet. Er dagegen machte alles allein. Er schlug dem Pennsylvania-Museum die Einrichtung einer Abteilung für Unterwasserarchäologie vor mit einem festen Team aus Spezialisten, mit Büroangestellten, Kursen für Studenten und einem Forschungsschiff. Das Universitätsmuseum lehnte ab. Man trennte sich.

George Bass gründete das American Institute for Nautical Archaeology, dessen Präsident er wurde, Vizepräsident war Michael Katzev. Bass und seine Frau Ann verkauften ihre Möbel und zogen mit Bücherkisten, Klavier und Kindern zu den Katzevs nach Zypern. Im Sommer 1973 suchte Bass vor der türkischen Küste mit einem Team nach Wracks. Er fand siebzehn, sechs davon waren vielversprechend. Doch dann brach der Krieg auf Zypern aus, die Amerikaner mußten die Insel verlassen. Das neue Institut bekam ohne eine stützende namhafte Universität im Rücken kaum Geld.

Bass wurde 1976 Professor an der Universität in Austin, Texas. 1984 und 1985 leitete er eine Grabung vor Kap Ulu Burun auf einem Wrack, das zwei Jahre zuvor ein Schwammtaucher entdeckt hatte. Der türkische Archäologe Cemal Pulak übernahm die Grabung und leitete sie weitere neun Sommer bis 1994. Das Wrack stammt aus dem 14. Jahrhundert v. Chr., ist also älter als das Wrack von Kap Gelidonya, und es enthält die größte Sammlung von Handelsgütern aus der Bronzezeit, die bislang im Mittelmeer gefunden wurde – 10 t Kupfer in Barren, 1 t Zinn, Elfenbein und Straußenfedern, Koriander und Safran, Feigen und Weintrauben, Öllampen, Krüge und Becher, Bronzetiere als Waagegewichte – Kühe, Löwen, Frösche, eine Sphinx, eine Fliege – sowie 37 Gegenstände aus Gold: Medaillons, Anhänger, Perlen. Und so gibt es eine Fortsetzung der Detektivgeschichte über die herrschenden Kaufleute im Mittelmeer – Griechen oder Phönizier.

Wie George Bass kämpften Ende der sechziger, Anfang der siebziger Jahre auch andere Archäologen, die unter Wasser forschten, an ihren Museen und Universitäten um Anerkennung. Zugleich kämpften sie gegen die Schatzsucher, die aus Unwissenheit oder Habgier zerstörten, was doch gerade beweisen sollte, wie wichtig Archäologie unter Wasser für die historische Forschung war.

Wracks gab es genug. Schon 1962 stellte Frédéric Dumas fest, daß mehr Wracks im Mittelmeer bekannt waren, als Archäologen in zwanzig Jahren ausgraben konnten. Und ständig fanden Taucher neue. Doch keine Behörde sah ein, daß sie Wracks wie alte Monumente an Land unter Denkmalschutz stellen müßte. Die Wracks im westlichen Mittelmeer wurden geplündert oder durch stümperhafte Ausgrabungen zerstört. Berufstaucher tauchten nach Schrott für die Altmetallhändler und nach Amphoren für die reichen Touristen, die selbst nicht tauchen konnten.

Aber Amphoren sind oft die einzigen Anzeichen für ein im Sand begrabenes Wrack. Amphoren verraten den Wissenschaftlern das Alter eines Schiffs und seine Route. Die Anzahl aller Amphoren in einem Wrack zeigt die Größe eines Schiffs an und damit auch den

Gabriele Hoffmann

Umfang des antiken Handels. Schon die Lage einer Amphore im Schiff kann den Archäologen erzählen, ob sie tatsächlich Handelsware enthielt oder Vorrat für die Mannschaft und die Passagiere. Wenn Archäologen den Schlamm aus einer Amphore sorgfältig durchsieben, finden sie Samen und Knochen und können feststellen, was in der Amphore war.

Alte Dokumente nennen Preise für viele Waren der Vergangenheit, und daher können die Wissenschaftler den Wert einer Ladung abschätzen. Die literarischen Quellen erwähnen meist das Besondere, nicht das Alltägliche, und die Landarchäologen betonten bisher die Bedeutung des Geschirrhandels in der Antike zu stark. Tauchende Archäologen dagegen fanden zwar oft Hausgeschirr in Wracks, aber meist nur als kleinen Teil einer großen Ladung von Lebensmitteln in Amphoren, Öl, Fisch, Fischsaucen und eben Wein. Der Lebensmittel- und Weinhandel war im Römischen Reich viel umfangreicher, als man bisher annahm.

Trotz der vielen ausgeplünderten und damit für die Forschung verlorenen Wracks haben Archäologen versucht, in Karten einzuzeichnen, wie viele Wracks aus welchen Jahrhunderten wo gefunden wurden. So konnten sie feststellen, daß der Handel sich in den dreihundert Jahren von 150 v. Chr. bis 150 n. Chr. verdoppelte und danach wieder auf den ursprünglichen Umfang zurücksank. Haupthandelszentrum war anfangs Südfrankreich, wohin die Italiener Wein exportierten, dann kam Spanien hinzu. Im 1. Jahrhundert n. Chr. aber war Spanien Hauptexportland für Nahrungsmittel und Wein, auch für Städte in Italien. Ab 50 n. Chr. sinkt die Zahl der Wracks, der Handel ließ nach. Doch dieses Bild ist ungenau, weil zu viele Wracks zerstört sind.

Sobald eine Amphore nach jeder Seite hin untersucht worden ist, ist sie im allgemeinen für die Wissenschaftler bedeutungslos. Deshalb schlug Peter Throckmorton einmal vor, es so zu machen wie die Israelis, die nach seinen Worten Amphoren nach der Untersuchung verkauften – einmal, damit die Museen sie loswurden, zum andern, um die Antiquitätenpreise zu drücken und damit das Plündern einzudämmen.

Eine Million Sporttaucher gab es Ende der sechziger Jahre in Europa, drei Millionen in den USA. Wenn nur ein geringer Prozentsatz von ihnen plünderte, fügten sie den Wracks mehr Schaden zu als die Stürme von Jahrhunderten. Die Zukunft der Archäologie unter Wasser war nach zehn Sommern Forschung von George Bass und achtzehn Sommern nach Cousteaus Ausgrabung bei Grand Congloué noch ungesichert.

In Amerika sah es nicht besser aus als im Mittelmeer, im Gegenteil: Die Karibik ist das Paradies der Schatzsucher. Eine Reiseagentur in Kalifornien bot eine Reise zum Wrack der *Matancero* an, »einer spanischen Galeone aus dem 18. Jahrhundert, in der noch Kunstgegenstände zu finden sind … Kruzifixe, Flaschen, Edelsteine, Löffel, Kanonen, Kanonenkugeln etc.«.

PIECES OF EIGHT

Die Silberflotten

Pieces of eight!« schreit der Papagei des Piraten Long John Silver in Robert Louis Stevensons»Die Schatzinsel«, »Pieces of eight!« Pieces of eight, Stücke von Acht, waren die größten Silbermünzen, die die Spanier in ihren Kolonien in Amerika prägen ließen. Diese Münzen hatten einen Wert von acht Reales und wogen gegen 27 g Silber. Im 17. und 18. Jahrhundert waren sie bei allen Kaufleuten als internationales Zahlungsmittel so bekannt und geschätzt wie heute der Dollar. Pieces of eight füllten Kisten und Fässer in den Münzen in Mexiko, Guatemala, Peru, Bolivien, Chile. In den Silberbergwerken schufteten, litten und starben die Indios, Männer, Frauen, Kinder. Jahr für Jahr kamen Schiffe in schwerbewaffneten Geleitzügen aus Spanien und holten die Schätze der Neuen Welt.

Wieviel Silber die Segelschiffe nach Europa brachten, ist schwer herauszufinden. Nach all den abenteuerlichen Zahlen, die ich gelesen habe, möchte ich mich an das alteingeführte »Handbuch der Deutschen Geschichte« von Bruno Gebhardt halten, Band II, S. 384, das auch Vergleichszahlen nennt:

In Deutschland stieg die jährliche Silberproduktion in den Jahren 1493 bis 1560 von 31 500 kg auf 53 200 kg; im übrigen Europa von 10 000 kg auf 11 500 kg.

Der Import aus Amerika stieg von 149 kg in den Jahren 1521 bis 1530 auf 2,7 Millionen kg Silber jährlich von 1591 bis 1600.

Das Handbuch verschweigt, ob dies die gesamte Silbermenge war oder nur die behördenoffizielle Einfuhr: Besatzungen, Regierungsbeamte und Passagiere schmuggelten noch einmal soviel, wie in den Schiffspapieren stand, am Zoll vorbei an Land. Das weiß man heute aus Wracks.

In der Blütezeit der Silberflotte segelten mit jedem Konvoi zwischen zehn und neunzig Handelsschiffe unter dem Schutz von vier

Galeonen und einiger kleinerer Kriegsschiffe. Abhängig von Krieg oder Frieden in Europa konnte die Zahl der Galeonen auf zwei sinken oder auf acht steigen. Jede Galeone hatte zweihundert Marinesoldaten an Bord. Eigentlich durften nur die Galeonen Silber und Gold laden, doch die Kaufleute zogen es vor, ihre Schätze bei sich auf den Schiffen zu behalten, auf denen sie selbst reisten. Ein Schiff hieß Galeone, wenn es mindestens fünfzig Kanonen trug. Wenn dasselbe Schiff mit zehn oder zwölf Kanonen an Bord als Handelsschiff fuhr, nannten die Spanier es »nao«, einfach Schiff. Wie eine Galeone genau aussah, weiß niemand. Das jährliche Auslaufen der Silberflotten war ein bewegendes Ereignis in Spanien, zu dem Zuschauer von weit her nach Cadiz kamen. Die Einwohner der Stadt feierten tagelang eine Fiesta, und Priester segneten Schiffe, Seeleute und Passagiere.

Die Route einer Schatzflotte richtete sich nach den Winden. Spanische Seeleute hatten bald nach der ersten Reise von Kolumbus erkannt, daß die Winde im Nordatlantik im Uhrzeigersinn kreisen. Die Flotte segelte also von Spanien nach Süden zu den Kanarischen Inseln. Von hier trugen die Passatwinde sie nach Westen, bis die Kapitäne auf einer der Inseln unter dem Winde oder in Trinidad zum ersten Mal anlegten. Im Karibischen Meer trennte die Flotte sich: Ein Teil segelte nach Cartagena, ein Teil nach Veracruz. Die Galeonen, die nach Cartagena gingen, luden den südamerikanischen Schatz. Der Generalkapitän der Flotte schickte ein kleines Schiff zur Insel Margarita, wo es Perlen holte, und mehrere große nach Porto Bello, wohin der Gouverneur von Panama den Transport von Gold, Silber und Smaragden aus Peru über den Isthmus organisiert hatte. In Porto Bello war Messe. Tausende von Händlern, Soldaten und Seeleuten trafen sich hier und mußten enorme Preise zahlen für Unterkunft und Essen. Viele starben an Ruhr oder Malaria, denn Porto Bello war ein ungesunder Ort. Nach dem Ende der Messe wurde Porto Bello für elf Monate wieder zur Geisterstadt.

Die Schiffe in Veracruz luden den Silberschatz von Neuspanien, der auf Maultierrücken von Mexico-City heruntergebracht wurde. Sie luden auch die Handelsgüter aus China, die spanische Galeonen jedes Jahr von Manila auf den Philippinen nach Acapulco holten: chinesische und japanische Seiden, Porzellane, Fächer, Kämme, Juwelen, Elfenbein, Sandelholz und Gewürze.

Gabriele Hoffmann

Die vollbeladenen Schatzschiffe aus Cartagena segelten um das westliche Ende von Kuba nach Havanna, dem Treffpunkt der Flotte. Die Schiffe aus Veracruz mußten im weiten Bogen erst nach Norden, dann nach Osten und an der Westküste Floridas entlang südwärts nach Havanna segeln, um die tückischen Riffe von Yucatán zu meiden und den Ostwind im südlichen Golf von Mexico. Von Havanna segelte die nun wieder vereinte Silberflotte nach Norden durch die Straße von Florida, wo der Golfstrom sie mitnahm. Sobald die Kapitäne die nördlichen Bahamas querab hatten, änderten sie ihren Kurs nach Nordosten. Bei den Bermudas änderten sie ihn noch weiter nach Osten und segelten mit den Westwinden zurück nach Spanien.

Dieses Flottensystem auf der Schatzroute bestand von 1537 bis 1778, bis die spanische Krone den freien Handel mit ihren amerikanischen Kolonien erlaubte, fast zweihundertfünfzig Jahre also. In den ersten hundert Jahren segelten jährlich drei Flotten, dann zwei, später nur noch alle paar Jahre eine. Die Silberproduktion der Neuen Welt sank, Engländer, Franzosen und Holländer durchbrachen immer ungenierter das spanische Handelsmonopol und verkauften europäische Ware an die Siedler in den Kolonien. Spanien fiel es immer schwerer, seine Schiffe zu schützen. Doch noch immer holten einzelne große Galeonen Silber und Gold, und an die hundert spanische Handelsschiffe segelten jedes Jahr, wenn die politische Lage es nur irgend erlaubte, zwischen Amerika und Spanien. Seit das erste Silberschiff nach Spanien ging, waren Piraten und Freibeuter eine Last für die Spanier. Die Feinde Spaniens in Europa und auf den Weltmeeren, vornehmlich Frankreich und England, gaben Schiffsbesitzern Kaperbriefe und damit einen Schein der Legalität. Die Freibeuter folgten den schwerbeladenen Silberflotten im Kielwasser oder lauerten ihnen in ihren kleineren, schnellen Fahrzeugen entlang der Route auf. Doch insgesamt war das spanische Konvoisystem erfolgreich. Zwar gelang es den Feinden einige Male, gleich eine ganze Silberflotte zu kapern, aber das blieben seltene Ausnahmen.

Gefährlicher als Freibeuter und Piraten waren Navigationsfehler und schwere tropische Stürme. Navigation war damals ein schwieriges Geschäft, und gute Navigatoren waren rar. Viele Konvoischiffe liefen auf die Korallenriffe und Sandbänke entlang der Schatzroute oder vor den Häfen oder gerieten in Strömungen, die sie auf Riffe versetzten. Manchmal verzögerte sich das Auslaufen der Silberflotte aus Havanna bis in die Hurrikansaison, die Zeit der gefährlichen Nordwinde im Golf zwischen Oktober und Februar. Auch außerhalb dieser Zeit konnten plötzlich Stürme lospeitschen. Hunderte von Wracks liegen entlang der Schiffahrtsstraße von Cartagena und Veracruz über Havanna bis zu den Bermudas.

Damals schon hoben Bergungstaucher der spanischen Kolonialbehörde schätzungsweise neunzig Prozent des Silbers von den Wracks, die in Tiefen von weniger als 15 m lagen. Amerikanische Indianer hatten lange vor Kolumbus' Zeiten nach Perlen getaucht, und die Spanier ließen indianische Taucher zu den Wracks bringen. Viele Indianer starben an Erschöpfung und Haifischbissen: Manche Bergungskapitäne zwangen sie, sechzehn Stunden täglich zu tauchen. Die Spanier versuchten es mit Sklaven aus Afrika. 1693 hatten sie tausend afrikanische Taucher, von denen viele bis zu einer Tiefe von 30 m tauchen konnten. Teams von afrikanischen Tauchern lebten in den großen Häfen wie Havanna, Veracruz, Panama und Cartagena an Bord von Bergungsschiffen, die jederzeit auslaufen konnten, sobald Berichte von gesunkenen Schätzen eintrafen.

Auch für Piraten und Freibeuter war das Bergungsgeschäft höchst einträglich. Schatzsuche – »wracking«, wie die Freibeuter sagten – blieb der Haupterwerbszweig auf den Bermudas bis zur Mitte des 17. Jahrhunderts. Dann wurde Port Royal auf Jamaika die Hauptstadt der »wrackers«. Ein spanischer Spion, der sich 1673 in den Hafen einschlich, berichtete, daß fünfzig Schiffe bereitlagen, um Schätze von spanischen Wracks zu holen. Später verlagerte sich das Zentrum dieser Bergungsgesellschaften noch zweimal: im 18. Jahrhundert nach Nassau auf den Bahamas und hundert Jahre später nach Key West auf den Florida Keys.

Doch trotz der durchorganisierten Bergung der spanischen Behörden und der achtsamen Freibeuter fand ein Schiffszimmermann aus Boston das größte Schatzschiff unter allen Wracks, die *Nuestra Señora de la Pura y Limpia Concepción*.

William Phips hatte irgendwann um das Jahr 1680 herum genug von seiner Arbeit auf der Werft in Boston. Er nahm seine Ersparnisse und schiffte sich zur Schatzsuche in die Karibik ein. Bei den Bahamas fand er gleich mehrere Wracks, und seine Ausbeute, obwohl nicht überragend, machte ihm größeren Appetit. Er wollte nun eine Galeone suchen, die, mit Gold beladen, in der Nähe von Nassau gesunken sein sollte. Große Bergung war auch damals teuer, und im Frühling 1682 segelte William Phips nach London, um König Charles II. als Geschäftspartner zu gewinnen. Achtzehn Monate wartete er auf eine Audienz, dann ließen die Hofbeamten ihn vor. Der König war beeindruckt von diesem hartnäckigen Mann und gab ihm Geld gegen einen großen Anteil am Profit.

Zurück in der Karibik fand Phips nach einem Monat Suche auch das Goldwrack bei Nassau – doch ein Schatz war nicht darin. Phips ließ den Mut nicht sinken und entschied, dann eben ein anderes Schatzschiff zu suchen. Seine Mannschaft fühlte sich um ihren Anteil am versprochenen Schatz geprellt und versuchte, das Schiff zu übernehmen, um als Piraten reich zu werden. Nur acht von hundert Seeleuten hielten zu Phips. Dennoch gelang es ihm, das Schiff nach Port Royal zu bringen, wo die Meuterer ins Gefängnis kamen. Hier, in der Hochburg der »wrackers«, hörte Phips von einer verlorenen Galeone vor Haiti, die zur reichsten Silberflotte gehört hatte, die je die Neue Welt verließ. Dieses Schiff lag seit 1641 auf dem Meeresgrund. Niemand wußte, wo.

Von jedem gesunkenen Schiff heißt es übrigens in alten und in neuen Berichten, daß es eines der reichsten, wenn nicht das reichste überhaupt war. Das Schatzgeschäft lebt von Gerüchten, und je öfter eine Geschichte erzählt wird, um so größer wird der Schatz. Ich will mit dieser Erzähltradition natürlich nicht brechen.

Acht Galeonen begleiteten die Silberflotte von 1641. Doch weil die Matrosen in sechs Galeonen Löcher entdeckten, ehe sie lossegelten, ließ der Generalkapitän das meiste Gold und Silber auf die beiden besten bringen, auf die »capitana«, das Flaggschiff des Konvois, und auf die »almiranta«, das etwas kleinere Schiff des Vizeadmirals. Im Schutz der schwerbewaffneten Galeonen segelten 22 Handelsschiffe mit Tabak, Kakao, Edelhölzern und Zucker an Bord.

Zwei Tage außerhalb von Havanna traf ein schwerer Hurrikan die Flotte in der Straße von Florida. Innerhalb von Stunden sanken die Schiffe bis auf die »capitana«, die einige Wochen später vor der Küste Spaniens unterging, und die »almiranta«. Die »almiranta« war voll Wasser und konnte jeden Augenblick sinken. Ihre Masten und Segel hatte der Hurrikan weggefegt.

Offiziere, Mannschaft und Passagiere schöpften verzweifelt Tag und Nacht. Eine Woche hielt die Galeone sich in der Strömung, dann sank sie etwa fünfzig Meilen nördlich von Hispaniola, wie Haiti damals hieß, auf einem Riff. Den meisten der sechshundert Überlebenden gelang es, zu einer Sandinsel zu schwimmen. Sie bauten aus Teilen des Wracks, die über Wasser ragten, Boote und Flöße. Zweihundert segelten nach San Domingo. Nur wenige kamen dort an.

Die spanischen Behörden wollten die vierhundert Überlebenden auf der Sandinsel retten und den Schatz bergen, doch schlechtes Wetter hinderte die Bergungsflotte am Auslaufen. Als die Retter schließlich mit fünfzig indianischen Perltauchern an Bord zum Riff kamen, fanden sie weder Überlebende noch Wrack: Sturmwogen hatten die Sandinsel weggewaschen, und die Berger sahen nichts, was ihnen verraten konnte, wo auf dem langen Riff das Wrack lag.

Über sechzig Bergungsgesellschaften liefen in den nächsten zwanzig Jahren aus, um das Wrack auf den Silberbänken – so hieß das Riff nun – zu suchen, doch niemand fand es. Die Spanier gaben schließlich die Suche auf – und die Freibeuter auch.

Dieses Wrack war die richtige Herausforderung für einen Mann wie William Phips. Doch ehe er überhaupt in die Nähe der Silberbänke kam, meuterte seine neue Mannschaft. Wieder schlug er die Rebellion nieder. Diesmal segelte er nach England, um vertrauenswürdigere Matrosen zu finden als die Piraten aus Port Royal.

König Charles II. war gestorben, und sein Nachfolger und Erbe James II. ließ den großsprecherischen Schatzsucher verhaften, der königliches Geld verpulvert hatte. William Phips verbrachte mehrere Monate im Gefängnis. Doch kaum entlassen, gelang es ihm, einige Große des Hofes von seinen Schatzplänen zu überzeugen. Ein Herzog überredete schließlich den neuen König, sich ebenfalls an der Schatzsuche finanziell zu beteiligen.

Phips segelte 1686 also wieder zu den Silberbänken. In der Karibik nahm er über zwei Dutzend afrikanische Perltaucher an Bord. Viele Monate lang trieb er die Männer und sich selbst fast zur Erschöpfung. Von Sonnenaufgang bis Sonnenuntergang suchten die Taucher das Riff ab. Als ein Taucher dann mit den Händen voller Pieces of eight nach oben kam, brach Phips in Tränen aus.

Piraten griffen Phips während der nächsten Wochen an und versuchten, ihm den Schatz abzujagen. Er bekämpfte und besiegte sie. Seine Taucher hoben mehr als 32 t Silber, eine Menge Gold, Kisten voller Perlen und Lederbeutel mit kostbaren Juwelen – bis schlechtes Wetter und Mangel an Essen Phips zwangen, die Bergung abzubrechen. Ein Sechstel des Schatzes war sein Anteil, genug, um ihn zu einem der reichsten Männer Amerikas zu machen, wie es heißt. Der König adelte ihn und ernannte ihn zum Gouverneur der Kolonie Massachusetts. Einige Jahre spielte Sir William Phips Gouverneur in seiner Heimat, dann ging er wieder auf Schatzjagd. 1694, während er in London darauf wartete, daß sein Schiff absegeln konnte, starb er friedlich in der Koje.

Nach dem großen Fund von William Phips entstanden in Amerika und in Europa zahlreiche neue Bergungsgesellschaften, und Schwärme von Schiffen und Armeen von Tauchern begannen, die Silberbänke zu durchsuchen. Doch Phips' Schatzfund blieb bis in die sechziger Jahre des 20. Jahrhunderts der größte von allen. Noch heute, wo die Silberflotten schon so lange nicht mehr segeln, schwimmen Bergungstaucher und Urlauber über die Riffe in der Karibik und suchen nach den verlorenen spanischen Schiffen. Die Schatzsucher träumen von Reichtum und Berühmtheit. Nach jedem Sturm laufen sie über die Strände und gucken, ob die Wellen nicht ein Piece of eight an Land gespült haben.

Pete und die fröhliche Familie Crile

Die Geschichte der Archäologie unter Wasser in der Karibik beginnt nicht mit professionellen Schatzsuchern.

Sie beginnt schon gar nicht mit Archäologen.

Sie beginnt, wie so oft, mit Amateuren – und mit einem Historiker, den Amateure sich zu Hilfe holten.

Mendel Peterson war seit 1948 Kurator der historischen Abteilung des United States National Museum für Geschichte und Technik in Washington – nach seinem Gründer Smith auch Smithsonian Institution genannt. Sei Büro lag in einem Dachraum, zu dem man über eine schiefe Wendeltreppe hinaufkletterte. Dort saß er hinter einem gewaltigen Schreibtisch, der mit Fotokopien, Übersetzungen und Bildern bedeckt war. An den Wänden standen dicht an dicht Regale mit Büchern über die Seefahrt im 17. und 18. Jahrhundert.

Eines Tages platzte die Familie Crile in Petersons stilles Büro. Die Criles wollten wissen, warum ihre Kanone zerfiel, die sie aus dem Meer gezogen hatten und die nun in ihrem Eßzimmer stand. Außerdem hatten sie auf einem Riff ein paar Münzen gefunden, und die sollte er sich doch einmal ansehen.

Die Criles lachten gern und wollten ihren Spaß haben. Sie waren eine etwas naive amerikanische Familie, dabei gutwillig und gutherzig. Die Familie bestand aus sechs Personen: Vater Barney, Mutter Jane, drei kleinen Mädchen und einem Jungen zwischen sechs und vierzehn Jahren. Barney hieß im Alltag Dr. George Crile und war Chirurg in Cleveland, Ohio.

Die Familie hatte in den letzten Jahren aufregende Sommerurlaube mit Schatzsuche in Florida verbracht. Im ersten Jahr hatten sie einen Anker gefunden. Im zweiten Jahr fanden sie auf einem anderen Riff eine Kanone zwischen den Resten eines Wracks. Sie verankerten eine Boje und kehrten an Land zurück, um sich Dynamit zu kaufen. Sie hatten große Angst, daß ihnen jemand bis zum anderen Morgen ihr Wrack wegschnappte. Am nächsten Morgen donnerte ihr Vermieter an die Tür: Arthur McKee war in der Stadt, der Schatzsucher, der gerade drei zwanzigpfündige Silberbarren geborgen hatte. Die Criles sprangen auf und rüttelten ihre Kinder wach. Eifersucht und Argwohn plagten sie, und so schnell es ging, fuhren sie hinaus zum Riff. Barney tauchte als erster, ihre Kanone war noch da. Er brachte einen meterlangen gebogenen Gegenstand nach oben, einen korallenüberkrusteten Elefantenzahn. Die Criles hörten einen Motor und sahen hoch. Ein Boot mit fünf Leuten kam auf sie zu: ein Schatzjäger, den sie kannten, mit seinen Gehilfen und dem Silberbarren-McKee. Doch McKee, ein blonder, untersetzter Mann mit freundlichem Gesicht, gefiel den Criles. Sie zeigten ihm den Stoßzahn, zumal sie keine Ahnung hatten, was sie mit einem Wrack machen sollten, das sie unter den Korallen nicht einmal richtig erkennen konnten. McKee redete ihnen die Sprengung aus. Er tauchte mit ihnen, und sie brachten einen Musketenlauf hoch, einen Eßteller aus Blech, Geschirrscherben. Zum ersten Mal dachten die Criles über die Menschen nach, die einmal auf diesem Schiff gefahren waren. Im folgenden Winter erlebten sie, wie ihre Kanone nach Jahrhunderten unter Wasser sich an der Luft Schicht um Schicht auflöste. Wieder wurden die fröhlichen Criles sehr nachdenklich. Im nächsten Sommerurlaub tauchten sie mit drei befreundeten Familien am Looe Key in Florida. Auch diesmal fanden sie ein Wrack, fanden Münzen und sahen sich bereits als Millionäre. Nun fürchteten sie erst recht Konkurrenten.

Mendel Peterson war tatkräftig und hilfsbereit. Die Münzen stammten aus der Zeit Philipps II. von Spanien, der von 1556 bis 1598 regierte, erklärte er den Criles. Aber eine war ein schwedisches Halbörestück aus Kupfer von 1720. Eigentlich dürfte an Bord einer Schatzgaleone skandinavisches Geld nicht vorkommen.

Die Criles mochten den jungen Historiker. Sie nannten ihn Pete und luden ihn ein, in ihren nächsten Ferien mit ihnen zu tauchen. Sie zogen ihn in ihren Kreis reicher, ausgelassener Urlauber, die Boote besaßen, tauchten, neugierig waren und auch ein bißchen habgierig, und gaben ihm so die Gelegenheit, unter Wasser anzusehen, was er bisher nur von Papieren kannte: historische Schiffe, zumindest ihre Überreste.

Am Morgen des 30. Mai 1951 segelten im südlichen Florida drei Schiffe mit fünfzehn Erwachsenen und neun taucheifrigen Kindern zu einem Riff mit dem Namen Looe Reef vor der kleinen Insel Looe Key. Auf dem Schiff der Criles hockten zwischen Luftkompressoren, Schläuchen und Hebekränen die vier Kinder, der Silberbarren-McKee und der Historiker Pete. Die Urlauber verankerten ihre Boote über dem Wrack und ließen die Kompressoren für den Airlift und die Nargilehs der Taucher an. Dutzende neugieriger Barrakudas schwammen herbei, und inmitten von Lärm, Durcheinander und Aufregung bedauerte Mutter Jane, daß sie nicht drei Augen besaß: eins für die Barrakudas, eins für ihre Kinder, die den Tauchern Werkzeuge in 12 m Tiefe brachten und ihnen die Schläuche entwirrten, und das dritte für das Wrack.

Die Taucher gruben eifrig mit dem Airlift ein tiefes Loch in das Korallenriff. An beiden Seiten ihres Kraters floß Sand in stetem Strom herunter und verschwand mit Knochen, Glas- und Geschirrscherben und gelegentlich einer Münze im Saugrohr – genau wie zwei Jahre später bei Cousteau vor Grand Congloué.

Trotz der stürmischen Begeisterung gelang es Pete, Eltern und Kinder zu überreden, einen Tag am Strand zu bleiben und die Funde zu säubern, zu sortieren und sie in Wasserkisten an sein Museum in Washington zu schicken. In den nächsten Tagen fanden sie eine Kanone am Riff. Edwin Link, einer der Familienväter, der komplizierte Geräte liebte und viel Geld mit Erfindungen für Flugzeuge und Schiffe verdiente, hob die zweihundertfünfzigpfündige Kanone mit einem Seilzug und brachte sie an der Seite seiner Jacht in den Hafen. Am Pier fiel Pete mit einem Vorschlaghammer über die Kanone her. Die dicke Korallenschicht platzte ab und gab das glatte, schwarze Metall frei. Die Criles entdeckten ein Zeichen: eine gekrönte Tudor-Rose. Es war also ein englisches Geschütz. Sie hatten ein britisches Kriegsschiff gefunden. In der Kanonenmündung steckte noch der hölzerne Schutzzapfen, und Pete sagte, das Schiff sei nicht im Kampf untergegangen, sondern durch Unglück oder Sturm.

Korallenklumpen aller Größen und Formen häuften sich neben Criles Ferienbungalow. Pete schlug die Klumpen auf und holte Kanonenkugeln heraus, Navigationsinstrumente, ein Türschloß, ein Stück von einem Glasgefäß mit Silberverzierung, Scherben von Pfeifenköpfen und Weinflaschen, sogar eine salzüberkrustete Nachttopfscherbe. Die schwedische Kupfermünze bedeutete, daß das Kriegsschiff nicht vor 1720 untergegangen sein konnte. Weinflaschen und Pfeifen stammten aus der Zeit um 1750, sehr viel später konnte es also auch nicht gesunken sein. Nach seiner Bewaffnung war es wohl der drittgrößte Schiffstyp, den es damals gab, eine Fregatte. Aber wie hieß es, welche Schicksale verbargen sich hinter dem Wrack der Criles?

Im Herbst 1951 fuhren die Criles nach Washington zu einer Ausstellung ihrer Funde im Museum. Sie kletterten die schiefe Wendeltreppe hoch und fanden Pete in seinem Büro vor einer Admiralitätsliste, einem Verzeichnis britischer Schiffe, die in Amerika während des 18. Jahrhunderts verlorengegangen waren. Die Liste enthielt die Eintragung: »February 5, 1744, Looe, 44 guns, Captain Ashby Utting, Commanding, lost in America.« Die Criles schlugen sich vor die Köpfe – das Schiff, das bei Looe Key sank, war die Looe, natürlich! Gemeinsam mit Pete überlegten sie: Da laut Admiralitätsliste alle an Bord gerettet worden waren, müßten die Briefe des Kapitäns Utting und der Bericht über seine Seegerichtsverhandlung im Archiv der Admiralität in London liegen. Criles wollten sowieso im nächsten Mai zu einem Ärztekongreß nach London.

So verlagerte sich ihre Schatzjagd ins Archiv. Alles, was Mrs. Crile

Gabriele Hoffmann

dort fand, überließ sie großzügig Peterson. Peterson reiste selbst nach England und konnte schließlich den Criles die Geschichte ›ihres‹ Schiffs und seines Kapitäns erzählen.

Im April 1743 erhielt Kapitän Ashby Utting das Kommando über die Fregatte *Looe*, einen als Vollschiff getakelten Dreimaster, der seit 1707 in Dienst war. Die britische Admiralität schickte ihn nach Amerika, nach Charleston, mit dem Befehl, in der Florida-Straße zu kreuzen und spanische Schiffe aufzubringen. Großbritannien und Spanien waren im Krieg, und die englischen Kolonisten befürchteten einen Überfall der Spanier und den Verlust ihrer Farmen.

Utting nahm seine Frau mit nach Charleston. Am Morgen des 4. Februar 1744 kreuzte er vor der Küste von Kuba. Um acht Uhr sichtete der Ausguck ein fremdes Segel, und Utting nahm die Jagd auf. Gegen Mittag hatte er das Schiff längsseits. Es zeigte die französische Flagge. Aber zwei Matrosen auf der *Looe*, John Manley und Henry Spencer, behaupteten, es sei ein englisches Schiff, nämlich ihr früheres, die *Billander Betty*. Die Spanier hatten die *Billander Betty* gekapert und nach Havanna gebracht, wo sie Manley und Spencer so lange gefangenhielten, bis Lösegeld für sie eintraf. Doch ein englisches Schiff eroberte das Schiff, das die freigekauften Gefangenen aus Havanna fortbrachte. Die Gefangenen wurden erneut in die britische Marine gepreßt, und Manley und Spencer kamen, statt endlich in die Heimat, auf die *Looe*.

Utting schickte eines der Boote der *Looe* zu dieser seltsamen französischen Prise. Einer der Matrosen im Boot sah, wie ein verdächtiger Gentleman an Deck ein Paket über Bord warf. Die Matrosen fischten das Paket auf und brachten es mitsamt dem verdächtigen Herrn ihrem Kapitän. Utting faltete die Ölhaut auseinander, Briefe lagen darin, in spanischer und französischer Sprache: Das Schiff mit der französischen Flagge segelte in Wirklichkeit im Dienst des Königs von Spanien. Der Herr, ein Ire, sollte Quecksilber und Eisen in den britischen Kolonien kaufen und sie dem Vizekönig von Mexiko nach Veracruz bringen. Um diesen Auftrag zu verschleiern, sollte er zunächst dreihundert schwarze Sklaven in Havanna kaufen und sie in den britischen Kolonien verkaufen.

Diese Entdeckungen waren so wichtig, daß Utting das aufgebrachte Schiff mit der *Looe* nach Charleston begleiten wollte. Die *Looe* und ihre Prise nahmen einen nördlichen Kurs die Florida-

Straße hinauf. Um Mitternacht meinte Kapitän Utting, daß sie klar waren von allen gefährlichen Klippen, und ging schlafen.

Die Nacht war neblig, und gemäß den Anweisungen der britischen Admiralität ließ Wachoffizier James Bishop alle halbe Stunde das Bleilot auswerfen. Um halb eins erreichte das Lot an der 100 m langen Leine keinen Grund. Um eins auch nicht. Als die Matrosen das Auswerfen um halb zwei vorbereiteten, sah Bishop plötzlich Schaum auf dem Wasser. Er blickte voraus: Große Brecher rollten, keine 30 m vom Schiff entfernt, über ein Riff.

Das Ruder traf den Felsen zuerst. Kapitän, Offiziere und Mannschaften stürzten an Deck. Sie kappten die Masten, kippten die Kanonen über Bord, setzten Boote aus, um zu loten und herauszufinden, in welche Richtung das Korallenriff sich erstreckte und wie sie davon freikommen konnten. Doch mehrere schwere Seen krachten auf die *Looe*, schoben sie weiter auf das Riff und ließen sie mit Schlagseite liegen. Das Wasser im Schiff stand 2 bis 3 m hoch. Neben der *Looe* schlugen die Brecher die *Billander Betty* auf dem Riff in Stücke.

Bei Tagesanbruch fand Kapitän Utting sich mit 274 Männern aus beiden Schiffen auf einer kleinen Sandinsel. Sie war vielleicht 80 m lang und so niedrig, daß die Wellen beim nächsten Sturm über sie hinweggehen würden. Utting ließ die Decks der *Looe* aufschlagen, um Trinkwasser, Brot und Kanonenpulver zu retten. Die Männer waren noch eifrig dabei, die Vorräte auf die Sandinsel zu bringen, als sie das Segel einer kleinen Schaluppe sahen, die auf die Insel zuhielt. Aus dem Bau des Riggs schloß Utting, daß es ein spanisches Schiff war. Er schickte das Langboot der *Looe* mit bewaffneten Seesoldaten unter dem Kommando des Ersten Leutnants James Randell zur Schaluppe. Die drehte ab, und beide Schiffe verschwanden hinter dem Horizont.

In der Nacht stellte Utting eine Wache von 25 Marinesoldaten und 25 Seeleuten auf. Er mußte mit einem Angriff der Callosa rechnen, Indianern Floridas, die in ihren Kanus das Meer befuhren und von denen es hieß, sie seien Menschenfresser.

Am nächsten Morgen sahen die Schiffbrüchigen zu ihrer großen Freude die spanische Schaluppe mit dem Langboot im Schlepp zurückkommen.

Utting ließ alle Boote, auch eine Bark und eine Jolle, seeklar machen, die Seiten des Langboots erhöhen und Vorräte an Bord bringen. Um die Mittagsstunde des 8. Februar schifften sie sich ein: sechzig Mann im Langboot, zwanzig in der Bark, zehn in der Jolle und 184 in der Schaluppe. Die Matrosen pullten die Boote weg von der Insel und lagen draußen und warteten, während ihr Kapitän mit einigen Männern Sprengkörper am Deck der Fregatte anbrachte. Sie legten Feuer, rannten zum Beiboot der Schaluppe und ruderten mit allen Kräften. Während sie noch ruderten, flog das Kanonenpulver in die Luft, und die Flammen krochen an den Maststümpfen der Fregatte hoch.

Utting hatte allen Schiffsführern befohlen, zu den Bahamas zu segeln. In der Nacht zwang eine steife Brise aus Süden ihn auf der Schaluppe, den Kurs nach Norden zu ändern. Das kleine Schiff war schwer überladen mit den Männern und drohte jeden Augenblick zu kentern. Doch am 13. Februar erreichte Utting einen Hafen in South Carolina. Die übrigen Boote kamen glücklich auf den Bahamas an, und die Offiziere reisten zu ihrem Kapitän.

Im April segelten Kapitän und Offiziere der *Looe* nach England, und am 31. Mai trat ein Gerichtshof aus zwölf Kapitänen zusammen. Das Militärgericht sprach Utting von jeder Schuld frei: Der Schiffbruch war von einer unvorhersehbaren Strömung verursacht, die die *Looe* von ihrem angenommenen Kurs weit nach Westen trug.

Ein Jahr später war Kapitän Ashby Utting wieder in Charleston bei seiner Frau und führte Seepatrouillen wie vor dem Untergang der *Looe*. Doch sein neues Schiff war von Krankheiten geplagt. Er konnte die Küste von South Carolina nicht schützen, und Freibeuter überfielen die Siedlungen. Im Januar 1746 starb Utting an Bord seines Schiffes an einer Krankheit.

Die Criles waren sehr angerührt von dieser Geschichte. Sie fühlten sich Utting verbunden: Sie waren über die gleichen gezackten Felsen getaucht, die einst die Planken der *Looe* eingedrückt hatten, hatten aus dem Meer geborgen, was der Kapitän einst vielleicht täglich in Händen hielt. Sie benachrichtigten sofort Edwin Link. Link suchte das Riff eine Kabellänge westlich des Wracks der *Looe* ab und fand wirklich die Überreste der *Billander Betty* und barg einen ihrer Anker.

1955 veröffentlichte Mendel Peterson seinen Bericht. Es war das erste Mal, daß das Ergebnis einer Kombination von Tauchen an einem Wrack mit Studien im Archiv in einer historischen Zeitschrift veröffentlicht wurde. Im selben Jahr saß Anders Franzén noch winters im Archiv in Stockholm und fuhr sommers auf der Suche nach der *Wasa* durch den Hafen. Er versuchte den entgegengesetzten, ungleich schwierigeren Weg: ausgehend von einer Nachricht im Archiv ein Schiff zu finden.

Die Familie Crile hatte Mendel Peterson aus seinem Büro geholt. Von nun an tauchte er mit vielen Wracksuchern, mit Amateurtauchern und Berufsschatzjägern. Niemand wußte, wie die berühmten Schatzgaleonen, wie die Schiffe der Piraten, die Sklavenschiffe, die Schiffe der Auswanderer genau aussahen. Peterson wollte die unbekümmerte Zerstörung von Wracks und ihrer Handelsware auf der Jagd nach Silber und Gold wenigstens etwas eindämmen.

Gold

M endel Peterson machte für die Archäologie unter Wasser in der Karibik, was man heute Öffentlichkeitsarbeit nennt. Der Amateur Edwin Link richtete eine Stiftung ein, die es Peterson ermöglichte, nach historischen Wracks zu tauchen. Peterson lernte und lehrte und erklärte den Schatzjägern unermüdlich, daß er zwar ihre Freude beim Entdecken von Silber und Gold teile, daß aber der größte Schatz auf dem Meeresgrund das Wissen sei.

Manche Taucher wurden, wie die Criles, neugierig auf die Geschichte eines Wracks und baten Peterson, mit ihnen zu ihrem Schatzschiff hinabzutauchen. Es ist kaum möglich, die Taucher einzuordnen in der weiten Spanne zwischen Goldsuchern, die Wracks mit Dynamit sprengen, Amateurhistorikern und Wissenschaftlern. Einige gehören sicher zu den Amateuren, die fast überall auf der Welt den Archäologen vorausgehen; die Wissenschaftler herbeirufen und ihnen, großzügig und bescheiden, alles zeigen, was sie wissen. Manch hartgesottener Schatzjäger wandelte sich und durchlief alle Stadien bis zum Vortragenden auf Archäologen-Kongressen. Wieweit aber ein Panther seine Flecken verlor, müssen Leser und Leserinnen selbst entscheiden: Die Unsicherheit der Navigation in der Karibik gilt auch für mich als Chronistin. Archäologen erschienen als letzte auf der Szene – ironischerweise in einer Weltgegend, in der eine der ersten Unterwassergrabungen überhaupt stattfand, nämlich Anfang des 20. Jahrhunderts die Erforschung eines Opferbrunnens der Mayas, des Cenotes in Chichen Itza. Dort tauchte der Amerikaner Edward Thompson mit griechischen Helmtauchern, und mexikanische Archäologen nahmen die Arbeit 1960 wieder auf.

Mendel Peterson tauchte in den beiden Sommern 1953 und 1954 mit Edwin Link und Arthur McKee. Der blonde Silberbarren-McKee hatte die Stelle entdeckt, an der Galeonen der Flotte von 1733 im Hurrikan in der Straße von Florida gesunken waren. Die Taucher fanden Pieces of eight, fanden, was von der reichen Ladung in den dicken Bäuchen der Galeonen übriggeblieben war: Krüge mit Koschenille, der hochgeschätzten roten Farbe, gewonnen aus den Körpern von Millionen kleiner weiblicher Schildläuse in Zentralamerika, Mahagoni, selten und teuer in Europa, gegerbtes Leder, Spielzeuggeschirr aus Guadalajara-Keramik und chinesisches Porzellan aus dem Manila-Handel. Sie fanden die Reste des persönlichen Eigentums hoher Offiziere und ihrer Familien, die damals nach Spanien zurückkehrten, Kisten mit kostbaren Kleidern, Silbergeräten, Gold- und Silbermünzen und eigenartigen Gegenständen eingeborener Handwerker. Sie fanden auch Reste der Bewaffnung, Kanonen, Musketen, Enterbeile, Pistolen und Degen. Sie hoben Tierknochen, Kaffee- und Kakaobohnen, mexikanische Mühlsteine, Schuhsohlen, Schnallen, Zinn- und Messingknöpfe, Glasscherben. Es gelang ihnen jedoch nicht, den Namen eines der Schiffe herauszubekommen.

Teddy Tucker, ein Tauchlehrer auf den Bermudas, zeigte Peterson ein Schiff, das vor 1595 gesunken sein mußte. Tucker hatte 1950 sechs korallenverkrustete Kanonen entdeckt, sie gehoben und an die Regierung von Bermuda verkauft. Fünf Jahre später tauchte er wieder an der Stelle, durchsuchte den Sand, entdeckte Spanten und Kiel – einen halben Schiffsboden, 14 m lang und 8,5 m breit. Er fand einen Goldbarren von 32 Unzen, zwei Goldscheiben, zwei Stücke von Goldbarren, perlenbesetzte Goldknöpfe und ein mit sieben großen Smaragden besetztes Goldkreuz, das kostbarste Juwel, das je aus dem Wasser kam. Peterson stieß gegen Ende der Tauchsaison für ein paar Tage zu Tucker. Das Schiff mußte auf der Heimfahrt nach Spanien gewesen sein. Sie fanden Navigationsinstrumente und Silbermünzen, Werkzeuge, Keramikscheiben und Waffen karibischer Indianer. Der Tauchlehrer richtete für seine Funde ein Privatmuseum ein. Ein Dieb stahl das Smaragdkreuz 1975 aus dem Museum und ließ eine Imitation aus Plastik zurück.

Mendel Peterson und Teddy Tucker tauchten zu einem verkrusteten Piratenschiff hinab, das vor 1550 gesunken sein mußte. Sie schwammen gemeinsam über ein Sklavenschiff, sahen die Kupferarmbänder, gegen die afrikanische Häuptlinge ihre Sklaven verkauften. Sie untersuchten die *San Antonio*, die 1621 von Cartagena kommend auf ein Riff südwestlich der Bermudas gelaufen war: Die Schiffbrüchigen nahmen mit, was sie tragen konnten, und die Inselbewohner plünderten den Rest. Aber sie ließen doch noch etwas übrig für Peterson und Tucker, auch Gold und ein paar Silbermünzen, in der Hauptsache aber Tabakbündel, Indigo, Leder, Krüge mit Oliven und an die zwanzigtausend Kaurischnecken, die wahrscheinlich für einen spanischen Kaufmann bestimmt waren, der dafür in Afrika Sklaven kaufen wollte.

Robert Marx bat Peterson 1957 um Hilfe. Der 24jährige Schwimmlehrer, der fünfzehnhundert amerikanischen Marinesoldaten das Tauchen beigebracht und die Marine als Sergeant verlassen hatte, schlug sich in Yucatán auf der Ferieninsel Cozumel mit Tauchunterricht für Touristen durch. Er war kräftig und energisch und suchte in seiner freien Zeit an der Küste Yucatáns nach Wracks. Vor Punta Matancero fand er in einer Tiefe von 6 m einen großen Anker und korallenverkrustete Kanonen. Er tauchte gemeinsam mit dem Journalisten Clay Blair. Sie sahen grüne Glasflaschen, Überreste von Holztruhen und geschliffene Steine, die die aufgeregten Männer für Diamanten hielten. Sie schickten Flaschenscherben und Diamanten zu Peterson nach Washington. Ergebnis: Die Diamanten waren Similisteine, und die Flaschen mußten zwischen 1720 und 1740 in England hergestellt worden sein. Die Taucher setzten sich mit den mexikanischen Behörden in Verbindung, man sagte ihnen, eine besondere Genehmigung, am Wrack zu tauchen, bräuchten sie nicht.

Im Sommer 1959 mühten sie sich, mit Hammer und Meißel Stükke aus dem Riff herauszuschlagen. Die Brandung ging über das Riff hinweg und riß sie mit, bis sie nach mehreren Metern gegen eine Korallenbank prallten. Im Riff waren zu Tausenden zwei Sorten von Kruzifixen aus Messing eingebettet, Waren für den Tauschhandel mit den Indianern. Als sie wieder einmal vom Tauchen hochkamen, lag eine große graue Polizeibarkasse neben ihrem Fischerboot. Sie waren verhaftet.

Seit ihrer Abreise von Cozumel hieß es dort, sie hätten große Mengen Gold gefunden. Ein Verwandter von jemandem, der einmal eine Karte besessen hatte, die inzwischen leider verlorengegangen war, auf der aber genau die Stelle bezeichnet gewesen war, an der das Schatzschiff von Punta Matancero lag, verlangte die Hälfte des Goldes. Auf der Insel hieß es, die Amerikaner planten, ihre mexikanische Bootsbesatzung zu ermorden und mit dem Gold nach Kuba zu fliehen. Unter dem Druck einer aufgeregten Öffentlichkeit konnten die Behörden gar nicht anders, als einzuschreiten.

Die Polizei erklärte Marx und Blair in Cozumel, es läge nichts gegen sie vor, doch sie müßten erst eine Genehmigung aus Mexiko-City einholen, ehe sie weiter auf dem Wrack arbeiten dürften. Die Sache zog sich lange hin, denn es gab keine Gesetze für Archäologie unter Wasser und Schatzjagd. Marx bat Peterson um ein Gutachten über die wissenschaftliche Bedeutung des Wracks. Blair schrieb in den USA Artikel über das Wrack für seine Zeitung, mit dem Erfolg, daß eine Anzahl reicher Texaner mit guten Verbindungen zu den Ministerien in Mexiko-City starken Druck machten. Sie wollten selbst die Erlaubnis bekommen, nach dem Wrack zu tauchen. Die Regierung aber erließ ein neues Gesetz, demzufolge alle Funde dem Staat gehörten, und übertrug dem Amt für Altertumskunde die Zuständigkeit für alte Schiffswracks.

Der Mann, der die Erlaubnis zum Tauchen schließlich bekam, war Pablo Romero Bush, ein energischer, grauhaariger Geschäftsmann, der die größte Autoagentur in Mexiko-City besaß und Präsident des mexikanischen Tauchclubs CEDAM war. Der Club hatte einen guten Namen in Mexiko, aber selbst Pablo Bush mit seinen erstklassigen Verbindungen brauchte all seine Klugheit, um die rauhen Wettbewerber aus Texas mit Hilfe von Rechtsanwälten endgültig abzuschlagen.

Der Club rührte die Werbetrommel und veröffentlichte in den Zeitungen Anzeigen, in denen alle, die tauchen konnten, für acht Dollar pro Tag zur Archäologie unter Wasser vor der romantischen Küste von Yucatán eingeladen wurden. Zur offiziellen Forschungsgruppe gehörten ein Archäologe vom Amt für Altertumskunde und über ein Dutzend Reporter. Die mexikanische Marine stellte einen

Kapitän als Lagerkommandanten frei. Die Leitung der Tauchoperation erhielt Robert Marx. Zwei DC-3 und eine Frachtmaschine flogen Teilnehmer und Ausrüstung aus Mexiko-City aus. Die Frachtmaschine stürzte über dem Dschungel ab.

Am ersten Tag des Tauchens schäumte das Wasser von fünfzig zahlenden Gasttauchern. Sie waren enttäuscht, daß sie keine Galeone sahen, sondern mit Hammer und Meißel harten Korallenwänden zu Leibe rücken sollten. Abends gab es im Lager nichts zu essen. Am nächsten Tag war schlechtes Wetter. Am Tag darauf wütete ein Orkan. Nach einer Woche waren noch sechs Gäste übrig. Sie hackten mit Marx und zwei Berufstauchern aus Acapulco tonnenweise Korallenblöcke aus dem Meeresboden. In der zweiten Woche fanden sie hundert Stück gebündeltes Blattgold, knapp ein Pfund schwer. In Cozumel hieß es, es seien mehrere hundert Kilo Gold.

Marx bekam einen Malariaanfall, und der Lagerarzt ließ ihn mit dem Hubschrauber nach Cozumel bringen. Aber die Leute im Lager glaubten, er habe sich am Wrack eine geheimnisvolle Krankheit zugezogen. Die restlichen Expeditionsmitglieder liefen auseinander. Die Clubtaucher in Cozumel waren fleißig gewesen. Marx und Blair sahen zum ersten Mal die gesamte Ausbeute von fünfzehntausend Einzelstücken. Da stapelten sich Hunderte von Votivbildern, Messinglöffeln, Tausende von Metallknöpfen, Kruzifixen, Gürtelschnallen, Messergriffen, Musketenkugeln und Brillen. Das Schiff muß bis zum Rand voll Waren gewesen sein – Waren, die in großem Gegensatz standen zum Gold, Silber und den Smaragden an Bord der Schiffe, die Amerika verließen. Die Mexikaner erklärten den Fund zu einem nationalen Schatz. Doch später tauchten viele Stükke aus dem Schatz in den USA auf.

Pablo Bush lud Mendel Peterson nach Mexiko-City ein, um die Funde von ihm begutachten zu lassen. Peterson staunte. Dies war das reichste Handelsschiff, das bisher in der Karibik gefunden worden war, mit einer unangetasteten typischen Ladung, wie Kaufleute sie im 18. Jahrhundert nach Amerika exportierten. Die Waren stammten aus Deutschland, Frankreich, Großbritannien und vielleicht Italien. Peterson datierte das Schiff auf 1740. Später fanden Robert Marx und Clay Blair im Archivo General de Indias in Sevilla heraus, daß es die *Nuestra Señora de los Milagros* war – ein einzelnes Handelsschiff auf der Reise von Spanien nach Veracruz, das in der stürmischen Nacht zum 22. Februar 1722 auf Grund lief und in der Brandung zerbrach. Einige Überlebende kämpften sich durch den Dschungel nach Campeche durch. Die hohe Brandung hinderte die Berger, und sie gaben das Schiff auf.

Mendel Peterson konnte nur einen kleinen Teil seiner Arbeitszeit für das Tauchen abzweigen. Meist gelang es ihm nur, ein interessantes Wrack schnell noch anzuschauen, ehe man es sprengte. Das Wissen, das er so zusammentrug, blieb bruchstückhaft. Er gewann ein Bild der Handelsware, blieb aber beim Staunen über Gegenstände, brachte sie kaum zum Sprechen.

Kip Wagner fand sieben Schiffe der Flotte von 1715 und den größten Goldschatz, der den von William Phips auf den Silberbänken noch übertraf – vielleicht. Mit den Berichten über moderne Schatzsuche ist es genauso wie mit den alten Schatzjägersagen: Sie weichen voneinander ab, sogar derselbe Erzähler bringt seine Geschichte bei zwei Gelegenheiten verschieden. Ich habe mir Mühe gegeben, mich der Wahrheit zu nähern, aber ich garantiere für nichts. Sicher scheint nur: Kip Wagner war der erfolgreichste Schatzsucher der sechziger Jahre.

Er war ein kleiner Bauunternehmer in Sebastian in Florida. Eines Morgens, irgendwann im Jahre 1948, erschien einer seiner Angestellten betrunken zur Arbeit, und Kip Wagner schleifte ihn an den Strand, um ihn im Meer zu ernüchtern. Der Betrunkene torkelte, fiel in den Sand und hielt plötzlich sieben schwarze Pieces of eight in der Hand. Wagner warf sich auf die Erde, wühlte im Sand und fand nichts.

Von nun an hatte Kip Wagner das Schatzfieber. Mit vier verwegenen Tauchern durchsiebte er Tonnen von Sand, schuftete Tag und Nacht. Sie steckten einige tausend Dollar in das Geschäft. Dann waren sie bankrott. Sie hatten nicht eine einzige Münze gefunden.

Jahrelang lief Kip Wagner am Strand entlang und suchte nach Pieces of eight. Eines Morgens, Mitte der fünfziger Jahre, nach einem schweren Nordoststurm, suchte er wieder an seinem einsamen Strandstück, an dem er nun schon über vierzig Silbermünzen gefunden hatte. Große Teile des Strandes waren weggeschwemmt, und auf dem neuen Strand sah er ein Piece of eight. Hatte der Sturm es an Land getragen? Lag da draußen, auf dem Meeresgrund, ein Schatzschiff?

Wagner studierte die Meeresströmungen und Formen der Korallenriffe vor der Küste. Mit seinem Freund, dem Familienarzt Dr. Kip Kelso, saß er über den schwarzen Münzen. Sie entdeckten, daß keine nach 1714 geprägt worden war. Da dämmerte es Kelso, und er erzählte Wagner von den Schiffen, die 1715 untergegangen waren – mit vierzehn Millionen Dollar an Bord.

Am 24. Juli 1715 verließ ein Geleitzug von elf spanischen Kriegs- und Handelsschiffen Havanna. Die Spanier trafen ein französisches Schiff und zwangen es zur Mitfahrt, damit es den Konvoi nicht verrate. Die Schiffe hatten Gold aus Peru, Smaragde aus Kolumbien, Silber aus Mexiko, Koschenille, Indigo, Porzellan und Seide aus Manila an Bord. Am 31. Juli gerieten sie auf der Höhe von Cap Canaveral in einen Wirbelsturm, der ein Schiff nach dem anderen auf die Klippen an der Küste Floridas trieb. Tausend Personen verschwanden im Sturm, fünfzehnhundert erreichten den Strand schwimmend oder auf Wrackstücken. Nur das französische Schiff entkam und berichtete von der Katastrophe. Sofort liefen die spanischen Bergungsschiffe aus. Das sprach sich natürlich herum in der Karibik, und der britische Gouverneur von Jamaika traf sich mit dem Freibeuter Henry Jennings. Jennings verließ Port Royal, die Stadt der Piraten, mit fünf Schiffen und dreihundert Mann. Er griff das Bergungslager der Spanier an, metzelte die Wachen vor den Blockhäusern am Strand nieder, in denen die Münzen zum Abtransport aufgehäuft lagen. Wieviel Jennings erbeutete, weiß man nicht, vermutlich rund dreihundertfünfzigtausend Münzen. Vier Millionen Pesos hatte der Leiter der Bergung, Don Juan del Hoyo Solórzan, schon nach Havanna geschickt. Als die Spanier die Bergung 1719 einstellten, hatten sie über achteinhalb Millionen Pesos hochgeholt.

Kip Wagners erste Investition waren fünfzehn Dollar für einen alten Metalldetektor aus dem Zweiten Weltkrieg. Wenn irgendwo verborgen ein eisenhaltiger Gegenstand liegt, stört er das Magnetfeld der Erde, ganz gering nur, doch man kann die Störung mit Instrumenten messen, mit Minensuchgeräten, Metalldetektoren und Protonenmagnetometern. Protonenmagnetometer reagieren auf die feinsten Störungen, und weil Hölzer alter Wracks eine gewisse Menge an Eisen enthalten, können Archäologen mit ihrer Hilfe die Lage und die Maße eines Wracks unter dem Sand feststellen.

Jedesmal, wenn Wagners alter Detektor einen hohen, weinenden

Ton von sich gab, grub er schnell im Sand und fand Dutzende von Konservendosen und alte Sprungfedern. Seine einzigen Begleiter waren die Pelikane, die am Abend über die Wellen flogen. Dann fand er an einer Stelle Entermesser, Kanonenkugeln, ein Stück Silber und einen goldenen Ring mit einem Diamanten von 2,5 Karat. Hatten hier die Spanier ihr Bergungslager gehabt?

Doch die blinde Suche brachte zu wenig. Wagner fing an, Geschichtsbücher zu lesen, durchstöberte Museen und quälte Archivare zwischen Mexiko und Washington mit seinen Fragen. Vom Archivo General de Indias in Sevilla erhielt er auf 1000 m Mikrofilm Berichte über die spanischen Bergungsarbeiten, in denen er nach der Lage der Wracks suchte. Doc Kelso fuhr in die Library of Congress nach Washington und fand eine Schatzkarte, ein Bild in einem Buch des englischen Kartenzeichners Bernard Romans von 1775. Das Bild zeigte den San Sebastian River und darunter stand, hier sei die spanische Flotte von 1715 gesunken.

Wagner ließ sich von einem Freund über die Flußmündung fliegen. Er sah lange, dunkle Schatten im Wasser. Am nächsten Tag fuhr er im Boot hinaus und fand achtzehn verkrustete Kanonen entlang einem Pfad von pflanzenüberwachsenen Ballaststeinen: Er hatte sein erstes Schatzschiff gefunden, 1959, kein reiches, wie sich herausstellte, aber eins zum Üben.

Kip Wagner setzte sich mit Tauchern in Verbindung, und schließlich arbeitete ein neunköpfiges Team, zu dem auch Robert Marx gehörte, an den Wochenenden. Sie kauften ein altes Schlauchboot und bastelten sich aus einem Ofenrohr einen Airlift. Sie stießen auf zwei weitere Wracks. Die neun gründeten die Real Eight Corporation und holten sich beim Staat Florida die Erlaubnis zur Schatzsuche. Der Staat gab ihnen einen exklusiven Pachtvertrag für 80 km Strand und garantierte ihnen den Schutz des Gesetzes gegen Piratenangriffe von Konkurrenten. Gegenleistung für den Staat: 25 Prozent vom Gewinn und die Benachrichtigung, wenn etwas von historischem Wert gefunden wurde – das spricht für sich. Bankdirektoren und Museumsarchäologen ermunterten den Schatzjäger Kip Wagner.

1963 verband sich die Real Eight mit der Schatzfirma Treasure Salvors von Mel Fisher, einem Mann, der in Kalifornien ein kleines Sportgeschäft besessen hatte, aber Schatzsuche lohnender fand. Sie arbeiteten nun jeden Tag und benutzten eine Baggermaschine. Ende 1963 hatten sie sieben der elf Wracks gefunden, in Tiefen zwischen 9 und 18 m. Die Funde lagen auf dem Kalksteingrund weit verstreut oder bis zu 3 m tief im Sand. Der Staat Florida schickte nun doch einen Archäologen, Carl Clausen. Doch abgesehen davon, daß Mel Fisher einen Protonenmagnetometer benutzte, unterschied ihre Arbeit sich kaum von der der »Wrackers« vergangener Jahrhunderte, und über das, was der Archäologe Clausen dazu sagte, schweigen die Berichte.

In einem Wrack fanden sie zehntausend Pieces of eight, in einem anderen zweitausendfünfhundert sowie neuntausend Goldmünzen. Sie hoben Schwerter und Musketen, Pistolen und Degen, Schuhsohlen, Schnallen und Knöpfe, Kanonen, Tonschalen und Krüge. Holz interessierte sie nicht, es löste sich auf in den Händen der Taucher zu tintigen Wolken, die die Strömung davontrug. Sie fanden Kiel und feste Spanten. Dann erwachte aber doch eine Neugier auf die Seefahrt vergangener Tage, und Kip Wagner schickte etwas zu Mendel Peterson, was dieser als Mischung aus Kuhhaaren und Pech identifizierte – Kalfatmasse.

Während einer langen Sturmperiode fand Kip Wagners Neffe mit dem Detektor am Strand eine Goldkette, über 3 m lang, mit einem goldenen Drachen als Anhänger. Aus dem Körper des Drachens kam ein Zahnstocher, sein Schwanz war ein Ohrlöffel, und wenn man in den Mund des Drachens blies, ertönte ein schriller Pfiff – »alles zusammen ein sehr ungewöhnlicher Schmuck, etwas für den Mann, der schon alles hat«, meinte Kip Wagner.

Nach dem Sturm fanden sie in einem Wrack, was Kip Wagner und seine Frau, die eifrig mitarbeitete im Schatzgeschäft, am stärksten anrührte: zarte blauweiße Porzellanbecher aus China – heil. Sie hatten eine lange Reise von China über Manila, Acapulco, Mexico-City und Veracruz hinter sich, bis Schiffbruch vor Florida ihren Weg nach Europa beendete.

Im Januar 1965 besaß Wagner eine Million Dollar in Silber- und Goldbarren, Münzen, Juwelen, Silbertellern, Goldketten. Wieviel sein Schatz auf dem Markt wirklich wert war, weiß ich nicht. In einem der Berichte heißt es, er fand Münzen und Goldbarren, die nach dem Metallwert unter fünfzigtausend Dollar brachten, auf dem Sammlermarkt aber einen Wert von zwei Millionen Dollar hatten. So etwas kann sich als Milchmädchenrechnung herausstellen, denn wenn das Angebot auf dem Markt steigt, sinkt der Preis, wie mir ein Münzhändler sehr eindringlich versicherte – vielleicht befürchtete er, ich wollte meine Schatztruhe öffnen und den Markt verderben.

Am 30. Mai 1965 geschah es dann. Das Wasser war zum ersten Mal nach langer Zeit klar. Kip Wagner zog seinen Tauchanzug an und schwamm in die Tiefe. Unter ihm glänzte ein Teppich aus purem Gold. Die Münzen lagen doppelt und dreifach übereinander, hatten sich zu Haufen aufgetürmt.

Wagner und seine Helfer hoben sechzigtausend Silber- und Goldmünzen, goldene Ringe und Anhänger, ein goldenes Halsband, das ein Museum auf fünfzigtausend Dollar schätzte, ein Silberservice mit passendem Silberbesteck, Porzellan, Navigationsinstrumente, Anker, Kanonen. 1967 verkaufte Wagner einen kleinen Teil des Schatzes für achtzigtausend englische Pfund in offener Auktion. Ein einziger Morgen im Auktionssaal brachte 37 212 Pfund oder 104 195 Dollar. Kip Wagner genoß seine Berühmtheit.

Nach vielen Jahren des Tauchens hatte er sich zu einem der wenigen Berufsschatzjäger gewandelt, die neben dem finanziellen Wert auch den historischen sahen. Er sorgte dafür, daß ein Teil der Nebenfunde in die Museen gelangte, eröffnete selbst ein Privatmuseum, und auch der Staat Florida zeigte seinen Anteil in einem Museum. Doch die geschlossene Sammlung aus dem Jahre 1715 war auseinandergerissen.

Nach Kip Wagners Erfolg gab es einen Goldrausch an der Küste Floridas. Schatzsucher kamen zu Hunderten, und die Zahl der Schatzbergungsfirmen stieg. Am meisten Geld verdienten Geschäfte, die Taucherausrüstungen verkauften, und Leute, die Schatzkarten und Handbücher zur Schatzsuche auf den Markt brachten.

Immer noch war kein Archäologe in Sicht. Der einzige, der sich gemeinsam mit Kollegen seines Museums bemühte, auch Wissen über die Schiffe zu sammeln, war nach wie vor Mendel Peterson. Nicht ein einziges Schatzschiff war wirklich untersucht worden, ehe man es auseinanderriß und in allen Ritzen nach Schmugglergut in Gold und Silber suchte.

1968 erschien in der Stadt der Piraten endlich der erste Archäologe.

Die Stadt der Piraten

Oliver Cromwell, Lordprotektor und Diktator Englands, sandte 1655 eine Expedition in die Karibik: Sie sollte einen Ort erobern, von dem aus die Engländer die Schatzroute der Spanier bedrohen konnten. Die Seesoldaten vertrieben die Spanier aus Jamaika, zogen quer über eine Halbinsel, die heute zum Hafen von Kingston gehört, eine Palisade und bauten drei Forts gegen Angriffe von See. Port Royal wurde die Hauptstadt der Piraten, der Freibeuter und der »wrackers«.

Vier Jahre nach der Gründung berichtete ein Besucher aus Barbados, die Stadt habe achttausend Einwohner, zur Hälfte Europäer und Asiaten, zur Hälfte Afrikaner, und wachse noch immer stürmisch. Die Bewohner lebten in Häusern aus Ziegeln, Stein oder Holz, von denen einige vier Stockwerke hoch waren, Wasserleitungen hatten und so viel kosteten wie die Häuser in Mayfair, London. Der Besucher beschrieb die zahlreichen Werften am Tiefwasserhafen, das Lagerhaus des englischen Königs, den es nach Cromwells Tod nun wieder gab, die drei täglichen Märkte, die Biergärten und die Paradefelder des Militärs. Nirgends konnten Piraten ihre geraubten Schätze günstiger verkaufen als in Port Royal. Die Stadt war auch Zentrum der Plantagenwirtschaft und des Sklavenhandels. Der große Reichtum zog Kaufleute an, Tavernenbesitzer, Prostituierte. Port Royal hatte eine Synagoge, ein Versammlungshaus der Quäker, eine römisch-katholische Kirche, und doch galt es als die verdorbenste und gottloseste Stadt auf Erden.

Der Vertrag von Madrid zwang England 1670, die Piraten nicht länger zu unterstützen. Die Regierung rief Henry Morgan, den gefürchtetsten Seeräuber und Chef einer großen Flotte, nach London, adelte ihn und ernannte ihn – trotz spanischer Proteste – zum Gouverneur von Jamaika. Henry Morgan verfolgte seine ehemaligen Kollegen, und unter seiner Herrschaft erlebte Port Royal seine Glanzzeit. Englische, irische, nordamerikanische Schiffe brachten Wein, Früchte, Rinder, Schweine, Käse, Butter, Mehl, Leinen, Seide und Werkzeuge nach Port Royal und verließen den Hafen mit Zukker, Indigo, Kakao, Baumwolle, Ingwer, Rum, Häuten und Edelmetallen. Die Stadt war das Lagerhaus Westindiens. Viele Handwerker versorgten Kapitäne und Plantagenbesitzer mit allem, was

*Am 9. Oktober 1962 legte das Baggerschiff im Hafen von Bremen ein hölzernes Wrack frei.
Niemals hatten die Männer ein seltsameres Schiff gesehen.*

*Rosemarie Pohl-Weber und die Arbeiter in der Tauchglocke fanden mit einem
Minensuchgerät Kalfatklammern und Eisennägel der Kogge im Schlamm.*

Vorige Seite: Koggenachbau auf der Weser – Fahrt unter 200-Quadratmeter-Rahsegel

Im zweiten Konservierungs-Bad hat sich die Kogge neu gesetzt. Per Hoffmann (2. v. r.) und seine Mitarbeiter verstärkten das System der Aufhängung.

Nach fünfzehn Jahren stand der Konservator wieder in der Kogge: »Ich hatte fast vergessen, wie schön sie ist.«

Aus Antalya brachten die Taucher auch Ann mit. George Bass schwamm dem Boot entgegen und fragte sich, ob seine Frau ihn mit Bart wiedererkennen würde.

Es war ein Wrack aus den Tagen Alexander des Großen. Michael Katzev versprach den Schwammfischern bei Champagner, es das Kyrenia-Schiff zu nennen.

Mit dem Magnetometer in der Karibik

...ıch jedem Tauchgang zur Mary Rose *füllten Taucher und Taucherinnen Formblätter aus. Fundüberwacher bereiteten alle Daten für den Computer vor.*

Folgende Seiten: Der größte Schwimmkran der Welt mit der *Mary Rose*

Die Archäologen holten Bronzekanonen aus der Mary Rose, Eisenkanonen und Langbögen aus Taxusholz, die gefürchtete Infanteriewaffe des Mittelalters.

Margret Rule (2. v. l.) mußte Vorträge halten und Interviews geben, um Geld zusammenzubringen. Für ihr Gefühl nahm die Publicity-Maschine nun überhand.

sie brauchten, und Schmiede, Zimmerleute, Schuhmacher, Schneider, Polsterer, Tuchmacher, Maler und Spiegelschneider verdienten dreimal so viel wie in England. Es gab nur wenige ehrenhafte Ärzte, hieß es, und nur einen ehrenhaften Apotheker, einen Mr. Mathes. Jeder, der einen Bauplatz an der Wasserfront ergattern konnte, war sich eines Vermögens sicher, das den großen Vermögen in London gleichkam. Die Kaufleute wußten nicht, daß sie ihre hohen Häuser auf einer abschüssigen Bank aus Sand, Kies und verrotteten Mangroven bauten – oder vielleicht war es ihnen egal.

Am 7. Juni 1692, mittags zwischen 11.30 und 12.00 Uhr, vernichteten drei Erdbeben die gottloseste Stadt auf Erden. Ein großer Teil der Häuser rutschte ins Meer. Eine Flutwelle riß fünfzig Schiffe im Hafen von den Ankern. Die Fregatte *Swan* landete auf einigen Hausdächern. Zweitausend Einwohner starben durch das Erdbeben und in der Flutwelle, dreitausend starben an der Pestilenz, die folgte.

Mendel Peterson kam 1956 mit Edwin Link nach Port Royal, um die Stadt der Piraten zu erforschen. Sie war nur noch eine Lage von Schutt unter dem Hafen und unter den Häusern, die seit der Zeit der Erdbeben gebaut worden waren. Der Schutt war bedeckt mit Korallen, Schlick und Abfall. Die beiden fanden nur die Grundmauern einiger Gebäude und Teile der beiden versunkenen Forts.

Wieder zu Hause entwarf Edwin Link Geräte, mit denen er die gewaltigen Mengen von Schlick über den Ruinen entfernen konnte. Er entwarf ein Bergungsboot, die *Sea Diver*, eine schöne, 30 m lange weiße Motorjacht, vollgestopft mit Elektronik, mit Platz für acht Taucher und ihre Ausrüstung. Im Sommer 1959 fuhr Link zum zweiten Mal nach Port Royal, unterstützt von der National Geographic Society und Mendel Petersons Museum. In zehn Wochen zeichneten er und seine Taucher mit Hilfe eines Echolots eine Karte von Port Royal. Sie tauchten dort, wo sie das Lagerhaus des Königs vermuteten. Mit dem Airlift bohrten sie Löcher und erwarteten hoffnungsvoll, was an Schätzen aus dem Saugrohr kommen würde. Es kamen Tonpfeifen, Tonscherben, Dachpfannen und Ziegel einer Feuerstelle. In Port Royal kochte man in kleinen Kochhäusern. Link und Peterson glaubten nun, daß sie in einem solchen Kochhaus gruben, und als sie Zinnlöffel, Teller und Servierplatten fanden, waren sie sicher. Nach einer alten Stadtkarte meinten sie, daß das Kochhaus wohl zum Wohnhaus eines Mr. Littleton gehörte. Link schickte die Taucher mit einem Metalldetektor hinunter. Sie entdeckten einen zerbeulten Messingkochtopf. Als Link Sand und Schlamm herauskratzte, fand er die Knochen einer Kuh und einer Schildkröte. Das Erdbeben war kurz vor Mittag gekommen, und nun sahen er und Peterson, daß Mr. Littletons Koch gerade ein Stew aus Rindfleisch und Schildkröte auf dem Feuer hatte, als der Schornstein zusammenbrach und auf den Topf fiel. Sie entdeckten ein Vorratshaus, vielleicht das eines Schiffsausrüsters. Sie fanden eine Uhr mit Messinggehäuse und silbernem Zifferblatt und der Signatur »Paul Blondel«. Die Uhr war bedeckt von einer Kruste aus Korallensand. Link ließ sie röntgen: Die stählernen, nun verschwundenen Zeiger hatten siebzehn Minuten vor zwölf angehalten.

Nach zehn Wochen hatte Link erst einen sehr kleinen Teil der Stadt durchsucht. Doch nun war klar, daß hier unter Wasser, Schlamm und Korallen die wichtigsten Ruinen des englischen Amerikas lagen – ein Querschnitt durch das Leben im späten 17. Jahrhundert. Links Berichte erregten die Neugier anderer Taucher, und bald gab es einen schwunghaften, illegalen Handel mit Funden aus der Piratenstadt. 1960 erlaubten die Behörden einem amerikanischen Berufsschatzjäger eine kurze Bergung. Es gibt keinen Bericht darüber, und was er heraufholte, wurde nie wieder gesehen. Die Behörden entdeckten, daß amerikanische Besucher, deren Jacht eine geheime Unterwasserluke besaß, über Monate geplündert hatten, und verwiesen diese Gäste von der Insel.

1962 wurde Jamaika von Großbritannien unabhängig. Ein neuer Tiefwasserhafen sollte in Port Royal gebaut werden und eine Pier für Kreuzfahrtschiffe. Bagger würden die Hälfte der Piratenstadt zerstören. Die Regierung stellte Robert Marx ein. Er sollte untersuchen, was genau durch die Bauarbeiten bedroht wurde.

Robert Marx grub von 1966 bis 1968. Seine Arbeit litt unter ständigem Geldmangel. In den ersten vier Monaten 1966 vervollständigte er Links Übersichtskarte. Das war sehr schwierig, denn die Stadt lag unter 1 m Schlamm und einer 1 bis 2 m dicken Schicht aus toten Korallen, und die Sicht im Wasser betrug kaum mehr als 30 cm. Erst gegen Ende der zwei Jahre kam der freundliche Professor Harold Edgerton nach Jamaika und kartierte die Stadt mit Sonar: Sie ist 140 000 m^2 groß, und die Ruinen liegen meist in weniger als 10 m Tiefe.

Für Marx war Port Royal ein zweites Pompeji. Bis Ende 1967 hob er ein Feld von 155 m mal 50 m mit einer Durchschnittstiefe von 5 m aus. Hier dürften dreißig bis vierzig Häuser gestanden haben, von denen das Erdbeben bis auf drei alle zerstörte. Durch den Vergleich von Monogrammen auf Zinn- und Silbergefäßen aus dem Wasser mit Eigentumsnamen auf alten Stadtkarten von Port Royal konnte Marx viele Häuser identifizieren: Wohnhäuser, Werkstätten eines Schuhmachers und eines Zimmermanns, eine Zinn- und Silberschmiede, zwei Tavernen, den Fisch- und den Fleischmarkt. Außerdem entdeckte er die Überreste zweier Schiffe. Die Taucher konnten bei der schlechten Sicht nur mit einem langen Metallstab nach Mauern stochern und mit einem Metalldetektor suchen. Sobald sie die Airlifts anstellten, sahen sie nichts mehr unter Wasser. Die Arbeit war gefährlich, die Mauern gaben nach, und immer wieder saßen Taucher unter Mauerresten gefangen.

Marx barg weit mehr Funde, als aus allen Wracks des Karibischen Meers zusammen gehoben worden waren. Es holte zwanzigtausend Eisengegenstände hoch, zweitausend Glasflaschen, sechstausendfünfhundert Tabakspfeifen aus Ton, 3 t Menschen- und Tierknochen, fünfhundert Zinn- und Silbergeräte, zwei große Schätze von Pieces of eight. Und doch hatte er nicht einmal fünf Prozent der Stadt erforscht.

Als sein Vertrag auslief, untersagte die Regierung die Baggerarbeiten in Port Royal: Sie wollte die alte Piratenstadt bewahren.

1968 löste Philip Mayes Robert Marx ab, ein englischer Archäologe, den das British Ministry of Overseas Development der Regierung von Jamaika als Berater schickte.

Robert Marx suchte nun im Auftrag Jamaikas die beiden Schiffe, die Kolumbus 1503 bei seiner vierten und letzten Entdeckungsreise aufgegeben hatte. Mit Hilfe von Professor Edgertons Instrumenten fand er sie auch. Es sind die ältesten bekannten europäischen Wracks in Amerika. Aber die Regierung hatte kein Geld für ihre Bergung, und so blieben sie vorerst, wo sie waren.

Philip Mayes grub vor allem in den vom Meer nicht überschwemmten Teilen der Stadt. Er begann seine Arbeit an einer Stelle, die für den Bau eines Hotels vorgesehen war. Zwischen 1968 und 1971 machte er die ersten wirklich archäologischen Ausgrabungen in Port Royal.

Er richtete sich in einem alten Marinehospital ein Büro und ein Konservierungslabor ein – viele Funde Links waren inzwischen wegen mangelnder Konservierung zerfallen. Mayes wollte das Port Royal aus der Zeit vor dem großen Erdbeben 1692 freilegen: Die Stadt war gleich danach wieder aufgebaut, später mehrfach zerstört und erneut aufgebaut worden. 1968 lebten fünfzehnhundert Menschen in Port Royal. Das Henry-Morgan-Port-Royal war das einzige Beispiel einer britischen Stadt aus dem 17. Jahrhundert in Amerika. Mayes schlug vor, welche Teile trockengelegt und welche von Tauchern unter Wasser ausgegraben werden sollten.

Mayes Nachfolger war der britische Archäologe Anthony Priddy. Nun gab es ein richtiges Port-Royal-Team, das grub und ein Port-Royal-Museum plante und Geld von der UNESCO bekam. 1974 wurde ein Jamaikaner Kurator des Museums, Roderick Ebanks. Er schlug statt eines kleinen Heimatmuseums mit Funden aus Port Royal ein Nationales Museum für Historische Archäologie in Jamaika vor. Die Regierung nahm seinen Vorschlag an, und im Oktober 1978 öffnete das neue Museum seine Tore.

Die Ausgrabung in Port Royal leitete seit 1975 George Anthony Aarons. Aarons, 1953 in Kingston geboren, hat in Cambridge Archäologie studiert und sich bei George Bass in Austin, Texas, auf Archäologie unter Wasser spezialisiert. Er ist der Typ des neuen Archäologen, wie wir ihn in den letzten Jahren überall auf der Welt antreffen: Wo bislang Teams aus Europa und Amerika gruben, holen die Einheimischen die Geschichte ihrer Länder nun selbst aus der Erde. Aarons wollte den Kultur-Tourismus in Jamaika auf die Beine bringen. Port Royal, so meinte er, könne eines Tages eine Touristenattraktion werden wie berühmte archäologische Ausgrabungen und Museen an anderen Stellen der Welt.

Nun gab es drei Unterwasser-Projekte in Jamaika: Port Royal, die beiden Kolumbus-Schiffe, die Marx an der Nordküste fand, und dann Schiffswracks auf der Pedro Bank, einigen Riffen im Meer, neunzig Seemeilen südlich von Jamaika.

Mehrere Schatzjägerfirmen baten die Regierung Jamaikas um die Erlaubnis, auf diesen Wracks tauchen und Schätze heben zu dürfen. Doch die Regierung wollte nicht, daß Schatzjäger Wracks und Wissen zerstören. Sie bat 1981 das Institute of Nautical Archaeology, das George Bass leitete, die Wracks auf den Bänken zu untersuchen.

Das Taucherteam des Instituts, Archäologiestudenten aus Jamaika und den USA, fand fünf historisch bedeutsame Wracks und mehrere weniger wichtige. Sie fürchteten stets, daß Schatzjäger kommen, Urlauber in Booten, die meinen, sie hätten ein natürliches, ihnen angeborenes Recht, alles zu nehmen, was sie kriegen können – andere könnten das ja auch versuchen.

Ein Schiff in Texas

D er Staat Texas war der erste der Anrainer am Karibischen Meer, der den Zerstörungen der Schatzjäger auf Wracks einen gesetzlichen Riegel vorschob. Schatzjäger der Firma Platoro Incorporation aus Indiana entdeckten 1967 zwei spanische Schiffe vor Padre Island, einer Insel vor der texanischen Küste. Als mehrere Zeitungsartikel über die Schatzjäger erschienen, erbosten die Leser sich darüber, daß Schätze aus Texas in einen anderen Bundesstaat gebracht werden sollten.

Die beiden Wracks gehörten zur Silberflotte von 1554. Ein drittes Wrack der Flotte – das wußten Einheimische von Padre Island – war in den späten vierziger Jahren beim Ausbaggern einer Fahrrinne quer über die Insel zwischen der Laguna Madre und dem Golf von Mexiko zerstört worden. Nur ein paar Münzen und ein Anker waren von ihm geblieben.

Der Aufschrei der Öffentlichkeit – so nannte der Archäologe Barto Arnold die heftigen Reaktionen in Texas – erzwang das Ende des Wrackplünderns. Der Staat sollte sich nicht länger mit 25 Prozent Gewinn an der Schatzjagd beteiligen, hieß es, sondern gefälligst das kulturelle Erbe aller Bürger in der Erde und unter Wasser schützen. Die Politiker beschlossen 1969 ein entsprechendes Gesetz und schufen eine Altertumsbehörde. Die Schatzjäger aus Indiana kamen vor Gericht und mußten alle Schätze vom ersten Wrack, das sie bereits vollkommen zerstört hatten, dem Staat Texas zurückgeben. Mit der Arbeit am zweiten Wrack hatten sie gerade erst begonnen – die Öffentlichkeit hat das Wrack für die Wissenschaft und für sich selbst gerettet.

Mitarbeiter der neuen Altertumsbehörde fertigten 1970 mit Protonenmagnetometern eine Karte des Wracks an und planten seine

Ausgrabung. Der Staat übernahm einen Großteil der Kosten, und historische und archäologische Stiftungen und Institute sowie der Nationalparkservice steuerten ihr Scherflein bei. 1972 begann die erste archäologische Grabung in amerikanischen Hoheitsgewässern. Leiter der Grabung war Carl Clausen, derselbe, den die Behörden von Florida zu Kip Wagner geschickt hatten, damit er aufpaßte, daß der Staat nicht zu kurz kam. Sein Assistent war Barto Arnold. Als Ausgräber trafen nun muntere Archäologiestudenten der Universität Austin auf Padre Island ein. Die Archäologen – 1972 waren es elf und im Jahr darauf 23 – nisteten sich in Port Mansfield ein, dessen Bevölkerung ganze sechzig Köpfe zählte.

Die Studenten hatten viel Spaß an der Hemingway-Umgebung. Ihr Haupttreffpunkt am Abend war der Red Dog Saloon, das Wirtshaus zum Roten Hund in Port Mansfield, wo es Elektrizität und kaltes Bier gab.

Während die Archäologen tauchten, begann der Historiker Robert Weddle die Geschichte der Flotte von 1554 zu erforschen. Die Ordensschwestern an der alten spanischen Forschungsbibliothek der Mission in San Antonio, Texas, halfen ihm. Sie reisten nach Mexiko-City und nach Sevilla und arbeiteten viele Monate in den Archiven: Wie hießen die Schiffe? Was hatten sie geladen? Welche Leute reisten auf ihnen? Was passierte mit der Flotte?

Das Schiff vor Padre Island lag etwa 50 m vom Strand entfernt in 5 bis 7 m Wassertiefe und bis zu 2 m unter Sand und betonharten Korallen. Das Wasser war so trübe, daß die Taucher kaum ihre ausgestreckte Hand sehen konnten. Sie brauchten elektronische Augen. Das nützlichste Suchgerät war wieder das Protonenmagnetometer. Stellt man ein solches Gerät auf Entfernung ein, kann man ein Wrack finden. Stellt man es auf Nähe ein, so kann man innerhalb eines Wracks herausbekommen, wo ein Nagel liegt. Nach den Anzeigen des Protonenmagnetometers zeichnete ein Computer eine Karte der Wrackreste. Die Arbeit mit den raffinierten, aber feinen und störanfälligen Instrumenten, vor allem das Aufeinanderabstimmen aller Geräte, die suchten, zeichneten und den Standort unter Wasser bestimmten, war sehr zeitaufwendig.

Die Taucher hoben 12 000 kg verkrusteten Metalls. Während der Arbeit am Wrack sahen sie kaum etwas von den Funden, und die Studenten beklagten sich, daß sie eigentlich immer nur Nummern-

Gabriele Hoffmann

schilder an Kalksteinbrocken befestigten. 85 Prozent der Gegenstände aus dem Schiff hoben sie als harte Steinbrocken aus dem Wasser. Die übrigen fünfzehn Prozent waren schwere Gegenstände aus Eisen, Bronze, Blei, Silber oder Gold. Die Brocken kamen ins Labor der Universität Austin, wo Wissenschaftler sie untersuchten. Die Taucher brachten – wie sie später sahen – 362 Silbermünzen nach oben, 37 Silberbarren, von denen der kleinste wenige Gramm, der größte 14 kg wog, und zwei Goldbarren. Sie hoben vier Kanonen, Anker, Bolzen, Waffen und Handwerkszeug der Seeleute, Nägel, 68 Kanonenkugeln aus Stein, Blei und Eisen, eine Armbrust und ein Panzerhemd aus Ketten. In den Brocken lag auch das persönliche Eigentum der Seeleute und Passagiere: ein goldenes Kruzifix und eins aus Holz, einige Zinnteller und Schalen aus England, Steinkrüge aus Köln, Schuhschnallen, ein silberner Fingerhut und Navigationsinstrumente aus Messing – drei Astrolabien und ein Zirkel –, dann Obsidianklingen und ein Spiegel aus poliertem Eisenpyrit, die indianische Handwerker hergestellt hatten. Außerdem hoben die Taucher schwere Steinbrocken, die die Überreste von Kiel und Rumpf des Schiffs enthielten.

1973 war die Ausgrabung abgeschlossen bis auf eine kleine Nachsuche 1975.

Inzwischen waren die Missionsschwestern aus den Archiven in Mexiko und Spanien mit vielen Metern Mikrofilm nach Texas zurückgekehrt. Die drei Wracks vor Padre Island hießen *San Esteban*, *Espíritu Santo* und *Santa Maria de Yciar*. Das letzte zerstörten die Bagger, die *Espíritu Santo* die Schatzjäger, und nur die *Esteban* untersuchten die Archäologen.

Anfang April 1554 verließen die Schiffe Veracruz. Sie hatten Silbermünzen, Silberbarren und einige Goldbarren an Bord, Metall im Wert von zwei Millionen Pesos, was 1975 einem Wert von zehn Millionen Dollar entsprach. Sie brachten Wolle nach Hause, Koschenille, Rinderhäute, Zucker, medizinische Kräuter, Passagiere und die Post. Drei Passagiere reisten als Gefangene zu Gerichtsprozessen in Spanien, darunter eine Frau, Doña Catalina, die, so behaupteten ihre enterbten Verwandten, geholfen haben sollte, ihren reichen Ehemann umzubringen.

Nach zwanzig Tagen auf See gerieten die Schiffe in einen Hurrikan. Drei Schiffe liefen vor dem Sturm, bis sie vor Padre Island strandeten und sanken, ein viertes, die *San Andres*, erreichte schwerbeschädigt Havanna. Zweihundert Menschen ertranken vor Padre Island, hundert retteten sich auf die Insel, viele Meilen nördlich des nächsten spanischen Militärpostens.

Francisco del Huerto, der Kapitän der *San Esteban*, segelte in einem Rettungsboot nach Veracruz zurück, wo er mit etwa dreißig Leuten Mitte Mai ankam – Genaueres konnten die Missionsschwestern nicht finden. Die übrigen siebzig Schiffbrüchigen sollten auf Padre Island bleiben und auf die Bergungsmannschaft aus Veracruz warten.

Was auf der Insel geschah, ist unklar. Möglich, daß einige der Zurückgebliebenen dachten, sie wären nur ein, zwei Tagesmärsche von der spanischen Zivilisation entfernt, und die übrigen überredeten, nach Süden zu gehen. Möglich ist aber auch, daß Indianer die Überlebenden der drei Wracks von ihren Vorräten abdrängten und sie daher beschlossen, zum nächsten spanischen Ort aufzubrechen. Der Zug der Schiffbrüchigen nach Süden wurde zum Todesmarsch. Indianer verfolgten und beschossen sie. Sie glaubten, daß die Indianer ihre Kleider haben wollten, und so zogen sie sich nach und nach immer weiter aus, bis sie, Männer, Frauen und Kinder, schließlich nackt weitertaumelten. Sie bluteten aus Pfeilwunden und waren erschöpft von Durst und Hunger. Täglich blieben Tote zurück, auch Doña Catalina und ihre schwarze Sklavin starben. Nur der Mönch, Bruder Marcos de Mena, kam lebend davon.

Die Bergungsschiffe erreichten Padre Island im Juli 1554 und blieben bis September. Die Taucher retteten die Hälfte des Schatzes, holten Kisten und Säcke voll Silber aus der *San Esteban*. Die Berichte erzählen, wie traurig die Matrosen wurden, wenn sie die Seekisten von Leuten sahen, die sie kannten und die nun tot waren. Ehe der Leiter der Bergung vor Schluß der Arbeiten das Silber wog, ließ er alle Mann von Bord der Schiffe holen und die Schiffe durchsuchen, denn überall hatten die Matrosen Pieces of eight versteckt.

Im Labor untersuchten Wissenschaftler und Techniker die Überreste der *San Esteban*. Sie röntgten jeden Steinbrocken, um herauszufinden, wie die Gegenstände darin lagen, und lösten sie dann ganz vorsichtig heraus.

Die *San Esteban* besaß wahrscheinlich einmal vier Masten und einen Bugspriet. Sie muß ein niedriges Schiff mit Segeleigenschaften gewesen sein, die wir heute armselig nennen, die aber für das 16.

Jahrhundert wohl durchschnittlich waren. Die Archäologen rechneten ein bißchen hin und her und schlugen folgende Abmessungen vor: Rumpflänge 20,12 m, Breite 5,48 m und Tiefe 3,28 m – die krummen Zahlen ergeben sich aus der Umrechnung von Yards in Meter. Die *San Esteban* war also ein kleines, gewöhnliches Schiff. Das Wichtigste in ihrem Lebenslauf war, daß Gelehrte späterer Zeiten sie fanden und betrachteten, wohingegen ihre schönen Schwestern abgewrackt wurden oder sanken und Schatzjägern in die Hände fielen. Trotz dieser etwas spärlichen Ergebnisse ist die *San Esteban* das Schiff aus der Zeit der Silberflotten, über das wir am meisten wissen.

Eine Ausstellung der Funde aus der *San Esteban* reiste durch Texas, und viele Besucher bestaunten die Gegenstände. Die Funde blieben öffentliches Eigentum, jeder kann sie heute in Corpus Christi im Museum ansehen, der Antiquitätenmarkt verstreute sie nicht über die ganze Welt wie die Funde der Schatzjäger, von denen nach kurzer Zeit niemand mehr weiß, woher sie stammen. 1977 beschlossen die texanischen Politiker ein noch schärferes Gesetz zum Schutz von Altertümern.

Nach den Berichten der Schatzjäger haben einige von ihnen Wracks auseinandergerissen, von denen weit mehr übriggeblieben war als von der *San Esteban*. Zwischen 1500 und 1820 segelten, so schätzen Historiker, siebzehntausend spanische Schiffe aus Westindien und Amerika nach Hause. Wahrscheinlich sanken fünf Prozent von ihnen – achthundertfünfzig Schiffe –, und aus fünfhundert von diesen bargen die Spanier damals selbst die Ladung. In der Karibik liegt also keine unendlich große Zahl von historischen Wracks, von denen außerdem wahrscheinlich nur noch wenige in einem Zustand sind, der eine archäologische Untersuchung lohnend macht. Und doch geht die Schatzjagd mit ihrer Zerstörung der Wracks weiter.

Schatzsucher-Aktiengesellschaft

Experten schätzen, daß in den Jahren zwischen 1500 und 1720 Edelmetalle im Wert von über zwanzig Milliarden Mark in der Karibik versunken sind. Sie schätzen weiter, daß Berufsschatztaucher allein in den Jahren von 1976 bis 1983 Kostbarkeiten im Wert von fünf Milliarden Mark aus Wracks gehoben haben. Andere Experten meinen, daß für die Schatzsuche insgesamt mehr Geld ausgegeben wurde, als jemals im Meer versank.

Diejenigen, die Aufwand und Ertrag in einem lohnenden Verhältnis zu halten verstehen, sind keine abenteuerlustigen Sporttaucher, obwohl es noch immer Berichte von Leuten gibt, die einfach in den Ferien mal tauchen und mit ein paar Goldbarren vom Riff hochkommen. Solche Geschichten heizen das Geschäft an. Die große Schatzsuche betreiben kühl rechnende Profis. Die Profis planen ihre Operationen präzise, lassen in den Archiven nach lohnenden Wracks suchen und setzen auf dem Meer modernste Technik ein. Sie machen sich gegenseitig die Riffe streitig und stecken unter Wasser Claims ab, wie einst die Goldgräber in Alaska. Bewaffnete Mannschaften bewachen die Fundstellen Tag und Nacht. Die Unternehmen kosten meist mehrere Millionen Mark und werden von kapitalkräftigen Geldgebern finanziert.

Viele karibische Staaten sind arm. Es ist schwer, gezielt ein Silberwrack zu finden, und die Suche ist teuer. Einige Staaten arbeiten mit Schatzfirmen zusammen.

Die Dominikanische Republik war lange zurückhaltend mit der Erlaubnis für Ausländer, in ihren Gewässern nach Schatzschiffen zu suchen. 1976 erlaubte die Republik der Bergungsfirma Caribe Salvage, die Schätze aus zwei Quecksilber-Galeonen zu heben. Staat und Firma wollten sich die Funde teilen. An Bord des Bergungsschiffs waren Offiziere der Dominikanischen Republik. Die Berger zogen Mendel Peterson hinzu.

Die beiden Galeonen *Nuestra Señora de Guadelupe* und *Conde de Tolosa* kamen aus Cadiz in Spanien und sollten Quecksilber für die Silberminen Mexikos nach Veracruz bringen. Beide Schiffe sanken 1724 mit Fracht und Hab und Schmuggelgut der Passagiere. Die Berger meinten, die Quecksilberladung würde 1976 noch drei Millionen Dollar einbringen.

Die *Nuestra Señora de Guadelupe* liegt an der Nordküste der Dominikanischen Republik. Ihr Rumpf ist noch so fest, daß die Taucher anfangs nicht in das Schiff hineinkamen. Sie zeichneten den Rumpf, der, eingegraben in Schlamm, unten noch 36 m lang und 10 m breit ist. Schließlich gelangten sie doch in sein Inneres. Mendel Peterson sah, daß es tief unten im Schiff für das flüssige

Gabriele Hoffmann

Quecksilber einen besonderen, gesicherten Laderaum gab. Die Taucher fanden auch schönes Tafelgeschirr und im Vorschiff Hunderte unbeschädigter Kristallgläser, originalverpackt.

Noch ehe die Caribe Salvage die Suche nach dem zweiten Spezialschiff für Quecksilbertransporte, der *Conde de Tolosa*, aufnehmen konnte, entdeckte ein Fischer das Wrack, hob zahlreiche Funde und verkaufte sie an private Sammler. Die gründlichen Taucher der Schatzfirma fanden Kisten und Fässer mit Quecksilber und im Heck zwei goldene Broschen und zwei goldene Anhänger, alle mit Diamanten und Smaragden besetzt.

Die Dominikanische Republik gestattete auch einem Team von amerikanischen Berufsschatzjägern unter Burt Webber und Jack Haskins die Suche nach der märchenhaften Galeone, die William Phips zum reichen Mann gemacht hatte, nach der *Nuestra Señora de la Pura y Limpia Concepción*. Erfahrene Schatzjäger und Historiker glaubten nicht, daß das Wrack noch viel enthielt. Doch sein Achterschiff war nie gefunden worden, und so blieb es durch die Jahrhunderte das Ziel von Schatzjägern. Cousteau war 1968 auf den Silberbänken gewesen und hatte vergeblich nach der Galeone getaucht. Auch Burt Webber und Jack Haskins suchten anfangs erfolglos, bis sie in einem Archiv in Spanien einen Historiker trafen, der ein Buch über die Galeone schreiben wollte, und sich mit ihm zusammentaten. Der Historiker zeigte ihnen eine Kopie des Logbuchs der *Henry*, des Bergungsschiffs von William Phips. Das gab den Amerikanern den entscheidenden Anhaltspunkt. Webber ließ das gesamte Nordriff sorgfältig aus der Luft kartieren. Das war zwar teuer, doch im November 1978 hatte er das Wrack ausgemacht. Es lag in einer Tiefe von 15 m verstreut zwischen den Korallen.

Der Schatz bestand mit Ausnahme von einigen zerschlagenen Stücken von Silbertellern und Kerzenleuchtern aus Pieces of eight. Die Taucher hoben über 1 t Silber, heißt es, doch die meisten Münzen waren angefressen und daher für Münzsammler wertlos: Edelschrott, für den Webber nur den Materialwert abzüglich der Kosten für das Einschmelzen zu Silberbarren handelsüblicher Größen erwarten konnte. Deshalb ließ er die Pieces of eight in vielen Städten der USA ausstellen, und viele Leute bestaunten den Schatz, an den sich die Geschichte des Zimmermanns heftete, der Gouverneur wurde. Durch das Eintrittsgeld kam Webber wohl auf seine Kosten. Gut informierte Taucher bezweifelten nämlich, daß die Funde aus der *Concepción* wirklich, wie er behauptete, mehrere Millionen Dollar wert waren. Sie meinten, die Suche allein hätte ihn vierhundertfünfzigtausend Dollar gekostet, und er könne froh sein, wenn Ausgaben und Einnahmen sich ausglichen.

Der erfolgreichste Schatzjäger der siebziger und ersten achtziger Jahre war Mel Fisher, in den Sechzigern Kompagnon von Kip Wagner. Fisher kam als erster auf die Idee, die teuren Expeditionen nicht aus eigener Tasche zu finanzieren. Seine Firma Treasure Salvors Incorporated verkaufte Anteile an der Beute aus Wracks, die noch gar nicht gefunden waren – ein Beispiel, das viele Schatzfirmen nachahmen.

Schatzsuche wurde zu einer beliebten Geldanlage in den USA. Im Falle eines Mißerfolges können die Investoren 85 Prozent der Kosten von der Steuer absetzen, für Schätze dagegen müssen sie höchstens zwanzig Prozent Steuern zahlen.

Mel Fisher organisierte die Suche nach den Galeonen *Nuestra Señora de Atocha* und *Santa Margarita*, die beide in einem Hurrikan im September 1622 in Sichtweite voneinander westlich der Florida Marquesas Keys sanken. Spanische Berger hoben damals einen Teil des Schatzes aus der *Santa Margarita*. Die *Atocha* fanden sie nicht.

Fisher schloß einen Vertrag mit dem Staat Florida. Nach fünfjähriger Suche fand er im Juni 1971 die *Atocha*, so behauptete er – ganz sicher ist es nie, welches Schiff die Schatzjäger tatsächlich haben, weil sie sich nicht mit wissenschaftlichen Beweisen aufhalten. Die Suche hatte zwei Millionen Dollar gekostet. Sechs Millionen Dollar holte Fisher bis 1975 angeblich hoch und machte sich einen großen Namen in der Welt des Schatzgeschäfts.

Die Käufer der Anteile am Schatz der *Santa Margarita* erhielten für ihren Einsatz das Recht, siebzehn Prozent aller Vermögenswerte einzustreichen, die aus der Galeone geborgen würden. Fisher fand die *Santa Margarita* 1980, und sie wurde ein Bombengeschäft für die Investoren. Im Spätherbst 1981 hatten Fishers Taucher 118 Pfund Gold, 50 m Goldketten und 56 Goldmünzen gehoben, und die Investoren machten einen Gewinn von vier- bis fünfhundert Prozent. Einerseits erzählten die Taucher, daß von beiden Galeonen nicht viel übriggeblieben sei, andererseits berichteten sie, daß sie große Teile vom Rumpf der *Santa Margarita* gesehen hätten. Von den Schätzen aus beiden Schiffen heißt es, sie hätten einen Kunstwert von zwanzig, vielleicht sogar 27 Millionen Dollar – sobald die gesetzlichen Schwierigkeiten vor ihrer Aufteilung und ihrem Verkauf überwunden seien.

Schwierigkeiten gab es für Mel Fisher in jeder Hinsicht. Bei der Suche nach der *Atocha* verlor er Sohn und Schwiegertochter bei einem Bootsunglück. Er fühlte sich stets von Rivalen bedroht. Als er die *Atocha* fand, soll es zu Schußwechseln gekommen sein. Bei der Aufteilung der Schätze geriet er mit seinen Kompagnons in Streit. Der Staat Florida strengte gegen ihn einen Prozeß an. Der Staat meinte, nicht genügend vom Schatz abbekommen zu haben. Doch die Gesetze waren gegen den Staat. Die Bundesregierung in Washington klagte ebenfalls auf Herausgabe der archäologischen Funde, und die Rechtsanwälte der Schatzfirma fochten lange Gesetzesschlachten aus und schlugen die Ansprüche der Regierung nieder. In den USA blieb der Gedanke lange lebendig, daß ein archäologischer Schatz seinem Finder gehört und nicht der Allgemeinheit.

Über fünfzig Jahre sind seit den Abenteuern der Familie Crile vergangen, und noch immer wissen wir nicht, wie eine Schatzgaleone aussah und wie die übrigen Schiffe, die das Karibische Meer vor Jahrhunderten befuhren. Die »wrackers« sind noch am Werk, selbst historische Überbleibsel dunklerer Zeitalter. Vielleicht heuert eine Schatzfirma heutzutage vorsichtshalber einen Archäologen an, um einem Aufschrei der Öffentlichkeit wie in Texas zuvorzukommen. Aber der Archäologe hat niemals etwas zu sagen, und keine ernsthafte Veröffentlichung ist bis jetzt aus dieser ungleichen Zusammenarbeit hervorgegangen. Auch aus der Kontraktarchäologie beim Bohren nach Öl oder Verlegen von Pipelines ist bis jetzt noch nichts herausgekommen. Das meiste, was der Öffentlichkeit in der Karibik – aber auch anderswo – als Archäologie unter Wasser verkauft wird, ist nicht mehr als Schatzjagd nach Profit.

STÜRMISCHE ENTWICKLUNG

Kleiner Rundblick I

Im ersten Teil dieser Geschichte der Archäologie unter Wasser haben wir den Weg der Forscher in DIE TIEFE verfolgt und eine Ahnung von den Lebensspuren früherer Generationen auf dem Meeresgrund bekommen.

Im zweiten Teil haben wir den großen Schatz kennengelernt, den tauchende Archäologen finden können, Schiffe mit einem Querschnitt aus einem fernen Alltag, versunkene Welten, von denen die WELTSENSATION WASA am meisten Aufsehen erregte.

Im dritten Teil haben wir miterlebt, welche EXPERIMENTE Archäologen auf dem Seeboden machten, bis sie unter Wasser ebenso genau ausgraben konnten wie an Land, haben erlebt, wie Wissenschaftler selbst aus einem weitgehend zerstörten Wrack die Zeitkapsel rekonstruieren können.

Im vierten Teil haben wir am Beispiel der Karibik gesehen, wie durch Unwissenheit und fehlende Gesetze der Egoismus einzelner Erkenntnisse und Freuden für viele Museumsbesucher zerstören kann, wie die Jagd nach PIECES OF EIGHT das Öffnen von Zeitkapseln verhindert.

Der Kampf der tauchenden Archäologen um die Anerkennung ihrer Arbeit als Wissenschaft und gegen die Schatzjäger war Ende der sechziger, Anfang der siebziger Jahre noch unentschieden. Doch unabhängig davon setzte in diesen Jahren eine stürmische Entwicklung der Archäologie unter Wasser ein. Der Kreis der tauchenden Archäologen vergrößerte sich. 1971 erschien die französische Zeitschrift ›Cahier d'archéologie subaquatique‹, und 1972 erschien ›The International Journal of Nautical Archaeology and Underwater Exploration‹. Joan du Plat Taylor, die Archäologin, die am Kap der Schwalben dabei war und selbst nicht tauchen lernen wollte, gab die Zeitschrift heraus und machte sie zu einer Plattform für archäologi-

Gabriele Hoffmann

sche Forschung unter Wasser. Im selben Jahr 1972 gab die UNESCO einen Band heraus: »Underwater Archaeology: A Nascent Discipline«, Unterwasserarchäologie, ein Zweig der Wissenschaft, der gerade entsteht. Die tauchenden Archäologen trafen sich häufiger als bisher zu Konferenzen, legten immer neue, aufregende Ergebnisse ihrer Arbeit in der Tiefe vor, so daß auch die zweifelnden, etablierten Archäologen nicht mehr umhinkonnten, die Kollegen wenigstens zur Kenntnis zu nehmen.

An vielen Stellen der Welt konnten Küstenbewohner und Urlauber sich inzwischen das Tauchen leisten. Wo viel getaucht wird, wird auch viel gefunden. An zahlreichen Orten waren fleißige Forscher dabei, Bausteine zur Geschichte zusammenzutragen, und Unscheinbares, das man früher weggeworfen hätte, wurde nun betrachtet und verglichen. Manche Entdeckungen waren in ihrer Bedeutung noch nicht abzuschätzen, und oft lagen Grabungsergebnisse lange nicht gedruckt vor.

Das war damals zum Beispiel in den Niederlanden so, ausgerechnet beim größten Fall von Schlammarchäologie auf der Welt: in der trockengelegten Zuidersee. Ein 32 km langer Damm trennt die frühere Zuidersee von der Nordsee, und von fünf geplanten Poldern – eingedeichtem Neuland – waren vier fertig. Beim Bau der Polder und bei ihrer Entwässerung kamen – und kommen immer noch – zahlreiche historische Spuren zum Vorschein: von den Resten von Siedlungen aus der Steinzeit bis zu Häusern aus dem Mittelalter, von jahrhundertealten Schiffswracks bis zu abgestürzten Flugzeugen aus dem Zweiten Weltkrieg. Wissenschaftler der Universität Groningen begannen 1942, während des Baus des Nordoostpolders, Schiffswracks zu erforschen. 1971 bekamen die Archäologen ein Museum voor Scheepsarchaeologie im neuen Polder Flevoland, in Ketelhaven. Dokumentation im Feld, Ausgraben und Konservieren der geborgenen Schiffe nahmen so viel Zeit in Anspruch, daß die Veröffentlichungen der Ergebnisse weitgehend liegenblieben: Den Archäologen fehlten Mitarbeiter. Dreihundertfünfzig Wracks hatten sie Anfang der siebziger Jahre kartiert, oft nur Schiffsteile, oft aber auch mehr, einhundertvierzig Schiffe erforschten sie näher, davon allein zwanzig aus dem Mittelalter.

Die Bauern haben sich an den Anblick von Tiefladern gewöhnt, die alte Holzschiffe abfahren. Die Schiffe werden sichtbar, wenn große Maschinen in die Polder kommen, Bagger, Sandsauger, Schneidsauger, Bulldozer, Furchenfräsen, Drainiermaschinen, also beim Bau von Kanälen und Abwassergräben und bei der Ackerentwässerung. Bis heute ist die Zahl der gefundenen Wracks vom 14. bis zum 19. Jahrhundert in den Poldern auf 435 gestiegen, und in Lelystad gibt es nun ein Niederländisches Institut für Schiffs- und Unterwasserarchäologie. Die Zuidersee scheint der einzige Ort auf der Welt zu sein, wo kleine und mittelgroße Schiffe, die zu einem ganz genau bekannten Seegebiet gehören, über einen sehr langen Zeitraum studiert werden können. Gerade über den Bau und Gebrauch von kleinen und mittleren Schiffen verraten die geschriebenen Quellen besonders wenig.

Auch andernorts tauchten Wracks auf. Professoren und Studenten der Universität Amsterdam begannen 1968, am Südufer des Alten Rheins ein römisches Fort auszugraben: Zwammerdam, das die Römer Nigropullo nannten, eins von zwanzig Forts, die sie flußabwärts von Xanten anlegten, um ihre Eroberung Germania Inferior vor den Angriffen der freien Germanen zu schützen. Studenten fanden bis 1974 drei Einbäume, ein Steuerruder und drei Lastkähne – lange schmale flachbödige Schiffe aus Eichenholz, zwei etwas über 20 m, eines 34 m lang. Mit solchen Schiffen brachten die Römer vor über zweitausend Jahren Baumaterial für ihre Forts rheinabwärts – Sandsteinquader, Schieferplatten, Dachziegel – und Getreide für die Soldaten.

Die Blicke der Forscher schärften sich, und an immer mehr Stellen in den Niederlanden, in Großbritannien, Belgien, Deutschland, in der Schweiz fanden sie nun Überreste römischer Schiffe. Eine große Diskussion setzte ein, die heute noch mit jedem neuen Fund eines Römerschiffs weiterwächst: Woher kamen die vielen unterschiedlichen Formen römischer Schiffe – was haben die Römer aus Italien mitgebracht und was haben sie in den eroberten Ländern übernommen? Die Schiffe von Zwammerdam wurden zum »Typ Zwammerdam«. Kommt dieser Typ aus dem Mittelmeerraum oder zeigen sich in ihm keltische Traditionen oder hat man doch noch zu wenig Funde, um Flußschiffe vom Rhein und der Themse mit Seefahrzeugen aus dem Mittelmeer vergleichen zu können?

Aus der stürmischen Entwicklung der Archäologie unter Wasser

Gabriele Hoffmann

seit dem Ende der sechziger Jahre habe ich drei Geschichten ausgewählt:

1. Wie eine klar formulierte historische Frage – warum scheiterte
die Spanische Armada 1588 vor England? – zu erstaunlichen Ergebnissen führen kann, obwohl von den Schiffen nur wenig übriggeblieben ist. Englische Archäologen untersuchten mehrere Wrackreste.
Kein einzelner Rest beantwortete die Frage, doch alle zusammen
geben eine Antwort.

2. Wie die West-Australier sich aus Wracks von Ostindienfahrern
und von Schiffen aus der Kolonialzeit eine Geschichte zulegen: Es
gab in West-Australien zuerst Schutzgesetze für Wracks und dann
tauchende Archäologen.

3. Wie Archäologen unter Wasser nach Dörfern suchen, deren
Bewohner lange vor der Erfindung der Schrift lebten und arbeiteten.
Hier gibt es keine Archive, die helfen können, Funde zu deuten und
mit Leben zu füllen. Hier hängt es allein vom Scharfsinn der Forscher ab, die Funde selbst zum Sprechen zu bringen. Als Historikerin, die gelernt hat, die Antworten auf ihre Fragen in Archiven zu
finden, kommt mir die Prähistorie immer wie die Krone der Archäologie vor.

Warum scheiterte die Spanische Armada?

Der Engländer Sidney Wignall war von seiner Ausbildung her
Historiker, von Beruf Journalist und in seiner Freizeit Sporttaucher. Er war ein Dickkopf mit einer Leidenschaft für planmäßi-
ges Vorgehen. Er hatte eine Schwäche für Kanonen, und er glaubte
den Geschichtsbüchern nicht.

Vor allem beschäftigte ihn das Scheitern der mächtigen Flotte, die
Philipp II. von Spanien 1588 gegen Elisabeth I. von England aus-
gesandt hatte. Die Spanier auf ihren starken Schiffen verloren die
Seeschlacht, hieß es in englischen Geschichtsbüchern, weil die englischen Seeleute und Kanoniere eben besser waren. Sie verloren, weil
der Befehlshaber der Armada, der Herzog von Medina Sidonia,
unfähig war, eine große Flotte zu leiten. Das hatte der Herzog selbst
seinem König geschrieben.

Sidney Wignall, der sich seit 1960 mehr und mehr in die Geschichte der Armada vertiefte, kamen diese Antworten zu glatt vor. Die Spanier waren gute Seeleute und gute Soldaten. Aber waren ihre Schiffe wirklich so stark und herrlich, wie Zeitgenossen berichteten? Warum versagten die schweren spanischen Kanonen gegen die viel leichteren Kanonen auf den englischen Schiffen im Kampf aus kurzer Entfernung – als die Wirkung der großen Kanonen am durchschlagendsten hätte sein müssen? Und wieso hatte König Philipp dem Herzog von Medina Sidonia trotz dessen selbsteingestandener Unfähigkeit das Kommando über die Flotte gelassen?

Don Alonso Pérez de Guzmàn el Bueno, Herzog von Medina Sidonia, übernahm die Planung für die Armada im Februar 1588. Im Juli 1588 segelten einhundertdreißig Schiffe nach England. Sie hatten 30 656 Männer an Bord, 2431 Kanonen, Pferde und Maultiere, Proviant und Handwaffen, Munition und alles, was die Soldaten für eine Landung an den Stränden von Kent und für einen Sturmangriff auf London brauchten. Philipp II. wollte die spanische Seeherrschaft gegen das aufstrebende England verteidigen, und er wollte den katholischen Glauben wiederherstellen: Im Jahr zuvor hatte Elisabeth I. Maria Stuart, die katholische Königin der Schotten, enthaupten lassen. Die heilige Standarte der Kreuzfahrer wehte vom höchsten Mast der *San Martín*, des Flaggschiffs des Herzogs.

Die Engländer waren erschrocken und tief beeindruckt von dieser gewaltigen Flotte aus starken Schiffen, die in straffer Ordnung im Kanal erschien und nach Calais segelte. Der Herzog von Medina Sidonia sollte vor Flandern noch siebzehntausend Soldaten vom Herzog von Parma übernehmen. Doch der Herzog von Parma hatte sich mit seinen Vorbereitungen verspätet, und während die Armada-Schiffe wartend vor Anker lagen, blockierten holländische Rebellen mit ihren kleinen Schiffen die Häfen, von denen aus die spanischen Soldaten zur Armada hinausgebracht werden sollten. Die Kommandeure der englischen Flotte, Lord Admiral Howard und Vizeadmiral Sir Francis Drake, erkannten die Gelegenheit und ließen bei günstigem Wind brennende Feuerschiffe auf die ankernde Armada los. Die spanischen Kapitäne kappten die Ankerleinen und versuchten, sich zwischen den Engländern in Luv und den Holländern und den Untiefen in Lee freizusegeln: Die starke, geschlossene Kampfeinheit der Armada zerfiel in verwundbare Einzelschiffe.

Noch ehe der Herzog von Medina Sidonia die alte Ordnung

Gabriele Hoffmann

wiederherstellen konnte, griffen die Engländer vor Gravelines an. Fünf Stunden lang kämpften die beiden Flotten gegeneinander, mehrere feindliche Schiffe lagen nur 30 m voneinander entfernt. Doch die brüllenden Breitseiten der mächtigen spanischen Kanonen richteten nichts aus. Die sehr viel leichteren englischen Kanonen dagegen, Neun- und Achtzehn-Pfünder, trafen einige spanische Schiffe so schwer, daß sie später sanken. Die Kanonen der Armada versenkten nicht ein einziges englisches Schiff.

Nach fünf Stunden hatte der Herzog von Medina Sidonia eine schwer angeschlagene Flotte mit Hunderten von Toten und Verwundeten auf den Decks. Seine Schiffe hatten kaum noch Munition. Er konnte nicht mehr auf die siebzehntausend Soldaten des Herzogs von Parma warten. Es war schon September, und die Vorräte an Essen und Trinkwasser auf den spanischen Schiffen waren gefährlich knapp geworden. Er mußte die Armada nach Spanien zurückbringen. Doch den kurzen Weg durch den Kanal versperrten die Westwinde und die Engländer. Der Armada blieb nur der lange Weg nördlich um die britischen Inseln. Englische Schiffe verfolgten sie, blieben aber bald zurück, weil sie selbst keine Munition und kein Trinkwasser mehr an Bord hatten.

Die Herbststürme des Jahres 1588 kamen früh und heftig. Die Spanier waren hungrig, erschöpft und krank. Die Stürme aus dem Atlantik trieben die Schiffe wieder und wieder auf die felsigen Küsten von Westschottland und Irland zu, und viele der Schiffe konnten nicht gegen die Westwinde ansegeln, strandeten und versanken – vielleicht vierzig oder mehr, ein Drittel der Armada.

Im Schloß von Simancas in Nordspanien liegt das Generalarchiv der Spanischen Krone. Unter den rund 33 Millionen Urkunden dort gibt es überwältigend viele Dokumente über den politischen Hintergrund des Zuges der Armada gegen England, über die Kämpfe im Kanal und über die schreckliche Rückreise nach Spanien. Doch über die Schiffe der Armada gibt es fast keine Nachrichten. Nicht eine der 2431 Kanonen überdauerte die Jahrhunderte. Ein englischer Professor versuchte 1961, anhand der Bewaffnungsverzeichnisse der Schiffe die Geschütze kennenzulernen. Doch oft bekam er nicht heraus, welche Art von Kanonen sich hinter den vergessenen alten Namen verbarg.

Sidney Wignall überlegte: Könnte er eine Erklärung für das merkwürdige Scheitern der starken Armada vielleicht zwischen den Trümmern der versunkenen Schiffe finden? Er besuchte Archive in Spanien, England und Irland und stellte eine Liste von Wracks zusammen. Wenn er ein Schiff als Kampfeinheit studieren wollte, brauchte er ein Wrack im offenen Wasser. Eine oder zwei von der Brandung abgeschliffene Kanonen wären nicht genug. Seine erste Wahl fiel auf die *Santa Maria de la Rosa*. Sie war im Blasket-Sund im südwestlichen Irland gesunken.

Wignall sicherte sich die Hilfe des Archäologen Colin Martin, auch Sporttaucher und genauso hartnäckig wie der Journalist. Wignall trieb Geld auf, kümmerte sich um Boote, Lastwagen und Taucher. Er steckte noch mitten in den Vorbereitungen für den Beginn der Suche im Frühjahr 1968, als bekannt wurde, daß Robert Sténuit im Sommer 1967 das erste Wrack der Armada, die *Girona*, bei Lacada Point in Nordirland gefunden hatte.

Robert Sténuit war ein belgischer Taucher, der seit seinen Tieftauchversuchen für Edwin Link in Fachkreisen bekannt war. Er hatte zwei Tage in 140 m Tiefe verbracht. Seit fünfzehn Jahren war er Schatzsucher. Nun, 1967, sah er zum ersten Mal einen Goldring auf dem felsigen Meeresboden glimmen. Das Wasser schäumte wild an den steilen Klippen der Küste. Unten, in 10 m Tiefe, fanden Sténuit und seine Freunde weitverstreut zwischen Felsblöcken und Rinnen goldene Gegenstände, Bleibarren und Pieces of eight. Sie sammelten sie in Netzen und Taschen, wühlten jeden Stein um, versteckten ihren Schatz in einer Höhle unter Wasser und kehrten im April 1968 mit mehr Tauchern und besserer Ausrüstung zurück. Im Frühjahr froren sie unter Wasser, doch als der Sommer kam, wuchsen die Seepflanzen und wurden dick wie Zuckerrohr, und die Taucher arbeiteten wie in einem Dschungel. Sie mußten schwere Bleigewichte an den Gürteln tragen, um von der Strömung nicht mitgerissen zu werden.

Sie fanden Dutzende von silbernen Gabeln, Löffeln, Tellern, fanden Goldkreuze und kleine edelsteinbesetzte Schmucktiere und Parfümfläschchen, die die Offiziere damals vielleicht benutzten, um den Geruch der Sträflinge und Sklaven an den Rudern zu überdecken.

Die *Girona* war nach den Dokumenten in den Archiven eine Kreuzung aus Galeere und Segelschiff. Sie hatte vielleicht vierzehn bis achtzehn Riemen auf jeder Seite und trug drei Masten. Das wohl

45 m lange und 7 m breite Schiff stammte aus Neapel und war mit 121 Offizieren und Matrosen und 244 Ruderern an Bord mit der Armada gesegelt. Ihr letzter Kapitän, Don Alonso Martínez de Leiva, hatte auf der Rückreise um Schottland schon zwei Schiffe im Sturm verloren. Mit zwei schiffbrüchigen Mannschaften stieß er in einer irischen Bucht auf drei weitere hungernde Mannschaften mit zwei zerstörten und einem beschädigten Schiff, der *Girona*. Martínez de Leiva ließ das Ruder der *Girona* flicken und ging mit dreizehnhundert Männern, den Mannschaften von fünf Schiffen, an Bord. Aber in einem neuen schweren Sturm brach das geflickte Ruder, und die *Girona* zerschellte an den Felsen Irlands. Dreizehnhundert Männer, zu erschöpft, um sich zu retten, ertranken in der Brandung, nur fünf erreichten den Strand lebend. Als die englischen Behörden zehn Tage später von dem Untergang erfuhren, hatte ein irischer Adliger schon Schätze und Kanonen gehoben.

Robert Sténuit und sein Team suchten in aller Heimlichkeit. Doch als sie zwei Kanonen entdeckten und sie hoben, wurde die genaue Lage des Wracks bekannt. Zwei Amateurtauchertrupps kamen, um sich an der Schatzjagd zu beteiligen. Sténuit sagte ihnen, daß er Salvor in Possession war, der Berger, der als erster unter dem Schutz des Gesetzes am Wrack arbeitete. Es kam zu Handgreiflichkeiten, doch schließlich zogen die Engländer sich zurück, mit Hohn von Sténuit bedacht. Auch einheimische Neugierige und Urlauber waren ihm lästig. Er und seine Taucher sammelten einhundertvierzig Gold- und sechshundert Silbermünzen und machten ihre Witze über Archäologen, denen ein Stück von einer Bleikugel angeblich soviel erzählte wie eine Kiste voller Goldstücke.

Für Sidney Wignall und Colin Martin war der Fund der *Girona* ein Ansporn. Es war also möglich, an dieser schwierigen Küste die Reste eines Schiffs aus dem Jahre 1588 zu finden. Das Schiff, das sie suchen wollten, war in tiefem Wasser gesunken. Vielleicht würden sie sogar Teile seines Rumpfes entdecken.

Am Sonnabend, dem 13. April 1968, trafen sich elf Männer, durchtrainierte, erfahrene Taucher, im Blasket-Sund. Wignall hatte ein Taucherteam der englischen Marine in Malta so von der *Santa Maria de la Rosa* begeistert, daß die Männer ihre Ferien unbedingt im eiskalten Wasser Irlands verbringen wollten. Wenn der Urlaub der Navy-Männer abgelaufen war, würden Sporttaucher an ihre

Stelle treten. Auf Wignalls Anzeige in der Zeitschrift des Britischen Sub-Aqua-Clubs hatten sich 116 abenteuerlustige Amateure gemeldet, von denen er 43 auswählte.

Die elf Taucher, unter ihnen Colin Martin, suchten den gesamten Sundboden Quadratmeter für Quadratmeter mit der sogenannten Schwimmleinen-Technik ab. Sie maßen dazu auf der Wasseroberfläche ein Rechteck aus und markierten es mit Bojen. Unter Wasser legten sie an der Schmalseite des Rechtecks eine Leine hin, verteilten sich in gleichmäßigen Abständen und schwammen los, jeder eine Hand an der Leine. Nur die äußersten beiden Taucher konnten sich nach Tauen richten, die von den Bojen herabhingen. Die inneren Taucher hatten zur Orientierung nur ihre Leine und bestenfalls ihre beiden Nebenmänner. Beim ersten Mal schwamm Colin Martin wohlgemut, bis plötzlich ein Schatten auf ihn zukam: Die Taucher waren mit ihrer Leine zu einem Kreis zusammengeschwommen.

Drei Monate lang suchten sie den Sund ab. Zweimal am Tag kippte die Tide und verstärkte die Strömung. Wenn der Wind gegen die Tide lief, bauten die Wellen sich auf, und während ihnen am Meeresboden die Strömung zusetzte, so oben im Schlauchboot Kälte, Regen und Seekrankheit.

Die Geschichte des Schiffs, das sie suchten, kannten Sidney Wignall und Colin Martin inzwischen aus den Archiven. Die *Santa Maria de la Rosa* war das Vizeflaggschiff einer Gruppe von zehn Schiffen, die Philipp II. in den baskischen Häfen Nordspaniens beschlagnahmen ließ. Sie war ein neues 945-t-Handelsschiff, gerade 1587 in San Sebastián für einen Kapitän der Stadt, Martin de Villafranca, gebaut. Als sie mit der Armada nach England segelte, hatte sie 64 Seeleute an Bord und 233 Soldaten. Bei den Kämpfen im Kanal durchschlugen vier englische Kanonenkugeln ihren Rumpf in der Wasserlinie, und während der langen, stürmischen Reise um die britischen Inseln lag sie weit hinter den übrigen Schiffen. Am 21. September hinkte sie in den Blasket-Sund, wo schon zwei Armada-Schiffe vor Anker lagen und Schutz vor dem wachsenden Weststurm suchten. Ein Offizier an Bord eines dieser Schiffe berichtete später, daß die *Santa Maria de la Rosa* nur unter einem Vorsegel in die Bucht kam, ihre übrigen Segel waren zerrissen. Ihre Männer feuerten einen Schuß ab, als ob sie Hilfe suchten, und ließen den einzigen Anker fallen, den sie noch hatten. Der Sturm nahm zu. Der Anker hielt zwei Stunden. Dann, als Ebbe einsetzte, begann die *Santa Maria de la Rosa* zu treiben, und während die Männer noch versuchten, das Vorsegel wieder zu setzen, sank das Schiff. Nur ein Junge überlebte, der Sohn des Lotsen, den die Wellen an den Strand wuschen.

Die Taucher fanden das Wrack am 4. Juli 1968, einen Steinhügel in 36 m Tiefe auf einem flachen Stück Meeresboden, 200 m südöstlich einer Felsspitze unter Wasser, auf die das Schiff gelaufen war, ehe es sank. Der Steinballast bedeckte den niedrigen vorderen Teil des Rumpfes. Das Heck mit den oberen Decks und den Kanonen schien weggebrochen und in tiefes Wasser getrieben zu sein.

Die Taucher vermaßen den Hügel und zeichneten ihn. Jeder arbeitete zweimal am Tag eine Viertelstunde in der Tiefe. Colin Martin bat das Labor für Archäologie in Oxford um den Metalldetektor, den es für die Suche unter Wasser entwickelt und im Vorjahr samt einem seiner Erfinder, Jeremy Green, an Michael Katzev in Kyrenia ausgeliehen hatte. Jeremy Green, selbst ein erfahrener Taucher, kam mit dem Detektor nach Irland. Die Taucher spürten Bleibarren auf, Kanonenkugeln verschiedener Größe, ein paar Münzen und zwei Zinnteller. Auf einem Teller stand »Matute«. Matute hieß der älteste Militäroffizier auf der *Santa Maria de la Rosa*.

Dann war die Saison zu Ende. Im nächsten Jahr wollten Sidney Wignall und Colin Martin untersuchen, was zwischen dem Ballast lag und den treibenden Kieseln, die ihn umgaben.

1969 ging ihnen jedoch die halbe Tauchsaison verloren, weil es zu einem Streit um die Bergungsrechte an der *Santa Maria de la Rosa* kam. Zehn entschlossene Schatzjäger auf der *Grey Dove*, der Grauen Taube, wollten die fünfzigtausend Golddukaten im Wert von einer Million Pfund heben, die nach einer Zeitungsmeldung angeblich im Schiff lagen. Nach der Rechtsprechung lag jedes Wrack frei da für jedermann, allerdings durfte derjenige sich zuerst bedienen, der als erster kam und Salvor in Possession war. Verließ er das Wrack, durften andere zugreifen. An Archäologen und ihre sich lange hinziehenden Untersuchungen jahrhundertealter Schiffe hatten die Gesetzgeber nicht gedacht. Wignall sollte nun vor Gericht beweisen, daß er auch wirklich die *Santa Maria de la Rosa* gefunden hatte. Die Zeitungen brachten Sensationsberichte über den Streit.

Während Wignall in Dublin vor Gericht kämpfte, sah Colin Martin im Blasket-Sund sich einer Invasion von schatzsüchtigen Sporttauchern gegenüber. Er mußte die Bojen einholen und die Arbeit einstellen. Eine Bergungsfirma bot Wignall gegen die Hälfte des Schatzes einen Eimerbagger an, um das Wrack auseinanderzureißen und so schneller an das Gold zu kommen. Falls er das Angebot ablehne, würde man eben warten, bis er seinen Prozeß verloren habe, denn niemand könne alleinige Rechte auf ein vierhundert Jahre altes Wrack geltend machen. Im Sommer erschien noch eine belgisch-holländische Schatzjägergruppe im Blasket-Sund, doch da hatte Wignall seinen Prozeß bereits gewonnen. Selbst wenn die Prozeßgegner in Berufung gingen, hätte er den Rest des Sommers für sich. Doch am 31. Juli, dem Berufungstermin, kam der Rechtsanwalt der Grauen-Taube-Gruppe kleinlaut ins Gericht und erklärte, seine Klienten seien verschwunden und hätten nur ungedeckte Schecks hinterlassen.

Die Taucher im Blasket-Sund fanden auch in diesem Sommer keine Kanonen. Nach Tauchschluß kamen Martin und Wignall zu zwei hauptsächlichen Ergebnissen: Erstens zeigten die Reste der Spanten und Planken, daß das Schiff leicht gebaut war, passend zu seiner geplanten Rolle als Handelsschiff an der spanischen Küste und im Mittelmeer. Zweitens erzählte ihnen ihre Sammlung von Kanonenkugeln, daß es wahre Monster-Kanonen an Bord gehabt hatte, 50-Pfünder aus Bronze von vielleicht 3 t Gewicht.

Diese begrenzten Ergebnisse ihrer mühevollen Arbeit an der *Santa Maria de la Rosa* würden erst im Vergleich mit dem Bau und der Bewaffnung anderer Armada-Schiffe wirklich aussagekräftig werden. Mit ihnen konnten Wignall und Martin keine Geldgeber zu größeren Spenden ermuntern. Als nächstes Schiff wollten sie daher *El Gran Grifón* bei Fair Isle suchen. Die Expedition würde klein und billig sein, und ihre Aussichten auf Erfolg waren groß. Wignall setzte sich mit Wissenschaftlern und Behörden auf den Shetland-Inseln in Verbindung und erhielt begeisterte Antworten. Die Inselleute auf Fair Isle, zwischen den Shetlands und den Orkney-Inseln gelegen, kannten noch die Stelle, an der das Schiff gesunken war. Im 18. Jahrhundert hatte ein Berger Kanonen nach oben gebracht. Seitdem hatte dort niemand mehr getaucht.

Colin Martin verbrachte den Winter 1969/70 im Archiv in Simancas und sichtete, was er über *El Gran Grifón* finden konnte. In einer Musterrolle der Armada wird das Schiff unter dem 9. Mai 1588 mit 650 t und 38 Kanonen aufgeführt. Es war ein Versorgungsschiff, das Flaggschiff des Nachschub-Geschwaders, eines von 23 gemieteten Ostseeschiffen, die mit der Armada segelten. *El Gran Grifón*, der Große Greif, kam aus Rostock, der Hansestadt, die einen Greif im Wappen führte. Die Hanse wehrte sich damals mit allen Mitteln gegen die Handelskonkurrenz der Engländer und Holländer, und ihre Schiffe brachten Masten, Taue, Leinen nach Spanien, Teer, Getreide, Erz und Waffen. Die Versorgungsschiffe sollten nicht kämpfen. Trotzdem erlitt der Große Greif in der Kanalschlacht schwere Schäden am Rumpf. Wegen dieser Schäden und vielleicht auch wegen schlechter Segeleigenschaften mußte das Schiff auf der nördlichen Reise schwer kämpfen. Colin Martin fand das Tagebuch eines unbekannten Seemanns, der aufschrieb, wie die Männer gegen einen Weststurm anzusegeln versuchten und nach langer Irrfahrt auf dem Atlantik umkehren und vor dem Sturm Richtung Schottland zurücklaufen mußten. Das Schiff hatte große Lecks, Matrosen und Soldaten pumpten Tag und Nacht und schöpften mit Eimern, doch das Wasser im Laderaum stieg. Die Männer waren verzweifelt und hoffnungslos. Schließlich sichteten sie die Felsen von Fair Isle, das war am 28. September 1588, und brachten ihr schon sinkendes Schiff in einen schmalen Felseinschnitt. Sie verließen es, kurz ehe es unterging, über die Masten, die gegen die Klippen lehnten. Die meisten Männer überlebten die Entbehrungen und Gefahren der folgenden Monate und kehrten über die Hauptinseln der Shetlands und über Edinburgh in ihre Heimat zurück.

Im Juni 1970 reiste Colin Martin nach Fair Isle, während ein Freund bei den großen Zeitungen in der Londoner Fleet Street die Runde machte und finanzielle Unterstützung suchte. Eine führende Sonntagszeitung sagte Geld zu, zog die Zusage aber zurück, als den Journalisten aufging, daß sie es mit seriösen Archäologen zu tun hatten und keine Unterwasserkämpfe zwischen rivalisierenden Schatzjägerbanden um Kisten mit Golddublonen erwarten konnten.

Colin Martin auf Fair Isle fand das Wrack, und Taucher aus dem Team vom vergangenen Jahr kamen mit ihrer Ausrüstung und dem Kompressor für den Airlift auf die Insel. Vom Schiff selbst war nach den Stürmen von Jahrhunderten nicht viel übriggeblieben, doch die schweren Kanonen lagen noch immer so, wie sie aus dem zerschmetterten Rumpf gestürzt waren. Die Taucher entdeckten die Hälfte der 38 Kanonen und vierhundert Stück Munition. Aus der Lage der Kanonen schloß Colin Martin, daß *El Gran Grifón* um die 30 m lang gewesen sein mag.

Zum ersten Mal war es Martin und Wignall nun möglich, Kanonen der Armada mit den alten Namen in den Bewaffnungsverzeichnissen zu vergleichen und herauszufinden, welche Kanonen wohl zu welchen Namen gehörten. Mit diesem Wissen konnten sie sich die Ausrüstung anderer Schiffe auf dem Papier erschließen. Manche der Kanonen des Großen Greif gehörten mehr ins 14. und 15. Jahrhundert als an das Ende des 16., waren also vollkommen veraltet, als die Armada segelte. Aus Dokumenten ging jedoch hervor, daß die *El Gran Grifón* ursprünglich dreißig gute Eisenkanonen getragen hatte – man mußte eine Reihe von ihnen in Spanien fortgenommen haben. Die acht spanischen Bronzekanonen, die vor dem Auslaufen des Schiffs an Bord kamen, waren erst kurz ehe die Armada segelte gegossen worden. Immer wieder stießen Wignall und Martin beim Untersuchen der Kanonenrohre auf schiefe Bohrungen, die nicht in der Mitte der Läufe lagen, und auf Luftblasen im Metall. Alles, was sie entdeckten, wies darauf hin, daß die Spanier ihre mächtige Flotte damals in großer Hast ausrüsteten und daß sie sich auch auf veraltete Waffen verlassen mußten. Die kleinen, unmodernen Kanonen der Versorgungsschiffe sollten wohl mehr entmutigen als zerstören.

Die Kanonenkugeln aus der *Santa Maria de la Rosa* dagegen verrieten bessere Geschütze. Der Vergleich der Funde aus beiden Wracks zeigte, daß die Verantwortlichen der Armada die guten Kanonen von Versorgungsschiffen auf Kampfschiffe bringen ließen, während die Versorgungsschiffe als Ersatz mindere Kanonen bekamen, daß sie also genau überlegten, wie sie die knappe vorhandene Ausrüstung verteilten. Aus seinen Archivstudien wußte Colin Martin, daß im Februar 1588, als der Herzog von Medina Sidonia die Planung der Armada übernahm, ein riesiges Chaos die gesamte Flotte lähmte. Nach den Funden aus dem Meer zeichnete sich für Martin deutlich ab, daß der Herzog keineswegs unfähig war, sondern im Gegenteil bis zum Frühjahr 1588 die Flotte reorganisierte und die Kräfte neu verteilte. Von diesen großen Umwälzungen gibt

Gabriele Hoffmann

es kaum Beweise im Archiv. Der Herzog, schreibt Martin in seinem spannenden Buch über die Armada, war wohl viel zu beschäftigt, um sich auch noch mit Papierkram zu belasten. Das allgemeine Wissen aus dem Archiv – daß im Februar 1588 noch ein unglaubliches Durcheinander herrschte – und die archäologischen Befunde – die überlegte Verteilung der Kanonen – ergaben zusammen ein neues Bild des Mannes, dem viele englische Historiker die Schuld am Scheitern der Armada zuschoben: Der Herzog muß ein genialer Organisator und ein großartiger Seemann gewesen sein. Aber warum hatte er sich selbst unfähig genannt? Was konnte diese neue Hypothese von den zu leicht gebauten Schiffen und von der mangelhaften Bewaffnung der Armada weiter bedeuten – und stimmte sie überhaupt? Zwei Wracks waren nicht beweiskräftig genug.

Bislang hatten Sidney Wignall und Colin Martin planvoll Wracks gesucht. Nun kam der große Glücksfall. Irische Sporttaucher vom City-of-Derry-Sub-Aqua-Club entdeckten 1971 ein großes Kampfschiff, *La Trinidad Valencera*.

Seit mehreren Jahren schon hatten die Sporttaucher in der weiten Kinnagoe-Bucht in Nord-Donegal nach dem Wrack der *Trinidad Valencera* Ausschau gehalten, die hier nach örtlicher Überlieferung im September 1588 gesunken war. Für den 20. Februar 1971 war aber nur ein kurzes Routine-Tauchtraining vorgesehen. Die beiden Clubtaucher Archie Jack und Paddy Stewart, zwei von dreizehn Männern, die an diesem Wintertag tauchten, wollten gerade zum 100 m entfernten Strand zurückschwimmen, als sie einen einzelnen Felsen sahen, der aus dem Sand ragte. Etwas Langes lag auf seiner Spitze, gleichmäßig in den Umrissen und pastellgrün in der Farbe: eine Bronzekanone. Die beiden schlugen Alarm, und das Tauchteam schwamm in großer Aufregung herbei. Die Männer entdeckten drei weitere Bronzekanonen im Sand, einen Anker und drei dick verkrustete hölzerne Räder von Lafetten. Sie hatten das viertgrößte Schiff der gesamten Spanischen Armada gefunden.

Nach dem Gesetz von 1894 hätte der Club als Salvor in Possession mit dem Wrack machen können, was er wollte. Doch den Sporttauchern lag nichts an ein paar Souvenirs. Sie wollten, daß ihr Schiff nach bestem archäologischem Können ausgegraben wurde und daß die Funde als geschlossene Sammlung zusammenblieben. Sie baten Colin Martin, inzwischen Direktor des Instituts für Meeresarchäologie an der St.-Andrews-Universität in Schottland, die Ausgrabung zu leiten.

1971 und 1973 erkundeten Martin und die Sporttaucher die Wrackstelle und zeichneten alles Sichtbare. Martin wandte sich wieder an Jeremy Green wegen des Metalldetektors. Green packte gerade, um England zu verlassen und Meeresarchäologe in West-Australien zu werden, doch für eine Woche kam er nach Irland und erkundete *La Trinidad Valencera* mit seinem allerneusten Detektormodell. Nachdem er die Hauptmetallfunde geortet hatte, machten die Taucher Probebohrungen mit einem Wasserstrahl, um Beschaffenheit und Tiefe der Meeresablagerungen über dem Wrack herauszufinden. Das Schiff lag größtenteils unter flachem Sand und Kies.

1974 begannen Colin Martin, seine Assistenten und die Clubtaucher mit der Ausgrabung unter Wasser. Sie dauerte mehrere Sommer. Die Universität von Ulster half, die BBC, die für ihr archäologisches Fernsehprogramm einen Dokumentarfilm über die Unterwasserarbeit an *La Trinidad Valencera* drehte, gab Geld, und die Laboranten des Museums in Belfast konservierten die Funde. Die Taucher fanden keine zusammenhängenden Schiffsüberreste, das Wrack war zerbrochen. Sie gruben vorsichtig nach einem Meßrahmensystem und legten Nischen mit sehr gut erhaltenem organischem Material frei, mit Gegenständen aus Holz, Leder und Stoff. Sie entdeckten Holzfässer mit Kanonenpulver, Teile der Takelage, Eisenanker von fast 5 m Länge, Ankertaue, Blöcke und Taljen, fanden Musketen, Armbrüste, Stahlhelme und Brustplatten, Wasserflaschen aus Leder, Hanfsandalen, Weidenkörbe und Matten für Erdarbeiten, Palisadenpfähle, kurzum alles, was eine Armee des 16. Jahrhunderts für einen Belagerungskrieg brauchte. Sie fanden Geschirrscherben aus Ton und Porzellan, Schalen aus Holz, Teller aus Zinn, Kerzenhalter aus Messing, Eimer aus Kupfer, religiöse Medaillen der Soldaten, ein Tamburin und eine Zither. Insgesamt hoben sie sechs Bronzekanonen, darunter ein Zwillingspaar großkalibriger Belagerungskanonen. Sie waren wunderbar gegossen, jede 2460 kg schwer, und trugen das volle Wappen Philipps II. und die Jahreszahl 1556. Inschriften auf den Rohren erzählten, daß Remigy de Halut, einer der berühmtesten Kanonengießer der Zeit, sie in Malines, in der Nähe von Antwerpen, gegossen hatte. Später fand Colin Martin die beiden Kanonen auf der Musterrolle des Schiffs

Gabriele Hoffmann

und hatte damit den Beweis, daß er wirklich *La Trinidad Valencera* ausgrub.

Im Winter forschte Martin im Archiv nach der Geschichte des Schiffs und seiner Besatzung. *La Trinidad Valencera* stammte aus Venedig. Als sie früh im Jahr 1587 einen Hafen auf Sizilien anlief, um Getreide zu laden, beschlagnahmten die spanischen Behörden dort das Schiff. Mit 1100 t war sie das mächtigste Schiff des Levante-Geschwaders der Armada, einer Kampfeinheit aus ehemaligen Mittelmeer-Handelsschiffen. Martin gelang es nicht, die genaue Anzahl und Art der *Valencera*-Kanonen aus den Dokumenten zu ermitteln.

Er bekam nur heraus, daß das Schiff im Vergleich zu anderen besonders schwer bewaffnet war, eine mit Truppen angefüllte Festung, ein Invasions-Transporter:

Die Spanier wollten in Südostengland Artillerie, Munition, Wagen, Belagerungsausrüstung und Truppen an Land bringen. Außer Seeleuten, Soldaten und Offizieren waren viele adlige junge Herren an Bord, die im Kampf Ruhm suchten.

Martin fand auch die Berichte zweier Überlebender, der Soldaten Juan de Nova und Francisco de Borja, die nach ihrer Rettung vor spanischen Behörden ihre Aussagen machten.

In einem Sturm in der Nacht des 12. September 1588 sprang ein großes Leck im Schiff auf, und die Männer verloren die übrigen Schiffe der Armada aus den Augen. Sie waren ungefähr einhundertzwanzig Seemeilen von der Küste entfernt, und die nächsten beiden Tage und Nächte pumpten sie. Martin rechnete aus, daß das Schiff über 2 m Wasser im Laderaum gehabt haben mußte, also kurz vor dem Sinken war, als sein Kapitän es am 14. September in der Kinnagoe-Bucht auflaufen ließ. Die See war immer noch rauh, und als die ersten Spanier zum Strand ruderten, zerbrach ihr Boot in der Brandung. Sie gaben den Schaulustigen am Ufer hundert Dukaten in Gold und hundert Dukaten in Juwelen für ein Boot, doch auch dieses Boot zerbrach. Sie wollten ein weiteres Boot kaufen, aber die Eigentümer weigerten sich – sie ruderten lieber selbst hinaus zum Schiff, um es zu plündern. Als nur noch vierzig Spanier auf *La Trinidad Valencera* waren und auf ihren Transport zum Strand warteten, brach das Schiff plötzlich auseinander und sank mit Spaniern und Plünderern.

Die Schiffbrüchigen waren in einer Gegend Irlands gestrandet, die englische Truppen der Königin Elisabeth besetzt hielten. Sie wußten aber, daß in der Nähe in einem Schloß ein katholischer Bischof wohnte, der seinen Glaubensbrüdern gegen die feindlichen Engländer helfen würde. Auf dem Weg zum Schloß kamen ihnen zweihundert englische Fußsoldaten und Bogenschützen und zweihundert Reiter entgegen. Der englische Major versprach, die Schiffbrüchigen sicher nach Dublin zu bringen, wenn sie ihm ihre Waffen auslieferten. Die Spanier legten die Waffen nieder. Die Engländer fielen über sie her, nahmen ihnen Besitz und Kleider weg und töteten jeden, der den geringsten Widerstand leistete. Die Spanier mußten nackt marschieren. Am nächsten Morgen sonderten die Engländer die Offiziere ab, von denen sie meinten, daß sie Lösegeld einbrächten. Die Soldaten mußten sich auf einem Feld aufstellen. Arkebusiere näherten sich ihnen von einer Seite, Reiter von der anderen, und mit Lanzen und Kugeln töteten die Engländer dreihundert Spanier. Einhundertfünfzig Spaniern gelang es, aus dem Gemetzel fortzulaufen, und obwohl die meisten von ihnen verwundet waren, erreichten sie das Schloß des Bischofs. Die gefangenen Offiziere mußten nackt und hungrig nach Dublin laufen und dann weiter zum Castle of Drogheda, einer Burg, in der die Engländer sie einkerkerten. 1596, acht Jahre später, warteten einige Offiziere noch immer auf das Lösegeld ihres Königs.

Die Wrackhölzer aus der Kinnagoe-Bucht bewiesen, daß auch *La Trinidad Valencera* ausgesprochen leicht gebaut war. Colin Martin stellte fest, daß das Levante-Geschwader aus Mittelmeerschiffen die schwersten Verluste auf der Heimreise hatte: Achtzig Prozent gingen unter. Die wenigsten Verluste, zehn Prozent, gab es unter den schweren atlantischen Galeonen. Viele der Schiffe, die in der vordersten Linie der Spanier kämpften, waren keine wirklichen Kriegsschiffe, sondern schwach gebaute, schwerfällige Handelsschiffe, die man hastig und von überallher geholt hatte: Die *Girona* stammte aus Neapel, die *Santa Maria de la Rosa* aus San Sebastiàn, *El Gran Grifón* aus Rostock und *La Trinidad Valencera* aus Venedig. Sie waren groß und eindrucksvoll, aber verwundbar, kaum die Monster, die ein zeitgenössischer Propagandist beschreibt, der behauptet, sie hätten Planken von vier und fünf Fuß Dicke. Ihre Kanonen waren entweder veraltet, oder sie waren Landkanonen, die man an

Bord nicht laden konnte. Die Kanoniere konnten sie auf den schweren großrädrigen Lafetten, die für die Decks von Schiffen ungeeignet waren, nicht in Position bringen. Viele Kanonen hatten schiefe Bohrlöcher, und der Guß war porös.

Sidney Wignall, der Amateur, für den es bei der Ausgrabung von *La Trinidad Valencera* keine Aufgabe mehr gab, beschäftigte sich mit der Gußtechnik am Ausgang des 16. Jahrhunderts in Spanien und in England. Er prüfte auch den Guß eiserner Anker, und er verglich die Berichte über andere Kämpfe zwischen spanischen und englischen Schiffen. Auch in anderen Gefechten hatten die spanischen Kanonen versagt. Oft zersprangen die Geschosse, oft sogar die Kanonen und töteten die Kanoniere und richteten großen Schaden auf den eigenen Schiffen an. Die Spanier produzierten gutes Erz. Aber sie gossen Anker, Kanonen und Geschosse von schlechter Qualität. Sie waren in der Entwicklung der Gußtechnik Jahre hinter den englischen Gießern zurück. Möglicherweise nahmen die spanischen Gießer es bei den eiligen Massenaufträgen für die Armada nicht so genau mit der Qualität dessen, was sie ablieferten. Das Scheitern der Armada rührte auch von der armseligen Technologie her: Ihre Niederlage war eine Niederlage der spanischen Gußtechniker.

Schwach gebaute Schiffe, für einen Seekampf ungeeignete Lafetten, schlecht gegossene Kanonen und Geschosse – der Herzog von Medina Sidonia hat, so meint Martin, den Brief über seine eigene Unfähigkeit an den König geschrieben, um Philipp davon abzubringen, die Armada überhaupt schon segeln zu lassen. Der Herzog muß damals ebensogut gewußt haben wie die Archäologen, die später zwischen den Hölzern der Schiffe tauchten, daß viele seiner Kriegsschiffe samt ihrer Ausrüstung für den Seekrieg ungeeignet waren. Er konnte seinem König aber nicht sagen, daß weder Schiffe noch Waffen etwas taugten, daß der König zu schwach war für sein Vorhaben. Also bezeichnete er sich selbst als schwach – auf Grund seines hohen adligen und militärischen Ranges aber kam nach den Regeln der spanischen Hierarchie nur er als Befehlshaber der Armada in Frage, der König konnte keinem anderen das Kommando übertragen. Martin hält es für möglich, daß der König vielleicht nicht erwartete, daß seine große Flotte überhaupt auf See kämpfen mußte, daß er vielmehr davon ausging, ihr bloßes Erscheinen würde die Engländer zum Einlenken zwingen und den katholischen Glauben wieder durchsetzen. Vielleicht war die Armada nur ein gigantischer Bluff.

Diese Antworten auf die Frage nach dem Scheitern der Armada kamen nicht aus den reichen Archiven. Sie lagen auf dem Meeresgrund. Obwohl jedes der drei Wracks für sich keine Zeitkapsel mehr war, führte der Vergleich aller drei Wracks zu einem neuen Verständnis der Armada. Das war nur möglich, weil Martin und Wignall genau wußten, was sie wissen wollten, und sich nicht mit ziellosem Staunen über einzelne Gegenstände zufriedengaben: Archäologische Funde antworten nur auf die Fragen, die man ihnen stellt.

Heute geht Colin Martin über die Antworten aus den siebziger Jahren hinaus. Seit dem Fund der *Mary Rose*, über den ich noch erzählen werde, ist es möglich, auch englische Schiffe näher kennenzulernen. Vorläufiges Ergebnis: 1588 trafen zwei vollkommen unterschiedliche Konzepte der Seekriegsführung aufeinander. Die Spanier einerseits benutzten noch ihre Armee in schweren Waffen. Ihre Methode war es, eine Breitseite zu feuern, das feindliche Schiff zu entern und sich dann auf ihre Waffen für kurze Entfernungen im Kampf Mann gegen Mann auf den Decks zu verlassen – wie im Landkrieg. Die Engländer dagegen hatten schon eine Marine aus besser manövrierbaren Frontschiffen, gut mit weitreichenden leichten Kanonen ausgerüstet und mit Lafetten, die schnell auf Schiffsdecks zu bewegen waren: Das Schiff selbst war eine Kampfmaschine. In den Kanalkämpfen zwischen Spaniern und Engländern standen die alten schwimmenden Festungen gegen die neuen beweglichen Kampfschiffe. Martin meint allerdings, daß die Kämpfe damals auch nicht anders verliefen als bei jeder Seeschlacht: Die Seite, die gewann, war lediglich weniger unfähig als die, die verlor.

Geschichte für West-Australien

I n Australien ist alles anders. In der Hauptstadt Canberra riecht es statt nach Autos nach Eukalyptus, mittags steht die Sonne im Norden, und in den Parks spazieren große weiße Kakadus auf den Wiesen. Auch die Archäologie unter Wasser entstand anders als in der übrigen Welt, es gab zuerst Denkmalschutzgesetze für Wracks und dann tauchende Archäologen.

Gabriele Hoffmann

Ich kam im letzten Jahr des Jahrzehnts der stürmischen Entwicklung nach Australien, 1979. Per, mein Mann, hatte einige Monate in Mexiko Vorlesungen über Holzchemie gehalten und sollte nun Konservator der Bremer Hanse-Kogge werden. Wir reisten auf dem längeren Weg nach Hause, blieben einige Monate in der Südsee und besuchten in Canberra Wal Ambrose. Wal ist Professor für Prähistorie und hat große Erfahrungen in einem neuen, von ihm entwickelten Konservierungsverfahren für nasses Holz. Er grub damals jedes Jahr einige Wochen in den Sümpfen der heißen Insel Manus, einer der Admiralitätsinseln, und holte hölzerne Werkzeuge und Waffen heraus, die er dann in seinem Institut in Canberra konservierte. Ich trug unsere Flugtickets nach Hongkong in der Handtasche, ich wollte unbedingt dorthin. Aber an einem Abend bei Lammkeule und Rotwein beschlossen Wal Ambrose und seine Frau Janet, Colin Pearson und seine Frau Josephine, daß wir nach Perth fliegen müßten. Colin ist Chemiker wie Per, er hat das Konservierungslabor in Perth für die Unterwasserfunde der Archäologen aufgebaut, ehe er als Professor nach Canberra ging. Perth liegt am anderen Ende des australischen Kontinents, ganz im Südwesten.

»O nein«, sagte ich, »wir fliegen nach Hongkong.«

Die Küste West-Australiens ist 7000 km lang, erzählten Colin und Josephine, und ein Schlaraffenland für tauchende Archäologen und somit auch für Holzkonservatoren. Das kam so: 1498 erreichte Vasco da Gama die Westküste Indiens. Mit seiner Seereise begann für die Portugiesen das Jahrhundert, in dem sie den Seehandel mit dem Fernen Osten kontrollierten und das Monopol des Gewürzhandels besaßen. Dann entdeckten Holländer und Engländer die geheimen Seewege in den Osten und jagten den Portugiesen das Handelsmonopol ab. Die Holländer gründeten 1602 die VEREENIGDE OOSTINDISCHE COMPAGNIE, abgekürzt V.O.C. Die Schiffe der Kompanie kreuzten im Kielwasser der Portugiesen den Atlantik Richtung Südamerika und nahmen dann Ostkurs zum Kap der Guten Hoffnung. Sie segelten an der afrikanischen Ostküste nach Norden, etwa bis Sansibar, und weiter quer über den Indischen Ozean nach Indien oder ins malayische Archipel. Hinter dem Kap war die Route langsam, ungesund und gefährlich. Die Schiffe lagen oft wochenlang in stiller, heißer Luft, Essen und Trinkwasser verdarben, Seeleute und Kaufleute starben an Skorbut. Sobald die

Überlebenden weiter nach Osten kamen, mußten sie die Schiffe der Portugiesen fürchten und die Dschunken chinesischer Piraten.

Der Kompanie-Kapitän Hendrick Brouwer fand eine schnellere und sicherere Route, und so gab die V.O.C. 1617 eine geheime Segelanweisung an ihre Kapitäne: Sie sollten vom Kap der Guten Hoffnung nicht nach Norden, sondern nach Süden segeln bis in die Zone der westlichen Winde, dann tausend Meilen ostwärts und dann erst nach Norden halten, nach Batavia, dem Zentrum des holländischen Fernosthandels. Die Reise durch die kühle Zone dauerte nur sechs Monate.

Doch auch diese Route hatte ihre Tücken. Damals konnten die Kapitäne die Längengrade kaum feststellen. Da sie die Westwinde südlich Afrikas in verschiedenen Breiten trafen, konnte die Anweisung mit den tausend Meilen ostwärts auch schiefgehen. Immer wieder gerieten Kapitäne zu weit nach Osten und sahen Land. Australien war noch so gut wie unbekannt. Dutzende von Seemeilen vor seiner Küste erstrecken sich gefährliche Untiefen, Fels- und Korallenriffe.

Bis ins 20. Jahrhundert hinein gab es für dieses Gebiet keine zuverlässigen Seekarten, sagten Colin und Josephine, und sie erzählten uns zum Beweis die Geschichte der *Trial*, des ältesten bekannten Wracks vor der australischen Westküste. Die *Trial* gehörte der englischen Ostindienkompanie, der mächtigsten Konkurrentin der V.O.C. Als die *Trial* 1622 den Holländern auf ihrer neuen geheimen Route folgte, geriet sie zu weit nach Osten, lief auf einen Felsen und sank. Über die Unglücksstelle gehen starke Strömungen und schwere Schwells hinweg. Sie ist einer der schwierigsten archäologischen Fundorte auf dem Meeresboden um Australien und noch nicht richtig untersucht. Der Kapitän der *Trial*, Brookes, rettete damals sich und seine Leute in einem Boot. Als er wieder in London eintraf, verklagte ihn seine Kompanie, weil er ihre Segelanweisungen nicht befolgt und das Schiff deshalb verloren habe. Brookes fürchtete eine lange Gefängnisstrafe und fälschte die Position des Felsens, versetzte ihn nach Westen. Jahrhundertelang konnte kein Schiff den Felsen wiederfinden und genau vermessen. Schließlich erklärte die englische Admiralität sogar, daß Trial Rock gar nicht existiere. Erst 314 Jahre nach dem Schiffbruch, 1936, fand ein Schiff den Felsen, und seitdem steht er in den Seekarten.

Gabriele Hoffmann

Auch so mancher holländische Ostindienfahrer des 17. Jahrhunderts, sagten Colin und Josephine, saß, noch ehe er sich ganz klar war, ob der Schatten am Horizont nun Land war oder nicht, schon fest. Deshalb gibt es in West-Australien heute ein sehr reges Zentrum für Archäologie unter Wasser. Und deshalb kam ich wieder nicht nach Hongkong.

In Perth erwarteten uns Neil und Mary North. Neil leitete als Colins Nachfolger das Konservierungslabor.

»Willkommen in der einsamsten Hauptstadt der Welt«, sagte Neil. »Willkommen in der Mitte von gar nichts«, sagte Mary.

Die Doppelstadt Perth-Fremantle liegt zwischen Wasser und Sand. Im Westen und Süden ist das Meer, im Norden und Nordosten sind die großen australischen Wüsten. Adelaide, die nächste größere Stadt, liegt 2700 km entfernt hinter der unfruchtbaren Nullarbor-Ebene im Osten.

In Perth und Fremantle gibt es noch die phantastischen Säulen-Bögen-Schnörkelfassaden der Gründerzeit. Die schwarzen Schwäne des Swan River schwimmen in Gußeisen oder Stuck nahezu überall: an Hausgiebeln, Straßenlaternen und Hydranten. In den Fußgängerzonen der Innenstadt sorgt die Polizei hoch zu Roß für Ordnung. Zwischen modernen Hochhäusern stehen Hotels aus der Goldrauschzeit. Sie seien sehr alt, versicherten Neil und Mary North uns. Ich rechnete nach: Die europäische Besiedlung West-Australiens war im Jahr unseres Besuchs ganze einhundertfünfzig Jahre her. Ein Captain James Stirling gründete mit Bauern aus England 1829 die Stadt.

In der Mitte des Jahrhunderts zählte West-Australien noch keine fünftausend Einwohner. Doch 1885 gab es einen Goldrausch in Kalgoorlie, und Zehntausende von Goldsuchern gingen in Fremantle, dem Hafen von Perth, an Land. Heute ist Fremantle der lebhafteste Seehafen Australiens. Die Hälfte des Schafexports wird hier verladen. In den fünfziger Jahren des 20. Jahrhunderts gab es einen Eisenboom, 1100 km nördlich in der Halbwüste der Pilbara-Region. Heute leben über eine Million Leute in der freundlichen, hellen Doppelstadt und ihren endlosen Villenvororten. Die Einwohner sind selbst freundlich und gelassen. Viele verbringen ihre Freizeit in Segelbooten auf dem Wasser oder mit Tauchtanks unter Wasser. Es geht ihnen gut. Alles, was ihnen fehlt, ist Geschichte.

Stürmische Entwicklung

Zwölf tauchende Archäologen holten für West-Australien Geschichte aus dem Meer, und zwölf Konservatoren versorgten die Funde, damit die West-Australier sich an ihnen in den Museen der Doppelstadt erfreuen konnten. Zur Zeit unseres Besuchs lief keine Grabung. Wer nicht Funde auswertete, Aufsätze schrieb oder in Europa in einem Archiv saß, war mit dem neuen Museum für Archäologie im alten gelben Zollhaus am Hafen von Fremantle beschäftigt.

Die Geschichte der Archäologie unter Wasser in West-Australien begann ganz gewöhnlich: mit der Suche nach Pieces of eight. Am 13. April 1963 jagten Sporttaucher aus Perth auf einem Riff, 120 km nördlich der Stadt und 5000 m draußen in der See, mit Speeren nach Fischen. Plötzlich sahen sie verkrustete Kanonen, Anker, Ballaststeine, Elefantenzähne. In den nächsten Monaten hoben sie eine große Anzahl von Pieces of eight, eine Kanone und einen Anker. Im selben Jahr fanden Sporttaucher in den Korallen des Morning Reef in der Wallabi-Gruppe – eine von mehreren Inselgruppen, die zusammen Houtman-Felsen heißen – das zweite Wrack eines Ostindienfahrers. In Perth sprach sich schnell herum, daß Sporttaucher an den Wochenenden über beide Wracks schwammen und auf der Suche nach Silber jeden Korallenblock umdrehten. Angehörige der australischen Armee und Marine tauchten zum zweiten Wrack und fanden in Tiefen von 2 bis 7 m 24 Kanonen, davon fünf aus Bronze, von denen sie zwei hoben. Auf den Kanonen stand »Rotterdam« und die Jahreszahlen 1603 und 1616. Die Taucher fanden Zinnteller, eine Kaffeekanne, Steingutflaschen aus dem Rheinland und siebzig Münzen mit Jahreszahlen von 1588 bis 1616.

Die weißen Bewohner von Perth-Fremantle waren nicht mehr allein zwischen Wüsten und Ozean, sie hatten die Spuren von Europäern entdeckt, die hier waren, lange bevor die ersten Siedler an Land gingen: Sie hatten Geschichte. Am 14. Oktober 1963 konnten sie beim Morgenkaffee in der Zeitung lesen, daß die Sporttaucher Teile des Wracks Nr. 1 sprengten. Sie waren empört. Die Parlamentarier von West-Australien fackelten nicht lange und erließen 1964 ein Gesetz, nach dem der Staat von nun an Wracks, die vor 1900 gesunken waren, unter Denkmalschutz stellen konnte. Neun Jahre später verschärften sie das Gesetz noch. Die Verantwortung für die Suche nach Wracks, ihr Erforschen und Konservieren übertrugen sie dem Western Australian Museum.

Gabriele Hoffmann

Doch sie vergaßen, dem Museum Geld für einen tauchenden Archäologen zu geben. Niemand grub die Wracks aus. Die Amateure plünderten weiter. 1971 stellte das Museum den Engländer Jeremy Green als Kurator einer neuen meeresarchäologischen Abteilung ein. Gleich im nächsten Jahr tauchte Jeremy Green mit Helfern zu dem Wrack, das die Sporttaucher als erstes gefunden hatten.

Das Wrack lag nicht sehr tief, aber in der Brandungszone, und selbst bei Windstille machte der Schwell des Indischen Ozeans den Museumstauchern schwer zu schaffen. Sie fanden noch 7881 Münzen, die meisten Pieces of eight aus der Münze von Mexico-City mit Jahreszahlen von 1590 bis 1654. Mit Hilfe der Münzen bekam Jeremy Green heraus, daß hier der *Vergulde Draeck* lag, der Goldene Drache. Die Taucher entdeckten keine Schiffsteile mehr, aber Handelsgüter, die die Holländer damals nach Osten brachten: Eisen, Elfenbein, Bernstein und Korallenperlen. Sie fanden Kisten mit sieben Sorten Tonpfeifen, zahlreiche Knochen von Rindern und Schweinen, die wohl in Fässern eingesalzen waren, zwei Schädel von rattus rattus, dreizehn Elefantenzähne aus Westafrika und 10 m^3 Ziegelsteine. Später las Green in den Papieren der V.O.C. in Amsterdam, daß der Goldene Drache an die vierzigtausend Silbermünzen mit sich geführt hatte. Das kleine Schiff von 250 t war auf seiner zweiten Reise nach Indonesien, als es 1656 auf das Riff lief. Einige Schiffbrüchige erreichten Batavia in einem Boot. Doch die Männer der Bergungsschiffe fanden von den übrigen Überlebenden, die sich an Land gerettet hatten, außer ein paar verstreuten Silbermünzen keine Spur mehr.

1973 begann Green, das zweite Wrack auszugraben. Nach Kanonen und Münzen zu schließen, war es der Ostindienfahrer *Batavia*, der 1629 auflief. Das Wrack lag viele Seemeilen vor der Küste, und von der nächsten Schiffsanlegestelle auf dem Festland waren es dann noch 480 km zum Konservierungslabor in Fremantle. Doch nur 2 km vom Wrack entfernt gab es eine niedrige, kleine Koralleninsel, Beacon Island. Die Insel war heiß und feucht, ohne Baum, ohne Strauch, ohne Wasser. Hier richteten sich Archäologen, Museumstaucher und Konservatoren eine Feldstation mit Schlafhaus ein, mit Dunkelkammer, Werkstatt, Zeichenbüro, Lagerräumen und einer Anlegestelle für die *Henrietta*, das neuerworbene Forschungsschiff des Museums. Alle waren sehr aufgeregt und gespannt, als das Tauchen begann. Sie mußten die *Henrietta* schwer verankern, denn über das Riff ging der südwestliche Schwell des Ozeans. Im Durchschnitt konnten sie nur an einem von drei Tagen tauchen, das heißt, sie tauchten meistens fünf, sechs Tage hintereinander, und dann kam wieder der Wind auf, und es gab lange, enervierende Pausen unter der glühenden Sonne im Lager auf der Insel, in denen sie ihre Funde säuberten, auf Karteikarten verzeichneten und in Wassertanks legten.

Sie erforschten das Wrack vier Jahre lang. Zuerst mußten sie schwere Sandsteinblöcke wegschaffen, 137 Stück, 37 t insgesamt. Einige Blöcke schienen Markierungen zu haben wie von Steinmetzen, Buchstaben und Zahlen, doch keiner der Archäologen wußte so recht, was diese eigenartige Fracht bedeuten sollte. Als sie die Blöcke gehoben hatten, stellte sich heraus, daß sie das Wrack nicht Schicht für Schicht ausgraben konnten, denn der Schwell trug alles, was sie mühsam aus dem festen Korallenverband losgeschlagen hatten, gleich über das Riff in die Tiefe. So mußten sie jeweils ein kleines Gebiet der Fundstelle bis unter den Schiffsboden ausgraben und sich dann das nächste vornehmen. Das war sehr ärgerlich beim Freilegen von Schiffsplanken, und sie gaben sich große Mühe beim Ausmessen und Fotografieren, damit sie später die Schiffsteile, die sie nun auseinanderreißen mußten, wieder zusammenfügen konnten. Trotz des Schwells gelang es ihnen, mehr als drei Viertel der Unglücksstelle auszugraben. Überrascht sahen sie, daß über ein Drittel der Backbordseite der *Batavia* noch vorhanden war, eingegraben unter vielen Tonnen toter Korallen. Das Schiff war massiv gebaut, mit schweren Spanten am Heck und einer doppelten Lage von Planken ringsum.

In Fremantle legten sie die Schiffshölzer gleich in Konservierungsbecken. Die Konservatoren säuberten die Steinblöcke aus dem Meer und fanden unter den Korallen auch Halbsäulen und Türstürze mit Steinmetzzeichen. Sie legten die Steine auf dem Fußboden des Labors aus – und hatten eine vollständige, 7 m hohe Torfassade!

Einige Zeit später fand ein Australier im Archiv in Amsterdam zwei Zeichnungen aus dem 17. Jahrhundert. Die eine zeigte das neue Fort von Batavia. Das Tor zum Wasser war noch unvollendet, dort stand ein Baugerüst. Die zweite Zeichnung zeigte ebenfalls das Fort. Das Wassertor hatte nun seine Fassade – die gleiche, die in

Gabriele Hoffmann

Fremantle auf dem Laborfußboden lag. Es sieht ganz so aus, als hätte der Gouverneur von Batavia eine Torfassade in Holland bestellt, die auf die *Batavia* verladen wurde. Das Schiff ging unter, und das Tor versank. Man orderte eine neue Fassade, die einige Jahre später in Batavia eintraf. Das alte Tor haben die west-australischen Archäologen nun aus dem Meer geholt.

Im Archiv fand Jeremy Green auch die Geschichte der *Batavia*. Der Ostindienfahrer war auf seiner Jungfernfahrt mit 316 Passagieren und Seeleuten an Bord nach Batavia ausgelaufen. Am 4. Juni 1629, zwei Stunden vor Tagesanbruch, streifte er das Riff im Houtman-Archipel. Die Korallen rissen den Boden auf. Um zehn Uhr morgens brach das Schiff auseinander. Kommandeur Francisco Pelsaert ließ Kaufleute und Soldaten und ihre Frauen und Kinder auf eine winzige Sandinsel bringen. Er selbst und der Kapitän Arian Jacobs segelten mit vier Dutzend Seeleuten im Boot davon. Drei Monate später kam Pelsaert mit einer Rettungsjacht aus Batavia zurück, um die Kisten voller Gold und Silber aus dem Wrack zu bergen. Auf der Insel hatte der Kaufmann Jeronimus Cornelisz inzwischen eine Terrorherrschaft errichtet, seine Anhänger hatten 125 Männer, Frauen und Kinder erschlagen. Die Mörder griffen das Rettungsschiff an. Der Kommandeur und seine Mannschaft überwältigten sie, hielten Gericht über sie und hängten sie an den Galgen.

Die Gegenstände, die die Archäologen aus der *Batavia* gehoben hatten, lagerten größtenteils noch in den Nebenräumen des Labors. Ich staunte über die Mengen von Ziegelsteinen, die um die Außenmauern des langgestreckten Gebäudes und unter Schuppendächern daneben sauber aufgeschichtet waren. An einigen Ziegeln saß noch Korallenkalk. Das, sagte Neil, war die Hauptladung der *Batavia* und anderer Ostindienfahrer: Ziegel für die Häuser der Kaufleute in den Handelsniederlassungen der Kompanie. Die Holländer wollten in Asien so leben wie zu Hause, in roten Ziegelsteinhäusern an Kanälen. Da die V.O.C. keine bessere Fracht in den Osten hatte, bekamen sie ihre roten Kanalhäuser. Diese Sturheit, mit der sie an der europäischen Lebensweise auch im tropischen Klima festhielten, kostete viele das Leben.

Der Hauptlagerraum im Haus war dicht vollgestellt mit hohen Regalen. Auf den Borden lagen halb mit Wasser gefüllte Plastiktüten, in denen für mich kaum erkennbare Gegenstände feucht gehalten wurden. In den Tüten, sagte Neil, sind Nägel, Werkzeuge, Bleireste, Butter, Fleisch, Tischtücher – Ausrüstung und Vorräte für die Handelshäuser der Kompanie in Asien. Die Ostindienfahrer hatten auch Bier, Wein und Essig mitgebracht, die *Batavia* silberne Kannen und silberne Bettpfosten als Geschenke für den Mogul Janghir. Ich sah Kanonen, schwarze Taureste, Navigationsinstrumente, zerbeulte Kochtöpfe, Kanonenkugeln, Scherben von Weinflaschen und verbogene Zinnteller. Wo nur Platz war auf dem Fußboden der Halle, standen große Wannen, in denen Holz in braunem Wasser schwamm.

Hätten die *Batavia* und der *Vergulde Draeck* Batavia erreicht und ihre Ladungen gelöscht, wären Gewürze, Perlen und Edelsteine, kostbare Seiden, Tee und Porzellane für Europa an Bord gekommen. Kleinere holländische Schiffe, die ständig in Asien stationiert waren, kämmten den Fernen Osten durch nach Gütern, die in Europa einen Markt hatten, und brachten sie in die V.O.C. -Zentrale nach Batavia. Für ihre in Europa so heißbegehrten Waren nahmen die Chinesen nur Silbergeld. Daher trugen die Ostindienfahrer, die an West-Australien vorbeisegelten, außer Vorräten für ihre Kaufleute und Ziegelsteinen an wertvoller Ladung in der Hauptsache Silbermünzen, Pieces of eight. Die Silbermünzen kamen auf den Schatzgaleonen der Spanier aus Amerika nach Europa. Die Spanier kauften bei den Holländern Industriewaren, und die Holländer fuhren mit dem amerikanischen Silber in den Fernen Osten. In der Konservierungswerkstatt in West-Australien sah ich viele hundert Pieces of eight. Mary North reinigte die Münzen mit einem Sandstrahlgebläse, bis sie wie neu glänzten. Mary hatte Tausende aus dem Norden im Auto mit heruntergebracht, als sie einmal Neil auf einer Ausgrabung besuchte, erzählte sie mir. Es sei schon ein eigenartiges Gefühl gewesen, mit diesen vielen Silbermünzen im Kofferraum ganz allein durch den Busch zu fahren. Drei Tage dauerte die Autofahrt.

Außer dem Goldenen Drachen, der *Batavia* und der englischen *Trial* haben die west-australischen Archäologen zwei weitere holländische Ostindienfahrer untersucht. Sie fanden die Reste der *Zeewijk*, die 1727, und der *Zuytdorp*, die 1713 sank. An der Wrackstelle der *Zuytdorp* war der Meeresboden mit Silbermünzen wie gepflastert. In drei Stunden holten die Archäologen fast achttausend hoch. Doch die Arbeit am Wrack kann selbst für diese erfahrenen Taucher nur eine Rettungsgrabung sein, ein eiliges Bergen von Funden. Die *Zuytdorp* ist für Archäologen eine der schwierigsten und gefährlichsten Arbeitsstellen der Welt. Das Wrack liegt unter hohen Klippen, frei für das schwere Anbranden der Wellen. Im Hinterland ist unbewohnter Busch. Nur an wenigen Tagen im Jahr liegt die See so ruhig, daß Archäologen tauchen können. Und selbst für diese wenigen Tage mußten sie einen Flugplatz bauen, eine Straße und eine besonders schwere Tauchplattform für besonders schweres Gerät. Auf der Spitze einer der Klippen an der Untergangsstelle fanden sie die Überreste von Weinflaschen und von Feuern, die die Überlebenden der *Zuytdorp* angezündet haben mögen, in der Hoffnung, vorübersegelnde Schiffe auf sich aufmerksam zu machen.

Die Holländisch-Ostindische Kompanie machte Ende des 18. Jahrhunderts Bankrott, und Indonesien wurde Teil des niederländischen Kolonialreichs. Inzwischen regierte die Englische Ostindien-Kompanie in Indien, bis nach einem großen Aufstand 1858 die britische Regierung Indien ins Empire aufnahm. Die große Zeit der Handelskompanien war vorüber. Von nun an werden Schiffswracks auch uninteressant für Archäologen, denn es gibt Zeichnungen und Modelle von Schiffen.

Doch diese Zeitgrenze für Archäologie unter Wasser – im allgemeinen nennen europäische Archäologen das Jahr 1800 – gilt nicht für die weißen West-Australier. Sie holen sich ihre Heimatgeschichte aus dem Meer. Sie haben ein besonderes Colonial Wreck Programme, ein Forschungsprogramm für Schiffe aus der Kolonialzeit, das auf einer engen Zusammenarbeit mit Sporttauchern beruht.

Die Europäer beachteten Australien lange Zeit kaum, obwohl die Kapitäne der Ostindienfahrer immer wieder von dem Festland im südlichen Weltmeer erzählten. 1770 erforschte James Cook auf der Rückfahrt von Tahiti die Ostküste Australiens. Wenige Jahre später verlor England in den amerikanischen Unabhängigkeitskriegen seine wichtigsten Kolonien. Den Herren in London, die neue Überseegebiete für Sträflingskolonien brauchten, fielen die Berichte von James Cook ein. Mit der Fahrt einer Flotte von elf Schiffen und tausend Mann begann 1788 in der Botany Bay, dem heutigen Sidney, die Einwanderung.

Ein amerikanisches Walfangschiff besuchte die west-australische Küste 1793, und in den folgenden Jahrzehnten kamen Hunderte von amerikanischen, französischen und britischen Walfängern. Die Männer jagten die Wale mit Handharpunen vor der Küste. Manche Besatzungen richteten Landstationen ein, und ab 1829 bauten englische Farmer am Swan River ihre Häuser. Auch die Bauern fingen Wale und fischten Perlen. Für die Siedler, die abgeschnitten auf einem fruchtbaren Landstreifen zwischen Wüste und Ozean lebten, war der Seeweg der einzige Weg in die Welt: Von See kamen Güter und Waren, die sie brauchten, und Nachrichten von zu Hause, über See verschifften sie ihre Produkte. Ungefähr tausend Schiffe gingen zwischen 1829 und 1900 vor der Küste von West-Australien verloren.

Sporttaucher und Archäologen entdeckten gemeinsam versunkene Walfangschiffe und Handelsschiffe. Sie fanden auch die *James Matthews* wieder, ein Schiff, das mit dringend erwartetem landwirtschaftlichem Gerät an Bord 1841 sank. Sie bekamen heraus, daß es ein umgebautes Sklavenschiff ist, offenbar das einzige englische Sklavenschiff der Welt, das es noch gibt, denn die Engländer befahlen nach ihrem Verbot des Sklavenhandels 1807, alle Sklavenschiffe zu vernichten.

Sporttaucher und Archäologen untersuchen und vermessen die wichtigsten Wracks, weniger wichtige lassen sie unberührt – vielleicht für künftige Forscher, denen neue Fragen zur Heimatgeschichte einfallen. Die freiwilligen Helfer der Archäologen sehen regelmäßig nach den bekannten Wracks. Sie können niemanden davon abhalten, zu ihnen zu tauchen und sie auszurauben, doch in der Öffentlichkeit wächst das Bewußtsein, daß diese Wracks für alle da sind. Wer immer mag, meinen die Archäologen, soll sie besuchen, sie anschauen und fotografieren. Sie sollen eine Quelle der Freude für alle sein, Denkmäler für das Leben der frühen Siedler. Auch wenn die Archäologen ein Wrack untersucht und Teile geborgen haben, lassen sie Kanonen und Anker zurück, damit jemand, der sich aufmacht, es unter Wasser zu besichtigen, auch etwas zu sehen hat. Ende der siebziger Jahre standen 61 Wracks unter gesetzlichem Denkmalschutz.

An unserem letzten Tag in West-Australien fuhr Mary North uns im Auto durch das Land. Wir sahen weite Felder mit Weinstöcken, dann Schafweiden, dann dichten, unberührten Busch aus Eukalyp-

Gabriele Hoffmann

ten, Bankria und Akazienarten. Ich fand es aufregend und verwirrend, durch eine Landschaft zu fahren, in der ich keine Pflanze wiedererkannte. Als ich auf kleine stämmige ›Palmen‹ mit merkwürdigem Schopf deutete, sagte Mary, das seien Grasbäume, und sie seien schon viele hundert Jahre alt.

Abends standen wir am Meer. Lange Wogen rollten gegen den leeren Strand und brachen an Sandbänken und Korallenriffen, und ich sah draußen, fern am verwischten Horizont, einen alten Ostindienfahrer kämpfen, und es war mir unheimlich.

In Wirklichkeit gab es weniger Schiffsverluste, als die Archäologen lange angenommen haben. Nach den Arbeiten von Historikern in holländischen Archiven stellte sich heraus, daß in zwei Jahrhunderten bei 4722 Reisen der V.O.C. in den Fernen Osten nur 104 Schiffe verlorengingen. Und doch: 104 Wracks – wie viele von ihnen sind vor dieser Küste versunken? Jeremy Green schrieb: »Es ist ein ernüchternder Gedanke: alle diese Wracks da draußen, all dieser weite Ozean, und alle diese Meilen von Dokumenten in Den Haag, wo die Geheimnisse der See versteckt sind.«

Steinzeit – Holzzeit

Die bislang größte Umwälzung in der Geschichte der Europäer fand ausgerechnet in einem schriftlosen Zeitalter statt: in der Jungsteinzeit. Einige Prähistoriker sprechen von Revolution, andere lehnen den Ausdruck ab, weil niemand weiß, wie lange der Vorgang dauerte. Die Menschen hörten auf zu sammeln, was die Natur ihnen bot, und begannen zu produzieren, was sie brauchten, bauten Getreide an und züchteten Vieh. Sie fingen an, sich die Natur untertan zu machen, und veränderten damit auch ihr Zusammenleben und sich selbst. Land ist seitdem Eigentum eines Menschen oder einer Gruppe von Menschen, die andere davon verjagen dürfen. Seit damals ist es ein entscheidender Unterschied, ob jemand Land und Gebäude – heute auch Geld – besitzt, oder ob er seine Arbeitskraft anbietet.

Aber wie ging diese Umwälzung im einzelnen vor sich? Wie sah das Leben der letzten Jäger und Sammler, wie das der ersten Bauern genau aus, und wie waren Art und Geschwindigkeit des Wandels vor drei- bis sechstausend Jahren und in unterschiedlichen Gegenden? Und was geschah weiter bis zum Gebrauch der Schrift? Allein in der Bundesrepublik versuchen fast zweihundert Prähistoriker das herauszubekommen.

Es war eine große Tat, als Christian Thomsen das Sammelsurium von merkwürdigen Altertümern in der Königlichen Bibliothek in Kopenhagen in Stücke aus Stein, aus Bronze und aus Eisen sortierte und damit die Grundlage für eine Einteilung der vergessenen, dunklen Jahrtausende in Steinzeit, Bronzezeit, Eisenzeit schuf. Er veröffentlichte sein System 1836, und seitdem lernen die Gelehrten immer besser, von Werkzeugen und Waffen die Geschichte ihrer ehemaligen Besitzer abzulesen. Heute wollen sie mehr betrachten, denn Stein, Bronze, Eisen erzählen nicht die ganze Geschichte. Aber Holz zum Beispiel, bis vor hundert Jahren noch das verbreitetste Alltagsmaterial, finden die Prähistoriker kaum bei ihren Grabungen an Land.

Mit die aufregendsten Funde der Urgeschichtsforscher stammen aus Schweizer Seen.

Als Ulrich Ruoff, Stadtarchäologe von Zürich, sein Amt 1962 antrat, dachte er nicht entfernt ans Tauchen. Doch schon wenige Jahre später arbeitete er im Zürichsee auf einer versunkenen Insel, dem Großen Hafner, und seitdem grub er fast jedes Jahr mit einem Team tauchender Archäologen in den Seen um seine Stadt.

Ruoff und seine Mitarbeiter gruben Siedlungen früher Bauern aus. Sie erkannten die Siedlungen an zahlreichen Hauspfosten aus Holz, die dicht nebeneinander aus dem Seegrund ragten. Zwischen den Pfosten lagen herrliche Funde, wie Archäologen sie so unzerstört aus Gräberfeldern kaum kannten, Gegenstände aus Stein, Bronze, Keramik und aus Holz. Die Ausgräber fanden gleich in der ersten Tauchsaison 1967 im Zürichsee unter Häusern aus der Bronzezeit die Hinterlassenschaften der ersten bäuerlichen Siedler der Jungsteinzeit.

Die Ausgräber mußten in den Anfangsjahren ihrer Arbeit unter Wasser zunächst ein Gerät entwickeln, das ihnen half, mit dem Schlamm fertig zu werden, der die Sicht verdunkelt, sobald ein Taucher mit der Maurerkelle gräbt. Sie erfanden einen Unterwasser-Vorhang, ein 1 m langes Rohr mit drei Reihen von Löchern an einer Seite, aus denen pro Minute 500 l Wasser strömen und

trübes Seewasser und Schlamm schnell vom Arbeitsfeld weg-
tragen.

Ihr Sichtproblem war damit jedoch noch nicht gelöst. In den
ersten warmen Frühlingstagen, wenn auch das Seewasser sich allmählich erwärmt, beginnen die Algen zu wachsen, und sie wachsen
immer dichter, bis die Archäologen im Sommer überhaupt nichts
mehr sehen können. Mit der Frühlingssonne fahren auch wieder
Ausflugsschiffe über den See, und ihre Bugwellen wirbeln durcheinander, was Taucher auf dem Seeboden sorgfältig freilegen. Also
gingen die Archäologen dazu über, im Winter zu tauchen, was in
Schweizer Seen nicht besonders angenehm ist, denn die Wassertem-
peraturen liegen um den Gefrierpunkt und die Lufttemperaturen
meist darunter.

Im Winter mußten die Archäologen außer ihren Trockentauch-
anzügen auch dicke Handschuhe anziehen. Ihre Finger blieben zwar
einigermaßen warm, aber maßstabsgerecht zeichnen konnten sie in
Handschuhen nicht. Also legten sie eine große Plexiglasscheibe auf
den Zeichnungsraster, den sie mit Maßskala auf der Grabungsfläche unter Wasser auslegten, und zeichneten die Funde darunter in
natürlicher Größe nach. Sie mußten lange herumprobieren, bis sie
die für eiskaltes Wasser passenden Zeichenstifte hatten: Lippenstif-
te. Zeichner im Grabungsbüro zeichneten die Lippenstiftbilder um
und reinigten die Plexiglasscheibe zum nächsten Gebrauch.

Von vielen Siedlungen waren Tausende von Hauspfählen übriggeblieben. Für die Archäologen war es nicht ungewöhnlich, auf 1 m^2
gleich zehn Pfähle zu finden – aus verschiedenen Jahrhunderten,
wenn nicht verschiedenen Jahrtausenden. Es war damals noch
schwer herauszubekommen, welche Pfähle in einem Gebiet, auf dem
im Laufe der Zeiten mehrere Häuser übereinander gebaut wurden,
zum selben Haus gehörten. Aber Ruoff und seine Mitarbeiter haben
ein altes, vielgeliebtes Bild endgültig umgestoßen, das Bild von einem
geheimnisvollen Bauernvolk, das seine Dörfer über dem Wasser der
flachen Seeufer des Voralpenlandes errichtete und von der Steinzeit
bis zur Bronzezeit in seinen Pfahlhäusern lebte.

Der Erfinder der Traumhäuser im See war auch ein Schweizer,
auch ein Prähistoriker, auch ein Mann, der in Zürich lebte. Was
damals, vor gut einhundertfünfzig Jahren, am Zürichsee geschah,
elektrisierte ganz Europa in einer Weise, wie wir es uns heute selbst

in unserer archäologiebegeisterten Zeit kaum vorstellen können, und trug viel dazu bei, daß die neue Urgeschichtsforschung sich weit verbreitete.

Der Winter 1853 war der trockenste und kälteste seit vielen Jahren. In den Bergen fiel nur wenig Schnee, die Flüsse führten kaum Wasser, und der Spiegel des Zürichsees sank so tief, daß große Gebiete am Ufer trockenfielen. Die Bewohner von Obermeilen an der Nordseite des Sees wollten den niedrigen Wasserstand nutzen und Land eindeichen. Als sie die Dämme gebaut hatten und den Schlamm auf den zukünftigen Wiesen entfernten, stießen sie auf einen Wald von angespitzten Pfählen. Die Pfähle ragten in Abständen von 25 cm aus dem Seegrund und waren 2 bis 4 m lang. Sie erstreckten sich in einem 400 m breiten Gürtel über die ganze Bucht. Zwischen den Pfählen fanden die Obermeilener Armbänder und Beile aus Bronze.

Die zeigten sie dem Dorfschullehrer Johannes Aeppli. Aeppli interessierte sich für die eben aufblühende Wissenschaft von der Prähistorie. Er schrieb an Professor Ferdinand Keller, den Vorsitzenden der Gesellschaft der Altertumsfreunde in Zürich und einen der bedeutendsten Urgeschichtsforscher der Schweiz, im bürgerlichen Leben Professor für Englisch. Keller alarmierte seine Gesellschaft, und die Altertumsfreunde fuhren nach Obermeilen. Sie waren überwältigt von dem, was sie sahen, und forschten von nun an in Obermeilen, bis im Frühling das Wasser wieder stieg. Die Hälfte von ihnen durchsuchte den Schlamm, den die Landgewinner schon ausgebaggert hatten, nach Funden, und die andere Hälfte fuhr in flachen Kähnen auf dem See über und zwischen den Pfählen umher und holte mit Schleppnetzen und einer sogenannten Altertümerzange, einer Art Apfelpflückgerät, Gegenstände vom Seeboden: Beile aus Feuerstein mit Schäften aus Hirschgeweih, Tongefäße, Meißel aus Feuerstein mit Handgriffen aus Horn, Waffen, Werkzeuge und Schmuck aus Bronze. Zu ihrer größten Überraschung fanden die Männer Werkzeuggriffe aus Holz, Teile von Körben und Matten, Stückchen von Stoff und Netzen. Sie fanden Tausende von Knochen, die nach Auskunft der Zoologen in Zürich von Ziegen, Schweinen, Rindern, Schafen und Hunden stammten.

Im Herbst 1854 veröffentlichte Keller seinen ersten Bericht. Er meinte, daß es sich bei den Pfählen um die Reste eines Dorfes aus der

Bronzezeit oder aus der Steinzeit oder aus der Übergangszeit zwischen beiden Zeitaltern handelte. Die Feuersteingeräte aus dem See unterschieden sich vollkommen von den Geräten der Jäger, die die Züricher Altertumsfreunde in Höhlen ausgegraben hatten. Keller beschrieb die Pfahldörfer von Neuguinea und Borneo und entwarf das erste Bild einer Kultur von Pfahlbauern. Die Schweizer Seedorfbewohner hatten ihre Häuser wohl aus Verteidigungsgründen auf Pfählen und Holzplattformen in den See gebaut. Sie waren Akkerbauern, wie die Haustierknochen verrieten.

Kellers Bericht war eine Riesensensation. Die Altertumsfreunde in ganz Europa gerieten in Aufregung. Bislang konnten sie immer nur vereinzelte Funde vorweisen, nun aber gab es eine ganze Siedlung mit Häusern und Gegenständen in Hülle und Fülle. Begeisterte Forscher untersuchten fortan zahlreiche Seen in der Schweiz, und Ferdinand Keller konnte in seinem zweiten Bericht über die Pfahlbauern, 1858, schon mehr als zwanzig Dörfer beschreiben, in seinem achten Bericht, 1879, bereits 161, und aus Süddeutschland, Norditalien, Ostfrankreich und Österreich meldeten Altertumsfreunde ihm weitere Seedörfer auf Pfählen. Bislang hatte man geglaubt, daß die Mittel- und Nordeuropäer noch ein ganz primitives Volk waren, als im Mittelmeerraum schon Kulturen blühten. Nun sah man nördlich der Alpen Kulturen, die vielen des Mittelmeerraums kaum nachstanden. Diese falsche Einschätzung der frühen Mittel- und Nordeuropäer beruhte offenbar vor allem darauf, daß sie aus schnell vergänglichem Holz bauten.

Damals war Archäologie noch eine Jagd nach einzelnen, schönen Fundstücken, nach Sonderbarkeiten, mit denen Museumsdirektoren ein staunendes Publikum anlocken konnten. Die meisten Museen besaßen aber erst ein paar polierte Steinbeile. Nun wollte jeder Museumsdirektor in Europa, der etwas auf sich hielt, Stücke aus den Seedörfern haben. Die große Nachfrage rief ein reges Graben in der Schweiz hervor. Bauern legten ihre Pflüge beiseite und Fischer ihre Netze, und sie gruben an den Ufern oder fuhren in Kähnen mit Altertümerzangen über die Seen. Der Handel mit Altertümern des Pfahlbauvolks blühte. 1880 verbot die Schweizer Regierung das wilde Graben nach Altertümern und deren Verkauf. Aber die Einnahmequelle war zu schön, und so kam eine rege Fälscherindustrie in Schwung.

Die Prähistoriker entdeckten immer mehr Seedörfer. 1930 kannten sie schon 435 Pfahlsiedlungen aus Steinzeit und Bronzezeit. Aber waren die Pfähle wirklich Überreste von Häusern, die ihre Eigentümer direkt im Wasser erbaut hatten, oder standen die Häuser ursprünglich nicht doch am Ufer, das später versank, als der Seespiegel anstieg? Diese Frage führte zu heißen und leidenschaftlichen Diskussionen unter Wissenschaftlern und Laien.

Der Tübinger Professor Hans Reinerth ließ 1929 bei Sipplingen am Bodensee einen Wall um 500 m Pfahlbausiedlung bauen. Im Jahr darauf ließ er das Wasser herauspumpen und grub. Sein Ergebnis: Die Häuser standen auf Teilen des Ufers, das nur manchmal überflutet war. Das beendete die Diskussion jedoch keineswegs. 1960 neigte sie dahin, daß nicht ein einziges dieser Seedörfer über offenem Wasser erbaut worden war, sondern alle auf trockenem Land. Doch Ulrich Ruoff kam um 1970 zu dem Ergebnis, daß man nicht von einem Seedorf auf andere schließen kann. Es gibt Häuser, die direkt auf der Erde, und solche, die auf Pfählen und Plattformen erbaut wurden. Es gibt solche, die auf damals trockenem Strand, und solche, die tatsächlich im Wasser standen.

Ganz falsch lag Ferdinand Keller also nicht. Aber seine Hypothese von einem besonderen Volk der Pfahlhausbauer ließ sich nach Ruoffs Ansicht nicht mehr halten. Die unterschiedlichsten Völker bauten Dörfer an den Seen, Völker, die zu ihrer Zeit weit im Land verbreitet siedelten und deren Angehörige zum größten Teil nicht am Wasser lebten. Die deutsche Wissenschaft war aus der Pfahlbauforschung ausgestiegen, seit Hans Reinerth in Hitlers Dienst vorgab, die Überlegenheit der nordischen Rasse aus der Erde zu holen. Reinerth verfolgte die Juden bis in die Steinzeit: Ackerbau und Viehzucht seien keineswegs aus dem Vorderen Orient nach Mitteleuropa gekommen. Nicht finstere Semiten sondern deutsche Menschen aus Thüringen hätten das Licht des Fortschritts an den Bodensee und in die Welt gebracht.

Nach dem Krieg wußte niemand mehr, wo genau am Bodensee die einstmals berühmten Dörfer der Steinzeit und der Bronzezeit lagen.

Im Winter 1971/72 hatte Helmut Schlichtherle, Archäologiestudent und 22 Jahre alt, sein Schlüsselerlebnis – in Wangen am See. Schlichtherle war in Radolfzell zu Hause und hatte oft überlegt: Wo lagen die Dörfer, die man im vorigen Jahrhundert gefunden hatte, wie viele gab es, in wie vielen war außer Pfählen noch eine Kulturschicht erhalten? Und: Sollte es denn nicht möglich sein, die deutsche Seedörfer-Forschung wieder an den internationalen Standard anzubinden? »In Hornstaad am Hörnle mußt du graben«, hatte der Sammler Erich Lang zu ihm gesagt. Hörnle nennen die Alemannen eine kleine Landzunge. Lang lief seit Jahren das Ufer ab und guckte nach Funden. Schon sein Vater hatte gesammelt und verkauft. Lang verkaufte nichts. Er war ehrenamtlicher Mitarbeiter des Landesdenkmalamtes.

Nun ließ in Wangen eine Gärtnerei ein Saugrohr in den See verlegen. Helmut Schlichtherle und der Kreisarchäologe standen auf dem gefrorenen Ufer und sahen dem Bagger zu. In Wangen hatte Kaspar Löhle, Bauer und Ratsschreiber, 1856 das erste Pfahlbaudorf im Bodensee entdeckt und seine Funde gegen gutes Geld an die großen Museen in Paris, Leningrad, London versandt.

Der Baggerführer senkte die Schaufel in die Seekreide, zog sie durch, führte sie hoch und zur Seite, leerte sie. Schlichtherle erkannte die Reste eines Pfahldorfes. Er begann zu zeichnen, zeichnete wie verrückt, versuchte, so schnell zu sein wie die Schaufel grub, den Bagger einzuholen, mehrere Besiedlungsschichten schienen hier übereinander zu liegen, mehrere Dörfer hatten hier nacheinander gestanden: Dörfer aus der Bronzezeit, der Steinzeit.

Der Bagger sank mehrfach ein, arbeitete sich heraus, fuhr neben der alten Spur und grub weiter, versank schließlich im See. Man schaffte eine Planierraupe herbei, auch sie drohte zu versinken, man holte Stahlplatten, und die Raupe zog den Bagger heraus. Als abends die Bauleute abfuhren, hatten sie die Schichten auf einer Breite von 50 m zerwühlt, zerquetscht, zermanscht, und beim nächsten Anstieg des Wasserspiegels schwemmte der See alles weg.

Doch: Es gab die alten Dörfer noch. Und: Die Zeit drängte. An vielen Stellen am See verlegte man Saugleitungen, Abwasserrohre, baggerte man Jachthäfen aus und Fahrrinnen für die Ausflugsschiffe.

Helmut Schlichtherle suchte in den nächsten Jahren systematisch nach Pfahlbauten, klaubte in Oberschwaben Holzkohle aus Maulwurfshügeln, tauchte im Bodensee mit den Unterwasserarchäologen aus Zürich, formulierte Forschungsanträge. Er fand 73 Siedlungsgebiete am See, 22 in oberschwäbischen Mooren. Die Deutsche Forschungsgemeinschaft finanzierte zwei Forschungsgrabungen unter seiner Leitung: Seit 1983 grub sein Team im Sommer am Federseemoor in Oberschwaben, im Winter am Bodensee. Auch das Landesdenkmalamt Baden-Württemberg, das Schlichtherle nach dem Ende seines Studiums eingestellt hatte, und die Universität Freiburg beteiligten sich, und das Projekt »Pfahlbauarchäologie Bodensee-Oberschwaben« wurde zur größten und viel bewunderten Forschungsgrabung in Deutschland. Schlichtherle und seine Kollegen wollen den Kulturwandel seit der Steinzeit erforschen, die Entstehung der Kulturlandschaft. Wie machten die frühen Bauern aus der Natur eine Kulturlandschaft? Und was taten sie, als die ersten Umweltsünden auf sie zurückfielen – sie Gewässer verschmutzt, Böden überdüngt hatten?

Im Winter, wenn es in den Alpen schneit, sinkt der Wasserstand des Bodensees um knapp 2 m: Dann grub Helmut Schlichtherle mit über vierzig Leuten auf dem nun freien Seeboden am Hörnle vor Hornstaad ein sechstausend Jahre altes Dorf aus, das älteste und größte, das er bis dahin gefunden hatte. Hier durfte ich mitgraben, in einer Siedlung aus der Jungsteinzeit.

Morgens, 7.45 Uhr in Hornstaad. Studenten und Studentinnen in Overalls, Thermojacken und mit fingerlosen Handschuhen ziehen mit Eimern, Zeichenbrettern und Meßlatten zu den beiden Grabungszelten. Eisschollen schwimmen auf dem Bodensee, der Schnee knirscht unter unseren Stiefeln. Ehe die Archäologen kamen, standen hier im Sommer die Badegäste des Hotels Hirschen mit den Füßen in der Steinzeit. Wenn die Ausgräber einen Kronkorken finden, ist alles klar, aber bei einem Stückchen Schnur müssen sie sich fragen, ob es die Kordel einer Badehose war oder ob die Steinzeitbauern damit ihre Häuser zusammenbanden.

Ich grabe zusammen mit Ingo Schreiber. Er ist einer von sechs ständigen Grabungsarbeitern und zieht im Sommer mit Frau und Baby im Wohnwagen mit Schlichtherle nach Oberschwaben und im Winter an den See. Unser Quadrat in der Grabungsfläche 921 hat die Nummer 34/55, das Viertel, das wir abgraben, den Buchstaben c. Die viereckige Fläche ist knapp 0,5 m tief. Hier liegen die Reste zweier Dörfer übereinander. Wir sind in der wichtigen Brandschicht 4.12. Das ältere der beiden Dörfer ging in Flammen auf – im Herbst, die Getreideernte verbrannte mit. Pfahlköpfe ragen aus der Erde: Hauspfosten beider Dörfer, verschieden alt, aber mit bloßem Auge ist das nicht zu sehen. Ich lerne ein neues Wort von Ingo: verproben. Von jedem Pfosten kommt eine Probe fürs Holzlabor in eine Plastiktüte.

Die Erde zwischen den Pfahlköpfen ist schwarz, braun, grau – für mich Dreck. Ingo zeigt mir eine Keramikscherbe. Hier eine Holzschale. Das Helle sind Getreidekörner und das ganz Schwarze auch: verkohlte Körner. Das Graue ist Lehm, der von Hauswänden stammt und im Feuer teilweise verziegelte. Langsam gehen mir die Augen auf.

Über den Schnitten hängen Holzleitern. Ingo und ich knien uns über Eck auf Leitern, wir haben Knieschützer. Ich soll die Maurerkelle mit der Spitze etwas in die Erde stechen und die Erde vorsichtig aufbrechen. So erkenne ich am besten Strukturänderungen, sagt Ingo. Jede Strukturveränderung hat hier etwas zu bedeuten: eine Tonscherbe, ein Steinbeil, einen Holzgriff, einen Pfahl. Bastkörbe sind weich und braun wie die Erde. Für den Feinputz habe ich einen Spachtel. Alles, was größer ist als 5 cm, bekommt eine Nummer: ein Fund. Die abgehobene Erde schieben wir in kleine Blechkästen, die wir in schwarze Plastikeimer entleeren.

Wir verfolgen die Brandschicht. An einigen Stellen ist sie 4 cm dick, an anderen nur einen. Fabrice, ein Abiturient aus Frankreich, zeichnet aus dem, was wir freilegen, einen Plan der Schicht. Wenn man die Reste eines Hauses auf einen Haufen sammelt, weiß man so ungefähr, was die Bewohner besaßen. Zeichnet man aber vorher auf, was wo lag, dann erfährt man, ob das Haus eine extra Küche hatte, vielleicht eine Werkstatt, lernt etwas über das Leben der Steinzeitleute – zum Beispiel, daß sie ihre Fischnetze unter die Dachtraufen hängten.

Kondenswasser tropft vom Zeltdach in meinen Nacken. Der Gasheizer springt an, ein Flammenwerfer. Die Stimmung im Zelt ist gedämpft. Jeder zieht sich vor Kälte in sich zurück. Arbeitszeit ist von morgens viertel vor acht bis nachmittags um fünf.

Wir haben unseren Viertelquadratmeter abgegraben. Unsere Ausbeute: ein paar Knochensplitter, die wie blaue Käferflügel aussehen, Feuersteinabschläge, ein Essensrest – sagt Ingo – und zwei Eimer Erde. Die Eimer bekommen Nummern. Mit Wasserwaage und Zollstock messen wir, wie tief wir gegraben haben, Ingo trägt die Daten in ein Formular ein.

Wir tragen die Eimer zum Zelt hinaus, es ist bitterkalt, zu einer der beiden Goldwaschanlagen am See. Hier sieben schon andere Ausgräber mit großem Geplätscher ihren Aushub durch. Ich bekomme eine Gummischürze, und Ingo kippt den Inhalt eines Eimers in ein rundes Sieb und richtet einen Wasserschlauch darauf, rührt mit einer Abwaschbürste, bis die Erde raus ist.

Ich soll schätzen, woraus der Rest besteht. Das meiste ist Holzkohle vom verbrannten Haus – 4 kreuzt Ingo im Fundprotokoll an –, etwas gebrannter Lehm von den Hauswänden, eine Menge schwarze Getreidekörner – 2. Ein paar Muscheln und Schnecken, viele Haselnußschalen, etwas Holz, kaum Steine.

Ingo schüttet alles zurück in den Eimer und wiegt die Ausbeute: 3500 g Naßgewicht.

Jetzt kommt das Abflotieren: Wasserstrahl in den Eimer, Eimer schräg über das Sieb halten. Das leichte Holz und das Getreide schwimmen in das Sieb, die Steine bleiben zurück. Auch sie werden gewogen: 810 g, notiert Ingo.

Jetzt sehen wir das Organische durch. Wir finden im Sieb einen kleinen Knochen, noch einen, einen dritten: ein Finger! Vielleicht die Zehe eines Tieres, meinen die anderen nüchtern.

Im Grabungsbüro verzeichnet Claudia Meßmer die Funde in einer Liste. Claudia verdient sich hier jedes Jahr in den Semesterferien Geld für ihr Soziologiestudium. Sie findet ihre Arbeit aufregend: »Da hat eine Frau sechstausend Jahre vor mir in einem Topf Brei gekocht, und den habe ich nun auf dem Tisch.«

Dann darf ich alleine graben. Mittags sitze ich mit einer Studentin in der Wintersonne und höre Grabungsgeschichten aus dem heißen Syrien. Nachmittags bin ich krumm und lahm.

An meinem nächsten Grabungstag setzt Regen ein, der Schnee schmilzt, drei Tage später gießt es. Rings um den Bodensee blinken die Warnfeuer: Sturm.

»Der See kommt«, sagen die Archäologen in Hornstaad. Er steigt um 45 cm. Eine Goldwaschanlage versinkt. Lastwagen liefern 30 t Sand am 300 m entfernten Parkplatz an. Die Ausgräber füllen Sandsäcke, schaffen sie mit Schubkarren und einem Boot herbei, bauen einen Damm um die Zelte. Es schneit wieder. Der Damm muß heute fertig werden, morgen soll es frieren.

Die Zentrale der Archäologen und Naturwissenschaftler ist die ehemalige Schule in Hemmenhofen. Penible Grabungstechnik ist

Gabriele Hoffmann

nur der Anfang. Das größte Abenteuer spielt sich, wie stets, im Kopf ab. Auf Fluren und in Klassenzimmern stehen Regale und Schränke mit Funden und Proben. Im Zeichenraum sind nur noch schmale Gänge zu den Tischen frei. Archäologen zeichnen Fundverteilungen, ein Sedimentologe liest an Bohrkernen ab, wie hoch der Seespiegel in verschiedenen Jahrhunderten war, Botaniker bestimmen Pflanzenreste.

André Billamboz hat sich auf Dendrochronologie spezialisiert: die Wissenschaft, den Kalender, den das Holz in seinen Jahresringen mitbringt, lesen zu können. Er kann herausfinden, welche Pfosten aus den dichten Pfahlwäldern zum selben Haus gehören, welche Häuser zum selben Dorf. Die Jahresringe verraten noch mehr. So ein Haus in Hornstaad hielt fünfzehn, zwanzig Jahre, dann wurden die ersten Reparaturen fällig. Jede Generation baute neu. Die Leute betrieben schon Waldwirtschaft, zogen sich über Jahre die Bäume heran, die einmal ihre 5 bis 6 m hohen Dächer tragen sollten, entästeten sie. Die Häuser waren 2,5 m mal 8 bis 10 m groß und standen mit der Front zum See.

Die hölzernen Geräte, Waffen und Werkzeuge versetzen Archäologen und Naturwissenschaftler immer wieder in Staunen. Holz war der wichtigste Werkstoff in der Steinzeit. Die Hornstaader kannten genau die Holzart, die für jeden Gegenstand am besten geeignet war nach Gewicht, Festigkeit, Biegsamkeit. Für ihre mannshohen Jagdbögen und für Dolchgriffe wählten sie Eibe, für Axt- und Beilstiele Esche. Sie nahmen das Holz von den Stellen einer Esche, an denen es besonders zäh ist und Druck oder Zug am besten aushält, zum Beispiel vom Übergang von der Wurzel zum Stamm oder von einer Stelle, an der große Äste abzweigen. Für Kämme nahmen sie Buchsbaumholz, für Planken und Bretter Eichenholz und Buchenholz, das sich gut spalten läßt.

Volkskundler beobachteten noch Anfang des 20. Jahrhunderts im Böhmerwald eine ebenso gute Kenntnis von Holz als Werkstoff. Die Handwerker der Jungsteinzeit waren vor sechstausend Jahren also schon so weit wie die Handwerker von 1910 im Böhmerwald. Ihre Holzkenntnis verrät noch mehr über die Jungsteinzeitleute: Sie hatten große Freude an Holz und waren neugierig auf seine vielfältigen Möglichkeiten, und sie liebten, was sie mit ihren Händen herstellten und womit sie im Alltag umgingen, ihre Werkzeuge und Geräte. Ihre Technologie verrät, daß sie erfindungsreich und pfiffig waren. Bei Äxten setzten sie Zwischenfutter aus Hirschgeweih zwischen Stiel und Steinklinge, um den Rückschlag abzupuffern.

Im letzten Klassenzimmer links liest der Botaniker Manfred Rösch an Blütenstaub und Pflanzenresten die Geschichte der Landwirtschaft ab. Die Steinzeitleute bauten Gerste an, Weizen, Flachs und Mohn – Mohn vielleicht als Fettlieferant für ihr Müsli aus Getreide, Leinsamen und Äpfeln. Die Archäologen fanden Brot, das auf der Unterseite Abdrücke von Blättern hat: Die Blätter sollten wohl verhindern, daß das Brot beim Backen auf heißen Steinplatten verbrannte. Die Ausgräber fanden sogar Kackhäufchen. Das Häufchen Nr. 85 6446-1 enthielt Samen von Himbeeren, Brombeeren, Erdbeeren, Apfelkerne und Toilettenmoos: Da hat jemand Rote Grütze gegessen oder sich beim Beerensammeln sattgefuttert.

Auch Tierknochen sind unter Wasser gut erhalten. Die Bauern schossen Hirsche, die damals riesig waren, und gewaltige Auerochsen, Enten und Gänse, harpunierten Welse und Hechte im See und fischten mit Leinennetzen Barsche, Felchen, Schleie. Als Haustiere züchteten sie kleine, handhabbare Rinder: Bis zur Bronzezeit werden die Kühe immer kleiner und überragen schließlich die 80 cm großen Schweine kaum noch.

Vier Basthütchen gruben die Archäologen aus, einen Leinenbeutel und zwei Sandalen aus Bast. Sie fanden Spindeln und Fadenknäuel, Webgewichte und Gewebereste. Die Hornstaader schmückten sich mit bis zu achtreihigen Kolliers aus Marmorperlen, hatten Knöpfe aus Perlmutt. Und wie sahen die Hornstaader aus? Die Archäologen fanden Kaugummis aus Birkenrindenteer mit Gebißabdrücken, die zu Leuten von 1,50 bis 1,60 m Größe passen. In der Schweiz gibt es einen Steinzeitfriedhof bei Lenzburg: Die Leute sahen so aus wie wir.

Auch die Taucher bringen Pfahlproben und Funde nach Hemmenhofen. Die Archäologen können nur im Winter tauchen: Im Sommer wachsen die Algen so dicht, daß sie nichts sehen. Die vier Taucher sind Doktoranden der Universität Freiburg. Sie tauchen gemeinsam, und jeder schreibt über ein Seedorf seine Doktorarbeit.

Sie nehmen mich mit in den Jachthafen von Sipplingen. Dort verladen wir die Ausrüstung von den Autos in ein Boot, die Luft-

Gabriele Hoffmann

flaschen der Taucher, jede wiegt 10 kg, drei schwere Unterwasserkameras, zwei mit Blitzlichtgerät. Die Taucher tragen Trockenanzü-
ge, Bleigürtel, 20 kg schwer, und Blei an den Fußgelenken. Die Luft-
temperatur beträgt heute zehn Grad minus.

Das Boot fährt krachend auf das Eis im Hafen, zerbricht es. 1973
hat man den Jachthafen mitten in die Steinzeitdörfer gebaut. Durch
das glasklare Wasser sehe ich am Grund zwischen den Holzstäm-
men der Bootsstege kleine Wände: Siedlungsschichten, die die Bagger stehen ließen.

Die Taucher schwimmen unter die Eisschollen. Ab und zu flammt
Blitzlicht auf. Dies ist die Grenze des Tauchens, kälter kann Wasser
nicht werden, dann ist es Eis.

Martin Kolb – er promoviert über Sipplingen – säubert unter dem
Kiel einer Lustjacht mit der Maurerkelle einen Grabungsabschnitt
zum Fotografieren. Die Taucher graben und messen unter Wasser
ebenso sorgfältig wie die Ausgräber an Land. Doch in Tauchausrüstung, bei verzerrter Sicht und in aufwirbelndem Schlamm ist alles
noch mühsamer. Unter Martin Kolb liegt quer ein Rohr auf dem
Grund, das an einer Seite Löcher hat und in das eine Pumpe im Boot
über einen Schlauch Wasser pumpt: eine künstliche Strömung, die
den aufgewirbelten Schlamm in einer großen braunen Wolke davon-
trägt. Die Pumpe dröhnt im Hafen.

Die Archäologen haben unter Wasser gelbe Schnüre gespannt
und mit ihnen Länge und Breite einer Grabung festgelegt. Die
Höhe messen sie zum Wasserspiegel aus. Jeden Morgen um acht
sitzt einer am Radio und notiert den Wasserstand von Konstanz.
Zum Zeichnen legen sie eine Plexiglasscheibe über die Grabung und
fahren mit Fettstift die Umrisse der Funde nach. Das zeichnen sie
abends um im Maßstab 1:10. Sie hausen in einer feudalen und
ungemütlichen Wohnung im alten Zollhaus von Ludwigshafen, die
nie richtig warm wird.

Martin Kolb kommt aus dem Wasser, seine Flasche ist leer. Er
setzt sich zu mir aufs Geländer, erzählt. Das Besondere an Sipplingen: Hier ist eines der größten Schichtenpakete im Bodensee
erhalten – vor der Hafeneinfahrt Dörfer aus den Jahren 3800 bis
3500 v. Chr. und im Hafen von 3300 bis 2800 v. Chr., sechs Schichten
untereinander. Die ersten Bauern in Hornstaad bauten vor sechstausend Jahren noch locker am See. In Sipplingen, vor fünftausend

Jahren, standen die Häuser dicht an dicht in strenger Ordnung, Reihenhaussiedlungen, von Palisaden umgeben.

Martin Mainberger und sein Tauchpartner fahren mit mir nach Unteruhldingen. Hier stehen Pfähle aus der Bronzezeit, knapp dreitausend Jahre alt. In Unteruhldingen ist auch das Freilichtmuseum Pfahldorf. Manche Archäologen lächeln darüber – »doch es ist schon toll, daß es sowas überhaupt gibt«, sagt Martin Mainberger. Im echten Bronzezeitdorf unter Wasser gibt es keine Kulturschicht mehr. Die Strömung hat sie davongetragen, seit Ende des 19. Jahrhunderts der Hafen ausgebaut wurde.

Was vor sechstausend Jahren begann, ließ den Bodensee in unserer Zeit fast umkippen. »Hilfe. Bürger in Not. 20 000 Autos täglich – unerträglich« steht auf großen Tafeln am Stadtrand von Ludwigshafen. Allein von Unteruhldingen geht im Sommer stündlich ein Dampfer mit deihundert Personen zur Insel Mainau. Der Fischer Sulger, der mir sein Boot leiht, meint, daß die Felchen sich nicht mehr vermehren können: Jedes Jahr muß Fischbrut ausgesetzt werden. Seit fünfhundert Jahren sind die Sulgers Fischer am Bodensee. »Der Mensch lebt von der Natur«, sagt er. »Schreiben Sie das. Die Natur lebt nicht vom Menschen. So isches.«

Sulger hält mir am Strand den Kahn, gibt mir die Ruder, Mainberger folgt uns langsam durch den Sand zum Wasser, schwerbepackt mit 20 kg Blei: »Ich darf nicht schwitzen.« Die Taucher gehen rückwärts in den See – wegen der Flossen. »Wenn Sie reinfallen, sterben Sie an Herzversagen«, ruft Mainberger mir zu, ehe er untertaucht.

Ich rudere auf den See hinaus. Sonnenkringel schaukeln auf dem Wasser. Ich entdecke Pfähle auf dem Seeboden, erahne viereckige Hausgrundrisse, Palisaden, gerate über einen Pfahlwald – seltsam düster und geheimnisvoll.

Nicht nur in der Schweiz und in Deutschland, auch in Österreich, Italien, Frankreich entdeckten Taucher immer mehr Siedlungen in Seen. Auch in Rußland tauchten Archäologen in Seen, untersuchten Siedlungen in Flußbetten und Sümpfen. In England, unter den berühmten weißen Klippen von Dover, fanden Taucher eine Stelle, an der in der Bronzezeit ein Schiff sank. In Dänemark aber fand man im Meer zwei der sehr seltenen Siedlungen der letzten Jäger und Sammler aus der Steinzeit.

Die Dänen sind wohl das prähistorisch neugierigste und bestunterrichtete Volk der Erde. Nicht nur, daß die Prähistorie in Dänemark ihren Anfang nahm und immer wieder von dort neue Impulse bekam, es gibt dort auch die Zeitschrift ›Skalk‹. Die rotberockten Briefträger des Landes werfen sechsmal im Jahr ein kleines Heft in die Briefkästen von sechzigtausend Abonnenten. Für Deutschland ergäbe die Zahl der Abonnenten im Verhältnis zur Zahl der Einwohner eine Auflage von über sechshunderttausend! Die Abonnenten und ihre Familienangehörigen verfolgen mit liebevollem Interesse, was sich archäologisch tut im Staate Dänemark, lesen begeistert die neuesten Nachrichten über die ältesten Zeiten. Anerkannte Archäologen veröffentlichen oft ihre Ergebnisse zum ersten Mal in ›Skalk‹. So ist es nicht überraschend, daß die Wochenendtaucher wissen, was sie da manchmal auf dem Meeresgrund sehen. Sporttaucher entdeckten die beiden Wohnplätze der Jäger und Sammler bei Dejrø und Tybrind.

Ungefähr in der Zeit dieser letzten Jäger, kurz vor dem Beginn der Bauernsteinzeit oder vielleicht gleichzeitig damit, vor rund sechstausend Jahren, fand das Inselreich Dänemark seine heutige geographische Form. Als die Jäger lebten, war es gerade noch in einer langsamen steten Bewegung. Es kippte über eine Achse, die von Nordwest nach Südost quer über Inseln und Halbinseln verläuft. Das Land nördlich der Achse hob sich, das Land südlich von ihr senkte sich. So kommt es, daß die ältesten Wohnplätze im Süden heute 2 bis 3 Meter tief geschützt unter Wasser liegen.

Dejrø ist eine kleine Insel im Fahrwasser vor der malerischen alten Kaufmannsstadt Ærøskøbing, einem beliebten Ziel von Butterfahrern und Sommerseglern. Die Sporttaucher fanden den Wohnplatz am Rand des Fahrwassers. Sie wandten sich an Jørgen Skaarup, den Archäologen des Museums der Insel Langeland. Der Fund war so aufregend, daß das Museum sich als erstes der schönen kleinen Heimatmuseen in Dänemark entschloß, unter Wasser zu graben. Tauchclubfreunde der Entdecker halfen Jørgen Skaarup von 1976 bis 1979 jeden Sommer einige Wochen lang, den Steinzeitwohnplatz zu vermessen und freizulegen.

Sie mußten ständig ein Boot in Bereitschaft haben und zu neugierigen Seglern fahren, die die Flaggenmarkierungen der Taucher gleich neben der Fahrrinne nicht respektierten, und ihnen erklären, warum sie nicht näher segeln sollten.

Die Steinzeitleute lebten auf dem äußersten Ende einer heute versunkenen Landzunge, direkt am tiefen Wasser. Für Menschen, deren Haupterwerb der Fang von Fischen und Meerestieren war, konnte der Wohnplatz nicht besser gewählt sein. Seine Größe und die Menge der Funde deuten darauf hin, daß hier mehrere Familien über lange Zeit wohnten. Sie hinterließen einen etwa 50 m langen und 75 cm hohen Abfallhaufen, und seine Zusammensetzung entzückt jeden Prähistoriker. Feuerstellen mit rußgeschwärzten Steinen zeigen, daß die Leute mitten auf dem Haufen, der, wie Jørgen Skaarup meint, damals sicher nicht nach Veilchen duftete, gekocht und gebraten haben. Skaarup fand Tonscherben, die zu kleinen, bootsförmigen Lampen gehört haben müssen. Die Steinzeitleute warfen ihre Abfälle damals auch ins Wasser, und die Taucher kämpften sich durch einen zweiten, 1,5 m hohen Haufen.

Sie fanden Pfeile und Bögen aus Ulmenholz, dem besten Holz für Bögen, das die dänische Natur damals lieferte. Die Pfeilschäfte sind aus Hasel. Die Taucher entdeckten einen hölzernen Schwimmer, der wie ein halbes Gänseei aussieht. Der Schwimmer hat ein Loch, in dem noch ein kleines Stück Schnur aus gesponnener Pflanzenfaser steckte. Die Leute haben also mit Haken geangelt. Mit hölzernen Aalgabeln stachen sie nach Aal und Plattfisch.

Die Jäger jagten Otter, Wildkatze, Marder und Wolf, sicher um Pelze für ihre Kleider und Decken zu bekommen, und Rothirsch, Wildschwein und Reh. Sie sammelten Eicheln und Haselnüsse in solchen Mengen, daß Skaarup annimmt, sie benutzten den Platz hauptsächlich von der Nußernte im späten Herbst bis April/Mai und lebten im Sommer vielleicht an einem der Seen im Innern des Landes. Sie sammelten Austern auf Muschelbänken und schossen Enten, Schwäne und Seeadler – die Seeadler vielleicht, um Steuerfedern für ihre Pfeile zu bekommen. Sie überrumpelten Seehunde auf ihren Ruheplätzen. Die Taucher fanden an mehreren Stellen die Knochen von Tümmlern – vielleicht die Beute von Treibjagden.

Die Taucher entdeckten auch die Steinzeitmenschen selbst, nämlich Knochen von Armen und Beinen. Die Knochen sind aufgeschlagen wie die Tierknochen und verraten damit, daß diese Jäger keines friedlichen Todes gestorben sein können. Jørgen Skaarup nimmt an, daß die Bewohner der Siedlung ihre Feinde erschlugen und verzehrten. Die Taucher gruben auch einen feuerversengten Knochen aus und einen Unterkiefer, dem die Zähne herausgeschlagen sind. Die Archäologen kennen Halsketten aus Menschenzähnen aus Gräbern dieser Zeit auf der Insel Seeland und dachten bislang, daß Kannibalismus eine Sitte der Bauernvölker war. Die Jäger kannten ihn also auch schon. Skaarup verglich, wie andere Prähistoriker, seine Funde mit den Studien der Volkskundler, die in unserer Zeit die letzten noch lebenden Steinzeitvölker der Erde besuchten: Vielleicht glaubten auch die Jäger von Dejrø, daß sie mit dem Verspeisen eines erschlagenen Feindes einen Teil seiner starken Eigenschaften in sich aufnahmen – Mut, Ausdauer, Jagdglück. Skaarup meint dazu: »Wenn dann auch noch die Frau des Siegers sich mit den Zähnen des Erschlagenen schmücken konnte, mußte wohl ein jeder erkennen, daß hier gewaltige Krieger hausten.«

Vier Sporttaucher sahen im Kleinen Belt vor der Insel Fünen, in der Tybrind-Bucht zwischen Assens und Middelfart, 1976 Hunderte von Gegenständen auf dem Meeresboden liegen: Flintgeräte, Tierknochen, Geweihäxte, Tonscherben und eine fast vollständige Schale mit dem spitzen Boden, der für die letzten Jäger kennzeichnend ist. Die Unterwassergrabung bei Dejrø war in diesem Sommer schon aufregend genug, aber der neue Fund schien den Archäologen noch größer und vielversprechender zu sein. An Land finden Archäologen beim Ausgraben von Wohnplätzen der Jäger in der Hauptsache Werkzeuge und Waffen aus Flintstein. Auch auf dem Meeresboden von Dejrø und in der Tybrind-Bucht lagen zahlreiche Werkzeuge aus Flintstein, deren Formen schon lange bekannt sind: Schaber, Bohrer, Stichel, Scheiben- und Kernäxte, Querpfeile, dazu Geräte aus Knochen und Hirschhorn wie Messer, Schlagstöcke und Äxte. Neu und überraschend aber sind hier die vielen Gegenstände aus Holz, die sechs Jahrtausende unter Wasser in einem verblüffend guten Zustand überdauerten. In einer Siedlung der letzten Steinzeitjäger gab es weit mehr Gegenstände aus Holz als aus Stein. Hier, in der Tybrind-Bucht, hatten die Geweihäxte noch ihre hölzernen Schäfte – Grund genug für die Archäologen, sich Lufttanks auf den Rücken zu schnallen und auf dem Meeresgrund zu graben. Schon im ersten Jahr gab Tybrind den größten geschlossenen Fund von Gegenständen aus Holz frei, den man aus der Jägersteinzeit kennt.

Magister Søren Andersen vom Prähistorischen Institut der Universität Århus leitete die Grabung. Andersen arbeitete fast jeden

Sommer mit etwa fünfzig archäologiebegeisterten Tauchern aus Sportclubs zusammen.

Auch dieser Wohnplatz liegt in 2 bis 3 m Wassertiefe, heute 250 m vom Ufer der Bucht entfernt. Damals, vor sechstausend Jahren, lag er auf dem Strand. Abfälle der Jäger und ihrer Familien und Gegenstände, die sie zufällig verloren, fielen ins Wasser und versanken im Schlamm. Eine meterdicke Schicht von Schlamm und Blättern setzte sich in den nächsten Jahren darüber und schützte die hölzernen Gegenstände.

Die Taucher verankerten ein Maßsystem am Meeresboden und gruben in Quadratmeterfeldern aus. Sie entfernten die feine »gyttja« – so nennen Bodenkundler und Archäologen die Schicht von sich zersetzenden Blättern, Zweigen und Ästen – entweder mit Löffeln, oder sie wedelten sie mit der Hand weg. Wo viele Taucher arbeiten, steigt auch viel Schlamm auf. Deshalb waren sechs kräftige Pumpen auf Flößen direkt über dem Wohnplatz verankert. Die Taucher maßen jeden Fund lotrecht und waagerecht ein, zeichneten Aufsichten von jeder Grabungsschicht und entnahmen Proben für die 14-C-Altersbestimmung. Die Ausgräber hatten Glück, denn senkrecht geschnittene Wände blieben auch hier unter Wasser stehen, so daß sie einen Schichten-Kalender hatten wie die Schweizer in ihren Seen.

Als die Grabung noch lief, hat Søren Andersen für die eifrigen und gespannten ›Skalk‹-Leser schon ein kleines Bild vom Leben der Jäger in Tybrind entworfen.

Damals, vor sechstausend Jahren und früher, gab es im Belt eine Landzunge. Hier draußen am frischen, salzigen Wasser, nahe einer Austernbank, lag der Wohnplatz der Jäger und Sammler. Im Hinterland begannen Buschwerk und Wald. Die Häuser der Jäger sind zwar verschwunden, aber die Abfallhaufen vom Rand des Wohnplatzes sind noch erhalten und auch die alte Strandlinie. Hier finden die Taucher, was die Bewohner fortwarfen, oder was sie beim Fischen verloren. Reihen von aufrechtstehenden Haselruten sind wohl die Reste von Fischhöfen oder Fischkästen, in denen sie lebende Fische aufhoben. Schwere, eingeschlagene Pfosten können ihnen zum Festmachen ihrer Boote gedient haben. Eine 6 m mal 6 m große gepflasterte Fläche sollte wohl verhindern, daß sie in der matschigen Uferzone nasse Füße bekamen.

Gabriele Hoffmann

Von den Bewohnern der Siedlung fanden Archäologen und Sporttaucher mehrere Reste: Schädelbruchstücke. Sie entdeckten das Skelett einer jungen Frau in einer flachen Grube. Die Frau lag auf dem Rücken, und auf ihr lag ein Kinderskelett. Niemand hatte den beiden Grabbeigaben für das Leben im Jenseits mitgegeben, wie es doch sonst üblich war.

Nuß- und Muschelschalen und viele Tierknochen erzählen von der Ernährung der Steinzeitleute. Sie jagten Rothirsche, Wildschweine und Rehe und selten einmal einen Elch oder einen Auerochsen. Sie jagten Marder, Wildkatzen, Füchse, Otter, Dachse und Iltisse, wohl wegen der Pelze. Die Archäologen fanden Reste von Enten und Schwänen, insgesamt aber nur wenige Vogelknochen. Dafür standen Dorsch, Aal und Katzenhai regelmäßig auf dem Speiseplan. Die Taucher stießen auf die Rippe eines großen Wals. Die Rippe verrät aber nicht, ob der Wal hier strandete, oder ob die Jäger ihn mit ihren Harpunen töteten. Die Archäologen legten Fischhaken mit Leinen frei, die mit zwei halben Schlägen – heute noch einer der wichtigsten Seemannsknoten – befestigt waren, und Aalgabeln aus Holz. Die Gabeln standen oft senkrecht im Boden, so wie der Fischer sie verlor, als er zu tief in den Schlamm stach.

Die Funde in Tybrind ähneln also stark denen von Dejrø. Doch die große Zahl der Holzfunde in der Bucht verfeinert das Bild vom Leben der Steinzeitjäger noch erheblich.

Erst bei dieser Grabung wurde zum Beispiel deutlich, wie verbreitet Pfeil und Bogen in der Steinzeit als Jagdwaffen waren. In Landgrabungen fand man bislang nur die steinernen Pfeilspitzen. In Tybrind aber legten die Taucher unter Wasser im Durchschnitt einen Bogen pro Quadratmeter frei, einen dünnen, astfreien Ulmenzweig, 160 bis 170 cm lang, längs gespalten und geglättet, mit verjüngten Enden und Kerben für die Bogensehne. Zum Bogen gehören zwei Sorten Pfeile: eine mit einer querschneidigen Spitze aus Feuerstein und eine ohne Spitze mit abgerundetem Kopf. Diese nahmen die Jäger wohl für die Jagd auf kleine Pelztiere, denn sicher legten auch sie Wert auf Pelze ohne Schußlöcher. Ein Steinzeitjäger war so gut bewaffnet wie ein heutiger Jäger, der mit seinem Kleinkalibergewehr in den Wald geht.

Die Archäologen fanden Hämmer mit dünnen, elastischen Holzgriffen und Schäfte, möglicherweise von Spießen und Lanzen.

Und sie fanden ein 10 m langes Boot. Es ist das älteste Fahrzeug, das man in Dänemark kennt. Der Bootsbauer hat einen Lindenstamm ausgehöhlt. Das Boot ist leicht und mißt an der breitesten Stelle etwa 70 cm. Sein Achterende ist gerade, das Vorderende zugespitzt. Im Boot lag ein 30 kg schwerer Stein, der vielleicht als Ballast diente. Am Achterende des Bootes entdeckten die Archäologen etwas Merkwürdiges: angerußte Steine auf Sand, eine Feuerstelle. Hat man nachts gefischt und ein Feuer angezündet, um die Aale anzulocken?

Fast noch aufregender als das Boot war der Fund von zwei Paddeln. Die Paddel sind aus Esche. Ihre Form: ein kurzes, herzförmiges Blatt auf einem 1 m langen Schaft. Die Paddelblätter haben Muster auf der einen Seite, und diese Muster, so meint Søren Andersen, sind allein schon den ganzen Aufwand einer Grabung wert.

Wie dachte ein Steinzeitjäger, wie fühlte er?

Verzierungen aus der Steinzeit kennt man schon auf Stein, Knochen, Geweih, Ton und Bernstein. Aber die Paddel sind die ersten geschmückten Holzgegenstände aus jener Zeit in ganz Europa. Ihr Muster ist aus Linien und Punkten zusammengesetzt, die in die glattgeschabte Oberfläche des Holzes eingedrückt sind. In den versenkten Teilen sitzen Reste eines braunen Farbstoffs, der einmal einen kräftigen Kontrast gegen das helle Eschenholz gebildet hat.

Über die Bedeutung der Zeichen, schreibt Andersen, kann man nur rätseln. Sie unterscheiden sich von jeder anderen Kunst der Jäger, die wir kennen. Eine Ornamentik wie diese entsteht aber nicht plötzlich, ihre Zeichen und Symbole sind das Ergebnis einer langen Entwicklung. Es muß damals eine ganze Bilderwelt gegeben haben, von der die Archäologen auf dem Boden der Tybrind-Bucht einen ersten kleinen Ausschnitt erblickten.

Kleiner Rundblick II

Taucher in zwei Ozeanen und an den Stränden von drei Kontinenten haben bis 1980 Wracks von allein 24 Ostindienfahrern gefunden. Elf Wracks liegen um Großbritannien, eins bei Madeira, eins vor St. Helena, sechs an der südafrikanischen Küste und fünf, wie berichtet, an der gefährlichen Küste von West-Australien, wo

Gabriele Hoffmann

die Aussichten, auf ungeplünderte Wracks zu stoßen, am größten sind.

Im Jahrzehnt der stürmischen Entwicklung der Archäologie unter Wasser begannen Wissenschaftler, vor Thailand zu tauchen und vor der ostafrikanischen Insel Mauritius. Japanische Archäologen untersuchten die Reste der mongolischen Flotte, mit der Kublai Khan 1281 versuchte, in Japan zu landen. Koreanische Archäologen arbeiteten am Wrack eines chinesischen Handelsschiffs, das um das Jahr 1300 Güter und 50 t Kupfermünzen nach Japan bringen sollte und vollbeladen vor Korea sank: Das Shinan-Schiff hatte zehntausend Stück seltenes und kostbares, zartgrünes Seladon-Porzellan an Bord und fünftausend Stück weißes Porzellan, fabrikneu und unbeschädigt in Transportkisten, an denen noch die Zettel mit Inhalt und Versanddatum hingen. Die Koreaner richteten ein Konservierungslabor ein und begannen 1982, den Rumpf zu heben. Ob man ein Schiff fachgerecht ausgraben und heben kann, war inzwischen keine Frage mehr.

Ende der siebziger Jahre gab es kaum noch ›Land‹-Archäologen, die abfällig über ihre tauchenden Kollegen urteilten. Immer mehr Archäologen sahen sich so spannenden Fundmeldungen von Amateuren gegenüber, daß sie selbst tauchen lernten. Das Graben unter Wasser wuchs allmählich zu einem Teilgebiet der Archäologie heran. Franz Georg Maier, Professor für Alte Geschichte an der Universität Zürich, widmete 1977 in seinem Buch über moderne Methoden der Archäologie eins von sechs großen Kapiteln der Archäologie unter Wasser. Er glaubte allerdings, das Graben auf dem Meeresgrund vorsichtshalber doch noch rechtfertigen und verteidigen zu müssen, wenn er schrieb, »daß Unterwasser-Archäologen die erheblichen Risiken ihrer Arbeit nicht aus bloßer Abenteuerlust auf sich nehmen, sondern weil vergleichbare Befunde an Land nicht zu ergraben sind«.

Das bisher jüngste und glänzendste Beispiel einer abgeschlossenen großen Grabung unter Wasser – die *Mary Rose* – räumte die letzten Zweifel an der Wissenschaftlichkeit der Arbeit auf dem Meeresgrund und ihrem Wert für die Geschichtsforschung aus. Die *Mary Rose* ist eine Zeitkapsel, die in ihrer Bedeutung neben der *Wasa* steht – der Traum tauchender Archäologen. Eine der vielen Besonderheiten in der Geschichte der *Mary Rose* ist, daß eine ganze

Nation ins Unterwasser-Fieber geriet. Die achtzehn Jahre dauernde Arbeit am Schiff war ein Triumph der Methoden des Unterwassergrabens. Mit der Hebung 1982 war die Pionierzeit der Unterwasser-Archäologie endgültig vorüber.

Ein Kinderlederschuh von einem Schiff der Armada

Reste der Kronan auf dem Meeresgrund – Kanonen und Menschenschädel

Vorige Seite: Die *San Diego*, das Porzellan-Wrack in den Philipinnen, das Franck Goddio far

»Der See kommt«, sagen die Ausgräber in Hornstaad am Bodensee. Sie füllen Sandsäcke und bauen einen Damm um die 6000 Jahre alten Pfahldörfer.

Die Lastkähne liegen in einem Glashaus in Lemgo. Die gefährliche Weserkurve, in der sie vor 300 Jahren untergingen, heißt heute noch das »Branntweinloch«.

Im Teufelsmoor hatten Bauern einen Torffrachter ausgegraben und in einen Flußlauf gezogen. Mit Musik und Bier fuhren sie auf die Hamme hinaus bis der Landrat kam und erzählte, gegen wie viele Paragraphen des Denkmalschutzgesetzes sie verstoßen hatten. Sie überließen dem Landrat schnell das Schiff.

Seit 1999 graben Archäologen aus, was von der Flotte übrig blieb, mit der Sir William Phips – der Schatzsucher, der Gouverneur wurde – Quebec 1690 angriff.

Eine schöne große Kogge kam im Spätherbst 2000 in der Nähe von Antwerpen beim Hafenbau zum Vorschein, die Doelse-Kogge.

Harald Lübke vor der Insel Poel bei Wismar: »*An Land sehen wir nach 7000 Jahren nur noch Steingeräte, aber auf dem Meeresgrund liegen hölzerne Aalgabeln und Speerschäfte Ich habe den Griff eines Bogens aus Ulmenholz gefunden und Reste von Einbäumen aus Lindenholz.*«

*In 250 m Tiefe drangen Taucher in den Kreuzer Edinburgh ein. Sie kassierten
45 % des Goldes, 55 % teilten sich die Sowjets und die Bank von England.*

Die heiße Phase des Kampfes zwischen Archäologen und Schatzjägern begann, als es hieß, Schatzjäger wollten Teile der Titanic verkaufen.

DIE MARY ROSE

Der Amateur

W ie so viele Abenteuer der Archäologie beginnt auch die Entdeckung der *Mary Rose* wie ein Märchen. Dieses Märchen widerlegt alle, die glauben sollten, die Zeit überraschender Geschichten sei mit Schliemanns Fund von Troja, spätestens aber mit dem Öffnen des Grabes von Tut-ench-Amun vorüber. Doch das ist gerade eine der Besonderheiten der Archäologie unter Wasser: Sie ist noch ein Feld für Entdecker und Abenteurer.

Es war einmal ein kleiner Junge, der hieß Alexander McKee. Er lebte auf der Insel Wight, gegenüber der Stadt Portsmouth in Südengland, und träumte davon, die Schiffe der Könige zu sehen, die vor vielen Jahren zwischen Insel und Festland untergegangen waren. Der kleine Junge wuchs heran, aber der Traum von den königlichen Schiffen verließ ihn nicht. Er wurde Militärhistoriker und verdiente sein Geld als Journalist. Mit 39 Jahren lernte er tauchen. Ein wunderbares, geheimnisvolles Königreich lag unter dem Meeresspiegel vor seiner Haustür mit Entdeckungsmöglichkeiten, die in zehn Jahren verloren sein würden, denn von Jahr zu Jahr gab es mehr neugierige Sporttaucher. »Ich bin außerordentlich glücklich, die Szene gerade im richtigen Moment zu betreten«, dachte Alexander McKee.

Als er 46 Jahre alt war, hatte er ein bißchen Geld beisammen und fuhr zum ersten Mal aus, um Wracks im trüben Wasser des Solents zu finden. Das war am Morgen des 24. April 1965. Er und vier Freunde zwängten sich am Strand von Portsmouth in ihre hautengen Neopren-Gummianzüge, denn ihr geliehenes Boot war so klein, daß sie sich unterwegs nicht umziehen konnten. Die vier Freunde waren Mitglieder des Sub-Aqua-Clubs von Southsea, einem Stadtteil von Portsmouth. Es goß in Strömen, das Boot war unbequem, und McKee machte sich Sorgen, denn Spithead, die große Reede vor Portsmouth, war kein idealer Tauchgrund. Hier kreuzten sich die Fährlinien zwischen Portsmouth oder Southampton und dem Kontinent, hier fuhren die Schiffe zwischen der Insel Wight und dem Festland, hier übten die Fahrzeuge der Marine und ankerten Frachtschiffe und Öltanker. Auf dem Seegrund mußte noch Sprengstoff aus dem letzten Krieg liegen.

Einige Ausgräber in der damals noch kleinen Zunft tauchender Archäologen dachten darüber nach, wo in den Meeren der Welt alte Schiffe erhalten geblieben sein könnten, und sie waren der Ansicht, daß in den Gewässern um Großbritannien bestimmt kein Wrack zweimal täglich den Wechsel von Ebbe und Flut durch Jahrhunderte überstanden hatte. Falls Mikroorganismen das Schiffsholz nicht gleich nach dem Sinken verspeist hätten, hätten die Gezeiten es längst zerschlagen und davongespült. Mehr als einige Scherben oder bestenfalls eine Kanone würde niemand finden.

Alexander McKee glaubte nicht an diese Theorie der Fachleute, die ihre Erfahrungen im Mittelmeer gesammelt hatten. Wenn es mehr Tiden im Solent, dem Meeresarm zwischen der Insel Wight und dem Festland, gab, dann gab es auch mehr Schlick und Schlamm als anderswo. Wenn die Strömungen ein Schiff gleich nach dem Untergang mit Sand zugedeckt hatten, dann könnte es sehr wohl erhalten sein.

Den ganzen Sommer über fuhr Alexander McKee mit seinen Freunden vom Tauchclub an den Wochenenden aus. Die meisten Clubmitglieder glaubten nicht an königliche Schiffe im Solent und lachten über die Enthusiasten, die mit McKee tauchten. Doch die Zahl der Enthusiasten nahm zu. McKee war der ideale Mann für ein Suchprojekt. Er hatte ansteckenden Schwung, Phantasie und Starrköpfigkeit. Er lud Margret Rule ein, sein Team zu begleiten, eine nichttauchende junge Archäologin. Margret Rule war eigentlich mit Ausgrabungen von römischen Villen in Südengland, bei Fishbourne und Chichester, beschäftigt, aber McKee tauchte nur an jedem zweiten Sommerwochenende, und so machte sie sich frei von ihren staubigen Landgrabungen. Auch sie glaubte, daß Holzschiffe unter Schlamm und Sand erhalten sein könnten, und sie brannte darauf herauszufinden, ob es möglich war, unter Wasser zu forschen und zu graben in einer Weise, die die etablierte Archäologie anerkennen würde. Klein, braunhaarig und optimistisch saß sie im Boot und wartete auf die Berichte der Taucher.

Gabriele Hoffmann

McKee wollte die Überreste der *Royal George* und der *Boyne* untersuchen und herausbekommen, was im Laufe der Zeit mit ihnen geschehen war. Er hatte über beide Schiffe Berichte in Archiven gefunden. Die *Royal George*, mit 108 Kanonen ein Linienschiff Erster Klasse, war mit neunhundert Mann an Bord 1782 auf Spithead gesunken. Die *Boyne*, 98 Kanonen und ein Schiff Zweiter Klasse, war 1795 explodiert und bis zur Wasserlinie ausgebrannt, ehe sie sank. Beide Wracks waren Hindernisse für die Schiffahrt. Die Bergungsgesellschaft der Brüder Deane schlachtete sie 1836 aus, und 1843 sprengten königliche Ingenieure die *Royal George*. Die *Boyne* ist noch heute mit einer Wrackboje gekennzeichnet. McKee und seine Taucher fanden die Wracks nach ein paar Tauchwochenenden. Die *Boyne* war ein Hügel, 3 m hoch und ungefähr 60 m lang, und von Seepflanzen überwuchert. Um den Hügel der *Royal George* lag der gewöhnliche Abfall eines vielbesuchten Ankergrundes, Eierschalen, Teetassen, alte Töpfe, kaputte Messer und Gabeln.

Die Hügel zeigten: Es gab noch hölzerne Schiffsrümpfe im Solent. McKee hatte die Theorie über die Tidengewässer widerlegt.

Nun wollte er ein ganzes Schiff finden, ein ungesprengtes. Er hatte in den Papieren der Brüder Deane gelesen, daß sie während ihrer Bergungsarbeit an der *Royal George* auch die *Mary Rose* wiedergefunden hatten. Das große Schiff Heinrichs VIII. war 1545 gesunken, fast hundert Jahre vor der *Wasa*.

McKee bewunderte Anders Franzén grenzenlos. Auch er, McKee, könnte eine Lücke in der Seekriegsgeschichte schließen. Die *Mary Rose* mußte eines der ersten richtigen Schlachtschiffe Englands gewesen sein. Es gab nur ein einziges kleines Bild von ihr, farbenprächtig und undeutlich. Das Bild zeigte ein Schiff mit hohen Vor- und Achterkastellen und langen Fahnen an vier Masten.

McKee und seine Freunde suchten den Meeresgrund um die *Royal George* nach der *Mary Rose* ab. Margret Rule saß geduldig im Boot. Die Männer schwammen, bis sie sicher waren, daß es auf dem harten, flachen Seebett nur den Unrat ankernder Schiffe gab.

McKee begann, die Berichte von Zeitgenossen über den Untergang der *Mary Rose* zu lesen. In einem Bericht stand, daß König Heinrich VIII. am Ufer die Schreie seiner ertrinkenden Seeleute hörte. Die *Mary Rose* mußte also viel näher am Festland liegen, als McKee bisher angenommen hatte. Eines Tages betrachtete er im

Vermessungsamt der Königlichen Marine eine Seekarte von 1841, deren Ecken er mit Büchern beschweren mußte, damit sie sich nicht immer wieder aufrollte. Er sah eine Wrackposition, die der *Royal George*, und nordöstlich davon, markiert mit einem kleinen roten Kreuz, stand *Mary Rose*.

McKee und seine Tauchfreunde konnten es kaum erwarten, wieder auf den Seegrund zu kommen. Die neue Stelle lag am äußersten Ende von Spithead, ungefähr bei 11 m Wassertiefe. Wenn ein Taucher seinen Arm in das Seebett stieß, verschwand der Arm bis zur Schulter. Diese Ablagerungen mußten ein Schiff vollkommen erhalten. Aber es gab hier nur Austernschalen. Die Aussicht, hier wochenlang, monatelang zu suchen, war entmutigend. Sie brauchten bessere Instrumente als ihre Augen und einen Taschenkompaß.

Im September 1966 konnte McKee sich zweimal einen Unterwassermagnetometer ausleihen. Das erste Mal fanden sie ein Kabel, das nicht in der Seekarte verzeichnet war, das zweite Mal nichts. Doch Peter Throckmorton und Joan du Plat Taylor waren mit im Boot, und Throckmorton ermunterte McKee und seine Freunde: Er hielt es für möglich, daß die *Mary Rose*, wenn sie gut versandet war, noch irgendwo hier lag.

Im nächsten Jahr, 1967, führte Professor Harold Edgerton, der damals auch mit Cousteau zusammenarbeitete und seine Leute zu Bass in die Türkei schickte, einen neuen Geräteset möglichen Käufern in England vor. Es handelte sich um eine Verbindung von Side-Scan-Sonar und Sub-Mud-Profiler, den beiden Geräten, die Schallimpulse aussenden und, wenn das Echo zurückkommt, sie auf Papier niederschreiben: Der Side-Scan-Sonar sendet horizontale Signale aus und der Profiler vertikale in den Grund hinein. McKee hoffte, daß beide Systeme gemeinsam ihm ein dreidimensionales Bild vom Seeboden und jedem in ihm verborgenen Gegenstand geben würden. Joan du Plat Taylor hatte gute Beziehungen und sorgte dafür, daß Professor Edgerton McKee zu einer Vorführung einlud.

McKee konnte zum ersten Mal an einem Tag im Januar 1967 mit den Instrumenten über das Gebiet der *Mary Rose* fahren. Aber es war Sturm, die Wellen gingen hoch, und sie fanden nichts. Neun Monate mußte er warten, bis er im Oktober 1967 wieder eingeladen wurde. Eine Menge Kunden war an Bord, Ölleute und Geologen.

Am vierten und letzten Tag der Vorführung war das Wetter perfekt. Als das Vorführungsschiff am Ende des Tages Spithead passierte, war gerade noch genügend Zeit, um ein-, zweimal über das *Mary-Rose*-Gebiet zu fahren. Die Instrumente zeigten eine große Störung an: einen 60 m langen und 23 m breiten Hügel, der 1,5 m aus dem Seebett ragte und an die 7 m Meter in die Tiefe reichte.

Das mußte die *Mary Rose* sein.

Aber nun begannen die Probleme erst richtig. Wie konnte McKee die *Mary Rose* ausgraben und doch schützen? Ein Bergungsvertrag würde Bergungsfirmen auf sie aufmerksam machen, die ebenfalls einen Vertrag beantragen und auch bekommen würden, denn diese Verträge waren nur selten exklusiv. Nach der Merchant Shipping Act von 1894 durften sie die *Mary Rose* sprengen und die Kanonen auf dem Altmetallmarkt verkaufen. Das Recht des Salvor in Possession, des ersten Bergers am Wrack, würde erlöschen, sobald McKee nicht ununterbrochen am Schiff arbeitete, spätestens also im Herbst am Ende der Tauchsaison.

Alexander McKee, Margret Rule und zwei Freunde gründeten das Mary-Rose-Komitee, und das neue Komitee wandte sich an die englische Krone. Königin Elisabeth II. war die Eigentümerin des Seegrundes von Spithead. Das Komitee erreichte, daß die Krone ihm ab 1. April 1968 für den Zins von einem Pfund im Jahr das Gebiet verpachtete. McKee und seine Freunde durften dort graben, die Stelle jedoch nicht absperren. Fischer konnten ihre Netze darüber ziehen, Kriegsschiffe und Öltanker hier ankern. Aber mehr konnte das Komitee nicht erreichen. Vorsichtshalber hielten McKee und Margret Rule die Stelle geheim. Sie verabredeten ein Navigationssystem, nach dem sich nicht einmal die Tauchfreunde zurechtfanden.

Im nächsten Jahr, 1968, kam Professor Edgerton mit seinen allerneuesten Geräten nach England, und wieder zeigten die Geräte die Anomalie an. Nun mußte McKee nur noch tauchen, die Anomalie – den Hügel – auf dem Seegrund finden und im Hügel nach dem Wrack suchen.

Amateurtaucher aus vielen Orten an der Südküste halfen ab Sommer 1969 bei der Suche nach der *Mary Rose*. McKee hatte kaum noch Geld und keine Werkzeuge und Maschinen, und so halfen die Freiwilligen auch hier. Sie nannten sich Mad Mac's

Marauders, die Plünderer des verrückten McKee. Die wenigsten Männer glaubten, daß da unten ein Wrack lag. Viele tauchten, weil sie den Nachweis einer bestimmten Anzahl von Stunden unter Wasser brauchten, um höhere Tauchscheine zu erwerben. Sie steckten 3 m lange Stangen in den Grund und suchten nach Widerständen. Sie dachten, das alles sei ein großer Spaß und dieser Mann McKee wirklich verrückt.

Fröhliche Männer pflegen weitere fröhliche Männer anzuziehen. Die Feuerbrigade von Portsmouth brachte ihre großen Feuerwehrschläuche mit, und die Feuerwehrmänner begannen, auf dem Meeresboden einen 1 m breiten und 1 m tiefen Graben auszuspritzen. Es war nicht leicht, die Schläuche zu handhaben. Unerfahrene wurden beim ersten Mal von der Stärke des Wasserstrahls an die Oberfläche geschleudert. Wenn die Taucher es schafften, den Wasserstrahl so zu drosseln, daß sie unten blieben und der Strahl in den Schlick drang, hüllte sie sofort eine große Schlammwolke ein, und niemand konnte mehr etwas sehen. Ein Team von Helmtauchern von einer Schiffswerft in Portsmouth bot seine Hilfe an, und ebenso die Tauchschule der Königlichen Ingenieure, Angebote, die McKee gerne annahm, denn die erfahrenen Taucher brachten ihre schwere Ausrüstung mit.

Da an manchen Sonnabenden Flut war, an anderen Sturm, kamen sie im Schnitt auf zwei Tauchtage im Monat mit sechs Stunden Arbeit. Doch der Graben wuchs. Jedesmal, wenn sie nach einer Woche zum Graben zurückkamen, lag Seetang darin, über dem hübsche schwarz- und silbergestreifte Fische schwammen.

McKee hatte kein eigenes Boot. Der Fischer Tony Glover bot ihm an, die Taucher in seinem Fischerboot *Julie-Anne* für ein geringes Entgelt hinauszufahren. Glover hatte Artikel in der örtlichen Zeitung gelesen über das, was die Leute da draußen trieben. McKee gestand, daß er wenig Geld besitze, aber Tony Glover meinte, er würde noch genug verdienen, wenn sie erst die Silberstücke fänden. Doch zum Silberzählen kam es nicht. Statt dessen wuchtete Glover Wasserpumpen in sein Boot und einen Kompressor, der von morgens bis abends seine *Julie-Anne* in Stücke zu schütteln schien, und dabei mußte er sich auch noch sorgen, ob sein Anker im weichen Schlamm halten würde. Die *Mary Rose* packte auch ihn – er blieb viele Jahre beim Team.

Im Spätherbst 1970, als das Geld verbraucht und die Begeisterung

Gabriele Hoffmann

auf dem Tiefpunkt war, fanden die Taucher ein Kanonenrohr. Sie wanden ein Seil darum und zogen es nach oben. Die Männer sahen es ungläubig an: Das sollte eine Kanone sein, dieses von Austernröhren überzogene Ding? Sie ließen das Ding auf dem Deck nieder. Einige Zentimeter Ablagerungen platzten ab, und sie sahen einen Ring aus grünem Metall. Nach fünf Minuten kam ein zischendes Geräusche aus der Kanone: Der Sauerstoff begann seine Zerstörung. McKee rief sofort über Radiotelefon das Stadtmuseum in Portsmouth an. Nach zehn weiteren Minuten begannen die grünen Stellen zu rosten. Doch tief befriedigt fuhr McKee, nachdem er so viele Jahre als Verrückter gegolten hatte, mit der Kanone in die Stadt zum Museumskonservator.

Die Kanone rief große Aufregung hervor, wie Kanonen es eigenartigerweise immer tun. McKee und sein Team bekamen Hilfsangebote und Geschenke von allen Seiten, konnten nun Boote, Kompressoren, Tauchausrüstungen und Lastwagen kostenlos leihen. Ein örtlicher Geschäftsmann schenkte ihnen sogar einen Katamaran. Leider besaß der Katamaran keinen Motor. Das wichtigste aber war: Das Team schöpfte wieder Mut. Doch Geld blieb knapp, und es war die Frage, wie lange sie es sich noch leisten konnten, nach der *Mary Rose* zu suchen.

Der erste Samstag im Mai 1971 war ein schöner, sonniger Tag. Dreizehn Taucher trafen sich nach der Winterpause am Kai in Portsmouth. Reporter und Fotografen der lokalen Presse hielten sie mit Fragen über die neue Tauchsaison auf, und sie konnten den Kai erst um 10.50 Uhr am Vormittag verlassen. Um 11.30 Uhr waren sie an der Grabungsstelle und ankerten. Zehn Minuten später glitt der erste Taucher ins Wasser, Percy Ackland, von Beruf Maurer, ihr Spürhund unter Wasser. So gut wie er konnte sich kein anderer auf dem Meeresboden zurechtfinden. Er sollte den Graben vom letzten Sommer suchen und ihn mit einer Boje kennzeichnen. Nach einer Viertelstunde kam er zurück an Bord und berichtete: kaum Sicht, starke Strömung, kein Zeichen des Grabens vom letzten Jahr.

Alexander McKee wollte, daß Ackland nach Nordwesten schwimmen und dort suchen sollte. Margret Rule meinte, daß Norden richtig wäre. Ackland tauchte weg. Sechs Minuten später kam er aufgeregt nach oben. Er hatte Planken gesehen, die senkrecht aus dem Schlamm hervorragten – im Süden.

Dann tauchte McKee selbst. Der Seeboden hatte sich im Winter vollkommen verändert. Stürme hatten das Meer aufgewühlt, der Anker irgendeines Schiffs eine tiefe Furche in den Grund gezogen. Ohne diese Zufälligkeiten hätten sie das Wrack vielleicht nie gefunden.

Die Taucher waren aufgeregt und unkonzentriert vor Freude. Margret Rule schickte sie mit guten Mahnungen wieder nach unten. Sie durften keine Zeit verlieren. Wenn eine Tidenströmung den Rumpf freigelegt hatte, konnte die nächste große Flut ihn wieder zuspülen.

Die Taucher gingen nach unten und kamen mit neuen, sich widersprechenden Nachrichten hoch, berichteten von Planken, die in gerader und dann doch nicht so gerader Linie da unten standen, und verschwanden wieder. Margret Rule konnte ihre eigene Unruhe kaum beherrschen. Sie konnte nicht tauchen. Sie müßte selbst nachsehen, daß da unten alles ordentlich gemacht wurde, daß nicht die Phantasie den archäologisch Unerfahrenen Streiche spielte. Sie nahm den Taucher Alan Baldwin beiseite. Er sollte jetzt die Größe jedes Spants messen und die Entfernung zwischen den Spanten. Aber Margret hatte keine Ausrüstung zum Messen mit. Sie wühlte in ihrer Handtasche, bis sie ein 3 m langes Band fand. Aus einer viereckigen Fruchtsaftflasche aus Plastik schnitt sie ein Zeichenbrett für Baldwin. Sie fand roten Nagellack in der Handtasche, mit dem er Nummern auf die Etiketten schreiben konnte, die sie hastig aus einer anderen Flasche schnitt und die er an die Hölzer binden sollte.

Keiner der Taucher konnte sagen, auf welcher Seite der Hölzer das Schiff lag. Jeder versuchte zu deuten, was er doch nicht sah. Um 15.10 Uhr besserte die Sicht sich schlagartig für ein paar Minuten, und zwei Taucher sahen eine ununterbrochene Reihe von Spantenköpfen, die auf über 20 m Länge in einer Kompaßlinie von 195 Grad liefen.

Jahre später fanden sie heraus, daß ihr alter Graben 36,5 m nordöstlich von der *Mary Rose* lag. Und was bedeutete die Anomalie, die Edgerton 1967 und 1968 entdeckt hatte? Margret Rule ließ 1975 und 1976 wieder Suchgeräte über die Stelle ziehen – sie fanden die Anomalie nicht wieder.

Den ganzen Sonnabendnachmittag arbeiteten die Taucher ununterbrochen. Um 17.40 Uhr lichteten sie den Anker und tuckerten

Gabriele Hoffmann

nach Hause. Sieben Jahre Suche waren vorüber. McKee war jetzt 53 Jahre alt. Er hatte die *Mary Rose* gefunden, das große Schlachtschiff eines der berühmtesten Könige seines Landes.

Das Schiff

Mary hieß die Lieblingsschwester König Heinrichs VIII., und nach ihr und der Rose, dem Emblem der Tudor-Könige, taufte er sein bestes Schiff. Er ließ die *Mary Rose* 1509 in Portsmouth bauen. Sie hatte eine Rumpflänge von 40 m und 600 t Verdrängung. Sie war schnell, und des Königs Admiral Sir Edward Howard schrieb, sie sei »die Blüte aller Schiffe, die je gesegelt«.

Als Heinrich 1509 König von England wurde, war er ein achtzehnjähriger, kräftiger, wohlerzogener junger Mann. Die Diplomaten anderer Höfe lobten sein Aussehen und seine Heiterkeit, seine Bildung und seine Fähigkeiten im Bogenschießen. Sein Königreich war klein, hatte kaum vier Millionen Einwohner, und die Finanzen stützten sich auf den Wollhandel.

Heinrich verheiratete seine schöne Schwester Mary an den schon älteren französischen König Ludwig XII., um die Beziehungen zwischen England und Frankreich zu entspannen. Bald aber starb Ludwig. Die junge Witwe kehrte nach England zurück und heiratete heimlich ihre große Jugendliebe Charles Brandon, den Herzog von Suffolk.

In Europa kämpften Kaiser Karl V. und der französische König Franz I. um die Vorherrschaft. Heinrich hielt zum Kaiser: Er strebte für den Export der englischen Wolle den freien Zugang zu den Häfen der damals habsburgischen Niederlande an. Die Franzosen aber wollten das Eindringen der Engländer auf den europäischen Markt verhindern.

Heinrich befahl den Bau großer Schiffe und eroberte Boulogne. Er ließ die Küstenforts in Südengland verstärken und neue Forts bauen und hatte gegen die Mitte des 16. Jahrhunderts eine starke Küstenverteidigung. 1544 ließ er auf Southsea ein Fort errichten, dessen Kanonen die Fahrrinne zum Hafen von Portsmouth schützen sollten.

1545 beschloß Franz I. eine Invasion Englands und die Vernichtung der englischen Flotte. Am 19. Juli lagen sich die englische und die französische Flotte vor Portsmouth gegenüber. Flaggschiff der Engländer war *Henry Grace à Dieu*, »Great Harry« genannt, Vizeflaggschiff die *Mary Rose*.

Sie war ein Viermaster mit einem hohen Kastell am Bug und einem noch höheren am Heck. Ihr Rumpf war in Kraweeltechnik beplankt, das heißt, die Planken saßen Kante an Kante aneinander, im Gegensatz zur Klinkerbauweise, wo die Planken sich überlappen. Irgendwann in der ersten Hälfte des 16. Jahrhunderts wechselten die Schiffbauer von Klinker zu Kraweel, und zwar offenbar gleichzeitig auf beiden Seiten des englischen Kanals und an der atlantischen Küste von Spanien und Portugal. Dieser Wechsel war sehr bedeutsam. Nun endlich konnten die Schiffbauer Kanonenpforten in einen Rumpf schneiden, ohne seine Festigkeit zu gefährden, und damit das alte Problem lösen, wie ein Schiff mehr schwere Kanonen als bisher an Bord nehmen konnte, ohne toplastig zu werden: Die Kanonen standen nun auch auf Decks unten im Schiff. Die Schiffbauhistoriker wissen nicht, wann dieser Wechsel eintrat, wissen nicht, ob die Kanonenpforten der *Mary Rose* schon 1509 in ihren Rumpf geschnitten wurden oder erst bei einem Umbau des Schiffs im Jahr 1536, als sie von 600 t auf 700 vergrößert wurde. Nur an ihrem Wrack können Schiffbauhistoriker untersuchen, wie ein solches Großschiff aus dieser Zeit des technischen Übergangs konstruiert und gebaut war, denn Bauzeichnungen gab es noch nicht.

Bis dahin hatten Kriegsschiffe Bogenschützen und Soldaten zum Entern transportiert. Die Bogenschützen sollten, unterstützt von kleinen Kanonen, die Männer auf dem Deck des feindlichen Schiffs töten. Sobald das Deck leergefegt war, sollten die Soldaten das Schiff in ihre Gewalt bringen. Die *Mary Rose* hingegen sollte mit Salven von Breitseiten aus ihren 91 Kanonen, die auf vier Decks standen, ihren Gegner versenken. Sie war eines der ersten Schiffe, wenn nicht sogar das erste, in dessen Rumpf Kanonenpforten eingeschnitten waren, vielleicht das erste wirkliche Kampfschiff der Welt.

235 französische Schiffe mit dreißigtausend Mann standen an jenem Sonntag im Juli 1545 nur 56 englischen Schiffen mit zehntausend Mann gegenüber. Heinrich wollte Portsmouth so lange verteidigen, bis weitere Schiffe aus englischen Häfen eintrafen. Der französische Admiral D'Annebault dagegen wollte die Engländer schnell aus dem

Gabriele Hoffmann

Solent zwischen der Insel Wight und dem Festland herauslocken und sie auf offener See mit seiner Übermacht schlagen.

Die *Mary Rose* lag in der vordersten Reihe der Engländer. Zusätzlich zu ihrer Besatzung von 415 Mann hatte sie dreihundert Bogenschützen an Bord. Die Schützen standen schußbereit auf dem Oberdeck, das Netze gegen Enterversuche der Franzosen schützten.

König Heinrich, nun ein von Krankheiten geplagter, gefährlicher Mann, stand mit seinen Staatsräten und ihren Damen auf dem Söller von Southsea Castle. Der eleganten Gesellschaft bot sich von der weißen Festungsanlage ein klarer Blick auf die blauen Gewässer von Spithead, den Solent und die Insel Wight. Der Vizeadmiral des Königs, Sir George Carew, war auf der *Mary Rose*. Lady Carew stand in der Gesellschaft des Königs auf dem Fort und beobachtete, wie ihr Mann in die Schlacht zog.

Die See war ruhig, die Seidenfahnen an den Masten der Segelschiffe hingen schlaff herab – Glück für die Franzosen. D'Annebault schickte die Galeeren vor. Hilflos lagen die englischen Segelschiffe in der Windstille im Feuer der Franzosen. Die Kapitäne der Galeeren konnten ihre geruderten Schiffe nach jedem Angriff schnell zurückziehen.

Doch dann sprang eine Landbrise auf. Die Tide kippte. Pfeifen schrillten über die Decks der Segelschiffe. Die Mannschaften holten die Anker ein, Matrosen lösten die Segel, die Mündungsrohre der Kanonen liefen aus. Die großen Schiffe krängten vor dem Wind und segelten auf die Galeeren zu. *Henry Grace à Dieu* und *Mary Rose* führten. Es war zwei Uhr mittags.

Auf einmal legte die *Mary Rose* sich weit über. Die Kanonen auf den Decks kamen ins Gleiten, die Männer verloren das Gleichgewicht, rutschten hinterher. Die Bogenschützen verfingen sich in den Netzen auf dem Oberdeck und versanken mit dem Schiff. Wie ein einziger großer Schrei drangen die Stimmen der Ertrinkenden zu den Zuschauern auf dem Söller, keine Seemeile entfernt. Lady Carew fiel in Ohnmacht.

Nach wenigen Minuten war alles vorbei, und die See rollte über das versunkene Schiff. Nur die beiden höchsten Masten der *Mary Rose* ragten aus dem Wasser. Einige Männer hingen an ihnen. Von über siebenhundert Seeleuten und Soldaten überlebten weniger als vierzig den Schiffbruch.

Niemand wußte, warum die *Mary Rose* untergegangen war. Die Franzosen behaupteten damals natürlich, sie hätten sie versenkt. Aber Verhandlungen vor der englischen Admiralität führten zu dem Schluß, daß die Kanonenpforten wohl schon zum Gefecht geöffnet waren, als das Schiff ein Wendemanöver machte, bei dem es sich überlegte. Die Pforten gerieten unter Wasser, das Schiff lief voll. Aber warum dies bei leichtem Wind geschehen konnte, ob ein Konstruktionsfehler vorlag, konnte das Gericht nicht klären.

Bei den Verhandlungen kam auch zur Sprache, daß es offenbar Streitigkeiten an Bord gegeben hatte. Es hieß, die ausgesucht tüchtigen Seeoffiziere seien zu stolz gewesen, keiner hätte einem anderen gehorchen wollen. Als die übrigen Schiffe begannen, die *Mary Rose* zu überholen, ließ der Onkel des Vizeadmirals, Sir Gawain Carew, seinen Kapitän näher an die *Mary Rose* heransegeln. Er rief über das Wasser seinen Neffen an und fragte, was denn los sei mit der *Mary Rose*. Und Sir George Carew rief zurück: »Ich habe eine Sorte Burschen an Bord, die ich nicht führen kann.« Der Vizeadmiral konnte vor der Admiralität nicht mehr aussagen, er war ertrunken.

Außer daß der Stolz der Flotte unterging, geschah nicht viel in dieser Schlacht. Die Franzosen zogen sich zurück und plünderten kleine Küstenorte.

Der König befahl Admiral Lisle und Charles Brandon, seinem Schwager, die *Mary Rose* zu heben. Wenige Tage nach dem Unglück trafen venezianische Bergungsexperten in Portsmouth ein. Doch es gelang ihnen lediglich, einige der kostbaren Kanonen aus der Tiefe zu holen.

Die *Mary Rose* geriet in Vergessenheit, bis 1836 John Deane und sein Bruder Charles am Wrack der *Royal George* arbeiteten. Die Brüder hatten einen Atemapparat für die Feuerbekämpfung erfunden und ihn zum Tauchanzug weiterentwickelt. Die Idee zu dem Atemapparat war John beim Brand eines Pferdestalls gekommen. Während das Feuer prasselte, fiel John ein, daß eine alte Ritterrüstung im Bauernhaus stand. Er rannte und holte den Helm, befestigte den Schlauch der schwachen Feuerspritze am Kragen und ließ den Bauern statt Wasser Luft pumpen. Dann setzte er den Helm auf, ging in das Feuer und rettete die Pferde. Es kostete die Brüder fünf Jahre, aus diesen Anfängen einen brauchbaren Helmtauchanzug zu entwickeln. Sie benutzten ihre Erfindung als Berger

Gabriele Hoffmann

und räumten an der ganzen englischen Südküste Wracks aus den Fahrrinnen.

Einige Fischer kamen zu ihrem Tauchschiff an der *Royal George* und baten sie, einmal in einem Gebiet nachzuschauen, in dem ihre Netze oft unter Wasser hängenblieben und zerrissen. Die Deanes tauchten, fanden mehrere Hölzer, die aus dem Meeresboden ragten, und eine große Bronzekanone, die sie sofort hoben. Die Kanone trug eine Inschrift, die mitteilte, daß der italienische Kanonengießer Arcanus de Arcanis sie 1542 für König Heinrich VIII. gegossen hatte. Insgesamt hoben die Deanes vier Bronzekanonen, elf Eisenkanonen und einige Holzplanken. Die Kanonen kamen in den Tower von London. Die Eichenhölzer ließen die Deanes im November 1840 in Portsmouth öffentlich versteigern.

Der Auktionator pries sie an als geeignet für Souvenirs wie Spazierstöcke und Schreibzeug.

Das Wrack wurde wieder aufgegeben.

Die Archäologin

Margret Rule wünschte sich in den Tagen nach dem Auffinden der *Mary Rose* nichts dringender, als selbst tauchen zu können. Was waren diese Hölzer, von denen ihr die Taucher berichteten: Spanten, Gerüste des Bugkastells, Decksplanken? Endlich war ihr Training im Schwimmbecken beendet, in dem Percy Ackland und Morrie Young ihr das Tauchen beibrachten, und am 15. Mai 1971 sah sie zum ersten Mal den Meeresgrund und die Hölzer eines Tudor-Schiffs.

Ihr erstes Tauchen dauerte drei Minuten. Sie zwängte sich in ihren neuen Neopren-Naßanzug, kämpfte sich in die Schulterriemen mit den Luftzylindern, griff nach Gürtelgewichten und Maske. Viel zu viele Hände, fand sie, boten ihr Hilfe an, viel zu viele Münder gaben ihr Ratschläge und wünschten ihr Glück. Schließlich war sie fertig, setzte sich auf die Bordkante und ließ sich erleichtert rücklings ins Meer fallen. Morrie Young begleitete sie. Er schwamm mit ihr auf kürzestem Weg hinunter zu Holz Nr. 48. 3 m über dem Seebett schwebten Sedimente und Plankton wie ein Vorhang, und die Sicht verschlechterte sich auf 1 m. Ein paar rechteckige Hölzer standen 5 bis 8 cm aus dem Seeboden heraus, einem Seeboden, der dampfte und rauchte, wenn Margret Rule den Sand mit der Hand wegwedelte. Die Schiffshölzer, die die Winterstürme freigelegt hatten, kamen ihr vor wie eine Reihe von großen, schwarzen Zähnen. Sie glaubte, niemals etwas Schöneres gesehen zu haben. War da wirklich ein ganzes Schiff unter ihr begraben, oder waren diese Hölzer alles, was es von der *Mary Rose* noch gab?

Morrie sammelte eine Trompetenschnecke auf, und Hand in Hand kehrten er und Margret zur Oberfläche zurück.

Die Männer im Boot bewunderten Margrets Tapferkeit. Die meisten von ihnen tauchten, weil sie gern unter Wasser waren und das Meer sie faszinierte. Margret jedoch hatte nur tauchen gelernt, um die *Mary Rose* zu sehen.

Sie konnte es kaum erwarten, zu den Hölzern in der Tiefe zurückzukehren. Aber zuerst mußte sie die Arbeit planen und dafür sorgen, daß Graben, Vermessen und Zeichnen nahtlos ineinandergriffen. McKee hatte George Bass um Rat gebeten. Bass antwortete, daß seine Kartierungsmethoden bei einer so schlechten Sicht wie im Solent unbrauchbar wären und er keinen Rat geben könne. Margret Rule mußte ihren Weg allein finden. Das war nicht leicht, denn wenn die Ausgräber arbeiteten, konnten die Zeichner nichts sehen. Schließlich entschied sie, es sei das beste, wenn unter der Woche Taucher zeichneten, was die Ausgräber am Wochenende freigelegt hatten.

Wieder und wieder zog Tony Glover, ihr Fischerfreund, den motorlosen Katamaran zu seinem Ankerplatz, fuhr zum Fischen und holte die Taucher ab, wenn er am frühen Abend in den Hafen zurückkehrte. Als der Sommer voranschritt, wurde Margret klar, daß der Rumpf östlich der Linie von Hölzern lag. Aber waren die Hölzer Teile der Backbord- oder der Steuerbordseite? Margret drang streng darauf, daß niemand innerhalb des Schiffs grub. Solange sie nicht genau wußte, wie die *Mary Rose* im Seeboden lag, war die Ausgrabung auf das Gebiet außerhalb des Rumpfs begrenzt. Viele Jahre blieb sie von der Sorge geplagt, daß sie und die Taucher nicht genau genug arbeiteten und gerade das zerstörten, was ihnen Antwort auf ihre Fragen geben könnte. Sie erkannte nur zu gut, daß ihre Ausrüstung unzureichend war, daß ihnen Geld und Erfahrung fehlten.

Zweifel begleiteten die Arbeit, immer neue Entdeckungen tauchten auf, aber auch immer neue Schwierigkeiten und Fragen. Sie fanden Weinflaschen und Coca-Dosen aus dem 19. und 20. Jahrhundert. Aber warum fanden sie nicht mehr Gegenstände aus dem 16. Jahrhundert? Bislang hatten sie nur ein paar lose Hölzer, eine zweite Kanone und ein paar Keramikscherben geborgen.

Zu Ende des ersten Jahres, 1971, hatte Margret Rule 33 m der Steuerbordseite gesehen. Morrie Young war Schiffbauer, und er meinte, was sie sahen, sei der oberste Teil des Schiffs. Wenn er recht hatte, dann hatten sie hier eine britische *Wasa*, unversehrt bis zu den obersten Decks. Voller Hoffnung schrieb Margret Rule einen Bericht über die *Mary Rose* für das ›International Journal of Nautical Archaeology and Underwater Exploration‹, das gerade jetzt, 1972, im ersten Jahr herauskam. Sie äußerte die Annahme, daß das Schiff 9 m tief im Seeboden lag. Wenn die künftige Arbeit zeigte, daß Backbordseite, Bug und Heck ebenso gut erhalten waren wie die Steuerbordseite, dann würde es möglich sein, das Schiff so wie die *Wasa* im ganzen zu heben und sein Inneres in aller Ruhe an Land auszugraben. »Es scheint zumindest möglich«, schrieb sie, »daß die *Mary Rose* eines Tages nach Portsmouth zurückkehrt, wo sie vor 426 Jahren die Segel setzte.«

Sie fuhr nach Stockholm und beriet sich dort mit Cheftaucher Edvin Fälting, dem Archäologen Lars Kvarning und dem Konservator Lars Barkman. Als sie nach England zurückkehrte, erkannte sie noch deutlicher, wie ungenügend ihre Arbeitsmöglichkeiten waren. Später bezeichnete sie die sieben Jahre bis zum Fund der *Mary Rose* im Mai 1971 als »picknick-party-phase«. Die nächsten sieben Jahre nannte sie die »kitchen-sink-phase«, die Zeit der Küchenspüle. Gemeinsam mit einem jungen Archäologen, Keith Muckelroy, schnitt sie unter Wasser Würfel aus den Ablagerungsschichten und nahm sie in Eiskremkartons mit nach Hause. Auf dem Wrack lagen nämlich die Trümmer des Achterkastells, vermischt mit Hölzern und Abfall aus vielen Jahrhunderten. Im Küchenwaschbecken des Ehepaars Rule hoben die beiden Archäologen sorgfältig Schicht für Schicht ab. Sie wollten wissen, wie das Kastell nach dem Sinken zusammengebrochen war, um auf sein ursprüngliches Aussehen schließen zu können.

Es dauerte lange, bis die Archäologen verstanden, wie das Schiff gesunken war. Ausgrabungen am Heck zeigten, daß es auf der

Steuerbordseite lag. Sie erkannten, daß die Backbordseite nach dem Sinken nicht versandet war, sondern die Strömung sie davongetragen hatte. Die Steuerbordseite aber mußte fast bis zu ihrer vollen Deckshöhe tief im Schlamm erhalten sein. Jetzt brauchten sie nur noch den Neigungswinkel des Schiffs, um beim Eindringen in den Rumpf verstehen zu können, welche Hölzer Decks, also Fußböden, und welche Wände sein mußten.

1972 war ein unglückliches Jahr für das Team. Das Wetter war stürmisch, sie hatten kein Geld, und schließlich trug auch noch ein Sturm die Tauchplattform weg, die sie nun zusätzlich zum Katamaran besaßen. Erst im September 1973 war der Tiefpunkt in der Stimmung der Taucher endgültig überwunden: Der Bürgermeister von Portsmouth sammelte wichtige Leute aus Stadt und Grafschaft um sich und unterstützte von nun an das kleine Mary-Rose-Komitee. Im gleichen Jahr passierte auch die Protection of Wreck Act das englische Parlament, und die *Mary Rose* war eines der ersten historischen Wracks, die das neue Gesetz schützte. Zum ersten Mal konnten die Taucher an der Wrackstelle Bojen auslegen.

1975 fanden sie heraus, daß das Schiff in einem Winkel von sechzig Grad geneigt lag.

Alexander McKee wurde immer ungeduldiger. Er wollte endlich Funde aus dem Schiffsinnern haben, die er vorzeigen konnte, wenn er Geld sammelte. Margret Rule aber wollte die planmäßige, wissenschaftliche Arbeit nicht aufgeben. Einige schnell zusammengeraffte Funde, und wären sie noch so herrlich, seien doch nur Einzelstücke, die kaum etwas vom Leben an Bord erzählen könnten, meinte sie. Die übrigen Komiteemitglieder stimmten ihr zu. McKee gab aber nicht nach: Man habe ihm gesagt, wenn keine Funde mehr an die Oberfläche kämen, so wie jetzt, dann würde der Prinz von Wales seinen angekündigten Besuch wieder abblasen.

Der Besuch des Prinzen war sehr wichtig. Er würde der *Mary Rose* Publizität bringen, Berichte in Fernsehen und Zeitungen, und damit die Möglichkeit, Geld von Spendern zu bekommen.

Doch Margret Rule blieb fest. Mit wissenschaftlicher Disziplin und großer Energie brachte sie es fertig, sich selbst und jeden Taucher davon abzuhalten, mal eben nur ein Loch zu graben und dabei unwiederbringlich etwas zu zerstören, weil man nicht genau wußte, was man tat. Schicht für Schicht würden sie sich messend und zeichnend in die Tiefe arbeiten, und niemand würde vorzeitig in das Innere des Schiffs eindringen.

Prinz Charles blies seinen Besuch nicht ab. Er kam am 30. Juli 1975. Das Wasser neben den Schiffen schien zu kochen: Adrian Barak und ein zweiter Archäologe sorgten unter Wasser dafür, daß der Erbe des Throns auch etwas zu sehen bekam. Zum Kummer des *Mary-Rose*-Teams war die Sicht seit einigen Tagen so schlecht wie schon lange nicht mehr. Viele Leinen lagen unten, und die Archäologen hatten Angst, daß der Prinz verunglücken könnte.

Drei Minuten, ehe McKee mit dem Prinzen tauchte, änderte die See ihre Farbe, und auf wunderbare Weise sprang die Bodensichtbarkeit auf 3 m. Der Prinz entpuppte sich als sicherer Taucher. Er ließ sich ruhig unter die Rohre des Vermessungsgitters sinken, unter die Leinen der Airlifts, die Schläuche, Vermessungsleinen, ohne Schlamm aufzuwirbeln. Im Licht seiner kleinen Handlampe besah er den Rumpf, und zu McKees Zufriedenheit schien das rotbraune Holz im Licht wunderschön zu glühen. Danach plauderte der Prinz mit den Tauchern. Er erklärte, er sei »delighted and fascinated«, entzückt und fasziniert. Dann verließ er sie, um an Land Polo zu spielen.

Amateurtaucher aus ganz Südengland meldeten sich nach dem Besuch des Prinzen: Majore, Ärzte, Rechtsanwälte, Vikare, Polizisten, Klempner, Maurer, Geschäftsleute, Archäologen, Ingenieure, Zeichner, Marinebiologen. Sie arbeiteten an den Wochenenden bei Ebbe hart unter Wasser, kamen blaugefroren hoch und krochen am Ende eines langen Sonnabends zum Übernachten in ein Zelt. Sie trugen sämtliche Kosten selbst und stifteten noch Geld für die Ausgrabung.

Morrie Young identifizierte die Hölzer, die sie von der *Mary Rose* hochbrachten. Er bewunderte die Fähigkeiten der Schiffbauer vor vierhundertfünfzig Jahren. Er sah Stellen, an denen sie sich geirrt und ihren Irrtum in der gleichen Weise ausgebessert hatten, wie er es bei hölzernen Schiffen zu tun pflegte, wenn er Planken zu dünn geschnitten hatte und sie verstärken mußte. Er fühlte sich diesen Männern, deren Namen er wohl niemals erfahren würde, tief verbunden. 1977 entdeckte Margret Rule, daß der Bug des Schiffs fehlte. Der Plan, die *Mary Rose* im ganzen zu heben und ihren Inhalt erst an Land auszugraben, war damit hinfällig.

Obwohl die Taucher immer noch nicht im Schiff graben durften, fanden sie nun doch einiges: Munition aus Stein und Blei, einen hölzernen Dolchgriff, eine Holzschale mit den eingeschnitzten Buchstaben I. D., eine lederne Weste, Kämme, bronzene Kerzenhalter und einen Fingerhut, Kanonen, alle aus geschmiedetem Eisen, alle geladen. Percy Ackland reichte Margret eine Zinnkanne an Bord. Unter Wasser hatte er sich lange nicht getraut, sie nach dem Vermessen mitzunehmen, doch als das Signal kam, seine Tauchzeit sei abgelaufen, hielt er sie auf dem Weg nach oben plötzlich im Arm. Margret war so hingerissen, daß sie nicht merkte, wie sie auf seiner Hand kniete. Percy ließ das Boot los und trieb im Strom fort, doch Tony Glover fischte ihn auf. In ihrer Freude meinte Margret, diese Kanne könnte Heinrich VIII. in der Hand gehalten haben, als er in der Nacht, ehe die *Mary Rose* segelte, an Bord war.

Insgesamt aber hatten sie bisher, in der siebten Tauchsaison nach dem Fund des Schiffs, immer noch beunruhigend wenig Gegenstände entdeckt, von den Hölzern des Oberdecks einmal abgesehen.

1978 war es schließlich soweit: Margret Rule ließ die Taucher zum ersten Mal einen Graben quer über den Rumpf am Bugteil ziehen. Sie fanden zwei Decks. Dann stießen sie auf ein Schott, das das Vorschiff vom Hauptladeraum abschloß. Sie erkannten, daß sie einen vollständig erhaltenen Schiffsteil vor sich hatten, der wahrscheinlich angefüllt war mit den persönlichen Besitztümern der Seeleute, mit Ausrüstung und Schiffsvorräten, die dort noch so lagen, wie sie 1545 beim Sinken des Schiffs über das Deck nach Steuerbord gerutscht waren: Sie hatten so wenig Gegenstände außerhalb des Rumpfs gefunden, weil die meisten in der *Mary Rose* geblieben waren. In dieser untertassenähnlichen Schiffshälfte mußten die Reste eines vollständigen Lebensbereichs der Tudor-Zeit eingesiegelt sein – und zwar vom niedrigsten Matrosen bis zum Vizeadmiral, vom Zimmermann, Kanonier, Navigator bis zum Bogenschützen. Was die Historiker über die Tudor-Zeit wußten, wußten sie fast nur aus Schriften und Bildern der Großen. Alltag und Arbeit der kleinen Leute waren so gut wie unbekannt. Wie waren sie angezogen, was aßen sie, wie lebten sie an Bord zusammen, welche persönlichen Dinge nahmen sie mit auf ein Kriegsschiff, das in die Schlacht zog?

Margret Rule überlegte. Eine dicke Decke von Schlamm hatte den Inhalt der *Mary Rose* über vierhundert Jahre lang geschützt. Er könnte unter dieser Decke noch weitere vierhundert Jahre überste-

Gabriele Hoffmann

hen, denn die Gegenstände hatten eine Zustand von chemischem, physikalischem und biologischem Gleichgewicht erreicht. Doch sobald sie die Decke fortnehmen ließ, würde nicht nur die Strömung angreifen, sondern das Gleichgewicht da unten war zerstört und die Gegenstände würden in kürzester Zeit zerfallen. Wenn weitergegraben werden sollte, mußte es von nun an schnell geschehen. Geschwindigkeit aber hieß: Graben in großem archäologischem Maßstab, an jedem Wochentag, mit einem Berufsteam von Archäologen.

Das Mary-Rose-Komitee hielt zwei Konferenzen in Portsmouth ab. Zur ersten lud Margret Rule Archäologen, Schiffshistoriker, Schiffsarchitekten und Museumsfachleute ein. Die Experten empfahlen, den Inhalt der *Mary Rose* unter Wasser auszugraben. Zur zweiten Konferenz kamen Bergungsberater, Bergungskontraktoren, Ingenieure und Schiffbauer. Sie meinten, daß es, sofern der Rumpf es aushielte, technisch möglich sei, ihn zu heben, zu konservieren und in einem Museum auszustellen. Die Teilnehmer beider Konferenzen stimmten Margret Rule zu, daß die Arbeit so schnell wie möglich gemacht werden und alles, was hochgeholt würde, sofort konserviert werden müßte.

Für Kanonen gab es schon Spezialisten im Stadtmuseum von Portsmouth, aber nun würde mehr und anderes kommen: Holz, Leder, Leinen, Wolle, Glas, Keramik, Elfenbein, möglicherweise sogar Papier, Zinn, Silber, Stein. Das Komitee brauchte Konservatoren, ein Lager, ein Büro, Leute, die Geld beschafften.

Die Zeit der Improvisationen im Küchenspülbecken war vorüber.

Alexander McKee zog sich von der Ausgrabung – leise grollend – mehr und mehr zurück. Im Sommer 1979 wurde der Mary-Rose-Trust gegründet. Margret Rule gab ihre Arbeit als Kuratorin im römischen Fishbourne-Palast auf. Der Trust stellte sie als seine archäologische Direktorin ein.

Der Trust

Der Mary-Rose-Trust, Gründungsdatum 19. Juli 1979, ist nach deutschen Begriffen eine Mischung aus Treuhandgesellschaft und Stiftung. Die Bürger Großbritanniens nehmen traditionell sehr viel mehr von dem selbst in die Hand, was bei uns seit dem Absolutismus zur Aufgabe staatlicher Behörden geworden ist – zum Beispiel die Sorge für das kulturelle Erbe –, und entsprechend gibt es Organisationsformen, die wir in dieser Art kaum kennen. Dem Trust gehören Museumsdirektoren an, Politiker, der Britische Sub-Aqua-Club, hohe pensionierte Seeoffiziere, die bei großen Gesellschaften in führender Position arbeiten, Sponsoren aus der Industrie. Ein Exekutiv-Komitee managt den Trust. Trust-Präsident ist Prinz Charles.

Der Trust stellte Archäologen, Zeichner und Konservatoren ein, Verwaltungsangestellte und Sekretärinnen, war ein Jahr nach seiner Gründung Arbeitgeber für über dreißig Leute. Er vergab Aufträge an Gutachter und Berater, Ingenieure und Architekten, die über die Hebung der *Mary Rose* und über ein Mary-Rose-Museum nachdenken sollten. Richard Harrison, der erste Direktor des Exekutiv-Komitees, reiste mit Angestellten und Beratern in alle großen Schiffahrtsmuseeen Europas, um soviel wie möglich zu lernen, und ich erinnere mich, wie jedermann erfreut war, wenn die Leute von der *Mary Rose* kamen, und zugleich ein wenig lächelte, wenn sie ihre Aktenkoffer mit den Glanzpapierprospekten öffneten. Diesen großen Maßstab, in dem der Trust arbeitete, war man an staatlichen Museen nicht gewöhnt, ahnte nur ungläubig, daß Geldsammeln viel Geld kostet.

Zunächst schoß die Stadt Portsmouth dem Trust Gelder vor, aber wenn alles an sein glückliches Ende kommen sollte, mußte der Trust Spenden von nationalen und internationalen Geldgebern besorgen. Bargeld blieb immer knapp, nur die Summen veränderten sich. In den Anfangsjahren hatte McKee sich oft gefragt, woher er die nächsten fünf oder zehn Pfund nehmen sollte. Nun ging es um die nächsten hunderttausend Pfund oder die nächste halbe Million. Aber irgendwie brachten die Finanzexperten im Trust das Geld immer auf und bezahlten die Rechnungen. Der Trust rief eine eigene Organisation ins Leben, deren Aufgabe das Spendensammeln war. Auch eine Mary-Rose-Handelsgesellschaft begann zu arbeiten und verkaufte Souvenirs, Broschüren, Bilder, Nachbildungen von Funden.

Prinz Charles war ein aktiver Trust-Präsident. Immer wieder kam er nach Portsmouth und tauchte und lenkte so die Aufmerksamkeit der Presse und der Nation auf die *Mary Rose*. Er sprach selbst im Fernsehen und bat die Bürger um Spenden.

Gabriele Hoffmann

Überall in Großbritannien bildeten sich kleine Clubs, die Geld für die *Mary Rose* sammelten, und bald geriet fast das ganze Land in ein *Mary-Rose*-Fieber.

Natürlich spielte dabei auch die Tagespolitik eine Rolle. Es tat den Engländern gut, an ihre großen Zeiten erinnert zu werden. Hier wurde ein Flaggschiff der Flotte ausgegraben, die den Grundstein zur englischen Herrschaft über die Meere gelegt hatte! Trotzdem blieb es eindrucksvoll, wie die Briten sich um die Erhaltung ihres kulturellen Erbes unter Wasser sorgten. Bis 1982 spendeten Firmen und Hausfrauen, Banken und Schulkinder fast achtzehn Millionen Mark.

Die vollständige Ausgrabung der *Mary Rose* dauerte vom April 1979 bis zum Juni 1982. Die Stadt Portsmouth kaufte das Bergungsschiff *Sleipner*, später kaufte es der Trust. *Sleipner*, 43 m Kiellänge und Jahrgang 1943, war schon bei der Hebung der *Wasa* dabeigewesen. Freiwillige bauten neue Kabinen und Kojen, Arbeiter bauten neue Winschen ein und eine Taucherplattform. Als *Sleipner* neben der *Mary Rose* verankert wurde, war sie gut ausgerüstet mit komfortablen Kabinen für vierzehn Personen und einer großen Küche mit fließend heißem Wasser. Aber später, als Dutzende von Tauchern tagelang auf ihr lebten, wurde alles – Schiff, Kapitän und Taucher – bis zur Grenze des Erträglichen strapaziert, und heiße Kojen in überfüllten Kabinen wurden manchmal ein harter Prüfstein für die gute Laune an Bord.

Kapitän der *Sleipner* war Sam Dooley. Er kam aus dem rauhen Bergungsgeschäft auf See und hatte wenig übrig für Improvisationen. Die größte und anfangs für ihn kaum zu ertragende Zumutung waren die weiblichen Taucher. Dennoch entwickelte sich langsam eine gute Zusammenarbeit. Sam Dooley teilte die feste Überzeugung aller Bergungstaucher seit den venezianischen Bergern Heinrichs VIII., daß ein paar Taue, an den richtigen Stellen befestigt, die *Mary Rose* schnell nach oben bringen würden. Erst als Margret Rule ihm vor dem Stereo-Video-Monitor zeigte, wie die empfindlichen Besitztümer der Tudor-Seeleute auf dem Meeresgrund lagen, verstand er die Notwendigkeit einer vorsichtigen Ausgrabung.

Der Trust übte von Anfang an Druck auf seine archäologische Direktorin aus. Die Leute, die Spenden eintrieben, wollten – so wie früher McKee – etwas zum Vorzeigen haben, immer neue Funde, die neues Staunen erregten. Aber auch jetzt widerstand Margret Rule und blieb dabei, sich vom Bekannten vorsichtig zum Unbekannten vorzugraben.

Noch etwas blieb unverändert in diesen letzten drei Jahren, in denen die Archäologen sich auf großes Geld und moderne Technik stützen konnten: die unermüdliche Hilfe der Amateure. Ohne die insgesamt fünfhundert Amateurtaucher, die in achtzehn Sommern unbezahlt arbeiteten, wäre die *Mary Rose* vielleicht heute noch nicht entdeckt, geschweige denn ausgegraben. In jedem der letzten Sommer halfen zwischen einhundertachtzig und zweihundert Freiwillige in ihrem Urlaub, trainierte Sporttaucher aus Clubs. Die meisten kamen aus Großbritannien, andere aus Holland, Skandinavien, Kanada, den USA und Australien. Sie arbeiteten mit Begeisterung und Hingabe vom ersten Morgenlicht bis zur Abenddämmerung, tauchten in das kalte, schmutzige Wasser, wo sie anfangs nur die scheinbar endlose Aufgabe erwartete, Schlick von den Gebieten um das Wrack zu entfernen, tauchten auf, erholten sich einige Stunden und stiegen wieder in ihre niemals trocknenden Tauchanzüge.

Die Archäologen wiesen jeden neuen Taucher, jede neue Taucherin zwei Tage lang ein. Meist übernahm diese Aufgabe Andrew Fielding, Margret Rules Stellvertreter. Das Einweisen war mühevoll und zeitraubend, doch wenn die Taucher länger blieben, machte sich die Sorgfalt der Archäologen um ein Vielfaches bezahlt. Andrew Fielding führte die Neuankömmlinge auf *Sleipner* umher, erklärte ihnen die Organisation und saß mit ihnen vor dem Video-Monitor. Die Neuen arbeiteten unter Wasser so lange als Helfer eines erfahrenen Tauchers, bis sie sich mit allem auskannten. Die Archäologen hatten immer Angst, daß unter diesen vielen Freiwilligen mal einer sein könnte, der die Anforderungen nicht erfüllte, und daß es zu einem Unglück kommen könnte. Sie trafen strenge Sicherheitsvorkehrungen. Sie hängten Tauchpläne an eine große Tafel, damit jeder sehen konnte, wer unter Wasser war und wie lange schon. Die Freiwilligen arbeiteten in Gruppen, und jede Gruppe unterstand einem Supervisor, einem Inspektor.

Alexander McKee und seinen Mad Mac's Marauders gefiel das alles nicht. Die Freiwilligen der ersten Jahre sahen sich nun auf die gleiche Stufe gestellt mit jedem Neuling, sie durften nicht mehr

Gabriele Hoffmann

tauchen, wenn sie gerade frei hatten oder an den Wochenenden, sondern nur, wenn sie an neun aufeinanderfolgenden Tagen kommen konnten – sonst lohnte die Unterweisung durch die Archäologen nicht. Nur vier der Marauders tauchten weiter. Die übrigen meinten, daß die warme, freundliche Atmosphäre der Anfangsjahre verschwand, sagten sogar, daß die ganze Show zunehmend militärisch würde: Supervisors, die sie nicht kannten, neue Taucher, die alles sehr ernst nahmen und meist zu nervös waren, um auf die alten Späße einzugehen, die die Marauders untereinander machten.

Doch die Neuen hatten ihre neuen, eigenen Späße, und sie genossen, was sie später »a great time« nannten, eine großartige Zeit.

Über dem Wrack lag nun ein Gitter, dessen Rohre einzelne Grabungsstellen abteilten. Das Gitter war nur dazu da, daß jeder Taucher auch bei schlechter Sicht seinen Platz fand und keinem anderen in die Quere kam. Die Taucher hoben Schicht für Schicht mit Kellen, später Malerpinseln ab und wedelten den Schlick mit der Hand in einen Airlift. Sie maßen jeden Fund mit einem Band dreidimensional von festen Punkten am Rumpf der *Mary Rose* aus – ein sehr einfaches System, das sich gut bewährte. Die Supervisors fotografierten und zeichneten Diagramme im kalten Solent, wo man meist kaum die Hand vor den Augen sah.

Ein Problem beim Graben war, daß die Taucher nicht durch den Schlick hindurchsehen konnten und nicht ahnten, wie ein Fund lag und was sich unter ihm verbarg. Ein Spezialist kam mit einer Ultraschallkamera. Doch da ein anderes Instrument auf der Ausgrabungsstätte ebenfalls akustische Signale aussandte und die Schallkamera die Echos ihrer eigenen Signale nicht herauskennen konnte, war sie in der Praxis doch nicht recht zu gebrauchen. Trotzdem gab Margret Rule ihr bei entsprechender Verbesserung große Zukunftsaussichten.

Der Trust erhielt zahlreiche Angebote von Firmen, die ihre neueste Ausrüstung vorführen wollten. Vieles wurde auf der Grabung der *Mary Rose* erprobt, manches erleichterte die Arbeit, anderes war zu umständlich oder zu ungenau. Die Archäologen zogen immer das einfachere, sicherere System vor, das wenig kostete und mit dem jeder schnell vorankam.

Nach jedem Tauchgang schrieb der Taucher einen detaillierten Bericht auf ein Formblatt. Ein Fundüberwacher bereitete alle Daten für die Speicherung im Computer vor. Diese Dokumentation war eine riesige Arbeit. Aber Margret Rule wollte, daß man die *Mary Rose* an Land genauso wieder einrichten könnte, wie sie jetzt auf dem Meeresgrund lag. Die Taucher reinigten ihre Funde an Bord der *Sleipner*, legten jedem eine Fundkarte bei, auf der noch einmal alle Informationen und Daten standen, und verpackten ihn sorgfältig.

Der Trust mietete ein altes Zollhaus und richtete ein kleines Labor ein. Er stellte Naturwissenschaftler ein, doch auch hier wäre die Arbeit ins Stocken geraten ohne die vielen freiwilligen Helfer, die sich aus Portsmouth meldeten. Sie zeichneten jeden Fund, fotografierten und vermaßen ihn noch einmal, ehe er ins Zwischenlager und dann ins Labor zur Konservierung kam.

1980 war der Schlick weg, nun konnten die Taucher zwischen den Decks graben. Ein BBC-Kamerateam wich Margret Rule weder unter Wasser noch an Land von den Fersen. Sie war jedoch bereit, sich an alles zu gewöhnen, wenn es nur der Hebung der *Mary Rose* diente.

Früh im Jahr quoll *Sleipner* wieder über von Rohren, Generatoren und Kompressoren, Foto-, Film- und Fernsehkameras, aufgekratzten Männern und Frauen.

In diesem Jahr ertrank eine Taucherin, Louise Mulford. Ihre Nachbarn sahen sie noch zufrieden am Grund arbeiten. Der Tag war ruhig, oben schien die Sonne, und unten waren die Bedingungen so gut wie selten. Niemand weiß, warum Louise ihren Graben verließ.

Zwei Aufpasser an Bord, einer davon war ihr Verlobter, sahen sie auf dem Wasser treiben. Sie holten sie heraus, machten Mund-zu-Mund-Beatmung. Ein Hubschrauber brachte sie ins Hospital, aber sie war schon tot. Sie hatte sich unter Wasser übergeben und war dabei erstickt. Das Unglück überschattete den Sommer. Niemand hatte schuld daran, und trotzdem quälte Margret Rule sich mit der Frage nach Versäumnissen.

Wer nun über den Seegrund schwamm, konnte unglaublich viel sehen. McKee hatte nichts mehr mit der Grabung zu tun, aber manchmal gönnte er es sich, die *Mary Rose* zu betrachten. Eines Tages begann er am Bug und schwamm über das ganze Schiff, schwamm an einem wirklichen Kanonendeck entlang, sah die Kanonen und die toten Kanoniere daneben. Niemand wird das jemals wiedersehen, dachte er.

Gabriele Hoffmann

Acht Taucher arbeiteten gleichzeitig. Auch die Neuen dieser Saison waren begeistert, obwohl sie genaugenommen nichts weiter als eine schmutzige, anstrengende Arbeit in einer dunkelbraunen Brühe, die nie mehr als vierzehn Grad und oft nur sechs Grad Celsius maß, verrichteten. Aber sie hatten das Gefühl, in direktem Kontakt mit den Leuten aus der Vergangenheit zu stehen. Adrian Barak, seit 1971 dabei und nun vom Trust angestellt, erzählte mir später, sein größter Augenblick sei gewesen, als er bemerkte, daß er auf dem Hauptdeck der *Mary Rose* stand: der erste Mensch seit über vierhundert Jahren.

Archäologen und Taucher hoben Kanonenlafetten, die ersten Schiffslafetten aus der Tudor-Zeit, die in unserem Jahrhundert jemand sah. Sie holten Bronzekanonen nach oben, Eisenkanonen und Langbögen aus Taxusholz, die gefürchtete englische Infanteriewaffe des Mittelalters, die 200 m weit noch tödlich traf. Bislang gab es nur zwei zeitlich umstrittene Stücke im Tower, nun gibt es 139 Bögen, deren Alter man genau kennt. Die Taucher bargen zweitausendfünfhundert dazugehörige Pfeile, noch gebündelt in ihren Kisten, einen Köcher, in dem 24 Pfeile in einer Ledermanschette steckten, und zwölf Unterarmschutze, elf aus Leder, einen aus Horn. Unter Heinrich VIII. mußte jeder Mann bis sechzig sich im Gebrauch des Bogens üben, und Väter mußten ihre Söhne im Alter von sieben bis siebzehn Jahren darin unterrichten. Der König war selbst ein hervorragender Schütze und traf auf 220 m ins Ziel. Die Bogenschützen hatten England die Siege über Frankreich in den großen Landschlachten des 14. und 15. Jahrhunderts gebracht. Erfahrene Langbogenschützen konnten alle fünf Sekunden einen Pfeil abschießen. Solche Männer waren Helden zu ihrer Zeit. Viele Bögen aus der *Mary Rose* sind so gut erhalten, daß ein Experte einen wieder bespannte und abschoß. Die Taucher entdeckten zwei lederne linke Handschuhe in einer hölzernen Schachtel zwischen Bögen und Pfeilen: Die Schützen streiften sie über die linke Hand, wenn sie brennende Pfeile abschossen.

Die Taucher legten Würfel- und Brettspiele frei, mit denen die Matrosen sich die Zeit vertrieben, ihre Seekisten, Kleidungsstücke, darunter ärmellose Lederjacken von einem Schnitt, den niemand mehr kannte, Wollmützen, viele Arten von Schuhen und Pullovern. Die Frauen in der Restaurierungswerkstatt waren angerührt von der sorgfältigen Stopfarbeit der Frauen der Schützen und Seeleute. In den Kabinen der Offiziere fanden die Taucher Navigationsinstrumente, Taschensonnenuhren, die vielleicht aus Deutschland importiert waren, und Seiten eines Buchs. Zum Tudor-Gentleman gehörte offenbar ein Maniküreset aus Knochen: Er konnte sich die Fingernägel reinigen, in seinen Zähnen stochern und mit einem Löffelchen sich die Ohren säubern. Die Taucher fanden Kämme, Ledertaschen, Geldbörsen, auch Krüge, Kannen und eine Pfeffermühle, die aussah, als käme sie gerade aus einem Geschäft in Portsmouth. Sie fanden lange hölzerne Stangen, mit denen die Kanoniere brennende Lunten an die Zündlöcher der Kanonen hielten, jede Stange fein geschnitzt mit einer Hand am Ende oder einem Krokodil, das die Lunte zwischen den Zähnen hielt. Jeder Mann an Bord muß großen Stolz auf seine Besitztümer und Geräte gehabt haben und auf das, was er mit den Händen ausführte: Viele Stücke haben ein ausgewogenes Design und sind fein gearbeitet.

Im Achterkastell lag ein Mann auf einem Schwert. Er hatte ein paar Goldmünzen in den Taschen. Insgesamt gab es an Bord nur knapp zwei Dutzend Goldmünzen. Eine Goldmünze war ungefähr der Tageslohn für den Vizeadmiral und mehr als der Monatslohn eines gewöhnlichen Seemanns.

Eine Taucherin, Stewardeß von Beruf, grub die Instrumentenkiste des Schiffsarztes aus. Die Kiste enthielt außer Flaschen und Salbentiegeln, die noch die Fingerabdrücke des Arztes trugen, die Überreste von Amputiersägen, Rasiermesser, eine Messingwaage und zwei gefährlich aussehende Harnröhrenspritzen zur Behandlung von Tripper und Syphilis. In der Kabine des Arztes fanden die Taucher ein kleines Kohlebecken zum Erhitzen von Wärmpfannen, eine Schüssel für den Aderlaß, einen Mörser für das Anrühren von Heilpulver, einen Hammer und die Mütze des Arztes. An der Kabinentür lag seine Pavane, ein italienisches Musikinstrument.

In der Küche stießen die Taucher auf Körbe mit Fischen ohne Köpfe und auf Körbe voller Erbsen: Die Soldaten sollten nach der Schlacht wohl Fisch mit Erbsen bekommen. Die Taucher fanden Knochen von Schweinen, Rindern, Hammeln und Hühnern und das Skelett des windhundähnlichen Schiffshunds, der wohl gerade eine Ratte jagte, deren Skelett nicht weit von ihm entfernt lag. Sie fanden Käfer, Küchenschaben und Fliegen. Sie legten das Feuerholz für die Kombüse frei, sauber geschnittene Fichtenscheite. Ein großes hölzernes Faß enthielt hölzerne Teller und Schalen, neben ihm lag ein Stoß Zinnteller. Einige Zinnteller hatten Buchstaben an den Rändern, zum Beispiel GC, möglicherweise die Initialen von Vizeadmiral George Carew. Zwei Teller trugen das Wappen von Admiral Lisle.

Die Entdeckung dieser beiden Teller an Bord der *Mary Rose* zeigt, wie schwierig es ist, das Alter eines Wracks zuverlässig nach auffallenden Einzelstücken zu bestimmen oder aus ihnen gar auf den Namen des Schiffs oder eines Mannes an Bord zu schließen. Wäre die Geschichte der *Henry Grace à Dieu* und der *Mary Rose* unbekannt, läge es nahe anzunehmen, daß Admiral Lisle an Bord war. Er segelte aber auf der *Henry Grace à Dieu*. Die Historiker wissen, daß er die Schlacht acht Jahre überlebte und im August 1554 wegen Verrat im Tower geköpft wurde. Mit der *Mary Rose* versanken nur seine Teller. Gerade die zeitlich leicht einzuordnenden Gegenstände, wie Kanonen, werden erbeutet und weiterverwendet, wertvolle persönliche Besitztümer werden gestohlen und vom Dieb verkauft. Einfache Funde dagegen wie Gürtelschnallen, Munition oder Alltagsgeschirr geben oft sicherere Hinweise auf ein Datum, doch eine richtige Antwort kann nur das zeitraubende Prüfen aller historischen und archäologischen Beweise geben.

Die Taucher fanden große Mengen der Schiffsausrüstung, meterlange dicke Trossen, Blöcke, die größten über 1,5 m lang, und Taljen, wie sie noch heute auf Segelschiffen benutzt werden. Alles, was zum Rigg gehörte, erwies sich als technisch viel weiter entwikkelt, als Historiker es sich vorgestellt hatten. Auch die Navigation des 16. Jahrhunderts hatte man für primitiver gehalten. Jetzt fanden die Taucher einen schönen magnetischen Kompaß in einem Holzkasten.

Sie sahen Skelette auch ganz unten im Schiff, auf Matratzen oder Liegen. Das waren vielleicht Verwundete, die man tief im Schiff auf dem Ballast verbarg, damit ihre Schreie die Soldaten an Deck nicht entmutigten. Die *Mary Rose*, so scheint es, hat also Schüsse der Franzosen abbekommen. Der jüngste der über einhundertsechzig Toten an Bord war vierzehn, der älteste 44 Jahre alt. Selbst Männer, die über vierzig Jahre alt waren, hatten kaum Karies, aßen also wenig Zucker. An den Skeletten können die Experten erkennen, wer Seemann, wer Bogenschütze war: Die linken Unterarmknochen waren bei den Schützen viel stärker ausgebildet als die rechten.

Hoch oben, im Achterkastell des Schiffs, fanden die Taucher einen möglichen Grund für das Sinken der *Mary Rose*: eine 2 t Tonnen schwere Bronzekanone, geladen und auf ihrer hölzernen Lafette vorwärts ausgefahren, so daß das Rohr durch die Kanonenpforte ragte. Als die Taucher die Kanone fortnahmen, sahen sie und Margret Rule in der Schwelle der Kanonenpforte eine nachträgliche Auskurvung. Ursprünglich hatte hier also wohl eine sehr viel kleinere Kanone gestanden. Der Schluß liegt nahe, daß diejenigen, die die *Mary Rose* umbauten, entweder 1536 oder kurz vor der Schlacht bei Portsmouth bei der Ausrüstung, ihre Feuerkraft erhöhten und dabei das Risiko, sie toplastig zu machen, in Kauf nahmen. Hoch oben auf dem Deck trug die *Mary Rose* schwere Kanonen, für deren Last sie nicht gebaut war.

Margret Rule meint, daß drei Gründe zum Sinken beigetragen haben: erstens zu viele schwere Kanonen an Bord, zweitens zu viele Menschen, denn die Bogenschützen brachten noch einmal an die 25 t Gewicht hoch über der Wasserlinie auf das Deck, und drittens schlechte Schiffsführung bei der Wende, die sich bei der Toplastigkeit tödlich auswirkte.

Als Sporttaucher und Archäologen über siebzehntausend Einzelfunde geborgen hatten, übersahen sie zum ersten Mal, was vom Rumpf der *Mary Rose* übrig war: die Steuerbordseite des wie längs durchgeschnittenen Schiffs mit allen dazugehörigen Bauteilen wie Decks und Niedergänge, der Ballast und Teile der Takelage. Der Rumpf mußte zum Heben so leicht wie möglich sein, und so bauten sie alles aus, vermaßen und beschrieben es für einen späteren Wiedereinbau an Land. Viele Eisennägel waren verrostet, und teilweise hielt nur noch der Schlick die Decksplanken. Sobald die Airlifts den Schlick weggesaugt hatten, begannen die Planken zu rutschen, und das ganze Innere drohte zusammenzustürzen. Die Taucher stellten einen Container auf den Meeresgrund, in dem sie die Hölzer bis zum Ende der Tauchsaison lagerten. Im Herbst gab es in ganz Portsmouth kaum noch einen Wasserbehälter, in dem nicht Hölzer aus der *Mary Rose* schwammen.

Ende 1981 lag das Schiff unter dem Gitter von Stahlstangen und den Schläuchen von sechzehn Airlifts. Die Grabung war fast abge-

Gabriele Hoffmann

schlossen. Im Mai und Anfang Juni 1982 baute ein Archäologen-team in Tag- und Nachtschichten die ziegelgemauerte Kombüse vor dem Hauptmast ab und hob den Ballast und die Ladung mittschiffs.

Margret Rule konnte nur noch gelegentlich an Wochenenden und nachts tauchen. Der Trust organisierte Konferenzen mit Bergungs-fachleuten und Vertretern von Stahlfirmen und sorgte für noch mehr Publizität. Margret mußte Vorträge halten und Interviews geben, sie mußte sich zu Reklamezwecken in Unterwasseranzügen fotogra-fieren lassen und in die USA fliegen und Geldspenden zusammen-bringen. Für ihr Gefühl nahm die Publicity-Maschine nun über-hand, vor allem als Presse und Fernsehteams immer häufiger fragten, wann denn nun die *Mary Rose* endlich gehoben würde.

Mitte Juni war das Schiff leer. Drei Tage vor Tauchschluß fand einer der Amateurtaucher, ein Taxifahrer, die Schiffsglocke. Später sah ich die Glocke im Magazin und las die plattdeutsche Umschrift: IC BEN GHEGOTEN INT YEAR MCCCCX, ich wurde gegossen im Jahre 1510. Der Restaurator schlug sie an, und der gleiche helle, ein wenig trockene Klang ertönte, den Schiffsglocken auch heutzutage haben.

Heimkehr

Die Hebung der *Mary Rose* war auf den 28. September 1982 angesetzt. Doch Schwierigkeiten bei den Vorbereitungen unter Wasser erzwangen im letzten Moment ein Verschieben des Termins. Die Ebbe- und Flutverhältnisse ließen den nächsten Versuch erst am 10. Oktober zu. Die Archäologen waren in großer Sorge.

Wenn die Hebung wieder mißlang, war alles aus. *Tog Mor*, der größte Schwimmkran der Welt, der die *Mary Rose* heraufziehen sollte, mußte gleich nach dem 10. Oktober nach Westafrika gehen. Bis man einen anderen Kran bekam – was so gut wie ausgeschlossen war –, würden die ersten Herbststürme jede Arbeit unter Wasser verhindern. Die *Mary Rose* war aber so weit aus Sand und Schlick gegraben, daß sie den Winter auf dem Meeresboden nicht mehr überstehen würde.

Der 10. Oktober war ein Sonntag. Um sechs Uhr früh trafen wir uns, es war noch dunkel, in einem Parkhaus in der Innenstadt von

Portsmouth. Wir, das waren ungefähr einhundertsechzig Personen, die eingeladen waren, auf der *Patricia*, dem Flaggschiff der englischen Lotsenbruderschaft, hinauszufahren zur Hebung. Was für Leute das waren, wurde mir erst im Lauf des Vormittags allmählich klar. Zwei Doppeldeckerbusse brachten uns in den Militärhafen an die Pier. Wir stiegen aus und stellten uns in eine Schlange, um über die Gangway an Bord zu gehen.

»Oh, da kommt ja auch Lady...«, sagte die Dame vor mir zur Dame hinter mir. Ein schwarzer Bentley hielt neben uns. Der Chauffeur stieg aus und öffnete die Fondtür für eine weißhaarige Dame mit Persianer und Perlenkette, wobei er sich mit geradem Rücken gemessen verbeugte. Den Namen hatte ich nicht verstanden. Das war auch nicht so wichtig. Es warteten noch mehr Ladies und Lords in der Schlange. Ich war noch nie in England gewesen. So ist das also hier, dachte ich, wie bei Agatha Christie.

Wir standen auf dem Achterdeck der eleganten *Patricia*. Langsam dämmerte der Morgen über der weiten Hafenbucht, und die Sterne zwischen den Wolken verblaßten. Hinter Magazingebäuden entdeckte ich die Masten der *Victory*, Lord Nelsons Schlachtschiff, auf dem er 1805 bei Trafalgar die Franzosen besiegte und starb. Eine abgetakelte Fregatte drehte sich vor Anker, schwarz mit weißem Band um die leeren Kanonenpforten, ein Gefängnisschiff aus der Napoleonzeit. Rechts im Hintergrund lagen die grauen Kriegsschiffe, die vor kurzem von den Falklandinseln zurückgekehrt waren. Portsmouth ist Kriegshafen seit 1496, als der Vater Heinrichs VIII. hier das Hauptarsenal der Marine einrichtete.

Nun waren offenbar alle Lords und Ladies an Bord, und die *Patricia* legte ab und lief an den kalkweißen Verteidigungsmauern der Stadt entlang. Es war kalt. Trotz der frühen Morgenstunde standen schon Tausende von Zuschauern auf den Mauern und auf Southsea-Castle, von dem aus damals König Heinrich VIII. den Untergang der *Mary Rose* miterlebte. Vor uns sah ich die beiden gewaltigen weißen Pylonen, die den hohen Hebearm von *Tog Mor* stützten. Daneben wirkte der Kran von *Sleipner*, dem alten Bergungsschiff der Archäologen, wie ein Spielzeug aus schwarzem Filigran. Mit uns liefen Segeljachten aller Größen aus, Motorboote, Fischkutter, Barkassen, und Hunderte von Booten lagen schon im großen Bogen um das Kranschiff. Langsam schob die *Patricia* sich

Gabriele Hoffmann

an den ihr zugewiesenen Ankerplatz. Wir waren nun dicht bei *Sleipner* und *Tog Mor*. Von der Spitze seines Kranarms hing eine Trosse herab. Auf halber Höhe gabelte sie sich in vier Trossen, die im schmutzigbraunen Wasser verschwanden. Dort unten, in 17 m Tiefe, lag die *Mary Rose*.

Auf dem Seeboden stand ein Stahlrahmen, fast doppelt so groß wie ein Tennisplatz, 40 m mal 20 m, auf vier langen Beinen wie ein Tisch über der *Mary Rose*. Die Taucher hatten das Wrack mit 98 Stahlseilen an ihm befestigt. Neben dem Rahmen stand eine Art ›Stahlwiege‹, 113 t schwer. Sie war mit Luftsäcken ausgepolstert, damit die *Mary Rose* keinen Schaden nahm, wenn der Kran den Rahmen, an dem sie hing, anhob und sie in die maßgeschneiderte Wiege legte. Der Kran sollte die vier Beine des Rahmens in vier Rohre an der Wiege führen. Marinetaucher sollten die Verbindungen sichern, und dann würde der Kran das gesamte Paket an die Wasseroberfläche heben und auf einen Ponton setzen.

An Bord der *Patricia* hieß es, die *Mary Rose* liege wohl schon sicher in ihrer Wiege, die Taucher arbeiteten seit Sonnabendmorgen um 4.45 Uhr ununterbrochen. Wir standen an der Reling und warteten. Die Hebung konnte jeden Augenblick beginnen. Einige Leute winkten Bekannten in den Segeljachten zu. Dann gab es Kaffee und Sandwichs. Irgend etwas schien da unten mit der *Mary Rose* nicht in Ordnung zu sein. Aber die *Patricia* hatte keine Funkverbindung zu *Sleipner*, von dem aus Margret Rule die Bergung leitete. Der Kapitän bat uns, wieder an die Reling zu treten: »Prinz Charles wants to give us a wave«, Prinz Charles möchte uns winken. Im Kielwasser von zwei kleinen Polizeibooten kam eine lange, altmodische Mahagonibarkasse angefahren, auf deren Vordeck zwei gewichtige Matrosen ihre Bootshaken senkrecht hielten wie Fahnenstangen. Der Prinz, in Uniform und weißer Mütze, winkte freundlich zu uns herauf. Die fröhliche Stimmung auf der *Patricia* stieg noch beträchtlich. Allmählich hatte ich herausbekommen, was es mit meinen Mitpassagieren und den vielen Lords und Ladies unter ihnen auf sich hatte. Es waren Leute, die entweder große Summen für die *Mary Rose* gestiftet oder die besonders erfolgreich jahrelang in Schulen, Gemeinden und Clubs Vorträge gehalten und Geld gesammelt hatten. Der Trust hatte sie eingeladen, um ihnen seine Dankbarkeit zu zeigen und ihnen ein Vergnügen zu machen.

Wie ich selbst in diese traditions- und archäologiebegeisterte illustre Gesellschaft geraten war, statt dort zu sein, wo ich von Berufs wegen eigentlich hingehörte, nämlich auf dem Presseboot, ist einfach zu erklären: Ich war miteingeladene Ehefrau des Konservators der Bremer Hanse-Kogge. Der Kreis der Konservatoren alter Schiffe ist noch klein, die Erfahrungen im Umgang mit archäologischem Holz sind begrenzt, und Margret Rule und Richard Harrison hatten meinen Mann gebeten, sich das Holz ihres Schiffs gleich nach der Hebung anzuschauen.

Noch immer hingen die vier Stahltrossen unverändert im Wasser. Die beiden Taucherinnen, die dafür sorgten, daß die eifrigen Geldsammler und Geldspender an Bord der *Patricia* sich wohl fühlten, wurden unruhig. Eine von ihnen war eine Archäologin, die tauchen gelernt hatte und nun, da ihre Arbeit unter Wasser getan war, im Lager Funde archivierte, die andere war die Stewardeß, die die Instrumentenkiste des Schiffsarztes gefunden hatte und die jahrelang gleich nach der Landung in Gatwick nach Portsmouth gefahren war, um zu tauchen. Irgend jemand hatte ein Transistorradio dabei, und es hieß, man bekäme die Beine des Rahmens nicht in die Rohre der Wiege. Die Gäste auf der *Patricia* nahmen alles mit heiterer Gelassenheit, plauderten, fragten Per, meinen Mann, über die Kogge aus und freuten sich, daß es nicht regnete und daß Prinz Charles mit einigen fürstlichen Personen gegen Mittag zu uns an Deck kam. Die Engländer bewunderten ihren künftigen König, der sich so sehr für das alte Schiff einsetzte. »He has done a good job«, hörte ich mehrfach flüstern, das hat er gut gemacht, und die Antwort darauf war jedesmal ein leises »tremendous«, ungeheuer gut.

Um zwei Uhr hieß es, daß heute wohl nichts mehr aus der Hebung der *Mary Rose* würde.

Sieben Stunden lang hatte Margret Rule auf *Sleipner* versucht, mit Hilfe von Sonar die Beine in die Rohre zu führen. Hatten die Computer sich verrechnet? Hatten die Mathematiker falsche Daten eingespeichert? Schließlich schickte sie Taucher mit einem gewöhnlichen Maßband hinunter. Nach wenigen Minuten erfuhr sie, daß der Rahmen an einer Seite ein Stück zu kurz war. Niemand war auf die Idee gekommen, das Werk einer renommierten Stahlbaufirma von Hand nachzumessen, ehe es auf den Meeresgrund abgesenkt wurde.

Gabriele Hoffmann

Noch am nächsten Tag waren Archäologen und Taucher wütend: Da müssen Köpfe rollen, und da werden Köpfe rollen, hörte ich sie sagen. Soweit ich weiß, sitzen noch alle Köpfe fest da, wo sie hingehören. Auch die Ingenieure und Techniker hatten ihre Schwierigkeiten mit den Archäologen, und es fiel ihnen nicht leicht, sich von einer Archäologin sagen zu lassen, was zu tun war.

Die ganze Nacht hindurch sägten Taucher das Bein, das nicht passen konnte, ab und zogen an seiner Stelle eine Hilfsstütze und einen Stropp ein, an dem die Wiege mit der *Mary Rose* dann eben am Rahmen hängen mußte – so gut es ging.

Der Montagmorgen war trübe, und es goß in Strömen. Der Fernsehapparat unseres Wirtsehepaars lief schon beim Frühstück kurz nach halb acht und zeigte Margret Rule, die noch immer in ihrer Kabine auf *Sleipner* vor den Monitoren saß und die Bergung leitete. Unser Wirt hatte schon für das *Mary-Rose*-Projekt gearbeitet, als noch kaum jemand daran glaubte, und eifrig Vorträge gehalten und Geld gesammelt.

Einer der Archäologen wollte uns in einem Fischerboot mit hinausnehmen. Doch sein Anruf kam nicht. Alle waren hektisch an der Arbeit, teils mit der Hebung beschäftigt, teils mit den vielen Offiziellen und ihren Begleitpersonen, die auf *Tog Mor* und *Sleipner* Technikern und Tauchern im Weg standen. Und dann, um 9.30 Uhr, sahen wir auf dem Fernsehschirm das gelbe Gestell des Rahmens dicht unter der Wasseroberfläche. Zentimeter um Zentimeter hob *Tog Mor* es empor, und die ersten Holzplanken ragten aus dem Wasser, und dann war die *Mary Rose* da, zwar noch drei Viertel unter Wasser, aber sie war da. Wir hörten Böllerschüsse durchs Fenster und im Fernsehen und Schiffssirenen. Die Stimmen der Reporter, die nun schon seit Sonnabendmorgen arbeiteten, überschlugen sich. Taucher in roten Anzügen schwammen um den Rahmen und verrichteten Arbeiten, die ich nicht erkennen konnte. Wieder zog *Tog Mor* an, stoppte, um Wasser aus der *Mary Rose* herausströmen zu lassen.

Leute, die auf *Tog Mor* dazu abgestellt waren, Interviews zu geben, sagten zum x-tenmal das gleiche, und dann kam auf *Sleipner* Margret Rule aus ihrer Kabine. Sie drehte allen Kameras den Rükken und stand vor der *Mary Rose*. Ganz klein wirkte sie, eine untersetzte Frau mittleren Alters. Schließlich drehte sie sich um und wischte sich Tränen aus dem Gesicht.

Dann gab es noch einen Zwischenfall. Prinz Charles, der künftige König, wollte als erster gemeinsam mit Margret Rule das Flaggschiff seines berühmten Vorgängers betreten. Doch bevor ihr kleines Arbeitsboot anlegte, gab es ein Krachen und Knirschen, und der gelbe Rahmen stürzte auf die *Mary Rose*.

Unsere Wirtsleute sprangen auf. Nun sinkt sie wieder, war mein erster Gedanke. Dem Fernsehreporter versagte die Stimme. Aber die *Mary Rose* war noch da.

Irgend jemand hatte in der Eile oder aus Übermüdung oder aus Dummheit die Hilfsstütze, die das abgesägte Bein ersetzte, nur mit einem einzigen Bolzen gesichert. Der war gebrochen.

Danach geschah sehr lange nichts. Schließlich hatten wir am frühen Nachmittag ganz viereckige Fernsehaugen bekommen und gingen hinaus zum Volksfest am Hafen. Abends, kurz vor zehn, kam der Ponton mit der *Mary Rose* in den Hafen, und die Sirenen aller Schiffe heulten.

»Coming home«, sagten die Leute um uns mit feuchten Augen, sie kehrt heim, die *Mary Rose* kehrt heim, und wir überlegten, welches Wrack in Deutschland solche Rührung hervorrufen könnte.

Am nächsten Morgen fanden wir uns pünktlich, wie inzwischen mit einem Archäologen verabredet, mit einem großen Blumenstrauß im alten Zoll-Lager ein, in dem der Trust sein Hauptquartier hatte. Keiner der Archäologen und Taucher war da. »Die schlafen noch«, sagte ein Büroangestellter, »nach drei Wochen harter Arbeit schlafen die aus.« Er hatte zu tun. Mit zwei Sekretärinnen sortierte er Berge von Glückwunschtelegrammen auf einem großen Tisch.

Aber sie schliefen nicht aus. Einer nach dem andern trudelte ein, mit tiefen Ringen unter den Augen. »Ich bin viel zu überdreht, um schlafen zu können«, sagte der große Adrian Barak. Auch Margret Rule kam, jetzt in einem eleganten Kleid, und fiel Per um den Hals. Ich fragte sie nach ihrem Gefühl, als sie gestern die *Mary Rose* zum ersten Mal über Wasser sah. »Ich war so froh und erleichtert und überwältigt«, sagte sie, »und zugleich war es doch wie ein Abschied. Bis jetzt hat die *Mary Rose* nur uns gehört, und von nun an wird sie allen gehören.«

Adrian Barak nahm uns und einige Archäologen und Taucher mit in ein kleines Hafenbecken, wo blaugestrichene Barkassen vor sich hindümpelten und die Möwen sich um Abfall stritten. Der Regen prasselte auf unser Ölzeug. Die übermüdeten Männer und Frauen wollten zur *Mary Rose* hinaus, warum, das wußte eigentlich keiner zu sagen. Einige gaben vor, Per hinausbegleiten zu wollen. Adrian sagte, er wolle nachsehen, wie es gelang, die *Mary Rose* in Planen einzupacken, die sie gegen das Austrocknen schützen sollten. In Wirklichkeit aber wollten sie wohl alle nur das Schiff sehen, an dem sie so viele Jahre unter Wasser gearbeitet hatten.

Der Ponton mit der *Mary Rose* lag mitten in der Hafenbucht, und wir tuckerten eine halbe Stunde gegen Wind und Regen, bis das gelbe Paket riesengroß über uns hing. Die Luftkissen waren geplatzt und hingen in Fetzen herunter. Eine große Stahltrosse lief verkehrt herum um ein Bein, das sie zusammengequetscht hatte. Die Barkasse legte an.

Eine Leiter führte vom schlickverschmierten Ponton 5 oder 6 m senkrecht hoch zur untersten Strebe der Stahlwiege. Taucher, Archäologen und Per kletterten hinauf und verschwanden. Der Skipper in der Barkasse klemmte sich eine Zigarette zwischen die Lippen und sah mich an. Ich sah zu dem Rahmen hinauf, der gestern so eindrucksvoll an einer Seite heruntergestürzt war. Schließlich kletterte ich die Leiter hoch. Das Schlimmste war der Schritt hoch oben halb um die Leiter herum auf die Stahlwiege. Sie war wie ein Netz aus Stahlstangen, jede Masche war so groß, daß ich ohne anzustoßen hindurchfallen konnte auf den Ponton mit dem historischen Schlick. Vor mir wölbte sich, was von der Backbordwand der *Mary Rose* übriggeblieben war, 3 oder 4 m hoch, glatte, glitschige Planken. Tief unter mir steckte der Skipper sich eine neue Zigarette an. Eine Stimme über meinem Kopf sagte, ich könne ruhig auf den Schlick an der Bordwand treten, der sei fest wie Beton.

Die Stimme gehörte Chris, einem der Archäologen. Auf allen vieren machte ich mich gewissenhaft auf den Weg und krabbelte zu ihm in das Innere der *Mary Rose*. Der Anblick berührte mich seltsam, ich konnte mich gar nicht sattsehen an diesem halben, leeren, riesigen und fremden Schiff. Ich hatte ein ganz seltsames Gefühl. Erfahrene Archäologen haben mir erzählt, daß auch sie, nach vielen Jahren, manchmal noch den Eindruck hätten, als ob ein elektrischer Schlag sie träfe, wenn sie einen Gegenstand aus der Vergangenheit anfassen. Chris zeigte mir die Stelle, an der der Rahmen auf die *Mary Rose* gefallen war. Der Stahl hatte eine tiefe

Beule. An der *Mary Rose*, dem Schiff aus bester Hampshire-Eiche, saß nur ein wenig gelbe Farbe. Ich entdeckte eine Kanonenkugel, die noch fest in den Ablagerungen unter einem Balken saß, und einen Totenschädel.

Am Nachmittag führte Ann, Amateurtaucherin und Krankenschwester, mich auf *Sleipner* herum. Das Schiff rollte im Seegang. Überall lagen gebrauchte Teetassen, Tauchanzüge, Preßluftflaschen, einzelne Tennisschuhe. Es war ein unglaubliches Durcheinander, das die übermüdeten Taucher zurückgelassen hatten, als ihre Hauptarbeit getan war. Ann zeigte mir die Winden, mit denen sie Kanonen an Bord gehievt hatten, und die Druckausgleichskammern, in die jeder Taucher nach dem Auftauchen für eine halbe Stunde kam. Sie zeigte mir die Kajüten, die Kammer mit den Tauchanzügen, den Maschinenraum, bis mir da unten in der stickigen Luft schlecht wurde. »Das kenne ich«, sagte sie mitfühlend, »den meisten von uns wurde auch schlecht, und wir waren immer froh, wenn wir unten bei der *Mary Rose* waren. Da konnte es oben noch so wehen, unten war es still. Geh mal an Deck, ich koche uns schnell einen Tee.«

Später setzte die Barkasse uns zu *Tog Mor* über. Trotz des starken Windes lag das Kranschiff wie ein Brett im Wasser. Wir gingen wie über einen Fußballplatz. Ich sah die Trossen aus der Nähe, an denen die *Mary Rose* hochgezogen worden war, jede oberschenkeldick. Ein fahrbarer Kran an Deck ist nur dafür da, um diese Trossen zu bewegen und sie auf den Haken der *Tog Mor* zu heben.

Die Kabinen der Mannschaft liegen in einem siebenstöckigen Haus. In einer der Kabinen tranken ein paar Archäologen Bier mit dem Kapitän und dem Ersten Offizier. »Ihr habt Glück gehabt«, sagte der Kapitän bedeutungsvoll zu Adrian, «daß ihr die *Mary Rose* nun doch noch herausgekriegt habt.«

Abends trafen wir uns in einem französischen Restaurant. Die Archäologen und Taucher feierten Abschied. Wir saßen an langen Tischen und tranken Rotwein und ließen es uns gutgehen. Aber die rechte Stimmung kam nicht auf. »Wer weiß, ob wir uns jemals wiedersehen«, sagte Ann, »und wenn doch, dann wird alles anders sein.« Die Arbeitslosigkeit war groß in England. Einige Archäologen würden beim Mary-Rose-Trust bleiben, doch die meisten wußten nicht, was aus ihnen werden sollte.

Heute haben viele von ihnen neue Arbeit gefunden auf Wracks rings um Großbritannien und in der Karibik. Die *Mary Rose* liegt im Trockendock Nr. 3 auf der Marinewerft in Portsmouth neben der *Victory*, und die Besucher können bei ihrer Konservierung zusehen. Nun ist die Zeit der Wissenschaftler in den Labors gekommen.

ZEITKAPSELN IM LABOR

Haithabu: Stadt, Hafen, Schiff

Archäologen des Landesmuseums für Vor- und Frühgeschichte in Schleswig haben 1979 und 1980 im Hafen von Haithabu gegraben. Sie legten ein Wikingerschiff frei und holten neben den verschiedensten Gegenständen mehrere hunderttausend Tierknochen aus dem Wasser. Diese Tierknochen habe ich als Hauptbeispiel für die Detektivarbeit in den Labors gewählt: Sie gehören zu den unscheinbarsten Funden überhaupt, und doch können Wissenschaftler auch sie sozusagen dazu bringen, vom Leben der Menschen vor vielen hundert Jahren zu erzählen.

Das Landesmuseum liegt im innersten Winkel der Schlei, einer tiefen Bucht an der Ostseeküste. 3 km entfernt lag vor tausend Jahren der Ort Haithabu. Heute sehen vorübereilende Autofahrer nur eine Wiese am Wasser, die zum Land hin ein Erdwall umringt.

Die Bewohner verließen Haithabu nach Überfällen im 11. Jahrhundert und zogen wohl nach Schleswig. Kein Schiff lief jemals wieder im Hafen ein. Die Ostsee stieg um 1 m. Das Wasser schützt Holz, Knochen, Taue, Leder, bewahrt einen über tausend Jahre alten Wikingerort.

Seit achtzig Jahren graben Archäologen in Haithabu. Aus einem Gewirr von Balkenresten und Pfostenlöchern rekonstruierten sie den Ort: Holzhäuser mit Satteldächern und geflochtenen Wänden standen eng beieinander, Holzzäune trennten die kleinen Grundstücke, die schmalen Gassen waren mit Holzbohlen belegt, damit Handwerker und Händler, Schiffer und Krieger, Christen und Heiden nicht im Matsch versanken. Haithabu war in seiner Glanzzeit wohl die bedeutendste Handelsstadt Nordeuropas. Über zweihundertfünfzig Jahre liefen Handels- und Kriegsschiffe den Hafen an. Dänen, Schweden, Deutsche, Norweger und Slawen kämpften um den Besitz der Stadt. Sie lag günstig: an der schmalsten Stelle Jüt-

Gabriele Hoffmann

lands, wo sich zwei tief in das Land einschneidende Wasserstraßen aus Westen und Osten bis auf 16 km einander näherten, und an einer Nord-Süd-Überlandstraße, dem Ochsenweg. Von allen Seiten strömten Waren nach Haithabu.

Die Wanderhändler zur See riskierten Schiffbruch, Sklaverei, Tod. Doch bei glücklicher Heimkehr war ihr Gewinn hoch. Sie brachten Schmuck aus England und Irland nach Haithabu, Tuch aus Friesland, Wein und Mühlsteine aus Basaltlava vom Rhein, Glas und Schwerter aus Franken, und aus dem Norden und Osten Pelze, Eisen, Bernstein und als wichtigstes: Sklaven. Haithabu dürfte einer der größten Sklavenumschlagplätze des Nordens gewesen sein. Bezahlt wurde mit Silber: 300 g kostete ein gutes Reitpferd, ein Schwert 125 g, eine Sklavin 200 g und ein Messer 2,8 g. Soviel wog ein arabischer Dirhem. Die Archäologen fanden arabische, deutsche, englische Münzen in Haithabu.

Anfang der fünfziger Jahre wollte der damalige Direktor des Landesmuseums endlich etwas über den Hafen erfahren. Doch Aqualungentaucher, so erkannte er zu seinem Kummer, verloren schnell die Orientierung im undurchsichtigen Wasser. 1953 dirigierte er von einem schwimmenden Ponton aus über Telefon einen Helmtaucher durch den Hafen.

Der Taucher tastete sich Schritt für Schritt auf dem weichen Seeboden vor. Er stieß auf einen schweren Palisadenring, der das Hafenbecken einmal geschützt hat wie der Halbkreiswall an Land die Stadt. Dann fand er das Wrack, ein Wikingerschiff, 50 m vom Ufer entfernt und 6 m unter Wasser. Er brachte aus dem Schiffsinnern einen Schädel mit einem Pfeilschußloch neben der Nase an die Wasseroberfläche.

Das Schiff war damals eine Sensation für den kleinen Kreis interessierter Wissenschaftler – der Fund der Wikingerschiffe bei Skuldelev lag noch in weiter Ferne. Doch aus dem Etat des Museums, das nach dem Krieg seine Urgeschichtssammlung – die größte Deutschlands – noch nicht einmal richtig wieder aufgestellt hatte, gab es kein Geld für Archäologie unter Wasser. Als der Archäologe Kurt Schietzel zehn Jahre später anfing, über eine Hebung nachzudenken, hatte er nicht mehr als einen Tisch und einen Stuhl. Vierzehn Jahre dauerte die finanzielle und technische Vorbereitung für das Heben des Schiffs und eine Grabungskampagne im Hafen. Das

Schiff konnte nicht im ganzen gehoben werden, sein Holz war in tausend Jahren unter Wasser zu weich und empfindlich geworden. Die Archäologen kamen überein, Planke um Planke vorsichtig abzubauen. Das war unter Wasser nicht möglich, die Sicht dort ist gleich Null. Inzwischen hatten die dänischen Kollegen die Skuldelev-Schiffe in einem leergepumpten Kasten aus Spundwänden ausgegraben. Diese Lösung war auch die beste für das Haithabu-Schiff und einen Teil des Hafens.

Geophysiker der Universität Kiel untersuchten den Seeboden mit einem echolotähnlichen Instrument und zeichneten die genaue Lage des Wracks auf. Sie fanden mitten im Hafen eine große Pfahlgruppe. Im Schlamm am Fuß der Pfähle lag eine Kirchenglocke. Sie ist die älteste in Nordeuropa, und noch niemals hat ihr Klang die Gläubigen zum Gebet gerufen. Wahrscheinlich kam sie mit dem Schiff nach Haithabu und fiel beim Entladen über Bord.

Eine Tiefbaufirma baute aus Spundwänden einen 50 m langen und 10 m breiten Kasten vom Ufer zum Schiff und einen zweiten, quer dazu, um das Schiff, 25 m lang und 10 m breit. Die Spundwände mußten bis zu 22 m tief durch Schlick und Torf in den Seeboden gerammt werden, dort erst fand man festen Grund. Pumpen saugten das Wasser aus den Kästen. Die Baukosten betrugen 1,533 Millionen Mark.

Zum ersten Mal war ich im August 1979 in Haithabu. Bauwagen und Baracken standen auf der zum Wasser abfallenden, nassen Wiese. Ein Schlagbaum mit dem Schild »Betreten verboten« versperrte den Feldweg. Ein Geländewagen kam mir entgegen, hielt, und der Archäologe Kurt Schietzel sprang heraus. Irgend etwas an einer Wasserpumpe war gebrochen, er mußte in die Stadt, sagte er, nach Schleswig, ein Ersatzteil auftreiben: »Als Grabungsleiter sind Sie Mädchen für alles, ob ein Minister kommt und geführt werden will, oder ob eine Rolle Klopapier fehlt.«

Eine halbe Stunde später ist er wieder da. Ich bekomme in einem Bauwagen einen gelben Schutzhelm verpaßt. In den Baracken wohnen Strafgefangene und Wissenschaftler, auch Ole Crumlin-Pedersen aus Dänemark ist da. »Wieso Strafgefangene?« frage ich.

»Alte Rentner, die noch graben können, gibt's nicht mehr, und Studenten sind nicht ausdauernd genug«, meint Schietzel. »Strafgefangene sind billige Arbeitskräfte. Mit denen habe ich gute Er-

　　　　　　　　　　　　　　Gabriele Hoffmann

fahrungen gemacht. Doch es hat auch Nachteile: Die Öffentlichkeit ist von der Grabung so gut wie ausgeschlossen. Fotos dürfen nicht gemacht werden. Zwölf Gefangene und sechs Wissenschaftler arbeiten hier zusammen.«

Wir gehen über den hölzernen Laufsteg, oben auf dem größeren Spundwandkasten. Brackiges Schleiwasser schwappt außen an die Wände. Tief unten arbeiten die Männer zwischen Meßlatten im Schlick. Einige graben mit Spaten. Zwei stehen an einem Kasten mit Erde und spülen mit einem Schlauch vorsichtig Wasser hinein. Auf dem Siebboden des Kastens bleiben kleine Gegenstände zurück. »Obstkerne«, sagt Schietzel, »von Schlehen und Pflaumen.«

Am Schiff, im Querkasten, knien und liegen Ole Crumlin-Pedersen und seine Helfer und tragen mit bloßen Händen die Schlammschichten ab. Das Holz ist weich wie Quark, aber schwarz. »Der Helmtaucher ist damals mitten durch das Schiff gelaufen«, sagt Crumlin-Pedersen, »ohne es zu merken.«

Das Haithabu-Schiff ist auch für Crumlin-Pedersen etwas Besonderes. Die Skuldelev-Schiffe waren alt und schon ausgeschlachtet, als die Wikinger sie versenkten. Dieses Schiff aber sank mitten aus seinem Arbeitsleben heraus brennend auf den Grund. Es ist das eleganteste Langschiff, das Crumlin-Pedersen bis jetzt ausgegraben hat, und handwerklich so vollkommen gearbeitet wie die norwegischen Königsschiffe von Gokstad und Oseberg, ein sehr vornehmes Fahrzeug also, leicht und schnell, über 30 m lang und wohl nur 2,5 m breit. Es sank, als es bis zur Wasserlinie verbrannt war – vielleicht bei einem Angriff auf Haithabu.

Tag für Tag arbeiteten die Ausgräber bis zum Ellbogen im kalten Wasser. Kurt Schietzel sagte: »Zehn Jahre draußen, und man ist fertig, hat Rheuma in allen Knochen. Dies ist meine letzte Grabung, ich schwör's.« Das war im Sommer. Als ich im Herbst wiederkam, stand fest: 1980 wird weitergegraben. Die Landesregierung von Schleswig-Holstein hatte Mittel in Höhe einer siebenstelligen Zahl zur Verfügung gestellt, denn die Ausgräber waren auf die Reste von zwei langen Anlegebrücken gestoßen, aus dem 11. Jahrhundert.

Anlegebrücken hatten Archäologen nirgends in Skandinavien gefunden. Sie hatten bislang geglaubt, die Wikinger hätten keine Hafenbauten gekannt und ihre Drachenschiffe einfach auf den Strand gezogen. Gab es damals also doch schon Hafenanlagen? Und wie sahen sie genau aus? Ebenso aufregend wie diese unerwarteten Brücken war ihre Bauzeit, das 11. Jahrhundert. Bei den großen Landgrabungen der vergangenen Jahrzehnte fand man kaum Material aus dieser späten Zeit. Hat sich unter Wasser erhalten, was an der Oberfläche der Wiese womöglich vergangen ist? Wie lange war Haithabu wirklich bewohnt?

Die Anzahl der Funde aus dem Hafen, der großen Müllkippe von Haithabu, ist gewaltig. Die Ausgräber fanden in der 3 m dicken Abfallschicht unglaubliche Mengen von Tierknochen, Tonscherben, Kammbruchstücken, Textilien und Tausende von Geräten. Die Ausbeute an Holzgeräten, darunter wunderschöne Schöpflöffel und dünnwandige Schalen, übertrifft alles, was jahrzehntelange Landgrabungen auf der nassen Wiese von Haithabu zutage förderten. Die Ausgräber fanden auch Schiffszubehör, Ruderdollen, armdicke Fender, die aus Kiefernwurzeln zopfartig geflochten sind, Taue aus Pflanzenfasern – zehn Schubkarren voll. In den Tauen entdeckten die Archäologen Seemannsknoten, am häufigsten den Palstek – einen Knoten, den heute noch jeder Neuling an Bord einer Segeljacht lernt und den ich bei meiner Segelprüfung vormachen mußte. Im Hafen lagen auch zahlreiche Gegenstände, die Seeleute, Händler, Handwerker und Sklaven auf den Landebrücken verloren haben mußten, Rohwaren wie Barren aus Blei und Bronze, Geweihstangen für die Herstellung von Kämmen, Bündel von Knochennadeln, zwei Schwerter in ihren Scheiden. Die größte Überraschung aber war ein schwerer Lederbeutel, und noch spät am Abend des Fundtages klingelte Kurt Schietzel aufgeregt an der Haustür von Karl Struve, damals Direktor des Museums.

In dem Ledersäckchen lagen 42 Model aus Bronze, Formen, über die ein Goldschmied dünnes Goldblech zu Schmuckstücken hämmern konnte. Struve und Schietzel kannten den reichen Wikingerschatz, den Archäologen 1872 auf Hiddensee, einer kleinen Ostseeinsel an der Westküste von Rügen, gefunden hatten. Sie suchten Bücher mit Abbildungen hervor und verglichen: Die goldenen Broschen, Schnallen und Ringe von Hiddensee entsprachen bis in Einzelheiten den Modeln aus dem Hafen von Haithabu, die jetzt auf Struves Eßtisch lagen.

Die Wikinger kannten also schon Serienproduktion im Kunsthandwerk. Aber welche Geschichte rankt sich um den Lederbeutel?

Ging ein reisender Goldschmied in Haithabu an Land, um in der großen Sommerhandelszeit Aufträge von den Wanderhändlern zu bekommen? Hatte er zuvor auch den Schatz von Hiddensee über diese Formen gehämmert? Suchten die Händler sich bei ihm einzelne Schmuckstücke aus, die sie der Liebsten oder den Töchtern daheim im Herbst mitbrachten, oder pflegten sie die Ware en gros zu bestellen, um Broschen und Schnallen in ihrer Heimat weiterzuverkaufen? Verlor der Goldschmied seine Formen gleich bei der Ankunft, suchte er tagelang, war er ruiniert? Die Funde der Archäologen sind allzuoft recht schweigsam.

Bis Ende 1979 hatten die Archäologen rund zweieinhalb Millionen Fundstücke aus dem Hafen geholt. Jede Woche schickten sie einen kleinen Lastwagen mit Funden in die Werkstatt.

Die 1900m^2 große Werkstatt liegt in einem Nebengebäude des Landesmuseums, in einem ehemaligen Pferdestall des alten herzoglichen Schlosses. Ihr Ausbau dauerte drei Jahre und kostete 2,1 Millionen Mark. Sie wurde gerade rechtzeitig zu Grabungsbeginn fertig – was tausend Jahre im Wasser überstand, sollte nun nicht in ein paar Tagen an der Luft zergehen. In ihr wurde sortiert, gereinigt, restauriert, konserviert. Die Schiffsplanken kamen in gemauerte Wasserbassins.

In der Werkstatt gab es Räume zum Konservieren von Eisen, von Bronze, von Keramik, Sandstrahlgebläse, mit denen die Restauratoren Münzen reinigten, Kessel für die Geweih- und Hornreste. Die Restauratoren tränkten Geweih und Horn mit einer Spezialflüssigkeit, damit die Oberflächen nicht zerkrümelten, auf denen Wissenschaftler vielleicht noch Spuren menschlicher Arbeit entdecken konnten. In einem Raum stand ein Ultraschallgerät für die Behandlung von Leder. Die zerquollenen Lederklumpen wurden durch die Behandlung wieder weich und hell, und man konnte herausfinden, wie zum Beispiel Schuhe gearbeitet waren. In einer großen Röntgenanlage konnten Restauratoren und Wissenschaftler Eisenfunde röntgen und erkennen, was in einem unförmigen Brocken aus Ablagerungen und Rost verborgen war, und wie sie den Gegenstand am besten freilegten. Ein Fotoatelier mit Dunkelkammer gehörte zur Werkstatt, eine Schlosserei und eine Regenerierungsanlage für Schmutzwasser.

Über fünfzig Spezialisten an verschiedenen Universitäten, Instituten und Museen in ganz Europa erforschten die Funde aus der ersten

Unterwassergrabung im Hafen von Haithabu. Es gab Spezialisten für Webstühle, für Webgewichte, für Gewebe, Spezialisten für Glasperlen, für Kämme, für Nadeln. Ein Spezialist arbeitete über Schnappschlösser, ein anderer über Kastenschlösser. Eine botanische Arbeitsgruppe untersuchte die Pflanzenreste, Früchte, Samen, Getreide, Moose. Eine metallografische Arbeitsgruppe befaßte sich mit Eisenbarren, Eisenschlacken, Schmiedeeisen, Zieheisen, Äxten, Lanzenspitzen. Die Wissenschaftler versuchten herauszufinden, wie damals Eisen gewonnen und geschmiedet wurde.

Haithabu war ein Riesenvorhaben, das die Maßstäbe sprengte, die sonst in der Archäologie galten. Über zwanzig Millionen Mark kostete das Gesamtprojekt, das Bergen und Konservieren des Schiffs und der Bau eines besonderen Haithabu-Museums. Kurt Schietzel ist zwar studierter Archäologe, aber seine Hauptaufgabe waren das Geldbesorgen und die Organisation der Teamarbeit aller Wissenschaftler. »Entweder man macht so etwas nach heutigem wissenschaftlichem Standard«, sagte er, »oder man läßt die Finger davon.« Archäologen, erklärte er mir, graben Materialien aus, die sie oft selbst nicht bewerten können: »Allein kommen Archäologen nicht weit. Siedlungsarchäologie allein ist nichts. Sie braucht einen Riesenapparat, wenn etwas dabei herauskommen soll, eine Zusammenarbeit aller Wissenschaftler, die helfen können.«

Die vertrackten Knochen

Eine der Arbeitsgruppen am Landesmuseum in Schleswig ist die AZA, die Archäologisch-Zoologische Arbeitsgruppe. Museumsangehörige und Mitarbeiter des Instituts für Haustierkunde der Universität Kiel forschen hier gemeinsam. Jede Woche kam während der Grabungssaison ein Kleinbus mit Tierknochen von Haithabu herüber, Speiseabfälle aus dem Hafen.

Die Zoologen arbeiten auf einem geräumigen Dachboden, an dessen Wänden die Knochen aller Säugetiere Europas dicht an dicht hängen, von Schädeln bis zu kleinen Zehen, vom Elch bis zur Spitzmaus. Die Rippen liegen wohlgeordnet in großen Schubladenschränken. Mit diesen Knochen vergleichen die Forscher unklare Fälle, die die Archäologen ihnen bringen.

Gabriele Hoffmann

Als ich die AZA besuche, legen Helfer an langen Tischen Knochen aus. Heute sind Schweine dran, linke Unterkiefer zu rechten Unterkiefern. Der Mann, der das Sortieren leitet, erklärt mir, daß er auf diese Weise feststellen will, wie viele Schweine mindestens ihm gebracht wurden. Zuerst sortiert er die Knochen nach Tierart, dann innerhalb einer Tierart nach Alter und Geschlecht. Das Geschlecht erkennt er an den Zähnen und an der Verwachsung einer knorpeligen Zwischenschicht im Kiefer. Dann stellt er die Mindestindividuenzahl fest. Später werden er und seine Helfer die Knochen vermessen, um die Größe der Individuen und die Durchschnittsgröße einer Tierart herauszubekommen. An einfachen Röhrenknochen nimmt er sechs bis sieben Maße, an Schädeln und Unterkiefern über vierzig Maße.

Die Pferde von Haithabu waren nur 135 cm groß, die Rinder 110 cm. Das habe ich in einem älteren Buch über Haithabu gelesen. Doch heute erklärt mir ein Zoologe nachdrücklich, daß jedes Ergebnis der Zoologen eigentlich nur für das Loch der Grabung gültig ist, aus dem die Knochen stammen. Je mehr die Forscher erfahren, um so mehr scheuen sie sich vor Verallgemeinerungen.

Der Zoologe, mit dem ich spreche, heißt Dirk Heinrich. Er sitzt in seinem Zimmer vor winzigen Plastikkästchen, in die er die noch viel winzigeren durchscheinenden Fischknöchelchen seiner Vergleichssammlung einsortiert. Er ist sehr geduldig und ein bißchen nachsichtig mit mir: Er kann sich nicht vorstellen, daß ich alles richtig begreife, was er mir erklärt. Ich versuche, ihm Mut zu machen, doch er bleibt nachdenklich.

Alles ist äußerst schwierig, höre ich. Die Archäologen gehen nach Planquadraten und Tiefenschichten bei der Grabung vor. Ein Planquadrat mißt 5 m mal 5 m, eine Tiefenschicht 15 cm. Planquadratweise kommen die Knochen in Säcken hierher, beschriftet, damit die Sortierer und Zoologen wissen, wo und in welcher Nachbarschaft sie lagen.

»Nehmen wir mal das Beispiel einer Landgrabung«, sagt er. »Die unteren Schichten müssen die älteren sein. In den unteren Schichten lagen viele Heringsreste, oben viele von Barsch und Hecht. Haben also die Wikinger in der Frühzeit von Haithabu überwiegend Heringe gegessen, in der Spätzeit mehr Barsche und Hechte? Aber die Schichten wurden oft durchwühlt, wenn die Bewohner sich neue Häuser bauten und Löcher für die Pfosten gruben. Also muß ich den Archäologen fragen: Ist es dort durchwühlt oder nicht? Davon hängt zum Beispiel die Annahme ab, aus welcher Siedlungsschicht ein Knochen stammen könnte.«

Ein anderes Problem: In den jüngeren, oberen Schichten gibt es mehr Knochen von Haustieren als von Jagdtieren. Mußten die Leute im 10. und 11. Jahrhundert sich also Gedanken machen über die Versorgung einer wachsenden Bevölkerung? Andererseits werden die Knochen der kleineren Wildtiere leichter zerstört oder bei der Grabung übersehen als die Knochen der großen Haustiere. Das archäologische Bild kann täuschen.

Ein weiteres Problem: Wie viele Knochen blieben überhaupt tausend Jahre lang erhalten, wie viele vergingen schon kurz nach dem Wegwerfen? Es gibt Leute, die meinen, nicht einmal einen von hundert Knochen, die die Wikinger wegwarfen, finden die Archäologen wieder. Die Zoologen bekommen nur die relativen Verhältnisse heraus, also wie die Tierarten zahlenmäßig zueinander standen.

Der Zoologe holt eine Auswertung der Knochen aus der Landgrabung 1963/64. Ein Kollege hat die Knochen beschrieben und ihre Daten in einen Computer gegeben: 49 Prozent der Knochen stammen von Schweinen, 28 Prozent von Rindern, 21 Prozent von Schafen und Ziegen – deren Knochen sind schwer zu unterscheiden –, 0,6 Prozent von Pferden, 0,6 Prozent von Katzen und 0,5 Prozent von Hunden.

Dirk Heinrich nennt noch mehr Zahlen, deckt mich geradezu ein mit Zahlen, bis ich kaum noch mitschreiben kann. Eine Kollegin von ihm hat die 99 963 Schweineknochen der Grabung 1966/69 sortiert, gemessen und zum Teil unter dem Mikroskop miteinander verglichen. Ihre Doktorarbeit darüber ist gerade gedruckt. Die meisten Schweine, knapp die Hälfte, wurden mit sechzehn bis 24 Monaten geschlachtet, 21 Prozent noch früher, 25 Prozent waren beim Schlachten zwei bis drei Jahre alt, und nur 8 Prozent erreichten ein hohes Alter.

Schließlich protestiere ich gegen die vielen Zahlen. »Ich begreife ja ganz gut«, sage ich, »daß Sie hier eine mühselige Kleinarbeit machen – was aber steht denn hinter dieser Knochenzählerei, hinter der Statistik?«

Der Zoologe sieht mich leidgeprüft an. Ich bin nur eine von vielen Besuchern, und alle sind sie ungeduldig. Doch plötzlich muß er lachen. Auch ihm stellt sich die Frage: »Was soll das?«, wenn Botaniker Kirschkerne zählen und das Ergebnis mit der Zahl der Schlehenkerne vergleichen, die die Archäologen ihnen schickten.

»Das laut Statistik häufigste Schlachtalter«, erklärt er mir, »verrät die Nutzung der Haustiere.« Wurden die Schweine jung geschlachtet, denken die Zoologen an Schweinezucht, vor allem, wenn sie dann die Altersstatistik der Geschlechter vergleichen und unter den älteren Tieren mehr Sauen finden, unter den jüngeren mehr Eber.

Kann ich also schreiben, daß die Wikinger Schweine gezüchtet haben, will ich wissen. Er wiegt den Kopf. »Allgemein könnte man nur sagen«, notiere ich, »in mittelalterlichen Siedlungen Nordeuropas wurden Schweine bevorzugt im Alter von ein bis drei Jahren geschlachtet. Aber eigentlich geht selbst diese Aussage schon zu weit, jede Siedlung hat ihren eigenen Charakter. Sagen wir mal so: Die Leute von Haithabu wußten Schweinefleisch zu schätzen. Sie verbrauchten mehr Tiere, als der Ort produziert haben kann. Also bezogen sie vielleicht Schweine aus der Umgebung, man weiß aber noch nicht, woher und ob lebend oder schon geschlachtet. Eins übrigens wissen wir ganz genau« – ich atme auf –, »die Wikinger konnten es sich nicht leisten, die Knochen einfach wegzuwerfen. Ehe Koch oder Köchin die Knochen hinters Haus oder in den Hafen warfen, haben sie noch eine ordentliche Suppe aus ihnen gekocht.«

Die Wikinger aßen aber mehr Rind- als Schweinefleisch. Zu diesem Ergebnis kommt man, wenn man die Knochen in ein Verhältnis zur Fleischmenge setzt, die sie anzeigen. Der Fleischertrag eines Rindes ist zwei- bis dreimal höher als der eines Schweins. Doch die Doktorarbeit über die Rinder von Haithabu ist bei meinem Besuch noch in Arbeit.

Eine andere Frage, die hinter dem Zählen, Beschreiben und Vergleichen der Knochen steht, lautet: Hat man damals schon unterschiedliche Rassen gezüchtet? Die Schweineknochen verraten kaum etwas darüber. Doch einer der Zoologen hat die Hunde von Haithabu untersucht, eintausendfünfhundert Knochen insgesamt. Er fand zwei Gruppen, eine Gruppe schlanker, großer Hunde und eine Gruppe gedrungener Hunde, die an unsere Dackel erinnert. Das deutet darauf, daß die Bewohner von Haithabu Sinn für Rassenzucht hatten. Auf jeden Fall erfreuten sie sich an Hunden und ihrer Vielseitigkeit als Jagdtiere, Wachhunde, Spielgefährten. Wie die Hunde damals aussahen, verrät ein Skelett allerdings nicht. Doch immerhin ist dieses Ergebnis ein ermutigender Ansatzpunkt für die Zoologen, weiter nach Haustierrassen und dem Beginn ihrer Zucht zu forschen.

Die Knochen verraten auch Viehkrankheiten, und aus ihnen können Zoologen – mit aller Vorsicht – auf die Viehhaltung schließen. Dirk Heinrich hat bei einer Grabung von Karl W. Struve in einer slawischen Siedlung bei Preetz, südlich von Kiel, aus derselben Zeit wie Haithabu, festgestellt, daß die Schweine Verletzungen und Entzündungen hatten. Also müssen sie wohl in kleinen, engen Ställen gestanden haben. Von den Rindern war fast jedes zehnte krank, das ist eine hohe Zahl. Sie wurden also schlechter gehalten als heutzutage. Sie hatten Verschleißerscheinungen an den Knochen und waren alte Tiere. Also hat man sie als Arbeitstiere benutzt. »Trotzdem kann ich nicht sagen, die Leute haben mit Ochsen gepflügt. Das wäre zu forsch, auch wenn es naheliegt. Unser Problem ist immer: Wir haben viel zu wenig Knochen. Zum Beispiel die 63/64er Grabung. Dreiundvierzigtausend Knochen brachten die Archäologen damals, davon waren keine dreißig Wildsäuger und nur 58 Wildvögel. Das ist einfach nicht repräsentativ, das sind nur Zufälligkeiten, das sagt zu wenig über Haustiere und noch weniger über Wildtiere.«

Ich erkenne allmählich die Tücken seiner Arbeit und bin ein wenig beschämt über meine anfängliche Ungeduld. Er steht auf und holt noch mehr Bücher.

»Ich will Ihnen nur mal zeigen, wie die archäologischen Knochen in der Forschung an Bedeutung gewinnen. Ihre Betrachtung ging schon im vorigen Jahrhundert los, aber gemäßigt. Hier ist eine Arbeit über die Tiere von Haithabu, die basiert auf Knochenfunden aus mehreren – mehreren! – Vorkriegsgrabungen: dreitausend Stück insgesamt. Knochen wurden damals meist überhaupt nicht aufgesammelt, höchstens mal die besten. Früher war das alles mehr eine Fund-Schatzsuche. Die Archäologen freuten sich über schöne Einzelknochen. Dreitausend Stück galten vor dem Krieg als viel. Heute graben sie eine Siedlung oder einen Hafen vollkommen aus, mit jedem Splitter, und trotzdem wollen wir Zoologen noch mehr. Bei der Landgrabung von Haithabu 1966/69 sammelten die Archäologen 222 474 Säugetierknochen und 4892 Vogelknochen auf und 15 400 Fischknochen. Die Hafengrabung 1979/80 brachte jetzt endlich mehr. Es wird aber noch Jahre dauern, bis wir die genauen Zahlen haben.«

Fische, höre ich, sind in der Forschung bislang gar nicht in Erscheinung getreten. Die Archäologen interessieren sich normalerweise nicht für Fische und finden deshalb bei ihren Grabungen auch keine. In Haithabu aber wird wegen der vielen Kleinfunde die Erde ausgeschwemmt und durch Siebe gegossen, und dabei bleiben auch Fischwirbel und Gräten zurück.

Dirk Heinrich ist in erster Linie für Fische zuständig. Von den 15 400 zarten Fischknochen konnte er 13 842 bestimmen, also 90 Prozent der Gesamtmenge. Er fand 26 Arten – 38,6 Prozent der Knochen stammen von Heringen, 24,9 Prozent von Flußbarschen, 11,1 Prozent von Hechten und 7,4 Prozent von Plattfischen wie Schollen, der Rest von Karpfen, Maräne, Hornhecht, Lachsfisch, Zander, Aal, Großer Leng, Makrele, Köhler, Stör, Sternrochen, Dornhai und Heringshai. Hauptergebnis seiner Auswertung: Die Wikinger in Haithabu haben viel Fisch gegessen. Hering war vielleicht eine Handelsware, denn er wurde offenbar eingesalzen. Wäre es nicht so gewesen, wären die Knochen dieses fetten Fisches längst selbst in der nassen Erde vergangen, jedenfalls nicht in solchen Mengen auf uns gekommen. Die Archäologen fanden auch Reste von Heilbutt und Dorsch. Die gab es nicht in der Schlei, die hat wohl ein Seefahrer als Reiseproviant mitgebracht.

Die Einzelergebnisse der Zoologen sind gewissermaßen Angebote an andere Forscher. Sie müssen abgesichert werden durch weitere Funde der Archäologen oder durch Ergebnisse von Spezialisten anderer Fachrichtungen. Aus vielen solchen kleinen Ergebnissen, die ineinandergreifen und sich gegenseitig stützen, wächst ein Gesamtbild von Haithabu.

Die Forscher sind sehr vorsichtig mit ihren Aussagen – gerade in der Archäologie sind der Phantasie Tür und Tor geöffnet, und vorschnelle Interpretationen schleppen sich lange durch die wissenschaftliche Literatur. Von einer wohlorganisierten Kaufmannschaft zum Beispiel, die durch viele Bücher über Haithabu geistert, habe er noch keine Spuren gefunden, sagte Kurt Schietzel. Die Ansprüche an eine wissenschaftliche Archäologie haben sich gewandelt. Wenn die Archäologen – beispielsweise – mit Zoologen zusammenarbeiten, gehört eben auch das Grätenzählen dazu.

Ich frage Dirk Heinrich, warum er diese Arbeit macht.

»Ich bin durch Zufall hier reingekommen. Da war eine Stelle frei. Ich hatte viele Bedenken. Aber keiner arbeitete über Fische, das reizte mich. Anfangs dachte ich, Mensch, die alten Knochen, Archäologe biste auch nicht. Ich hatte eine richtige Abneigung dagegen. Doch jetzt hat's mich gepackt. Ich fing an, eine Vergleichssammlung aufzubauen. Die Fische dafür kaufte ich zum Teil auf dem Wochenmarkt in Kiel. Heute reizt mich die Zusammenarbeit zwischen Archäologen und Zoologen: Wie hat das früher hier ausgesehen, welche Tiere gab es in der Landschaft? Man bekommt Anregungen für den Naturschutz. Biber zum Beispiel gibt es in Schleswig-Holstein seit achthundert Jahren nicht mehr. Doch bei der Grabung in Preetz fand ich viele Biber, die hatten hier gute Lebensmöglichkeiten. Es wäre ein Traum, das mit anderen Grabungen vergleichen zu können, um herauszubekommen, wo Biber sich bei uns wohl fühlen. Warum soll es heute in Schleswig-Holstein keine Biber geben? Nun ja, vielleicht ist es Wunschdenken. An erster Stelle steht doch die Neugier: Wie war es damals? Neugier, Spaß – nein, eigentlich gibt es keinen Nutzeffekt. Was hat man davon, daß man weiß, damals gab es hier viele Biber? Ich weiß nicht. Man sammelt Erkenntnisse.«

Ich sitze noch lange bei ihm und höre ihm zu. Ich lerne, welche Tiere und Pflanzen es hier gab, und langsam entsteht vor mir ein Bild von der Landschaft vor tausend Jahren und der Lebensweise der Leute aus Haithabu. Außerhalb des Erdwalls, der ihre Stadt schützte, gab es Äcker mit Gerste, Roggen, Hafer, es gab Kohlgärten und Wiesen, am Ufer Röhrichte mit Graureihern, Singschwänen, Seeadlern. Zwölf Pilzarten fanden die Archäologen, der Zunderschwamm trägt noch die Spuren des Messers, mit dem ihn jemand vor tausend Jahren abschnitt.

Früher wollten die Forscher wissen, welche Haustiere es in Haithabu gab, welche besonders zahlreich waren, wie groß sie waren. Heute stellen sie andere Fragen: Wie viele Menschen lebten dort, wie wirtschafteten sie, wie war die soziale Struktur der Bevölkerung. Wenn also die Zoologen sich ansehen, wie die Knochen zerlegt, zerbrochen, zersägt, zerschlagen wurden, dann wollen sie auf die Schlachtmethode schließen, wollen wissen, ob es Schlachtplätze, ob es schon Berufsschlachter gab, ob mit Teilen von Tierkörpern gehandelt wurde. Es gibt so viele Schweine-Hinterbeine in Haithabu und so wenige Vorderviertel, daß ein Schinkenimport denkbar ist.

Die Hauptfrage in Haithabu, die zu klären Wissenschaftler vieler Richtungen neben ihrer Alltagsarbeit an den Universitäten, Instituten und Museen Scharfsinn aufwenden, heißt: Wie entwickelte sich die städtische Siedlung außerhalb des Einflusses von Rom und Athen, im nordischen Entwicklungsland, das eigene Wege ging?

Im Haithabu-Museum will Kurt Schietzel den Besuchern auch zeigen, wie in der Archäologie nachgedacht und argumentiert wird und wie zeitgebunden und vorläufig der gegenwärtige Erkenntnisstand ist. Ständig gibt es neue Untersuchungsmethoden, und langbewährte Methoden verlieren an Bedeutung. Die Abhängigkeit der Archäologen von Spezialisten wird in Zukunft noch größer, je mehr Fragen sie stellen, je feiner die Methoden der Naturwissenschaftler werden.

Nach zwei Sommern wurden die Grabungen im Hafen von Haithabu eingestellt. Man kam bei der Fundmenge mit dem Auswerten nicht nach, aber auch nicht mit Restaurieren und Konservieren: Dann sind die Dinge unter Wasser besser aufgehoben, denn wer ausgräbt, zerstört. Colin Pearson, der australische Konservator in Canberra, sagte: »Ausgraben ohne Konservieren ist Vandalismus.«

DIE KUNST,
EINE KOGGE ZU KONSERVIEREN

Man nehme eine Kogge

Die Bremer Hanse-Kogge lag 1965 in Einzelteilen in einem Hafenschuppen. Siegfried Fliedner und Rosemarie Pohl-Weber waren nach wochenlanger Arbeit in der Tauchglocke auf dem Grund der Weser erleichtert in ihr Museum zurückgekehrt. Sie dachten, die Zeit der Kämpfe um die Rettung der Kogge wäre nun vorüber. In Wirklichkeit begann sie erst. In der Kulturbehörde und im Museum hatten Kunsthistoriker das Sagen, denen Technik- und Handelsgeschichte fremd waren. Sie befürchteten, daß sie mit ihren eigenen Plänen leer ausgingen, wenn Geld aus dem stets knappen Kulturetat in die Konservierung der Kogge strömte.

Siegfried Fliedner und Rosemarie Pohl-Weber kämpften weiter, wandten sich an hohe Senatsbeamte und besuchten Bürgerschaftsabgeordnete. Sie handelten sich damit viel Ärger mit ihren direkten Vorgesetzten ein. Trotzdem mobilisierten sie die Öffentlichkeit: 1967 gründeten Bremer Bürger einen Förderverein und kämpften für das einmalige Schiff. Mit angehaltenem Atem verfolgte Rosemarie Pohl-Weber die Diskussionen der Bürgerschaft über die Zukunft der Kogge. Die Begeisterung der Bremer Kaufleute, Nachfahren der Hanse, für ihre Geschichte hielt sich in Grenzen, wenn es an den Geldbeutel ging.

Der Umschwung kam, als Carlo Schmid, damals Bundesminister für Angelegenheiten des Bundesrates und der Länder, das Landesmuseum besuchte. Der Museumsdirektor war im Urlaub, und Siegfried Fliedner führte den Bremer Kultursenator und seinen Bonner Gast. Der Senator stellte auch Rosemarie Pohl-Weber vor: Das ist die Frau, die in der Tauchglocke gearbeitet hat.

»Ich galt damals als bunte Kuh«, erzählte sie mir, »es war mir

Gabriele Hoffmann

peinlich, so vorgezeigt zu werden. Aber dann war es doch sehr nützlich.« Der Minister fragte eingehend nach der Kogge.

»Und was machen Sie nun mit ihr?« wollte er am Schluß wissen.

»Wir verkaufen sie nach Amerika«, sagte Rosemarie Pohl-Weber. »Bremen weiß nicht, was es an ihr hat. Die Bremer sind Kaufleute und sehen nur die Kosten. Ein Verkauf nach Amerika ist ein Geschäft.«

Das war den Bremer Herren peinlich. Der Kultursenator hüstelte.

Als der Museumsdirektor aus dem Urlaub zurückkehrte, rief er Fliedner und Pohl-Weber zu sich. Wegwerfen könne man nach dem Ministerbesuch die Kogge ja nun nicht mehr, sagte er, sie dürften jetzt einen Hauptspant an eine Wand im Museum hängen.

Die beiden Wissenschaftler ließen sich jedoch nicht fangen. Sie beschlossen, den Politikern den Fluchtweg über den Hauptspant zu verbauen, und forderten: ganz aufbauen oder ganz wegwerfen. Niemand würde Feuer ans Kogge-Holz legen, denn kein Politiker will als Kulturbanause vor der Öffentlichkeit dastehen.

Diese Geschichte ist nicht typisch für Bremen. Sie ist typisch für den Umgang mit Kulturdenkmälern überall auf der Welt:

Überall gibt es solche Kämpfe, die oft weit schärfer geführt werden und keineswegs immer glücklich enden. Typisch für Bremen ist nur die Offenheit, mit der die Beteiligten darüber sprechen, während man anderswo die unrühmlichen Vorgeschichten der Erhaltung weltberühmter Denkmäler häufig verschweigt.

1969 waren Aufbau und Konservierung der Kogge beschlossen. Der Bund und die übrigen Bundesländer stimmten zu, Geld für ein neues Deutsches Schiffahrtsmuseum zu geben – aber nur, wenn die Hanse-Kogge sein Mittelpunkt würde. Die Bremer Abgeordneten staunten: Weil sie diese Kogge hatten, bekamen sie auf einmal Geld für ein ganzes Museum. Die Stadt Bremerhaven, Teil des Landes Bremen, bot ein Baugelände am Wasser an. Die Politiker wollten die in ihrer Werft- und Fischindustrie wirtschaftlich gefährdete Stadt aufwerten und entschieden, daß das neue Museum nach Bremerhaven kam.

Am 1. November 1972 reisten Staats- und Stadtvertreter und die Presse zur zweiten Kiellegung der Kogge in die Nordseestadt.

Wolf-Dieter Hoheisel, Technischer Direktor des Museums, berechnete damals, wie die Kogge trotz ihres weichen Eichenholzes frei im Raum stehen könnte, ohne in sich zusammenzubrechen. Sie sollte an Stangen von der Decke des Gebäudes hängen – wie ein altes Schiffsmodell. Er dachte sich für das Innere der Kogge ein Trägersystem aus, auf dem schwere Teile wie Decksbalken, Steven, Bratspill ruhen, ohne die Außenhaut zu belasten. Außerdem plante er eine Besuchergalerie, von der aus Museumsbesucher durch große Fenster in einer Folienwand den Bau der Kogge verfolgen konnten. Der Werftplatz hinter der Folienwand mußte ein gleichmäßiges feuchtes Klima bekommen, und so ließ er eine Besprühungsanlage einrichten, die in regelmäßigen Abständen dichten Nebel ausstieß.

Holzbootsbauer Werner Lahn baute die Kogge auf. Am Anfang hatte er den Kiel und drei Dübellöcher. Dazu suchte er den passenden Spant, und so arbeitete er sich weiter vor. 45 t Kogge-Holz kamen aus Bremen nach Bremerhaven. Werner Lahn stand dieser gewaltigen Menge mit nur einem Helfer, dem Bau- und Möbeltischler Ludwig Hüllen, gegenüber. Die beiden Männer mußten unter Hölzern, die sie nur mit einem kleinen Kran bewegen konnten, das Stück heraussuchen, das sie als nächstes brauchten. Lahn und Hüllen fühlten sich verlassen und ärgerten sich über Zeitungsartikel, die von einem zügigen Kogge-Aufbau berichteten. Erst als das Museum eröffnet war und die Museumsleitung nicht aufhörte zu drängen, stellte der Stadtstaat mehr Personal ein, und nun arbeiteten vier, manchmal fünf Leute an der Kogge.

Sie arbeiteten sechs Jahre lang bei einer relativen Luftfeuchtigkeit von 97 Prozent. Sie litten unter Erkältungen und waren abends sehr müde. Wer noch kein Rheuma hatte, erzählte Werner Lahn, konnte es sich in der Kogge-Halle holen. Sie vermaßen die Bauteile mit Hilfe einer Stereomeßkamera und von Hand, paßten die Planken ein, rechneten, verbesserten, bohrten die alten Dübellöcher für neue Eichenholzdübel auf, ermittelten die ursprüngliche Kielform, entwickelten ein Verfahren, mit dem sie die schweren, nassen Hölzer verleimen konnten. Niemand im 20. Jahrhundert hatte eine Kogge gesehen, aber allmählich konnte Werner Lahn nachvollziehen, wie seine Kollegen vor sechshundert Jahren vorgegangen waren. Er erkannte, daß sie schon bei Baubeginn jede spätere Bauphase berücksichtigten, also geübte Schiffbauer gewesen sein müssen. Langsam wuchs die alte Kogge bis zur Reling, wuchs ihr Achterschiff mit dem Kastell, dem Kampfdeck, von dem aus die wehrhaften Kaufleute ihre Ladung gegen Piraten verteidigten. Wenn man in die Halle ging, bekam man nasse Füße und eine kalte Nase, es tropfte von der Kogge und von der Decke, und wenn die Besprühungsanlage alles in feinen Regen tauchte, tat man gut daran, so schnell hinauszulaufen, wie der glitschige Fußboden es zuließ.

Die Kogge ist in Wirklichkeit viel schöner als auf den offiziellen Fotos. Vielleicht mühten sich die Fotografen schon damals, ihre Schnittigkeit hervorzuheben. Schnittig aber ist die Kogge gerade nicht. Sie kam mir im Gegenteil, trotz der hohen, geraden Steven, wie ein ungeheurer ovaler Bottich vor – mit ihrem breiten Hinterteil unter dem Achterkastell.

Das Schiff macht einen werftneuen, teilweise unfertigen Eindruck. Ballast und Teeranstrich fehlen. Werner Lahn meint, sie sei nie gefahren. Sie war aber wohl schon vom Stapel gelaufen und lag an der Pier. Die Schiffbauer waren mit dem Floß längsseits gegangen, um die Arbeiten nach dem Stapellauf auszuführen. Heute noch ist es üblich, daß schwere Teile nach Möglichkeit erst verbaut werden, wenn ein Neubau im Wasser liegt. Das Achterkastell war bereits montiert, ein Vorderkastell noch nicht. Wahrscheinlich riß Hochwasser die neue Kogge von der Werft in Bremen und nahm sie 4 km weiter stromab mit, wo sie in einem Nebenarm der Weser versank. Spuren am Schiff deuten auf die weitere Geschichte hin. Eine große Kogge war für die damalige Zeit eine erhebliche Geldanlage, und natürlich versuchte man, sie zu retten. Werner Lahn stellt sich vor, daß die Berger vielleicht Trossen an der Kogge befestigten und versuchten, sie vom Sand zu ziehen. Doch die Trossen rissen nur Hölzer heraus. Ebbe und Flut sandeten die Kogge in wenigen Tagen so weit ein, daß man sie aufgeben mußte.

Im Winter 1979/80 war die Kogge aus zweitausend Einzelteilen wieder aufgebaut, und die Konservierung konnte beginnen.

Das Schiff im Aquarium

Die Konservierung der Kogge dauerte neunzehn Jahre. Die Kogge kam in einen Stahltank, in ein riesiges maßgeschneidertes Aquarium. Tieflader brachten die tonnenschweren Teile von einer Werft in Deggendorf in Bayern quer durch die Bundesrepublik zur

Wesermündung. Die Monteure schoben zuerst den Beckenboden in Abschnitten von 2,5 m Breite unter die Kogge und schweißten sie aneinander. Dann stellten sie die 7 m hohen Seitenteile auf, in denen oben breite Fenster aus 11,5 cm dickem Glas saßen. Das Becken war 25 m lang, 8,5 m breit und faßte 800 000 l. Es war das größte Konservierungsbecken der Welt. Ein Schiff dieser Größe war noch nie in einem Tauchbad behandelt worden.

Die Museumsbesucher konnten von einer Galerie aus durch die Fenster oben am Beckenrand in die Kogge sehen. Scheinwerfer hingen im Wasser, und die Besucher erkannten in einem grünen, geheimnisvollen Dämmerlicht einige dunkle Eichenbalken und einen Teil der Bordwand. Die Taucher von der *Mary Rose* haben mit Margret Rule einmal einen Ausflug nach Bremerhaven zur Kogge gemacht. Sie sagten, so ähnlich wie die Kogge in ihrem Aquarium habe an klaren Tagen die *Mary Rose* auf dem Meeresboden ausgesehen.

Das Konservierungsprogramm für die Kogge hatten Wissenschaftler von der Bundesanstalt für Forst- und Holzwirtschaft in Hamburg ausgetüftelt. Als sie in den sechziger Jahren anfingen, über die Kogge nachzudenken, hatte niemand viel Erfahrung mit dem Konservieren von Schiffen. Drei Professoren – Walter Liese, Holzbiologie, Detlev Noack, Holzphysik, und Hans-Hermann Dietrichs, Holzchemie – reisten nach Stockholm und Kopenhagen und berieten sich mit den Kollegen, die gerade begannen, die *Wasa* und die Wikingerschiffe zu konservieren.

Wassergesättigtes archäologisches Holz ist ein eigenartiges und empfindliches Material. Läßt man es trocknen, so schrumpft und schwindet es, reißt und verwirft sich. Im Lauf der vielen Jahrhunderte unter Wasser haben Bakterien Holzsubstanz aus den Wänden der Zellen des Holzes aufgefressen. Hohlräume sind entstanden, die sich mit Wasser gefüllt haben. Das Wasser trägt die zerstörten Zellen und durchlöcherten Zellwände, man sieht dem nassen Holz seine Schwäche nicht an.

Aber wenn das Holz trocknet, verdunstet das Wasser aus den Zellen. Dabei entstehen winzige Wasseroberflächen und ziehen mit ihrer Oberflächenspannung die Zellwände aufeinander zu. Wenn die Wände sehr geschwächt sind, halten sie diese Zugspannung nicht aus: Die Zelle kollabiert – sie stürzt zusammen. Während des Trocknens wandern die Wasseroberflächen immer weiter in das

Gabriele Hoffmann

Holz hinein, der Kollaps erfaßt nach und nach das ganze Holzstück. Starke Schwindungen, Risse, Verwerfungen sind die Folge. Dann verdunstet das Wasser aus den Zellwänden, sie schrumpfen, kollabieren, das Schiff ist nicht mehr zu retten.

Hier also, in den winzigen Zellen und den Zellwänden, müssen die Konservatoren ansetzen. Es gab damals schon verschiedene Methoden, wassergesättigtes Holz zu konservieren, doch wenn die Museumsbesucher bei der Konservierung zugucken sollten, waren einige Methoden zu aufwendig, andere auch zu gefährlich – Konservatoren können in einem Museum nicht mit explosiven Stoffen arbeiten. Der geeignetste Stoff schien PEG zu sein – lies: P. E. G. –, Polyethylenglykol, ein wasserlösliches Kunstwachs, das fest wie eine Stearinkerze aussieht. Das Rezept ist einfach: Man legt das Holzstück in eine PEG-Lösung. Die PEG-Teilchen aus dem Wasser der Lösung wandern langsam in das Wasser des Holzes hinein, in die Zellen und Zellwände. Nach und nach ersetzen sie einen großen Teil des Wassers im Holz. Wenn das Holz aus dem Bad genommen wird und trocknet, schlagen die PEG-Teilchen sich auf den Zellwänden nieder und bilden eine neue, zusätzliche Wandschicht. Sie verstärken die schwachen Wände von innen, stützen sie ab, und die Wände können nun beim Trocknen den Spannungen der Wasseroberflächen, die an ihnen zerren und ziehen, standhalten.

Preisfrage aber: Welches PEG ist das richtige? PEG gibt es mit niedrigem Molekulargewicht, das heißt mit kleinen Molekülen – Moleküle sind die kleinsten Bausteine einer Substanz –, und mit mittlerem und hohem Molekulargewicht. Entsprechend ist die Substanz flüssig, wachsartig oder fest. PEG mit großen Molekülen ist gut, um sehr weiches und abgebautes Holz zu stabilisieren, aber es kann nicht in die feine Struktur wenig abgebauten Holzes eindringen. PEG mit kleinen Molekülen, das in die Zellwände eindringen kann, ist hygroskopisch, das heißt, es zieht Wasser aus der Luft an, und es wird bei Raumtemperatur nicht fest: Behandeltes Holz könnte immer nass aussehen.

Und wie geht man technisch mit einem großen zerbrechlichen Schiff um? Die *Wasa* sollte in Intervallen fünf Stunden täglich mit der Konservierungsflüssigkeit besprüht werden. 600 m Rohrleitung und 800 m Schlauch gehörten zur Apparatur, 175 Sprühköpfe an den Seiten des Rumpfes und 192 Sprühköpfe im Schiff. Aber beim

Versprühen würde die Flüssigkeit nicht überall hinkommen – tatsächlich wurden später Stellen im Innern viele Jahre von Hand nachbesprüht. Die Planken der Wikingerschiffe schwammen einzeln in großen Tanks mit Konservierungsflüssigkeit. Doch die Hölzer der Kogge waren doppelt so dick wie diese Planken. Würde es möglich sein, aus ihnen wieder ein Schiff zusammenzubauen, wenn sie erst einmal konserviert und damit weniger elastisch waren? Die Professoren aus Hamburg bezweifelten das.

Die Professoren schlugen dem Deutschen Schiffahrtsmuseum für die Kogge einen Kompromiß vor: PEG mit mittelgroßen Molekülen. Die bestmögliche Tränkung, schrieben sie, würde in einem Tauchbad erreicht. Als Tränkdauer empfahlen sie dreißig Jahre. Sie empfahlen, die Kogge vor dem Bad wiederaufzubauen, und sie empfahlen die Einstellung eines Konservators.

Per Hoffmann ist in Bremen zur Schule gegangen, als die Kogge im Hafen auftauchte, hat in Hamburg Holzwirtschaft studiert, in Holzchemie promoviert und, wie alle Holzwirtschaftsstudenten, von seinen Professoren stets das Neueste über die alte Kogge gehört. Er war ein eifriger ›Skalk‹-Leser, aber er hat nie gedacht, daß er es selbst mit nassem archäologischem Holz zu tun bekommen könnte, bis die Anfrage vom Deutschen Schiffahrtsmuseum kam. Von nun an war er begeistert von seinem Riesenproblem, das zugleich so klein war, daß er es zwanzigtausendfach vergrößern mußte, wenn er es sehen und fotografieren wollte.

Museumsmitarbeiter füllten den Stahltank 1981 mit Wasser, und Per Hoffmann ließ sie PEG 1500 zugeben. Der Etat des Museums erlaubte ihm, jährlich 40 t PEG zu kaufen und die Konzentration im Bad um fünf Prozent zu steigern bis zu einer Endkonzentration von sechzig Prozent.

Ein Jahr später waren fünf Plankenstücke fertig, die Werner Lahn, der Kogge-Baumeister, auf Rat der Professoren in ein Probebad gelegt hatte. Per Hoffmann untersuchte die Stücke im Labor: Das PEG mit mittelgroßen Molekülen war in fünf Jahren Tränkung nur wenige Millimeter in das Eichenholz eingedrungen. Die Planken sahen feucht aus, fühlten sich klebrig an und, was das Schlimmste war, beim Trocknen begannen sie zu schrumpfen.

Er mußte sich etwas Neues einfallen lassen. Er mußte den Konservierungsplan ändern.

Gabriele Hoffmann

Per Hoffmann schnitt Hunderte von Proben, jede 4 mal 4 cm groß und 0,5 cm dick, aus Eichenhölzern in sechs verschiedenen Qualitäten: von hartem gesundem Holz mit 35 Prozent Holzsubstanz – der Rest ist Wasser – bis zu ganz weichem, abgebautem Holz, in dem Bakterien nur noch fünf Prozent Substanz übriggelassen hatten. Er beschriftete jede Probe, maß sie nach, wog sie und trug die Daten in eine Liste ein. Dann legte er die Proben in Bäder aus Wasser und PEG mit verschieden großen Molekülen – zwei-, vier-, sechs-, fünfzehnhundert und dreitausend – und mit verschieden hohem PEG-Gehalt – fünfzig, sechzig, siebzig, achtzig, neunzig Prozent. Insgesamt setzte er 25 Bäder in 25 ausrangierten Heringseimern an, die Fischbratküchen in Bremerhaven für ihn beiseitegestellt hatten.

Nach drei Monaten begann er, die Proben herauszuholen. Er maß sie, wog sie und legte sie in eine Klimakammer, die er auf eine hohe Luftfeuchtigkeit einstellte. Nach zwei Wochen maß er sie wieder, wog sie und legte sie zurück in die Kammer, die er diesmal niedriger einstellte. So trocknete er die Proben über fünf Stufen herunter. Er wollte sehen, wieviel Luftfeuchtigkeit sie vertragen, wann sie anfangen, wieder Wasser aufzunehmen: Die Kogge sollte später in der Museumsluft nicht nass werden und weinend vor den Besuchern stehen. Ergebnis des Trocknens: Die befürchtete Hygroskopizität kleiner PEG-Moleküle war eine Forschungsente, normales Museumsklima ließ ihm die freie Wahl unter den Molekülgrößen.

Gesamtergebnisse aller Versuche: Erstens – wenig abgebautes Holz läßt sich am besten mit kleinen Molekülen stabilisieren, stark abgebautes Holz am besten mit großen Molekülen. Zweitens – Kogge-Hölzer schrumpfen ohne Konservierung bis zu fünfzehn Prozent, bei optimaler Tränkbadkonzentration fünf Prozent und weniger.

PEG 200 und PEG 3000 waren also die Konservierungsmittel der Wahl – je nach Holzqualität.

Aber Per Hoffmann konnte die Hölzer der Kogge nicht mehr nach zwei Qualitäten sortieren und sie getrennt konservieren. Das hätte auch nichts genützt, denn die Planken der Kogge bestehen aus beiden Holzqualitäten zugleich.

Er schnitt nun Proben aus Holz, das stark abgebaute und wenig abgebaute Bereiche nebeneinander hatte. Die eine Hälfte der Proben legte er in eine Mischung aus beiden PEG-Sorten. Die andere

Hälfte legte er vier Wochen in ein Bad aus PEG 200 und anschließend in ein Bad aus PEG 3000. Ein Vierteljahr später holte er alle Proben aus den Bädern.

Die Proben aus der Mischung waren zwar gut stabilisiert, aber sie blieben nach dem Trocknen feucht, klebrig, unansehnlich. Niemand würde mit Kindern und Freunden ins Museum kommen, um eine schwarze, schmierige Kogge anzuschauen. Die Proben aus den beiden Bädern waren ebenfalls gut stabilisiert, und sie sahen trocken und schön aus. Im ersten Bad ist PEG mit kleinen Molekülen tief in das Holz hineingewandert, auch in die nur wenig veränderten Bereiche, ist in die Zellwände eingedrungen und hat einen Teil des Wassers verdrängt und ersetzt. Im zweiten Bad hat PEG mit großen Molekülen die aufgelockerten äußeren Bereiche des Holzes, in dem Bakterien geschwelgt haben, ausgestopft, hat die Fraßlöcher und die Zellen weitgehend ausgefüllt. Als das Holz trocknete, blieben die kleinen Moleküle in den Wänden und blockierten sie gegen Schrumpfen und Schwinden, und die großen Moleküle in den Zellen lagerten sich zusammen und bildeten eine neue Schicht auf den Wänden, verstärkten sie und verhinderten Schwindung und Kollaps.

Dieses Zwei-Stufen-Tränkverfahren war für die Kogge die richtige Konservierungsmethode.

Aber würden Direktorium und Verwaltungsrat des Museums zustimmen, wenn der Konservator den Konservierungsplan für die Kogge jetzt noch änderte – inzwischen lag sie drei Jahre im Tank, und es ging um Millionen, denn PEG ist teuer.

Direktorium und Verwaltungsrat schickten Per Hoffmanns Ergebnisse an die weltweit führenden Spezialisten für Naßholzkonservierung und luden sie zu einer Tagung ins Deutsche Schiffahrtsmuseum ein: Kirsten Jespersen aus Kopenhagen, Lars Bargman aus Stockholm, David Grattan aus Ottawa, Kurt Schietzel aus Schleswig und Detlev Noack, Hoffmanns früheren Physikprofessor. Die Spezialisten prüften die neue Methode, über die es nur Erfahrungen im Labormaßstab gab, und sagten: Probieren Sie es.

Acht Jahre lang gab Per Hoffmann nun fünf Prozent PEG 200 ins Bad, zweimal im Jahr kam ein Tanklaster mit 20 t flüssigem PEG und pumpte es in das Becken. Vorher mußte Wasser über die Apparaturen im Museumskeller verdunsten. Die ursprüngliche Lösung aus den ersten Jahren ließ Per Hoffmann im Becken, denn

Laborversuche hatten gezeigt, daß sie nicht störte. Zweimal im Jahr prüfte er, wie weit das PEG schon ins Holz eingedrungen war. Er hatte nun eine Laborantin und einen Mitarbeiter, und gemeinsam nahmen sie 5 mm feine Bohrkerne und analysierten sie nach PEG-Gehalt und PEG-Verteilung und zeichneten PEG-Profile.

Fünfzehn Jahre lag die Kogge im ersten Bad.

In dieser Zeit konservierte Per Hoffmann auch Schiffe nach PEG-Ein-Stufen-Verfahren und beriet Kollegen bei der Auswahl von Methoden. Der Einbaum von Yverdon am Neuchâteler See zum Beispiel und der Einbaumsarg von Bederkesa, beide aus der Völkerwanderungszeit, sind weitgehend aus stark abgebautem Holz, was selten vorkommt. Hier war ein Ein-Stufen-Verfahren mit PEG 4000, einem ganz hohen Molekulargewicht, das richtige.

Im Teufelsmoor bei Bremen hatten Bauern einen Torffrachter, 21 m lang und 5 m breit, aus einer nassen Wiese ausgegraben und in einen Flußlauf gezogen. Mit Musik und Bier fuhren sie auf die Hamme hinaus und waren lustig und froh, bis abends der Landrat kam und ihnen erzählte, gegen wie viele Paragraphen des Denkmal-schutzgesetzes sie verstoßen hatten und was eine Konservierung sie kosten würde. Die Bauern überließen dem Landrat schnell das Schiff. Das Holz war sehr gut erhalten, und Per Hoffmann riet zu einer Behandlung nur mit PEG 200. Es ist flüssig, man kann es mit Rasensprengern mehrere Jahre lang auf das Holz sprühen – eine elegante und nicht sehr teure Methode. Heute ist das Torfschiff ein Prunkstück im Museum von Osterholz-Scharmbeck. PEG 200 ist auch das Richtige für die dreihundert Jahre alten Lastkähne in Brake bei Lemgo, über deren Bergung aus der Weser 1999 ich noch erzählen werde. Eckehard Deichsel, der Konservator, ist studierter Kunsthistoriker und kennt sich nun mit Rasensprengern aller Grö-ßen und Marken bestens aus. Die Kähne liegen in einem Glashaus im Schloßpark und leuchten blau bei Nacht, seit ein Geschäftsmann blaue Lampen geschenkt hat.

Eine besonders aufregende Methode, die ich miterlebt habe, ist die Konservierung eines großen Schiffs in Zucker.

Ein Baggerführer stieß bei Sielbauarbeiten im Uelvesbüller Koog bei Husum im Deich auf einen hölzernen Schiffsbug, im Juli 1994. Der Archäologe Hans Joachim Kühn legte den Schiffsrumpf mit einem Ausgrabungsteam vom Archäologischen Landesamt Schleswig-Holstein frei und ließ ihn bergen. Das Schiff ist 12 m lang, 3,70 m breit und aus Eichenholz, ein Küstenfrachter, der um 1600 wohl in einer schweren Sturmflut vor dem Deich sank und schnell von aufgewühltem Sand und Schlick bedeckt wurde. Im Vorschiff fanden die Ausgräber einen Herd – eine mit Ziegelsteinen gefüllte Kiste –, glasierte Teller, Schüsseln und Töpfe, Reste der Mahlzeit. Sie fanden Werkzeuge und den persönlichen Besitz der Mannschaft, vier Tonpfeifen, Lederhandschuhe, einen Kamm und Knöpfe, die Pfeife eines Dudelsacks.

Hans Joachim Kühn hatte wenig Geld, aber Lust, etwas Neues auszuprobieren, und Per Hoffmann riet zu Zucker. Nach seinem Plan machte Kühn sich an die Konservierung. Das Schiff stand in einem Stahlbecken in einer leeren Halle der Kaserne in Husum. Kühn und seine Helfer lösten 100 000 kg Rübenzucker und stellten 85 000 l Zuckerlösung her. Die wenigsten Pumpen machten das mit. Kühn wurde Fachmann für Pumpen.

Zwei Jahre lang fuhr er jede Woche mit einigen Helfern nach Husum, arbeitete am Becken und schnupperte – stinkt die Lösung? Per Hoffmann nahm Bohrproben und überwachte das Eindringen des Zuckers in das Holz. Ich habe Hans Joachim Kühn für den NDR einmal oben am Beckenrand interviewt, jeder von uns stand auf einer Leiter, Kühn ganz ruhig, er ist von der Hallig Hooge, ihn erschüttert nichts so leicht, aber ich wurde mit jeder Frage, jeder Antwort unruhiger: Meine Hände klebten, das Mikrofon klebte, mein Aufnahmegerät klebte, ich konnte mit klebrigen Fingern die klebrigen Knöpfe nicht mehr nachstellen. Kühn öffnete eine kleine Probenflasche. Ein widerlicher Gestank kam heraus. So stinkt gärender Zucker. Das ist die Hauptgefahr bei der Konservierung mit Zucker: Die Lösung fängt an zu gären und kippt um, man muß sie wegwerfen, denn die Bakterien fressen den Zucker auf. Man kann die Bakterien vergiften, muß aber mit der Wahl des Gifts vorsichtig sein, denn die Lösung muß entsorgt werden. Eine Zuckerlösung muß man ständig kontrollieren.

Das Zuckerbad von Husum überstand Bakterienangriffe, Sommerhitze und Wespenattacken und dann, kurz vor dem Termin, an dem Kühn und Hoffmann die Konservierung beenden wollten, kippte die Lösung, zwei Tage vor Weihnachten. Die beiden beschlossen am Telefon: Raus, das Zeug muß sofort raus.

Gabriele Hoffmann

Das Zuckerschiff von Friesland ist sehr gut gelungen und steht heute in einer schönen, anregenden Ausstellung in Husum mit allem, was den Seeleuten gehört hat. Aber der Archäologe und der Konservator sagen beide: Freiwillig machen wir das nicht noch einmal.

Konservierungsmittel sind teuer, und noch teurer ist es, sie wieder loszuwerden. Hans Joachim Kühn konnte sein Zuckerbad auf ein Feld kippen. Die beiden Bäder der Bremer Hansekogge aber waren zwanzigmal so groß, und Per Hoffmann fand niemanden, der zweimal 800 000 l PEG-Lösung in achtzig Tankwagen übernehmen wollte.

Fünf Jahre verhandelte er mit der Abwasserbehörde von Bremerhaven über das Ablassen der Bäder in die öffentliche Kanalisation. Er wollte die zwei Millionen Mark sparen, die es kostete, die Kogge-Bäder als Sondermüll zu verbrennen, und die er gar nicht hatte. Vier Jahre vergingen mit der Interpretation von Listen mit Stoffen, die nicht ins Abwasser, nicht in Flüsse und nicht ins Meer gelangen dürfen, mit Abbau-Versuchen der biologischen Kläranlage der Stadt, mit der Beschaffung von Gutachten, mit Untersuchungen eines unabhängigen Limnologischen Instituts. Dann endlich erhielt das Deutsche Schiffahrtsmuseum die schriftliche Erlaubnis, seine PEG-Lösungen in das Abwassersystem einzuleiten: vorsichtig, so langsam, wie die Organismen im Belebtschlamm der Kläranlage sich auf den ungewohnten Stoff einstellten.

Am 1. August 1995 begannen Per Hoffmann und sein Mitarbeiter Ulrich Finke, die Konservierungslösung des ersten Tränkbades abzulassen. Die Ingenieure der Kläranlage riefen täglich an und sagten, wieviel sie ablassen durften: zwischen 200 und 600 l die Stunde, je nach Sauerstoffgehalt der kommunalen Abwässer. Lohn für die Ingenieure und ihre Chefin war später ein dickes Lob auf einem Kongreß von Abwasserexperten, denn das PEG hatte die Bakterien zu Hochleistungen gebracht, und die Abwasserqualität war hervorragend geworden.

Es dauerte drei Monate, das erste Bad abzupumpen.

Nach fünfzehn Jahren stand der Konservator wieder in der Kogge: »Ich hatte fast vergessen, wie schön sie ist.« Die Konservierungsflüssigkeit war am Schluß undurchsichtig geworden, seit langer Zeit hatte niemand mehr die Kogge gesehen. Der Konservator: »Sie sah toll aus. Das Holz glänzte in einem satten Braun. Vorher war es nicht mein Schiff gewesen, es war Herrn Lahns Kogge, er hatte sie aufgebaut. Nun war es meins. Ich saß unten in einem geräumigen Schiff mit soliden Planken und fühlte mich glücklich, daß es wieder da war.«

Ulrich Finke säuberte Schiff und Becken vom Dreck der vergangenen fünfzehn Jahre, einer dünnen Schicht aus abgestorbenen Mikroorganismen, Staub, kleinsten Holzteilchen und etwas Rost von Nägeln und Schrauben, die vom Deck des Beckens durch die Luke hineingefallen waren. Viele Besucher kamen: Journalisten von Zeitungen, Rundfunk- und Fernsehsendern und zahlreiche Konservatoren, Restauratoren und Archäologen – aus Dänemark gleich zehn auf einmal. Alle wollten sie die Kogge sehen und im Becken nach Möglichkeit in ihr und um sie herumkriechen.

Per Hoffmann und Ulrich Finke legten 250 m Warmwasser-Heizschläuche in vier getrennten Kreisen für eine Beckenheizung unter dem alten Schiff aus und schlossen sie an die hauseigene Zentralheizung an: Das zweite Bad der Kogge mußte beheizt werden, PEG 3000 ist bei Raumtemperatur fest.

Am Morgen des 20. November 1995 um acht Uhr, einem Montag, traf der erste Tanklaster mit 20 t geschmolzenem PEG 3000 ein. Er hatte am Tag zuvor die Fabrik in Bayern verlassen, 800 km vom Deutschen Schiffahrtsmuseum in Bremerhaven entfernt. Die zweite Stufe der Konservierung der Kogge begann.

Der Fahrer zog den schweren Schlauch in die Kogge-Halle und schloß ihn mit Museumsingenieur Wolfgang Zarski am Mischer an und öffnete dann, auf Zuruf durch die offene Tür, das Ventil am Wagen. Der Schlauch ruckte, heiße PEG-Schmelze lief in den Mischer. Zarski schaltete eine Pumpe an und öffnete den Feuerwehrhydranten. PEG und Wasser wirbelten im Mischer durcheinander, die Pumpe preßte die Lösung durch einen Schlauch hoch auf das Deck des Beckens. Ein Mann kontrollierte laufend die Konzentration mit einem Handrefraktometer. Die Schmelze aus dem Laster war neunzig Grad heiß, die sechzigprozentige Lösung maß noch sechzig Grad.

Drei Stunden später waren 20 t PEG und 15 t Wasser – 35 000 l insgesamt – verarbeitet. Das Kogge-Becken dampfte.

Jeden Montag und Mittwoch traf nun ein Tanklaster am Mu-

Gabriele Hoffmann

seum ein, mit einer Unterbrechung zu Weihnachten. Die Dienstage, Donnerstage und Freitage zwischen den Lieferungen brauchte Per Hoffmanns Team, sechs Leute, um im Kogge-Becken Ballons aus beschichtetem Trevira, 5 m lang und 0,7 m im Durchmesser, unter dem Schiff und in seinem Laderaum auszulegen. Der Haushaltsplan für das Kogge-Projekt war sehr eng, und die Ballons sollten das Volumen des Beckens verringern, um PEG und Geld zu sparen. Die Leute im Becken – oft Hoffmann, Finke und eine Praktikantin – füllten die Ballons mit Salzwasser, damit sie in der PEG-Lösung eben untergingen, ohne zu sehr auf das Schiff zu drücken.

Sie trugen Gummistiefelhosen, und sie schwitzten stark. Sie standen auf gefüllten Ballons und versanken manchmal bis zu den Knien in PEG. Jeder hatte einen Sicherheitsgurt mit Sicherungsleine um, die ein Mann oben an der Luke auf dem Deck des Beckens in der Hand hielt. Kein elektrisches Kabel durfte mit mehr als 24 Volt in das Becken führen. Alle Elektrogeräte mußten batteriebetrieben sein.

Zwei Mann, die sonst die Schiffe im Museumshafen malten, stellten Salzwasser her. Sie füllten eine große Holzwanne mit Wasser, und einer schlitzte 25-kg-Säcke Speisesalz auf und ließ das Salz hineinlaufen, der andere bediente zwei kräftige Umwälzpumpen. Das Salzwasser stieg zu einem Verteiler an Deck des Kogge-Beckens, wo Ingenieur Zarski alle Pumpen und die fünf Füllschläuche im Blick hatte, die in die Kogge führten.

Es waren aufregende Wochen. Das Team wollte der höher und höher steigenden PEG-Flut immer eine Ballon-Lage voraus sein.

Die Maler verbrauchten 80 t Salz und stellten 400 000 l Salzwasser her, die Leute im Becken legten 160 Ballons aus und reduzierten das Volumen um die Hälfte. Per Hoffmann konnte gerade soviel PEG kaufen, wie er mindestens brauchte.

Auch Montag und Mittwoch blieben aufregende Tage. Der Dezember 1995 und der Januar 1996 waren extrem kalte Monate mit viel Eis und Schnee auf den Straßen. An mehreren dunklen Morgen wartete das Team stundenlang auf den Tanklaster. Wenn er endlich kam, sahen Zarski und Hoffmann zuerst auf das Thermometer draußen am Wagen, das die Temperatur der Schmelze im Tank anzeigte. Einmal war sie in einem Schneesturm über Nacht auf siebzig Grad gefallen, und das PEG erstarrte im unbeheizten Auslaßventil des Wagens. Ein anderes Mal fing die Schmelze an, im Schlauch vom Laster zur Mischstation zu erstarren. Der letzte Kubikmeter tröpfelte nur noch heraus. Aber alle blieben guter Laune. Sie hatten keinen Unfall – nur einmal platzte ein Schlauch und die heiße Mischung schoß 10 m hoch an die Decke der Koggehalle –, und niemand wurde verletzt.

Am 14. Januar 1996 fuhr der letzte Tanklaster leer nach Bayern zurück.

Wieder war die Kogge verschwunden, die Ballons lagen vor den Fenstern, man konnte das Schiff nicht sehen. Trotzdem stieg jetzt die Spannung. 1997 wurden einige Ballons leergepumpt und herausgefischt und noch einmal 80 t Tonnen PEG in die Lösung gemischt, um die Konzentration auf schließlich siebzig Prozent zu steigern. Dann war wirklich kein Geld mehr da.

Zweimal im Jahr überprüfte Per Hoffmann an Probehölzern das Eindringen von PEG 3000 und das Auswaschen von PEG 200 aus der ersten Tränkstufe. Als das Holz kein PEG mehr aufnahm, beschloß er, die Tränkung zu beenden.

Drei Jahre lag die Kogge im zweiten Bad, und viele waren nun gespannt darauf, wie die Vorhersagen und Erwartungen aus den Laborexperimenten sich in der Praxis erfüllten, wie das Zwei-Stufen-PEG-Verfahren ein wirklich großes Schiff stabilisierte.

Wieder dauerte es drei Monate, das Becken zu leeren. Diesmal erschreckte der Anblick der Kogge den Konservator. Das PEG war bei vierzig Grad flüssig, aber als es nun im Bad sank, entstand eine Haut wie auf warmer Milch und legte sich auf alles, was auftauchte, überzog jeden Balken, jede Planke, lagerte sich in großen weißen Platten ab. Wenn man durch die Fenster guckte, glaubte man, auf ein Eismeer mit treibenden Eisbergen zu sehen.

Werftarbeiter bauten das Becken ab. Kein Stahlstück, nicht einmal ein Tropfen flüssigen Stahls von ihren Schweißbrennern durfte auf das Schiff fallen. Aber als die Arbeiter erst einmal herausgefunden hatten, wie das lief, brauchten sie nicht lange, um den größten Konservierungstank der Welt zu einem Haufen Alteisen herunterzuschneiden.

Weihnachten 1999 stand die Kogge wieder frei in der Kogge-Halle des Museums. Sie war eingekrustet in weißes, festes PEG und sah aus wie ein Schiff auf einer Arktisexpedition. Ulrich Finke und ein

Helfer reinigten sie mit Dampfstrahler, Schwämmen, Bürsten und Spatel.

Nach dem Trocknen haben die Schiffshölzer jetzt wieder ein warmes Dunkelbraun. Beim Reinigen ist gerade so viel PEG herausgewaschen, daß die Oberflächen natürlich und trocken aussehen. Jetzt kann man sogar angesengte Flecken auf den Planken entdecken: Die Schiffbauer haben vor sechshundert Jahren die Planken über einem Feuer erhitzt, um sie biegen zu können.

Die Kogge hat sich im zweiten Bad neu gesetzt, Haltestangen waren ausgerissen, das System der Aufhängung war zu knapp bemessen gewesen und mußte verstärkt werden. Ein Steven hatte sich verworfen und war gerissen, was keinen der Historiker im Museum überraschte, denn die Kogge ist aus billigem Holz gebaut, was den Konservator aber ärgerte. Doch die Meßzahl, die einen Konservator am meisten interessiert, ist das Schwinden der Hölzer beim Trocknen nach einem Konservierungsverfahren. Bei nichtbehandelten Kogge-Hölzern betrug die Schwindung fünfzehn Prozent. Bei der konservierten Kogge betrug sie nach achtzehn Monaten Trocknen null bis 2,7 Prozent mit einem Durchschnittswert von 1,1 Prozent. Das Blowing-up von Laborexperimenten zu einem großen Maßstab war gelungen.

Am 17. Mai 2000 stellte das Museum die fertige Kogge der Öffentlichkeit vor, und der Förderverein des Museums spendierte ein großes Fest – mit Festvortrag von Ole Crumlin-Pedersen, mit Landesvater Henning Scherf, der die Kogge gemeinsam mit Museumsdirektor Detlev Ellmers enthüllte – wir hatten sie zuvor in Silberfolie gehüllt –, mit einem Hanse-Imbiß aus Matjes und Bier und Fahrten im Kogge-Nachbau auf der Weser, die letzte Fahrt unter dem 200m^2-Rahsegel.

Das Museum hatte die Experten eingeladen, in einigen Fällen die Nachfolger, die viele Jahre zuvor zu dem neuen Zwei-Stufen-PEG-Verfahren geraten hatten. Inzwischen werden und wurden zahlreiche andere Schiffe wie die Kogge konserviert: die *Mary Rose*, das Flaggschiff Heinrichs VIII., und der große Hasholme-Einbaum in Hull in England, die Shinan-Dschunke in Mokpo in Korea, das Kinneret-Schiff vom See Genezareth – das Jesus-Boot, sagt seine Konservatorin –, und im Deutschen Schiffahrtsmuseum der tausend Jahre alte Oberländer vom Rhein und *Karl*, ein zwölfhundert Jahre altes Flußschiff, das 1989 in Bremen bei einem Hotelneubau in der Baugrube auftauchte.

Noch mehr Koggen

Ü berall in Ostsee und Nordsee findet man Reste von Schiffen, die Archäologen nach Vergleichen mit der Bremer Kogge als Koggen identifizieren: gerader Kiel, steile Steven, hohe geklinkerte Bordwände, durch die Köpfe großer Decksbalken greifen, ein Mast. Die meisten dieser Schiffsreste sind für Laien unscheinbar. Aber es sind inzwischen so viele, daß die Schiffsarchäologen schon streiten können, welche Koggen-Form wann woher kam und von welcher anderen beeinflußt wurde, und wie man die einzelnen Typen bezeichnen soll.

Der Schiffsarchäologe Timm Weski schlug vor, statt Kogge »Ijsselmeer-Typ« zu sagen und die Bremer Kogge von nun an »das Bremer Ijsselmeer-Typ-Schiff« zu nennen. Ole Crumlin-Pedersen lehnte das auf dem großen Kogge-Fest am 17. Mai 2000 entschieden ab. Er hat für seinen Festvortrag achtzehn Koggen aus drei Jahrhunderten, von 1150 bis 1450, nach Alter und Herkunft untersucht. Der archäologische Begriff Kogge soll auf seegehende Schiffe des 12. bis 15. Jahrhunderts beschränkt werden, deren unterer Rumpf aussieht wie der der Bremer Kogge, sagte er, und die soll ihren Namen behalten. Wahrscheinlich sei die seegehende Kogge nicht im Ijsselmeer aus Vorformen auf Flüssen entstanden, sondern in Jütland, und wahrscheinlich hätten ihre Schiffbauer Merkmale von großen skandinavischen Seefrachtern der Zeit übernommen.

Ole Crumlin-Pedersen hat einmal sogar eine Schatzkogge gesehen. Ein paar Jungs, die in den Sommerhäusern ihrer Eltern in Vejby an Seelands Nordküste die Schulferien verbrachten, schnorchelten im flachen Wasser unter den hohen Kliffs. Sie entdeckten ein altes Holzwrack in 1 bis 2 m Wassertiefe, und Jesper Egesø, sechzehn Jahre alt, fand im Wrack einen Zinnteller. Er rief gleich das Nationalmuseum in Kopenhagen an. Im nächsten Sommer, 1976, fand Jesper 94 funkelnde Goldmünzen. Die Taucher des Nationalmuseums kamen sofort. Die Jungs versprachen Ole Crumlin-Pedersen, niemandem etwas von dem Wrack zu erzählen, und die Taucher

Gabriele Hoffmann

breiteten am Strand Decken und Picknickkörbe aus und spielten Feriengäste. Zehn Tage lang erforschten sie gemeinsam mit den Jungen das Schatzschiff. Es war fast 18 m lang und 5 bis 6 m breit. Die Taucher fanden weitere sechzehn Goldmünzen, und Jesper bekam außer dem Geldwert für insgesamt 695 g Gold noch eine große Belohnung. Er hatte den zweitgrößten Goldmünzenfund aus dem Mittelalter entdeckt, alles schöne neue Münzen aus England.

Die Stelle, an der ein Schatz gefunden wurde, ist nie sicher vor Schatzjägern. Deshalb versuchte Crumlin-Pedersen, der das Wrack genau untersuchen wollte, Geld für eine Ausgrabung gleich im nächsten Sommer zu bekommen. Als die Taucher das Wrack hoben, fanden sie im Mastfuß noch zwei Silbermünzen aus Danzig. Die 18 t Ballaststeine müssen irgendwo von der Atlantikküste kommen, vielleicht aus Cornwall. Die Kogge ist wohl an der südöstlichen Ostseeküste gebaut worden und um 1375 bei einer Heimreise aus Westeuropa gestrandet. Es sieht so aus, als sei sie in schlechtem Wetter vom Kurs abgekommen. Der Kapitän versuchte vielleicht noch zu ankern, doch der Sturm trieb die Kogge auf den Strand, und die Brandung zerschlug sie. Kapitän und Mannschaft müssen ertrunken sein, denn nach einer Rettung hätten sie das Gold sicher nicht in nur 2 m Wassertiefe gelassen – wo es dann sechshundert Jahre lag, an einem belebten Badestrand, keine Autostunde von der Millionenstadt Kopenhagen entfernt.

Nach der Vejby-Kogge tauchten sieben Koggen in den Niederlanden auf, drei in Dänemark und drei in Schweden. Diese Wracks haben oft Namen, die nur Archäologen sich merken können – Flevol OZ 36 zum Beispiel. Dahinter verbirgt sich der Rest einer Kogge aus den Jahren zwischen 1336 und 1375. Oder NOP A 57, das ist eine Kogge von 1275/1300. Wenige dieser Funde sind publiziert, kaum einer konserviert.

Auch das Deutsche Schiffahrtsmuseum hat inzwischen eine zweite Kogge: Die *Schlachte Kogge*. Im Sommer 1991 stießen Arbeiter beim Bau einer Abwasserleitung in 14 m Tiefe unter der Schlachte in Bremen – der Uferstraße, die an der Stelle des früheren Stadthafens verläuft – auf einen Schiffsrest, und ein Mitarbeiter des Landesarchäologen barg das Boden-Heckteil eines koggeähnlichen Schiffs aus dem 13. Jahrhundert, 3 m lang, 70 cm breit. Professor Detlev Ellmers, der Direktor des Museums, war außerordentlich erfreut

Die Kunst, eine Kogge zu konservieren

über diesen Fund, denn der Steven trägt einen eisernen Beschlag mit einer Ruderöse, in die ein mittschiffs sitzendes Heckruder eingehängt wurde. Damit ist es der bislang älteste Schiffsfund mit Heckruder im nordeuropäischen Fahrgebiet.

Um den Schiffsrest war ein Moostau geschlungen – ein 30 m langer Zopf aus Frauenhaarmoos, 4 cm breit, 2 cm dick. Das Moostau erhielt im Labor eine Dusche mit Haarspray, und das Schiff konservierte Per Hoffmann in einer Zuckerlösung.

Eine schöne große Kogge kam im Spätherbst 2000 in der Nähe von Antwerpen beim Bau des Hafens zum Vorschein, für den das Dorf Doel verschwinden soll. Sie lag über Kopf und ist fast so vollständig erhalten wie die Bremer Kogge. Die belgischen Archäologen mußten sie ruckzuck auseinandernehmen. Sie legten die Planken in Wasserbecken und denken nun darüber nach, wie sie Geld für die Konservierung der *Doelse Kogge* bekommen.

Auch im neuen Bundesland Mecklenburg-Vorpommern tauchen jetzt Koggen auf – und sie sind ein eigenes Kapitel: das übernächste.

NEUE LÄNDER, NEUE ZIELE

Explosion

1. Selbst Schiffsarchäologen können heute kaum noch überblicken, was ihre Kollegen unter Wasser ausgraben. Tauchende Archäologen arbeiten vor Sri Lanka, Vietnam, den Philippinen, vor Argentinien, Uruguay, Ägypten, vor Indien, Südafrika, China. In Griechenland begannen 1992 Grabungen vor der Insel Alonnisos an einem Amphorenwrack aus dem 5. Jahrhundert v. Chr.: Fünfzig Personen gehören zur Arbeitsgruppe, fünfzehn von ihnen sind Archäologen. In Malaysia fand 1993 eine Bergungsfirma, die ein englisches Wrack aus dem 19. Jahrhundert suchte, gleich vier Wracks, die in einer Seeschlacht zwischen Holländern und Portugiesen vor vierhundert Jahren sanken. Am St. Lawrence in Kanada sah ein Mann am Weihnachtsabend 1994 Musketen am Strand und griff zum Telefon: Ein Archäologe von Parks Canada sauste mit dem Schneemobil herbei, und seit 1999 graben Taucher aus, was von der Flotte übrigblieb, mit der Sir William Phips – der Schatzsucher, der Gouverneur wurde – Quebec 1690 angriff, um die Franzosen aus Nordamerika zu vertreiben.

Neben Zufallsfunden stehen die Funde von Archäologen, die planmäßig und beharrlich Antworten auf ihre Fragen suchen: wie zum Beispiel Professor Przemyslaw Smolarek in Polen. Smolarek suchte dreißig Jahre lang nach Wracks, die bewiesen, daß die Slawen im Mittelalter eine eigene Schiffbautradition hatten. Die Nationalsozialisten hatten Slawen zu Untermenschen erklärt. Von besonderen Wracks hieß es, das muß von den Wikingern stammen oder das ist typisch für den deutschen Schiffbau in Pommern. Unter dem Bombenhagel des Zweiten Weltkrieges verbrannten die historischen Museen in Gdańsk, Kołobrzeg und Szczecin, damals Danzig, Kolberg, Stettin, ebenso die alten Rathäuser, die Kontore von Schifffahrtsunternehmen – fast nichts blieb übrig aus der langen Geschichte der Hafenstädte am südlichen Ostseerand. Vom Bootsbau der Slawen im frühen Mittelalter berichtete nur noch eine Handvoll schriftlicher Dokumente.

Smolarek suchte ab 1960 für ein neues Schiffahrtsmuseum in Danzig überall an der polnischen Küste nach Ausstellungsstücken. Die einzige Schatzkammer, die es nach dem Krieg noch gab, war das Meer. Museumshistoriker brachten ihm ein Verzeichnis von zweihundert Schiffen, die auf dem Weg von und nach Danzig gesunken waren. Er wollte die Danziger Bucht nach Wracks absuchen, die Wracks anschauen und dann entscheiden, mit welchem er sich näher befassen sollte. 1969 begann die Arbeit. Fischer und Wasserbauingenieure erzählten den Archäologen von Wracks, und die Archäologen fanden 22 im ersten Abschnitt der Bucht und numerierten sie durch. Dann kam Smolareks gesamte Planung durcheinander. Ingenieure, die für den Bau des Nordhafens von Danzig die Bucht untersuchten, stießen in der Fahrrinne auf mehrere Wracks. Der Hafenbau konnte nicht warten. Wenn Smolarek diese Wracks untersuchen wollte, mußte er es sofort tun. Dabei stellte sich heraus, daß ein Wrack, Nr. W-5, von hervorragendem Wert war – das *Kupferwrack*.

Es lag einige Seemeilen nordöstlich von Danzig in 16 m Tiefe. Zweitausendfünfhundert Schiffe passierten jährlich die Fundstelle, und so herrschte am Arbeitsplatz der Archäologen reger Wellenschlag. Smolarek freute sich für sein Museum: Das Schiff war vor sechshundert Jahren gesunken, und seine Ladung war sehr gut erhalten. Diese Ladung macht das Wrack bedeutend, denn die Koggen waren bislang alle fast leer. Die Archäologen hoben 3 t Kupfer in Scheiben und Platten, 10 t Eisenstäbe, mit Messingbändern gebündelt, zweihundert astfreie Planken für den Schiffbau, Fässer mit Harz, Wachs, Pottasche, Pech und Teer – Güter aus den Bergwerken und Wäldern Polens. Weiter Faßdauben, die holländische Fischer für neue Fässer zum Versand ihrer Matjes-Heringe brauchten, dann Hanf und Segelleinen: Danzig war über Jahrhunderte der große Exporthafen Polens. Ein Fünftel des einmastigen, geklinkerten Eichenschiffs ist erhalten. Es ging wohl nach einem Brand an Bord unter. Pech und Teer in den Fässern schmolzen, liefen aus und flossen über die noch nicht verbrannten Teile des Schiffs. Sie schützten sogar Zwiebeln und Knoblauch. Vielleicht war der Koch unvorsichtig mit dem Feuer, vielleicht griffen Piraten das Schiff an: Die

Gabriele Hoffmann

Archäologen fanden vier steinerne Kanonenkugeln im Wrack. 1975 hoben sie das noch 18 m lange Kielstück. Das war die erste archäologische Hebung eines Wracks in Polen.

Zwei Jahre später entdeckten Amateurtaucher in der Puck-Bucht Konstruktionen aus Eichenholz. Die Archäologen erkannten darin die Überreste eines frühmittelalterlichen Hafens, der in keiner geschriebenen Quelle erwähnt wird. 1990 hoben sie ein Wrack, das mit Eichendübeln gebaut und mit Moos kalfatert war – dieses Schiff haben Slawen gebaut, Wikinger verwendeten Eisennägel und Tierhaare. Seitdem haben die polnischen Archäologen zahlreiche Schiffe vom 8. bis zum 13. Jahrhundert untersucht, die in verschiedensten Techniken gebaut sind. Jerzy Litwin, der Nachfolger Smolareks, träumt nun davon, ein Museum für Unterwasserarchäologie zu bauen, ein Museum slawischer Schiffe.

Taucher haben in den letzten Jahren auch alte Fundstellen wieder angeguckt – das Schiff von Mahdia zum Beispiel, aus dem Alfred Merlin 1908 Statuen aus Marmor und Bronze von Helmtauchern hochbringen ließ und das Cousteau 1948 wiederfand. Anfang der neunziger Jahre schickte Tunesien die zweitausend Jahre alten Kunstwerke zur Restaurierung ins Rheinische Landesmuseum in Bonn. Dort wollte man sie im Winter 1994/95 ausstellen, ehe sie nach Tunesien zurückkehrten, und bat Olaf Höckmann, Experte für römische Schiffe am Römisch-Germanischen Zentralmuseum Mainz, für den Katalog über das Schiff zu schreiben. Höckmann konnte sich aus den alten Berichten kein klares Bild machen und schlug vor, noch einmal hinunterzutauchen. Die Deutsche Gesellschaft für Unterwasserarchäologie – eine Vereinigung von Sporttauchern – und der Archäologe Mensun Bound aus Oxford untersuchten die Stelle 1993. Die Amphoren waren alle weg, die Taucher fanden nur noch Teile des Schiffsbodens. Sie versuchten, aus der Lage der Säulen und der Anker herauszubekommen, wie groß der Rumpf war. Doch auf viele Fragen Höckmanns gibt es keine Antworten mehr. Das Schiff von Mahdia ist eines der vielen Wracks, die Jahrtausende wohlerhalten auf dem Meeresgrund liegen und, sobald Menschen sich unverständig an ihnen zu schaffen machen, in Jahrzehnten zerfallen.

In den neunziger Jahren gab es auch Caisson-Bergungen wie zu Beginn der Geschichte der Archäologie unter Wasser bei den Wikingerschiffen in Roskilde: *La Belle* in Texas zum Beispiel und die Weserkähne in Niedersachsen.

Der Archäologe Barto Arnold von der Texas Historical Commission fuhr im Sommer 1995 die Bucht von Matagorda mit einem Magnetometer ab. Sein wichtigster Fund: sechs Kanonen in 4 m Tiefe – *La Belle*. Sie war eins der vier Schiffe von Robert Sieur de la Salle. Der Entdecker hatte La Rochelle im Juli 1684 mit dreihundert Männern und Frauen verlassen, um an der Mündung des Mississippi eine französische Kolonie zu gründen. Doch er segelte zu weit nach Westen und fand den richtigen Mündungsarm nicht wieder. Er wollte sein Ziel von Land aus suchen und verließ das Schiff, das solange in der Matagorda-Bucht ankerte, auch die meisten Kolonisten gingen an Land. Ein Sturm kam auf, *La Belle* sank.

Die Ausgrabung begann im Frühling 1996. Weit draußen in der flachen Bucht stand nun um das Wrack ein Kasten aus eisernen Spundwänden, zu dem Archäologen und Studenten jeden Morgen mit einem Boot hinaustuckerten. Die Kolonisten waren wohlhabende Leute gewesen, und ihre Waffen, ihre Vorräte, ihre Handelgüter befanden sich noch an Bord. Die Studenten gruben Kisten mit Töpfen, Sieben, Kerzenhaltern aus, mit vierzehn Sorten Fingerringen mit religiösen Gravuren. Sie fanden den Schädel und das Becken eines Mannes – 35 bis vierzig Jahre alt, 1,60 m groß, kräftig und gesund, sagten die Mediziner. Die Mediziner legten den Schädel in einen Computertomographen, bekamen Schichtprojektionen, aus denen ein Computerprogramm ein dreidimensionales Bild machte, nach dem ein Experte einen Schädel aus Kunstharz herstellte und danach ein Tonmodell des Gesichts. Im Februar 1997 war der Großteil der Fracht ausgegraben. Vierzig Prozent des Schiffs sind erhalten. Die Archäologen legten Plastikfolien auf den Rumpf, zeichneten die Planken und begannen, das Schiff Stück für Stück zu heben und das Holz in großen Wasserbottichen zu lagern.

Auch der Sieur de La Salle nahm kein gutes Ende: Er wurde ein Jahr nach dem Untergang der *La Belle* von seinen eigenen Leuten ermordet.

Von den Weserkähnen in Niedersachsen sind bislang keine Schauergeschichten bekannt. Ein Baggerführer sah im Sommer 1995 bei Auskiesarbeiten in der Weser bei Nienburg eine Steinplatte und Holzbalken im Wasser. Das Wasser- und Schiffahrtsamt Verden

Gabriele Hoffmann

benachrichtigte die Obere Denkmalschutzbehörde in Hannover, und die bat das Deutsche Schiffahrtsmuseum um ein Gutachten: Der Baggerführer war auf ein Binnenschiff aus dem 18. Jahrhundert gestoßen, das mit Obernkirchener Sandstein beladen war.

Diese Ladung machte Vera Lüpkes, die Direktorin des Weserrenaissance-Museums in Schloß Brake bei Lemgo, hellhörig. Oberkirchener Sandstein war einmal ein Exportschlager in ganz Europa, Rathäuser und Bürgerhäuser in Bremen, Amsterdam, Antwerpen und vielen anderen Städten sind daraus gebaut. Vera Lüpkes zog Willi Kramer vom Archäologischen Landesamt Schleswig-Holstein hinzu und plante die Hebung des Schiffs für den Spätsommer 1998.

Kramer und fünf weitere Taucher trugen 30 kg schwere Bleigürtel, damit die starke Strömung sie nicht abtrieb. Sie entfernten meterhohe Ablagerungen vom Schiff und fanden heraus, daß hier zwei Schiffe übereinanderlagen. Dann kam Hochwasser, und sie mußten die Bergung abbrechen. Im nächsten Sommer, 1999, rammte eine Baufirma einen Spundwandkasten um die Fundstelle und pumpte ihn leer. Willi Kramer legte mit einem zehnköpfigen Team aus Archäologen, Vermessern, Restauratoren und Grabungshelfern die Schiffe frei, die wieder völlig eingesandet waren. Ihre Ladung: 90 t Sandstein – große rechteckige Blöcke, Brunnenringe, Grenzsteine. Die Steine haben Zeichen, vermutlich Hausmarken von Bremer Kaufleuten, die den Sandstein auf Seeschiffe umladen ließen und als Bremer Stein in die Niederlande und nach Übersee exportierten.

Das kleine Schiff des Weserlastzugs ist 17 m lang, das große 25 m. Sie waren durch Eisenketten miteinander verbunden, sind massive Eichenholzschiffe und fast ganz erhalten. Jedes kam für die Bergung auf einen Holzrahmen, den ein Kran auf Tieflader setzte. Mit blinkenden gelben Warnlichtern und Polizeibegleitung fuhren die Weserkähne in einer Septembernacht zum Schloß. Nun stehen sie im Park in einem Glashaus, und Rasensprenger besprühen sie Tag und Nacht mit einer PEG-Lösung. Da die Kähne in einer Bundeswasserstraße lagen, gehörten sie dem Bund, bis Bundeskanzler Schröder mit Ehefrau nach Lemgo kam, der Stadt seiner Jugend, und sie dem Museum schenkte. Die gefährliche Weserkurve, in der die Lastkähne untergingen, heißt seit Jahrhunderten »das Branntweinloch«.

Ein Archäologe aus Frankfurt am Main hat 1998 in Afrika das wohl älteste Schiff der Welt gehoben.

2. Tagebuch einer Schiffshebung

Dienstag, 24. März, mein erster Tag auf der archäologischen Grabung in einem trockenen Flußbett bei Dufuna. Das Dorf Dufuna liegt im Nordosten Nigerias, zwei Stunden Fahrt von der nächsten Straße entfernt – zwei Stunden Buschpiste durch ein ausgedörrtes Land, über abgeerntete Hirsefelder, vorbei an Rindern, Ziegen, Kamelherden. Hier graben der Archäologe Peter Breunig von der Universität Frankfurt, seine nigerianischen Kollegen Musa Hambolu und Abubakar Gabar von der Universität Maiduguri und Per als Konservator ein achttausend Jahre altes Schiff aus. Es ist das älteste Schiff Afrikas und eines der drei ältesten Schiffe der Welt. Die beiden Einbäume, die Archäologen in den Niederlanden und in Frankreich fanden, sind um die 2, 3 m lang. Der Einbaum von Dufuna aber ist 8, 40 m lang, nur 50 cm schmal, und er liegt 5 m tief.

Die Bauern aus Dufuna heben seit einer Woche eine riesige Grube aus: 16 m lang, 10 m breit. Mit stählernen Hacken schlagen sie fußballgroße Brocken los und werfen sie mit der Hand weiter über eine Menschenkette und drei Höhenstufen hinaus aus der Grube. Sie sind jetzt 3 m tief, es fehlen noch 2 m bis zum Boot. Die Männer reden laut, schreien, lachen, sind guter Dinge: Wir graben Noahs Boot aus, sagt Smaila, der Vorarbeiter, ein riesiger Mann, Noah from the Bible, you know.

Ein Rinderhirte, ein Fulani, hat es vor zehn Jahren gefunden, als er einen Brunnen graben wollte. Nigerianische Archäologen machten eine Probegrabung, brachen Bug oder Heck ab und wandten sich an Peter Breunig, der seit Jahren in Westafrika forscht. Peter legte das Boot vor vier Jahren frei, nahm eine Holzprobe für eine Altersbestimmung und grub es wieder ein. Seitdem hat er die Schiffshebung im Sahel, am Rande der Wüste, vorbereitet.

Wir leben in Grashäusern in einem Camp im Dorf. Eidechsen mit gelben Köpfen und blauen Bäuchen huschen über die Wände. Elektrizität gibt es nicht in Dufuna, und der Generator der Archäologen ist schon am ersten Abend für immer verstummt. Morgens wecken uns die Rufe der Muezzins und das Krähen der Hähne, dann stampfen Frauen Hirse mit langen Stößeln in Holzmörsern, die ersten Männer am Brunnen ziehen das Wasser mit Eimern aus der Tiefe, gießen es um in Krüge und Kanister. Ein- bis dreitausend Menschen wohnen in Dufuna, je nach Jahreszeit. Männer und Frauen wandern

Gabriele Hoffmann

durch ganz Westafrika auf der Suche nach Arbeit, wandern nach Niger, Tschad, Kamerun. Doch in diesem Jahr gibt es für die Bauern von Dufuna in der Trockenzeit Arbeit zu Hause: Sie graben das achttausend Jahre alte Boot aus.

Mittwoch, 25. März, acht Uhr morgens. Die Grube ist jetzt 4 m tief, der Aushub türmt sich meterhoch. Zuschauer klettern hinunter in die Grube mit Kalebassen und Kanistern: Wer das Grundwasser trinkt, in dem das alte Boot liegt, bekommt viele Rinder und viele Söhne – Töchter entstehen hier offenbar ohne Magie. Die Männer sind zu Fuß gekommen, auf Kamelen mit goldbestickten Satteldekken, auf lebhaften Pferden mit langen Schweifen, sind schwarzverschleiert, weißverschleiert, tragen Fez, Turban, Mütze zum Schutz vor der heißen Sonne und vor dem Harmattan, dem Staubwind.

Elf Uhr Vormittag. Die Aufregung unter den Arbeitern in der Grube steigt. Der erste hat mit der Hand das Boot gefühlt. Peter Breunig sagt: »Da ist eine Palme, von der wir wissen, daß sie zweitausendsechshundert Jahre alt ist. Das Boot ist unmittelbar unter der Palme.« Dann sagt er noch: »Das ist keine ordentliche archäologische Grabung. Die Männer sollen erst die Fläche sauber abgraben und die Mitte in Ruhe lassen, damit die Umgebung des Bootes gut durchfeuchtet bleibt. Aber wir sind auf die Arbeit von Leuten angewiesen, die noch nie an einer Ausgrabung teilgenommen haben. Die Koordination ist sehr schwierig, es gibt genauso viele Meinungen, wie es Teilnehmer gibt, jeder Handgriff wird hier diskutiert.«

Zwei Uhr mittags. Die Sonne brennt, dreihundert Leute gucken runter in die Grabung – die Männer in langen bestickten Gewändern, hellblau ist Modefarbe, die Frauen in Rot-Gelb, mit goldenen Ringen in der Nase. Der Wind bläst heiß wie aus einem Fön. Per und ich ziehen uns mit unseren Trinkwasserflaschen in den Schutz eines Termitenhügels zurück. Zwei Jäger liegen im spärlichen Schatten, ihre Speere an einen Dornbusch gelehnt, die Kalebassen neben sich. An dieser Seite der Grube stehen die Fulani, die Hirten, mit ihren Bögen und Pfeilen und eleganten Windhunden und sehen zu, wie die Haussa unten schuften. Ein Bauer besitzt höchstens zwei Kühe, die seinen Wagen ziehen. Ein Fulani dagegen folgt riesigen Rinderherden durch den Sahel, deren Besitzer oft in Städten leben.

Donnerstag, 26. März. Wie kriegt man ein langes, schmales, zerbrechliches Boot aus einem 5 m tiefen Loch die senkrechte

Wand hoch? Peter lässt die Bauern drei Terrassenstufen in die Wand hauen.

Heinrich Thiemeyer ist angekommen, in einem weißen Geländewagen, aus dessen Achse Öl tropft. Thiemeyer ist Professor für Bodenkunde in Frankfurt. Ich klettere mit ihm hinunter in die Grube. Er zeigt mir Holzkohle, Sande, Tone, Kiese, erklärt, daß hier vor achttausend Jahren strömendes Wasser war: Das Boot ist im Komadugu-Flußsystem gesunken, in einem Altlauf, der in den Tschadsee mündete, dem damals größten Binnengewässer der Erde.

Ich fühle mich schlapp – abends zeigt uns Thiemeyers Thermometer die Höchsttemperatur des Tages: 56 Grad Celsius. Wir sehen dem Sinken der Sonne zu, das Land ist rissig vor Trockenheit, eine Rinderherde zieht den Dünenhang hoch. Zur Zeit des Bootes gab es hier eine dichte Vegetation, es gab Elefanten, Giraffen, Gazellen, sagt Thiemeyer, Flußpferde, Krokodile, alles, was man in einem schönen Reservat heute zu sehen versucht. Peter Breunig gräbt seit Jahren im Norden Nigerias. Afrika ist so groß und so wenig erforscht, wenn man das mit Europa vergleicht, sagt er, hier steckt noch so viel im Boden, und das ist die Faszination, das ist wie eine riesige Wundertüte, von der man nicht weiß, was drin ist. Sein Spezialgebiet ist die Zeit vor viertausend Jahren: Er versucht zu rekonstruieren, wie die ersten Bauern das Tschad-Becken besiedelt haben. Doch dann hat die Wundertüte sich weit für ihn geöffnet und das Boot von Dufuna war darin – achttausend Jahre alt und von Leuten gebaut und gefahren, von denen die Archäologen kaum etwas wissen. Jäger und Sammler, sagt Peter, die wohl am Tschadsee fischten und jagten, die irgendwo zwei, drei Wochen ihre Windschirme oder Stangenzelte aufstellten, das hinterläßt keine archäologischen Spuren.

Per hat gesehen, daß das alte Boot viel empfindlicher ist, als die Archäologen zunächst dachten, und will es nun auf einer Trage aus der Grube heben lassen. Gesägtes steifes Holz für eine Trage aber gibt es nicht in Dufuna, und die Grabung zwei Tage anhalten und in die Stadt fahren, wo es vielleicht auch kein gesägtes Holz gibt, kommt nicht in Frage: Für Sonnabend haben sich schon die Officials aus Damaturu angesagt, wollen 200 km durch Hitze und Staub kommen, ein Staatssekretär mit Fernsehteam.

Freitag, 27. März. Heftige Böen wirbeln Sandwolken durch das

Gabriele Hoffmann

Camp. Per und Smaila bauen eine Trage, eine Leiter aus armdicken Bäumen, die der Dorfzimmermann am ausgetrockneten Fluß gefällt hat. Smaila bindet die Hölzer mit Garn aus Palmblattfasern zusammen. Per will die Trage polstern und läßt dazu unseren Zaun aus Hirsestrohmatten abbauen. Die Transportkiste für das Boot hat der Dorfschmied aus dünnem Stahlblech und Winkeleisen zusammengeschweißt. Stoßdämpfer sind alte Autoreifen, die der Lastwagen mitbringt. Der müßte jetzt längst unterwegs sein.

Nachmittags erkennen wir die Umrisse des Bootes – es ist sehr lang und schmal, hat spitze, fast elegante Steven, ich sehe die Fischer auf dem Tschadsee vor mir, die auf den Steven solcher Boote stehen und mit langen Stangen schwungvoll über den See staken. Aus den Seiten der Grube sickert Grundwasser, kleine Erdrutsche beunruhigen die Archäologen.

Der Große Tag, Sonnabend, 28. März. Im Camp belädt Per mit den beiden nigerianischen Konservatoren den Lastwagen und polstert die Transportkiste mit Schaumstoff aus. Der Lastwagen ist zu kurz, die Kiste steht 3 m über. Ein längerer Lastwagen war nicht zu bekommen, außerdem hätte der den Buschpfad nach Dufuna nicht geschafft. Unser Lastwagen ist grün und mit roten und weißen Blumen bemalt. Der Fahrer heißt Ibrahim und spricht nur Haussa.

Peter hat die Grube leergepumpt und Erdrutsche abgraben lassen. Sie haben in der Nacht das Boot beschädigt. Nun droht ein neuer Erdrutsch. Peter drängt zur Eile: »Wir können nichts mehr machen, da müssen jetzt die Gurte drunter, es rutscht laufend nach, ich weiß nicht, ob wir das Boot noch im Stück rausbringen.«

Die Zuschauer stehen sechs Reihen tief. Musa Hambolu ist aufgeregt, seit zehn Jahren arbeitet er an dem Projekt. Abubakar Gabar übersetzt, was Per Smaila sagt: »Fangt mit den Gurten an.«

Unten in der Grube ziehen auf jeder Seite des Bootes zwölf Männer Gurte unter dem Boot durch. Neben dem Boot liegt die Trage. Die Männer heben das Boot an – »kadankadan, haiahaia, haia!« – und setzen es auf die Trage – »hurraaa!«

Oben am Grubenrand schieben sich die Zuschauer. Die beiden Soldaten, die der Staatssekretär mitgebracht hat, haben in der einen Hand eine Maschinenpistole, in der anderen einen Zweig, mit dem sie auf Unvorsichtige einschlagen.

Zehn Männer stehen auf der ersten Galerie und ziehen an Seilen, die an der Trage mit dem Boot befestigt sind. Unten heben zehn Männer die Trage an und stemmen sie hoch. Nun feuern Hunderte sie an – »haia haia haia – hurraaa!« – und klatschen. Die zweite Galerie, die dritte – das Boot ist oben.

Der Laster ist rückwärts an eine Rampe gefahren. Die Zuschauer strömen herbei, wollen das Boot des Propheten Noah anfassen. Smailas Leute schieben die Trage mit dem Boot in die Transportkiste – »haia haia haia – hurraaa!« –, die Zuschauer klettern die Wände des Lastwagens hoch, Per und die nigerianischen Konservatoren stehen eingekeilt auf der Ladefläche, niemand hört auf sie. Der Staatssekretär drängt, das Boot sofort wegzufahren, ehe die Situation außer Kontrolle gerät und die Fulani, die es gefunden haben, gegen die Haussa, die es ausgegraben haben, kämpfen, um zu verhindern, daß das Boot weggeschafft wird.

Auf der Fahrt durch das Dorf zum Camp zerbricht das Boot in vier große Teile.

Durch dieses Reinschieben, das etwas unkontrollierte schnelle Hauruck, hat sich der Schaumstoff in der Kiste zu einem großen Berg zusammengeschoben, die Trage lag halb auf dem Berg, hing halb von ihm herunter, und durch die Schwingung der Ladefläche und der schlecht unterstützten Trage ist das Boot zerbrochen.

Alle sind tief enttäuscht.

Drei Stunden arbeiten Per und seine Kollegen bei vierzig Grad Hitze auf dem Lastwagen, machen ein neues, glattes Bett für das Boot, ein solides Paket: nasser Schaumstoff um das Holz, dann Folie und alles festverschnürt. Langsam steigt die Stimmung wieder. Dies ist nicht das erste Boot, dessen Teile Per mit Holzdübeln unsichtbar wieder miteinander verbunden hat.

Der LKW verläßt Dufuna, fährt auf der großen Sanddüne im Halbkreis: Der Fahrer sucht die Piste. Ibrahims Helfer fahren mit ihm, die nigerianischen Konservatoren und die beiden Soldaten mit den Maschinenpistolen, denn bewaffnete Räuberbanden streifen nachts über die Straßen. Es ist ein pathetischer Anblick – der hohe bunte Lastwagen mit der herabgelassenen Ladeklappe und der weit überstehenden schmalen Kiste, in der das achttausend Jahre alte Boot liegt. Staubwolken fegen über das gelbe Land.

Sonntag, 29. März, Damaturu. Die Konservatoren tragen die großen Teile des Bootes eine Betonrampe hinunter in die Konservierungshalle, die halb in die Erde gebaut ist, und legen die Teile in ein langes, wassergefülltes Becken. Das *Dufuna-Boot* hat sechs Stunden Nachtfahrt bestens überstanden und kommt nun in ein PEG-Bad.

3. Rettungsgrabungen sind immer noch ein großes Thema, an Land und unter Wasser. Die Archäologen verfeinern ihre Kunst, aus Spuren in der Erde unsere Geschichte zu entziffern, aber ihre Forschungsgegenstände nehmen rapide ab. Bagger in Städten, Tiefpflüge auf Äckern, Drainagen in Wiesen und Mooren, Saugbagger in Flüssen und Häfen zerstören Siedlungen, Gräberfelder, Schiffe.

Ich kenne aber auch eine lustige Geschichte, und sie kommt aus Dänemark. Das Wikingerschiffsmuseum in Roskilde baute einen Museumshafen für seine inzwischen große Sammlung nachgebauter alter Holzschiffe – es wächst zu einem Museum Dänischer Schiffahrt in prähistorischer und mittelalterlicher Zeit. Beim Ausschachten des Hafenbeckens kam eine ganze Flotte von Wracks aus der Wikingerzeit und dem Mittelalter ans Licht: Neun Schiffe fanden die Archäologen bis zur Eröffnung der Museumsinsel im Juni 1997, darunter ein Langschiff der Wikinger, mit 35 m Länge das größte, das je gefunden wurde, »die große Schlange« aus den Sagas. Das Museum konnte seinen Besuchern Rettungsgrabungen vor der Museumstür bieten: Feldarbeit unter Wasser und gerade über der Oberfläche – und wieder einmal pilgerte halb Dänemark zum Roskilde-Fjord und guckte zu.

Auch in Deutschland beobachten Archäologen Baustellen und bringen Wracks aus Tiefgaragen und Kiesgruben in Sicherheit.

An einem dunklen Sonntagabend im Herbst, es war der 8. November 1981, klingelte zu Hause beim Archäologen Gerd Rupprecht das Telefon. Ein freiwilliger Helfer erzählte ihm, er habe ein Stück eines eigenartigen Schiffs in der Baugrube des neuen Hilton Hotels in Mainz gesehen. Mit diesem Schiff begannen Rupprechts Schwierigkeiten.

Er fuhr sofort zur Baustelle und leuchtete den Schiffsteil mit der Taschenlampe ab. Am nächsten Morgen begann er, das Schiff freizulegen und zu vermessen, zwei Restauratoren, zwei Zivildienstleistende, zwei Auszubildende und eine Studentin halfen ihm mit Kellen, Spateln, Staubsauger. Der Bauleiter schickte den Bagger zu einer anderen Stelle der großen Baugrube. Ein solches Schiff war noch niemals gefunden worden. Jeden Tag konnte der erste Schnee fallen, jede Nacht der erste Frost einsetzen und das Schiff sprengen.

Ich sah das erste Römerschiff von Mainz wenige Tage nach dem Fund. Inzwischen waren zwei weitere Schiffe aus Erde und Grundwasser aufgetaucht. Gerd Rupprecht war übermüdet, nach dem Essen fuhr er gleich zurück in die kalte Nacht zum Wohnwagen der Archäologen auf der Baustelle. Das Gelände war nicht abgesichert, er hatte kein Geld für einen Wächter, also mußte er nachts selbst aufpassen, daß nicht Raubgräber sich ans Werk machten und alles zerstörten.

Am nächsten Morgen schien die Sonne, und ein scharfer Wind blies. Die Baugrube war ein tiefes, viereckiges Loch in der Stadt, 140 m lang und 30 m breit. In einer Ecke verbarg ein niedriges Dach Schiff Nr. 1. Die anderen beiden Schiffe lagen unter freiem Himmel zwischen den Fahrspuren der Kipplaster, Raupen und des Baggers. Von oben sahen die Bodenbretter und Spanten der Schiffe aus wie Skelette großer Fische. Ich stieg eine lehmige Leiter hinunter. Unten, in 7 m Tiefe, lief die Baustelle geräuschvoll weiter.

Gerd Rupprecht ließ seine Helfer gerade Matten aus Schaumgummi über das 20 m lange Schiff Nr. 1 legen und sie mit Wasser begießen, damit das Holz nicht trocknete. Er überlegte, improvisierte, organisierte. Und doch stand er ratlos vor diesem großen Fund – sagte er. Die Schiffe hatten ihn überrascht. Aber die Baustelle mußte weiterlaufen. Für jeden Tag, an dem auf Wunsch der Archäologen die Baufahrzeuge stillstanden, könnte die Firma Schadensersatz fordern. Er mußte überall in der Stadt nach Helfern herumtelefonieren, mußte die Technik einer Bergung klären, die Konservierung der Schiffe vorbereiten und vor allem von den Politikern das Geld für Graben und Bergen zusammenkratzen. Rupprecht ist Archäologe am Landesamt für Denkmalpflege Rheinland-Pfalz, der Etat sieht Schiffe nicht vor. Er und seine Kollegen waren entschlossen, alles zu versuchen, um die Schiffe zu bergen. »Wir wissen«, sagte er, »daß wir dies in unserem Leben nur einmal erleben werden.«

Drei Monate später endete die Grabung. Die Ausgräber fanden insgesamt fünf Römerschiffe, drei Floßbalken und ein Einbaumfragment. Alle Schiffe konnten geborgen werden, wenn auch nur das erste im ganzen. Die anderen mußten die Ausgräber zersägen,

Gabriele Hoffmann

herausholen, wie es eben ging. Es hieß, bei den Behörden habe drei Monate lang ein Stoßgebet kursiert: Lieber Gott, laß es nicht mehr als zehn Schiffe werden.

Die Schiffe von Mainz waren etwas völlig Neues. Holzbiologen bestimmten ihr Alter: Zwei der Schiffe wurden nach dem Jahr 376 gebaut, eines 394 repariert. Ein Schiff trug vielleicht ein Deckshaus und war ein Dienstschiff für höhere Verwaltungsbeamte, eins war wohl ein Truppentransporter, eins ein breites Lastschiff. Zwei sind schlanke schnelle Flußschiffe mit fünfzehn Ruderern auf jeder Seite, Kriegsschiffe, mit denen die Römer auf dem Rhein fuhren, als die Germanen über den Fluß drängten und das römische Imperium sich auflöste.

Ende April 1982 wurde Gerd Rupprecht wieder angerufen, wieder abends, wieder von einem der Helfer, die er gebeten hatte, eine Baustelle in der Stadt zu beobachten: Die Amateure hatten zwei Schiffe gefunden. Das war an einem Donnerstag. Bauherren und Baufirma gaben den Archäologen bis Montag Zeit. Rupprechts Ausgrabungsmannschaft und ihre Amateur-Freunde arbeiteten das Wochenende durch, und in der Nacht von Montag auf Dienstag bargen sie die Schiffe: römische Lastschiffe zum Transport von schweren Gütern, 11 m lang, fast 4 m breit, Typ Zwammerdam.

Überraschungen wie die Mainzer Römerschiffe warten auf jeden Landesarchäologen. 1991 erhielt die Archäologin in der Außenstelle Xanten des Rheinischen Amtes für Bodendenkmalpflege die Nachricht, in einer Kiesgrube bei Xanten-Wardt liege ein Schiff: Julia Obladen-Kauder fand 7 m eines früher mindestens 15 m langen Prahms aus der Römerzeit, der mit dem Boden nach oben lag, weil er offenbar gekentert war. 1993 meldete man ihr ein Schiff in einer Kiesgrube in Lüttingen bei Xanten, auch umgestürzt, über 30 m lang, fast 5 m breit – ein noch gewichtigeres Problem für die unerschrockene Archäologin, die beide Prahme geborgen hat. Sie haben vermutlich Steine und Kalk zum Bau der großen Römerstadt bei Xanten – Colonia Ulpia Traiana – gebracht. 1994 gruben Archäologen des Bayerischen Landesamts für Denkmalpflege zwei Römerschiffe in Oberstimm bei Ingolstadt aus, in einem verlandeten Seitenarm der Donau. Zehn Holzpfähle sind in späterer Zeit durch die Rümpfe gerammt worden, möglicherweise als Uferbefestigung.

Auch Schiffe, die unter Wasser liegen, können plötzlich gefährdet sein. Der Student Dietrich Hakelberg hatte eigentlich bei Immenstaad am Bodensee nach Resten von Pfahlbauten gesucht. Er fand das erste mittelalterliche Wrack im See, ein Schiff aus dem 14. Jahrhundert. Zehn Jahre später, 1991, grub er es im Auftrag des Landesdenkmalamtes Baden-Württemberg aus: Bulldozer sollten in der Flachwasserzone fahren, die Gemeinde wollte das Ufer verändern. Die Ausgräber bauten einen Sandsackdamm um das Wrack und legten die Fundstelle trocken, damit sie in Gummistiefeln arbeiten konnten. Die flachen Bodenplanken und der untere Teil der Seitenwände waren erhalten. Das Schiff war schmal und lang, trug sicher ein Segel und wurde bei Windstille gerudert. Die Schiffahrt auf dem See unterstand damals den Klöstern. In St. Gallen gibt es eine Miniatur, die zeigt, wie zwei Klosterbrüder die irischen Mönche Columban und Gallus von Arban nach Bregenz rudern, ein Bruder rudert im Bug, einer im Heck.

Die Archäologen am Bodensee, die seit vielen Jahren über die versunkenen Welten in den Pfahldörfern nachdachten, fingen nun an, mit Side-Scan-Sonar nach Wracks zu suchen. Die Eisenbahn hat erst vor hundert Jahren die Lastschiffe am See abgelöst, und doch weiß niemand mehr, wie diese Schiffe aussahen. 1995 hatten die Archäologen zehn historische Wracks verzeichnet, ein Jahr später 23.

Deutschland ist zum Thema Unterwasserarchäologie lange Jahre stumm gewesen. Die Bremer Hanse-Kogge ist weltberühmt, und die Forschungsgrabungen in Haithabu an der Schlei und in den Pfahldörfern am Bodensee haben Maßstäbe gesetzt. Doch zahlreiche Forschungen gingen im föderalistischen Bundesstaat unter, tauchende Archäologen arbeiteten vereinzelt und veröffentlichten kaum. Das ändert sich seit 1993. Jedes Bundesland hat einen Landesarchäologen, und die sechzehn Landesarchäologen haben einen Verband. Mitglieder des Verbandes – Helmut Schlichtherle mit Kollegen und Freunden – gründeten 1993 eine Kommission für Unterwasserarchäologie, und diese Kommission gründete einen Arbeitskreis. Fünfzig, sechzig Männer und Frauen treffen sich nun einmal im Jahr, berichten von ihren Forschungen unter Wasser und geben eine Zeitschrift heraus. Die Folgen: Gestandene Archäologen melden sich zu Forschungstauchlehrgängen an; Studenten und Studen-

Gabriele Hoffmann

tinnen kämpfen sich durch unsichtige Flüsse mit reißender Strömung; Forscher aus Mecklenburg-Vorpommern berichten Jahr für Jahr von neuen Überraschungen vor ihrer 1470 km langen Ostseeküste.

Die Unterwasserarchäologie in Deutschland ist in Schwung gekommen.

Nach der Wende

Harald Lübke holt mich mit dem Schlauchboot. Vor dem Hafen von Timmendorf auf der Insel Poel liegt ein kleines rotes Boot mit Sonnendach vor Anker und schaukelt wild, ich sehe den Horizont unter dem Dach, über dem Dach, unter dem Dach. »Vor Anker werde ich seekrank«, sage ich, »das halte ich nicht durch auf Ihrem Tauchboot.«

»Wenn's zu schlimm wird, gehen wir einfach ins Wasser«, sagt Jana zu mir, als ich an Deck des kleinen roten Bootes stehe, die Zeichnerin, die mit Lübke taucht. Eckbert Grundmann, der Eigner des Bootes, gehört zum Team und James, ein tauchender Archäologe aus Florida. Tauchanzüge hängen über den Stangen, die das Sonnendach tragen, die Hosenbeine schaukeln. Auf dem Heck steht die Pumpe für die Saugrohre der Archäologen.

Im Steuerhaus, unten in der dunkelsten Ecke, kauert ein Diplomingenieur und versucht, auf dem Bildschirm eines Laptops zu erkennen, was sein Sonargerät anzeigt, das oben auf der Steuerbordseite an einer Stange im Wasser hängt. Harald Lübke sagt: »Ich muß mir Geräte vorführen lassen, ausprobieren, was ich brauche und was ich mir leisten kann bei der Suche nach Fundplätzen. Die Wismar-Bucht hat noch mehr Überraschungen für mich.«

Das Boot ankert neben einem Wohnplatz aus der Steinzeit. Harald Lübke hat ihn im Mai 1999 gefunden, am Dienstag nach Pfingsten. Er sah fünf Steinbeile in 2, 3 m Wassertiefe auf dem Boden liegen. In den nächsten vier Tagen fand er achtzig Flintbeile. Heute hat der Wohnplatz einen Namen – Timmendorf-Nordmole – und liegt unter einem Vermessungsgestänge aus Eisenrohren und Stahlseilen. Das Gestänge bedeckt 210 m mal 180 m Meeresboden. Lübke hat Keramikscherben mit verkohlten Speiseresten zur 14-C-Datierung gegeben. Ergebnis: Von 4400 bis 4100 v. Chr. war der Platz bewohnt, bis zu den Jahren, in denen die Jäger und Sammler plötzlich zur Landwirtschaft wechselten. Anderthalb Jahrtausende lebten Jäger und Bauern nebeneinander, dann gaben die Jäger ihre Lebensform auf – was war geschehen? Das ist eine der großen Fragen der Steinzeit-Archäologie, und um sie geht es auch in Lübkes Forschungsprojekt. Nur unter Wasser finden Archäologen eindeutige Schichten und Daten, die das bisherige Bild der Entwicklung korrigieren. Harald Lübke: »Das Besondere hier ist die phantastische Erhaltung der Holzfunde. An Land sehen wir nur Steingeräte, aber hier liegen hölzerne Aalgabeln und Speerschäfte im Sand, ich habe den Griff eines Bogens aus Ulme gefunden, Stücke eines Paddels, Reste von Einbäumen aus Lindenholz – alles wie auf dem berühmten Platz in der Tybrind-Bucht.«

Als Kind suchte Harald Lübke an den Steilküsten der Ostsee Versteinerungen, die Eltern hatten eine Wohnung in Grömitz. Später studierte er in Hamburg Archäologie, Geologie und Bodenkunde, beschäftigte sich seit dem dritten, vierten Semester mit Steinzeit. Ihn interessiert: Wie ist die Landschaft gewachsen seit dem Ende der Eiszeit, und wie haben die Menschen sich zurechtgefunden? Er arbeitete an einem Forschungsprojekt des Landesmuseums Schleswig mit, lernte tauchen, um Steinzeit zu sehen, gehörte zum Team einer Unterwassergrabung von Jørgen Skaarup in Dänemark, promovierte in Kiel. 1997 ist er nach Mecklenburg-Vorpommern gekommen, um Steinzeitplätze unter Wasser zu suchen und zu erforschen, erhielt einen Zeitvertrag vom Landesamt für Bodendenkmalpflege. Laut Fritz Reuters Urgeschichte liegt das Paradies in Mecklenburg, aber wo es genau liegt, wußte Reuter nicht. Harald Lübke weiß es: unter Wasser. »Hier ist noch alles da, man sucht noch. In Schleswig-Holstein ist die Steinzeit zerstört – denken Sie an den Jachthafen Burgstaken: alles ausgebaggert, weg. Hier geschah vor der Wende gar nichts.« Er ist mit seinem Beruf sehr zufrieden, »es ist alles so spannend.«

Der Ingenieur und James, der schweigsame Archäologe aus Florida, holen eine Leine ein und heben eine Unterwasser-Videokamera an Bord, nehmen die Holzstange und das Sonargerät auseinander. Ein heftiger Regenguß prasselt auf die Dachplane, wir rücken zusammen, um nicht naß zu werden.

Grundmann und Jana reichen Teller mit Kartoffelsuppe aus dem Steuerhaus.

Der Ingenieur hat früher in der Fischereiwirtschaft der DDR gearbeitet, mit Sonar Fischschwärme gesucht und mit Video überwacht, ob das Schleppnetz sich öffnete und richtig stand. »Unterwassertechnik« steht auf seiner Visitenkarte, er ist aus Rostock. Heute vermietet er seine Geräte und sich selbst an Archäologen und Geologen.

Harald Lübke zeigt mir eine Seekarte der Wismar-Bucht und eine Sonarkarte, die aus Sonogrammen vieler Suchfahrten in der Bucht zusammengesetzt ist. Die Seekarte zeigt Höhenlinien, die Sonarkarte zeigt das Relief der Landschaft unter Wasser mit Strömungsrinnen alter Flüsse, mit Abbruchlinien und Torfkanten. Torfschichten kommen aus dem Binnenland, eine Torfkante war irgendwann einmal die Uferlinie – die Wohnplätze der letzten Steinzeitjäger lagen am damaligen Ufer. Für seine Suche rekonstruiert Lübke die Landschaft, die früheren Küstenlinien, die Buchten, Erhöhungen, Landzungen – Nasen, sagt er. Die Nasen waren trockenes Land, als die Gletscher schmolzen, und sind heute Untiefen vor der Küste.

Grundmann hebt den Anker: Wir fahren zur Untiefe Jäckelberg-Nord, 1,5 Seemeilen nördlich von Poel. Dort kann man nur arbeiten, wenn das Wetter gut ist. Wir fahren mit dem Wind, die Sonne scheint wieder, kleine Wellen glitzern. Dies wäre herrliches Segelwetter, aber auch das kleine rote Motorboot liegt nun, wo es nicht mehr an seiner Ankerkette zerren muß, schön ruhig.

»Den Kompaß hab ich weggepackt, ich steure nur noch nach GPS«, sagt Eckbert Grundmann. GPS heißt Global Positioning System: Ein kaum handgroßer flacher Kasten verbindet das Boot mit mindestens sechs der 24 Navigations-Satelliten, die in 20 000 km Höhe die Erde umkreisen. Das Boot heißt *Goor* wie das Gehöft auf Rügen, das Grundmann gehört. Auch ihn als Techniker bezahlt das Landesamt aus den verschiedensten Töpfen mit Zeitverträgen, im Augenblick über SAM: Strukturanpassungsmaßnahme. »Seit 22 Jahren bin ich auf dem Wasser«, sagt er und streicht mit der Hand über seinen langen Pferdeschwanz.

Zu DDR-Zeiten war Tauchen mit Atemgeräten vor der Küste verboten, damit niemand fliehen konnte. Als Badeurlauber im Ostseebad Kühlungsborn zwei Wagenräder aus der Bronzezeit im Wasser entdeckten, mußten Wissenschaftler mit Schnorcheln sie von Luftmatratzen aus hochholen. Nur einige Marinetaucher und ihre Freunde bekamen zeitweise eine Ausnahmegenehmigung, Grundmann gehörte zu ihnen und Thomas Förster.

Thomas Förster lud gleich nach der Wende archäologiebegeisterte Sporttaucher aus dem Westen zu einem ersten Treffen mit seinen Tauchfreunden auf Hiddensee ein. 1993 wurde Friedrich Lüth aus dem Westen Landesarchäologe in Mecklenburg-Vorpommern, das Land bekam ein Denkmalschutzgesetz. Der Bau der ersten neuen Jacht- und Fährhäfen bedrohte nun die Denkmäler im Meer. Thomas Förster hatte inzwischen studiert und war Diplom-Museologe geworden. Nun begann er, für das Landesamt für Bodendenkmalpflege zu tauchen und mit seinen Freunden Wracks zu suchen: Friedrich Lüth wollte einen Überblick über die Fundstellen unter Wasser bekommen. Er holte Harald Lübke als Steinzeit-Spezialisten. »Steinzeit muß man selbst suchen«, sagt Lübke.

Wir sind auf dem Jäckelberg, einer Bank in 7 m Wassertiefe. Das Ostseewasser ist dunkel, ich kann nicht hineinsehen. Jäckelberg ist der älteste der Plätze, die Lübke gefunden hat, tausend Jahre älter als Timmendorf-Nordmole: 5300 bis 5100 v. Chr.

Grundmann wirft eine rote Boje über Bord, um die Teststrecke zu kennzeichnen. Der Diplomingenieur setzt die Videokamera ins Wasser und steckt das Sonargerät an die Stange. Jana hilft ihm, aufmerksam und eifrig, und hält die Stange über Bord, während er die Bildschirme einstellt.

Wir fahren langsam gegen Wind und Strom, die *Goor* schleppt die Videokamera hinter sich her und, in einiger Entfernung, das silberne Schlauchboot. Der Wind nimmt zu, das Wasser wird unruhiger.

Der Bildschirm des Laptops unten in der dunkelsten Ecke des Steuerhauses zeigt braunrote Flecken vor einem hellblauen und grünen Hintergrund. »Das könnte etwas sein«, sagt der Ingenieur. »Ein großer Stein oder ein Baumstamm«, sagt Lübke. Auf dem winzigen Bildschirm der Videokamera sehe ich die Spitzen von Seegras.

Wir fahren zweimal, dann wirft Grundmann den Anker aus. Jana sagt zu mir: »Richtig schlimm wird es schon nicht.« Grundmann sagt: »Das schaukelt so, weil ich nur 70 cm Tiefgang habe, was aber wieder gut ist bei der Arbeit, die wir machen.«

Gabriele Hoffmann

Lübke steigt als erster in seinen Tauchanzug, dann James. Sie wollen unter Wasser ein Dreibein aufbauen und ein Rundum-Sonar daraufsetzen. »Begrenzung der Tauchzeit ist im flachen Wasser die menschliche Blase«, sagt Lübke.

Grundmann hilft Lübke, Jana James: Sie ziehen den Tauchern den Reißverschluß auf der Schulter zu, geben ihnen den Bleigürtel, die Flossen, die Luftflasche, die Handschuhe und knoten als letztes den Blupp an, eine Boje, die anzeigt, wo der Taucher gerade ist. Lübke bläst seinen Anzug etwas auf und läßt sich ins Wasser platschen.

Grundmann hat schon unzählige Male Tauchern geholfen und überprüft, ob die Ausrüstung gut sitzt. Viermal im Jahr geht er zehn Tage lang als Technikwart mit Harald Lübke, Thomas Förster und Sporttauchern des Landesverbandes für Unterwasserarchäologie Mecklenburg-Vorpommern auf Forschungsfahrt. Die Verbandsmitglieder suchen ehrenamtlich Fundstellen, dafür bekommen sie vom Bildungsministerium in Schwerin Geld, von dem sie den *Seefuchs* chartern.

Der *Seefuchs* gehört vier Schiffahrtsenthusiasten und ist ein umgebauter Fischkutter vom ehemaligen VEB Fischereikombinat Saßnitz. Er ist rotgestrichen, 26,50 m lang, aus Stahl und hat 3,50 m Tiefgang. Archäologen der Universitäten Rostock und Greifswald und bis zu zehn ehrenamtliche Taucher fahren mit, es ist dann eng an Bord. Studenten gehören dem Verband an, Wasserschutzpolizisten, ein Bauunternehmer, kaum Frauen.

Lübke und Förster nehmen Sonarkarten von ihren Suchfahrten mit der *Goor* mit auf den *Seefuchs* und Luftbilder, die ein fliegender Archäologe aus Bayern aufnimmt und die bis in 6 m Wassertiefe Wracks zeigen. Sie haben Wrack-Meldungen der Vermessungsschiffe des Bundes und Meldungen von Fischern.

Sie fahren mit den Sporttauchern die Küste entlang, tauchen die vielversprechenden Stellen an und beurteilen sie. Die ehrenamtlichen Helfer vermessen Funde, fotografieren und filmen sie, erbohren Holzproben zum Datieren. Die Archäologen finden Strandungswracks und verlorene Schiffsladungen, Hafenbauten und Sperrwerke aus dem Mittelalter, Handelsschiffe aus dem 19. und 20. Jahrhundert, Kriegsschiffe aus dem Zweiten Weltkrieg. Auf einer ihrer ersten Fahrten 1996 sahen sie gleich 35 Fundstellen.

Heute kennen sie siebenhundertfünfzig Fundstellen, zu einhundertachtzig ist Thomas Förster hinabgetaucht. Er sitzt jetzt zu Hause und schreibt an seiner Doktorarbeit über die Koggen, die er gehoben hat, das Gellen-Wrack und das Poeler Wrack.

Das Gellen-Wrack entdeckte Förster im August 1996 westlich von Hiddensee – Gellen heißt der Süden der Insel. Ein Teil der Backbordseite eines großen geklinkerten Schiffs lag platt in 3,50 m Tiefe. Alarmierend: Die Wrackhölzer hatten Fraßgänge von Teredo navalis, Pfahlbohrmuscheln. Larven waren mit einem Salzwassereinbruch 1993 aus der Nordsee in die Ostsee gekommen und hatten sich bis Rügen ausgebreitet. Sie wachsen im Holz, fressen immer größere Gänge, bis sie erwachsen und 1 cm dick und 15 bis 20 cm lang sind.

Förster barg das Wrackteil von Juni bis September 1997 vom *Seefuchs* aus. Vier Mann Besatzung waren an Bord, sechs Forschungstaucher, drei Zeichner und bis zu acht freiwillige Helfer. Sie sägten die Holzdübel durch und hoben Spanten und Planken einzeln.

Ein Viertel des Rumpfes ist erhalten, Bug und Heck fehlen, das Schiff könnte 26 bis 28 m lang gewesen sein. Es hat eine innere geklinkerte Beplankung, die auf 1369 datiert ist – die Planken überlappen sich wie Dachziegel –, und eine äußere kraweelgebaute Aufplankung – die Planken stoßen glatt aneinander –, die Schiffbauer dreißig Jahre später annagelten: Vielleicht war das Schiff weichgesegelt, und seine Verbände leckten. Zum Kalfatern nahmen die Schiffbauer Tierhaar. Die Planken sind aus Kiefer und gespalten, nicht gesägt, und das Schiff hat einen Balkenkiel. Die Archäologen fanden auch seine Ladung, Platten aus Muschelkalk von der Insel Öland. Vielleicht waren sie für eine der großen Kirchen an der südlichen Ostsee bestimmt: Ein Bronzetopf an Bord trägt das Lübecker Wappen.

Die Planken kamen in die neue Konservierungswerkstatt des Landesamtes in Schwerin. Das Bundesland Mecklenburg-Vorpommern präsentierte sich mit einigen von ihnen auf der Expo 2000 in Hannover. Heute kann man das Gellen-Wrack im neuen Museum für Unterwasserarchäologie in Saßnitz bestaunen, im Abfertigungsgebäude des ehemaligen Fährhafens.

Das Poeler Wrack entdeckte Thomas Förster im Mai 1999 vor der Hafeneinfahrt von Timmendorf – bei demselben Tauchgang, bei dem

Gabriele Hoffmann

Harald Lübke zum ersten Mal über den Steinzeitplatz Timmendorf-Nordmole schwamm, während Förster seinen Fund aus dem Mittelalter bestaunte. Ein ehrenamtlicher Bodendenkmalpfleger hatte nach einem Nordweststurm am Strand einen großen Spant gefunden, das Landesamt ließ ihn datieren: Fälldatum 1354, Kiefernholz aus der Gegend von Thorn. Förster hatte sich mit Poeler Fischern unterhalten und Luftbilder herausgesucht und sah nun das Wrack 150 m nordwestlich der neuen Hafenmole. Die Mole war im Vorjahr verlängert worden, die Strömung hatte sich daraufhin verlagert und das Wrack freigespült. Pfahlbohrmuscheln fraßen an ihm, und die Brandung drohte es beim nächsten Sturm zu zerbrechen.

Im Oktober 1999 hatte das Landesamt das Geld für Dokumentation, Bergung und Konservierung zusammen: Bund, Land und die Deutsche Stiftung Denkmalschutz stellten 2,4 Millionen Mark bereit. Die Arbeit begann sofort und lief den Winter durch bis zum Frühjahr 2000.

Auch dieses Wrack lag platt auf dem Meeresboden. Die Hölzer waren groß und massiv, der gefundene Spant gehörte zum Schiff. Wieder sägten die Archäologen und ihre ehrenamtlichen Helfer Holznägel per Hand durch. Sechzig bis siebzig Prozent der Rumpfschale waren erhalten.

Das Schiff ist geklinkert und war wohl einmal 26 m lang. Sein Achtersteven ist sehr steil, der Vordersteven gekurvt – anders als bei der Bremer Kogge, die auch einen geraden Vordersteven hat. Das Schiff auf dem alten Stadtsiegel von Stralsund hat gerade Steven, das Schiff auf dem Siegel von Wismar aber einen geraden Achter- und einen runden Vordersteven. Förster fand im Poeler Wrack viele Übereinstimmungen mit dem Gellen-Wrack. Er hat eine besondere Koggenform entdeckt, die er baltische Kogge oder Ostsee-Kogge nennt.

Im März 2000 lag die Poeler Kogge in Schwerin in der Konservierungswerkstatt.

Die Taucher suchten nach Ballast und Ladung der Kogge und fanden dabei drei Wracks aus der Zeit vom 15. bis 19. Jahrhundert.

Die Überraschungen hörten nicht auf.

Im Juli 2000 fanden die Archäologen und ihre Helfer Reste einer Kogge vor der Halbinsel Darß. Rettungsschwimmer hatten sie schon 1977 gesehen und ihren Fund dem Schiffsmuseum in Rostock gemeldet, was aber verloren ging. Nun zeigten sie Thomas Förster die Kogge und erzählten von weiteren Wrackfunden. Das Holz der Kogge vor dem Darß ist zwischen 1277 und 1293 in Elbing gefällt worden. Sie war 17 m lang und ähnelt der Bremer Kogge, und zu ihrer Ladung gehörten rote Dachpfannen und Wetzsteine.

Im Sommer 2001 will Förster nach einer Fahrwassersperre aus vierzig schwedischen Schiffen suchen, die 1712 im Nordischen Krieg westlich von Rügen versenkt wurden.

Bei uns auf der *Goor* ist das Kabel für das Sonargerät zu kurz und reicht nicht vom Deck bis zum Dreibein unter Wasser. Grundmann springt ins Schlauchboot, startet den Außenborder, ein silbernes Ungetüm mit sonorem Klang, und legt einen zweiten Anker für die *Goor* aus, bringt sie damit näher an das Dreibein. Jetzt liegt das kleine Boot vor zwei Ankern quer zu Wind und Strom, und ich befürchte das Schlimmste.

Als Harald Lübke an Bord klettert und einen Stein zeigt, fällt mir selbst auf, daß ich recht still bleibe. Von diesem Stein haben Männer vor über siebentausend Jahren scharfe Klingen abgespalten. Er lag einfach auf dem Meeresgrund.

Wir fahren an der Küste von Poel zurück. Dramatische Wolkenberge ziehen auf, die Sonne beleuchtet den Abendhimmel. Das Boot kracht in die Wellen, Gischt fliegt über das Steuerhaus. Das Schlauchboot tanzt hinter uns her.

Zwölf Steinzeitplätze hat Harald Lübke in der Wismar-Bucht gefunden. Er ist überzeugt: »Da liegen noch viel mehr.« Sein Ziel für die nächsten Jahre: Er will sich an einem großen Forschungsprojekt zur Küstenentwicklung und Siedlungsgeschichte an der Ostsee beteiligen, bei dem Geologen, Geographen, Botaniker, Zoologen, Dendrologen, Klimaforscher und eben auch Unterwasserarchäologen zusammenarbeiten.

Bloß keine zweite Wasa

Angesehene Archäologen fordern immer schärfer, alle Kollegen mögen doch endlich die Schatzjagd unter der Maske der Archäologie sein lassen und sich auf die Frage besinnen: Was wollen wir eigentlich wissen? Wenn man nichts wissen will, möge man die

Gabriele Hoffmann

Wracks und die Siedlungen lassen, wo sie sind, meint der Niederländer Thijs Maarleveld. Man dürfe nicht in einen Fundrausch geraten, aus dem wissenschaftlich nichts herauskomme, man müsse seine Ziele klar formulieren, seine Fragen wohl geplant und ruhig lösen.

Vom Heben der *Wasa* gingen entscheidende Anstöße aus für die Entwicklung der Archäologie unter Wasser. Heute sagen schwedische Unterwasserarchäologen: bloß keine zweite *Wasa!*

»Ohne die *Wasa* hätten wir niemals eine Unterwasserarchäologie in Schweden betreiben können«, sagte die Schiffsarchäologin Sibylla Haasum mir einmal im altehrwürdigen Seefahrtsmuseum Stockholm. »Ein zweites Schiff wie die *Wasa* würde aber wieder alle Gelder im Land auf sich ziehen, und keiner von uns könnte an seinen Forschungen weiterarbeiten.« 35 Jahre kostspieliger Arbeit folgten dem Entschluß, die *Wasa* zu heben, Jahre, in denen den Archäologen für neue Forschungen immer Geld fehlte, weil man es für die *Wasa* brauchte.

Vor der schwedischen Küste liegen viele sehr große und guterhaltene Wracks, und Tausende von Schiffsuntergängen kennen die Archäologen aus den Archiven. Sie können nicht alle Funde auf dem Meeresgrund bergen und müssen sorgfältig abwägen, wofür sie sich entscheiden.

Ihr Ziel ist eine Wrackaufnahme. Sie nehmen Fundmeldungen von Amateurtauchern in ein Verzeichnis auf und sehen sich die Funde an, sammeln Wracks, um später gezielt Lücken in ihrer Kenntnis der Geschichte füllen zu können. Bei ihrer Entscheidung, an welchem Wrack sie arbeiten wollen, geht es nicht um Heben oder Nichtheben. Alle Schiffe sollen bleiben, wo sie sind – Denkmäler auf dem Meeresgrund. Es geht darum, welche Schiffe sie genauer ansehen, welche sie außerdem mit Video filmen und an welchen sie Meßdaten für Computermodelle sammeln. Auch das kostet Zeit und Geld.

Trotzdem bleibt die Frage, was sie mit großen Wracks machen sollen, denen Zerstörung droht – an den Küsten durch Tiefbau, im Meer durch plündernde Sporttaucher. Sollen sie diese Wracks dokumentieren und wenn ja, wie? Sollen sie einige Gegenstände heben, um Alter und Namen des Wracks herauszufinden? Ist es jedoch sinnvoll, noch mehr Kanonen aus der Tiefe zu holen? Oder müssen sie die Kanonen bergen, um das Risiko des Plünderns zu vermeiden? Die Archäologen gehen in die Tauchclubs und unterrichten die Neugierigen. Doch nicht alle Taucher gehören Clubs an, und viele verstehen nicht, weshalb die Archäologen auf eine aufregende Grabung verzichten und sich mit Wrackregister, Videofilmen und Computerzeichnungen begnügen.

Jeden Tag kann das Telefon in einem Museum klingeln und jemand den Fund eines Wracks wie der *Wasa* melden. Viele Leute suchen, wie früher Anders Franzén, Kriegsschiffe aus dem 17. Jahrhundert. Franzén fand zum Schrecken der Archäologen 1980 *Kronan*, die Krone. Sie war eine Riesin unter den Schiffen ihrer Zeit – 2140 t Wasserverdrängung, 60 m lang, 14 m breit, 128 Kanonen – und blieb auch nach ihrem Untergang 1676 eine Legende in Schweden. *Kronan* hätte eine zweite *Wasa* werden können. Doch dieser Kelch ging an Archäologen und Museumsleuten vorüber. Sie wußten, daß *Kronan* in einer Seeschlacht explodiert war, wußten aber nicht, daß – wie Franzén und seine Freunde nun in der Tiefe sahen – nicht sehr viel vom Rumpf übriggeblieben ist. Der eifrige Sporttaucherclub von Kalmar und das dortige Museum bekamen die Erlaubnis, *Kronan* auszugraben unter den Bedingungen, daß dies die schwedische Regierung nichts kostet und daß die Funde ordentlich konserviert werden. Heute erzählen alle liebevoll von der Arbeit der Provinzialarchäologen und Amateurtaucher, die vor Öland Kanonen, Goldmünzen, Navigationsinstrumente aus der *Kronan* bergen und im alten Schloß in Kalmar eindrucksvoll ausstellen – und immer noch davon träumen, einen Teil des Schiffs zu heben.

Noch einmal wogten die nationalen Gefühle in Schweden, als es hieß, *Lybska Svan* liege in der Tiefe vor Dalarö, der Schwan von Lübeck, das Flaggschiff Gustav Vasas. Gustav Vasa regierte von 1523 bis 1563 und stellte die Unabhängigkeit Schwedens von Dänemark wieder her. Der Schwan von Lübeck war das älteste der Königsschiffe, die die Phantasie von Anders Franzén und, später, die Phantasie der Nation beflügelten – Schiffe aus Schwedens großer Zeit. Presse und Fernsehen überschlugen sich. Plünderer, die geschmiedete Hinterlader hoben, und Polizisten, die dies verhindern wollten, lieferten sich Verfolgungsjagden.

Doch dann inspizierten Archäologen das Wrack näher, 1994, und fanden heraus, daß es für den Schwan zu klein ist. Nach ihrem

Gabriele Hoffmann

Befund müßte es das kraweel gebaute Schiff sein, das in historischen Quellen erwähnt wird: Gustav Vasa sandte das Kraweelgebaute aus, um Kanonen und Ausrüstung vom aufgegebenen *Svan* zu retten. Es ist also ein Bergungsschiff, das bei seiner Rückkehr nach Stockholm selbst Schiffbruch erlitt.

Das Interesse der Öffentlichkeit verschwand schlagartig. Alle waren ernüchtert und kehrten in ihren kleinen Alltag zurück. Nur ein paar tauchende Archäologen atmeten auf, die immer schon gesagt hatten: »Schiffe der Könige – wozu?«, und die am Programm zur Erforschung von Handelsschiffen mitarbeiten, ihrem neuen Ziel. Das Seefahrtsmuseum und die Abteilung Archäologie der Universität Stockholm haben ein gemeinsames Forschungsprogramm formuliert. Archäologen und Studenten graben Reste von Handelsschiffen aus, die nach 1600 gesunken sind. Sie wollen ein Archiv von Befunden schaffen, mit dessen Hilfe man Handelsschiffe, die in historischen Quellen genannt werden, identifizieren kann.

In Deutschland ist die Archäologie etwas anders organisiert als in Schweden, aber die Ziele der Archäologen sind die gleichen. An Land suchen Archäologen seit Jahrzehnten nach Bodendenkmälern in Städten, Wäldern und auf Feldern, verzeichnen sie in Karteien und stellen sie unter Denkmalschutz. Nur das, was von Zerstörung bedroht ist, graben sie aus. Alles übrige bleibt, wo es ist – warum soll man einen Grabhügel, der seit Jahrtausenden zum Bild der Landschaft gehört, jetzt zerstören? Nur eine wohlbegründete Forschungsgrabung rechtfertigt einen Eingriff in die historisch gewachsene Landschaft, die selbst ja auch von der Geschichte der Menschen erzählt, die hier lebten. Eine solche Denkmalaufnahme streben die Archäologen nun auch auf dem Meeresgrund an.

Am 1. Januar 1996 ist die Bundesrepublik gewachsen: Ihre Grenze liegt jetzt zwölf Seemeilen oder 22 km vor der Küste. Da der letzte Meßpunkt vor der freien See die Insel Helgoland ist, hat sich die Hoheitszone beträchtlich vergrößert. Kultur ist bei uns Ländersache, und so sind die Bundesländer Mecklenburg-Vorpommern und Schleswig-Holstein für die Ostseeküste zuständig und Schleswig-Holstein und Niedersachsen für Denkmalschutz und Denkmalpflege vor der Nordseeküste. Über die Suche nach Fundstellen unter Wasser vor der Ostseeküste habe ich schon erzählt. Auch an der Nordsee geschieht nun etwas.

Jeden Sommer fährt der Archäologe Hans Joachim Kühn, wenn er Zeit hat und das Wetter schön ist, mit Studenten und Helfern im flachen Schlauchboot systematisch das Wattenmeer ab und sucht nach Schiffsresten und Siedlungsspuren, die er in eine Liste einträgt. An der nordfriesischen Küste gab es große Sturmfluten, in denen Dörfer, Äcker und Friedhöfe untergingen, und über tausend Schiffsunglücke. Ebbe und Flut verändern Sande und Watten, was Kühn heute sieht, ist morgen für lange Zeit verschwunden, und die See legt Neues frei. Was freiliegt, ist den nagenden Kräften des Gezeitenmeeres ausgesetzt und der Bohrmuschel Teredo navalis. Von Dauer ist hier nichts, sagt Kühn.

Das gilt auch für die weite Flußmündung der Elbe mit ihren wandernden Sanden. Der Gezeitenstrom läuft hier gewöhnlich mit drei Knoten und kann schon bei etwas Wind sehr zunehmen. Die Elbmündung ist der größte Seeschiffahrtsweg der Welt, ist ausgemessen, betonnt, mit einem Radarleitsystem versehen und ist doch wild und schön geblieben. Für Archäologen war sie lange unbekannt wie der Mond.

Das änderte sich 1995, als Hamburg die Elbfahrrinne vertiefen wollte. Für Bauvorhaben an Land muß in Schleswig-Holstein der Landesarchäologe gehört werden – nun wollten die Archäologen zum ersten Mal unter Wasser prüfen, ob durch das Baggern in der Elbe Denkmäler beschädigt würden. Beim Bau der Brücke zwischen den dänischen Inseln Fünen und Seeland fanden Taucher auf dem Grund des Großen Belts allein zwanzig steinzeitliche Siedlungen in 8, 9 m Wassertiefe. Die Siedlungen sind heute verloren, aber Forscher konnten sie noch untersuchen.

Bei der ersten Anhörung traten die Archäologen von Schleswig-Holstein, Niedersachsen und Hamburg gemeinsam auf. Die Wasserbauer waren mäßig begeistert, berichtete Willi Kramer. Erstens sollte das neue Gesetz über Umweltverträglichkeitsuntersuchungen durch Archäologen erst ein Jahr später in Kraft treten, zweitens sollten sie die Untersuchung selbst bezahlen, und drittens waren sie der Meinung aller Bauingenieure: Wenn man was findet, hält das nur auf.

Schließlich gaben die Wasserbauer nach. Martin Kolb, der über die Pfahlbausiedlung vor Sipplingen promoviert hat, kam aus Süddeutschland und leitete die Suche. Mitte Juli begannen die Meßfahrten mit der *Südfall,* einem Forschungsschiff der Universität

Gabriele Hoffmann

Kiel, das Willi Kramer mit einem Satellit-Ortungsgerät für das Einmessen der Fundstellen ausrüstete, mit einem Side-Scan-Sonar für das Absuchen des Seebodens mit Schallwellen und mit einem Sediment-Echo-Sounder, mit dem man in das Sediment hineinhören kann, hineinsehen: Ein Computer wandelt die Schallwellen in ein Sonogramm um, das auf dem Bildschirm erscheint. Bei Stauwasser gingen Forschungstaucher der Universität Kiel ins Wasser. Martin Kolb fand die Arbeitsbedingungen in der Elbe – kaum Sicht, starke Strömungen – abschreckend. Ergebnis der Suche: Die Fahrrinne der Elbe ist kein Schiffsfriedhof, wie viele dachten und wie ich in der Schule gelernt habe. Die Wasserbauer entspannten sich.

Das archäologische Gutachten für die Außenweser folgte 1996. Der Fluß ist zwischen Bremerhaven und dem Leuchtturm Roter Sand ein ausgebaggerter Seekanal, 300 m breit, 55 km lang. Er sollte tiefergelegt werden, damit eine neue Generation von riesigen Containerschiffen an die Terminals in Bremerhaven kann. Der Bezirksarchäologe bei der Bezirksregierung Lüneburg arbeitete mit dem Wasser- und Schiffahrtsamt Bremerhaven und dem Bundesamt für Seeschiffahrt und Hydrographie zusammen, das sein Vermessungs-, Wracksuch- und Forschungsschiff *Atair* zur Verfügung stellte. Leitender Archäologe war Willi Kramer. Die Ausstattung der *Atair* ist beeindruckend, er nahm nur ein digitalisiertes Sonargerät mit an Bord. Die Berufstaucher der *Atair* tauchten nach den möglichen Fundstellen. Ergebnis des Gutachtens: Die Weser ist wirklich nur noch ein Kanal, glatt und leer.

Die systematische Suche nach Fundstellen hat vor den deutschen Küsten erst begonnen. Den Archäologen fehlen Leute, Seefahrzeuge, Geräte, um die Denkmäler unter Wasser zu inventarisieren, zu schützen und zu sichern. Alles, was bisher geschah, beruhte auf Kollegialität und Wohlwollen. Kramers Traum: ein ferngelenktes kleines Unterwasserfahrzeug, das bestückt ist mit einem Side-Scan-Sonar, das zeigt, was frei auf dem Seebett liegt, und mit Subbottom-Profiling-Sonar, das zeigt, was im Seebett eingegraben ist, und das eine Videokamera hat und alles ganz eng abfahren kann.

Auch die Archäologen am Bodensee arbeiten an einer Wrackkartei. Immer mehr Sporttaucher beschädigen Wracks, und das Landesdenkmalamt Baden-Württemberg läßt Forschungstaucher nach Wracks suchen, um sie unter Denkmalschutz zu stellen. Die Taucher finden Lastensegler aus dem späten Mittelalter und der frühen Neuzeit. Martin Mainberger pflegt seine Kontakte zu ortsansässigen Sporttauchern, die ihm erzählen, was sie unter Wasser gesehen haben. Das Institut für Seenforschung in Langenargen – es gehört zur Landesanstalt für Umweltschutz – hilft mit seinem Forschungsschiff und der Gerätekombination Satellitennavigation / Side-Scan-Sonar / Unterwasserkamera. Die Kamera ist ferngesteuert, hat eine 300 m lange Schwimmleine und kann jeden Ort im 254 m tiefen Bodensee erreichen, ist aber nur von Nutzen, wenn das Seewasser klar ist. Bis 30 m Tiefe können die Forschungtaucher Wracks vermessen und fotografieren. Ob ein Wrack schützenswert ist, weiß man erst nach seiner Begutachtung unter Wasser. Die Archäologen kennen von ihren Sonarfahrten Wracks in 100 m Wassertiefe – da geht kein Sporttaucher runter, sagt Helmut Schlichtherle.

Ein ungewöhnliches Ziel für einen tauchenden Archäologen war die Inventarisierung des überfluteten Bergwerks Dora bei Nordhausen in Thüringen. Hier ließ Wernher von Braun in Hitlers Auftrag KZ-Häftlinge Raketen bauen. Plünderer dringen durch Luftschächte in die dunklen Stollen und Hallen ein und rauben, was ihnen Händler und Sammler von Devotionalien des Entsetzens gut bezahlen. Das Inventar soll helfen, die Diebe zu überführen.

Ich sitze mit Willi Kramer in seinem Büro hoch oben im Turm von Schloß Annettenhöh in Schleswig vor einem großen Bildschirm, und er führt mich durch die Raketenfabrik: Der Archäologe hat seine Meßdaten in Computerbilder umgesetzt. Ich sehe einen Tunnel – einen Stollen, sagt Kramer: »12 m breit, 18 m hoch, 180 m lang und heute 10 m hoch vom Grundwasser überflutet.«

Neues Bild, eine Aufsicht: zwei Parallelstollen – »11,8 km mit Doppelgleisen in Normalspur« –, dazwischen Querverbindungen, eben diese 180 m langen Produktionsstollen aus dem ersten Bild – »fünfzig Stück«, sagt Kramer.

In diesen riesigen Stollen haben Häftlinge die Einzelteile von V1- und V2-Raketen gefertigt, Flugzeugflügel liegen noch zu Hunderten gestapelt im Wasser. Die Häftlinge haben die Raketen zusammengesetzt, die Gestelle stehen noch dort, die Baugerüste. Ein Raketenaggregat hat Kramer herausgeholt. »Hier« – der Pfeil der Maus rutscht zum Fuß eines Gestells – »habe ich eine Akte mit Prüfberichten der Märzproduktion 1945 unter Wasser gefunden.« Das

Gabriele Hoffmann

Bundesland Thüringen hatte um Amtshilfe gebeten, und Kramer arbeitete mit sechs Leuten von 1993 bis 1998 dort, einmal zwei Monate hintereinander. 16 km Finsternis hat er durchpaddelt, durchmarschiert, durchtaucht, »furchtbar, da träumen Sie wochenlang, monatelang noch davon.«

Er ist fünf Jahre lang zu den Häftlingstreffen im ehemaligen Konzentrationslager Nordhausen gefahren und hat Überlebende befragt – »Belgier, Franzosen, Niederländer, fast alle politische Gefangene, viele Sozialisten darunter, die von ihren eigenen Nachbarn verraten wurden und heute Professoren und Richter sind.« Fotos weißhaariger Herren füllen den Bildschirm. »Die waren damals ganz jung – nur die Jungen konnten überleben. Von 1943 bis 1945 waren fast fünfzigtausend Männer in der V2-Produktion beschäftigt. Davon sind zwanzigtausend umgekommen.«

Die Häftlinge bauten 24 V2-Raketen pro Tag, viertausendfünfhundert insgesamt, davon wurden viertausend abgeschossen – auf London, Antwerpen, die Kanalküste, meist 1944 und im Frühjahr 1945. Sie bauten pro Tag hundertvierzig V1-Raketen, insgesamt über zehntausend.

Die virtuelle Kamera wandert weiter durch das virtuelle Bergwerk. Wernher von Braun war hier Entwicklungsleiter und hoher SS-Führer, »der ist da durchgelaufen, täglich.« Die Entwicklungsabteilung der Raketen war in Peenemünde, doch im August 1942 gab es dort Bombenangriffe, deswegen verlegte man die Massenproduktion der Raketen unter Tage in Stollen, die vor dem Krieg gebaut worden waren als Treibstofflager für den Krieg. Die Volkswagen Werke AG hat das Werk betrieben.

Die Büros sind heute steinerne Höhlen. Bei Kriegsende hat man die Häftlinge abtransportiert, einen Teil zu Fuß auf einen Todesmarsch geschickt, einen Teil mit der Eisenbahn in das Konzentrationslager Bergen-Belsen gebracht. Wernher von Braun saß im Juni 1945 schon in Florida am Strand. Arthur Rudolf, Produktionschef in Dora, wurde später Produktionschef der Saturn-V-Rakete. In Dora haben sich zuerst die Amerikaner umgesehen, im August kamen die Russen.

Heute ist das Bergwerk abgesperrt, doch »Ideologiesammler« brechen ein, die das Dritte Reich und den Krieg verherrlichen und die alles durchwühlen, auch Wracks von Schiffen wie der *Wilhelm*

Gustloff, bei deren Untergang im Januar 1945 in der Ostsee fünftausendfünfhundert Menschen ertranken, und Wracks von Flugzeugen unter Wasser. Ein Flugzeugmotor wird mit weit über hunderttausend Mark gehandelt, eine gebrauchte Luftwaffenuniform ab dreißigtausend Mark, je nach Erhaltungszustand – eine guterhaltene aus einem abgestürzten Flugzeug bringt locker hundterttausend Mark. »Staatliche Stellen haben die Aufgabe zu verhindern, daß die Gegenstände in den Horrorvitrinen von Militaria-Sammlern landen«, sagt Kramer.

Zu den Zielen der Archäologen gehören neben dem Schutz von Denkmälern und ihrer Pflege auch sorgfältig überlegte Forschungsgrabungen. Die Archäologischen Landesämter haben für Forschung kein Geld, und neugierige Wissenschaftler müssen wohlbegründete Anträge schreiben. Willi Kramer bekam vom Bundesministerium für Forschung und Technologie Geld für ein über zwölfhundert Jahre altes Seesperrwerk in der Schlei: Er vernetzt Unterwasserarchäologie mit Hochtechnologie.

Die Geschichte begann damit, daß ein Sporttaucher beim Landesamt eine seltsame Holzkonstruktion in der Schlei meldete, einer schmalen Ostseebucht. Ein paar Tage später stand Kramer auf einem Schiff und versuchte zu verstehen, was der Taucher ihm sagte. Es erging ihm wie Jahre zuvor Margret Rule: Er begriff nichts. Kramer, damals schon zehn Jahre in Amt und Würden, machte einen Forschungstaucherlehrgang. Nun begann er, die seltsame Konstruktion im Wasser zu verstehen: Es war ein riesiges Sperrwerk aus 5 mal 5 m großen Kästen, mit dem man die Zufahrt nach Haithabu blockieren konnte. Aber auch als Taucher konnte er nichts sehen, denn die Schlei ist trübe, und das Sperrwerk liegt zum größten Teil im Meeresboden. Er stellte seinen ersten Forschungsantrag.

Seitdem arbeitet Kramer mit Gerd Wendt, Physikprofessor in Rostock, an der Erprobung eines Sedimentsonars, das der Professor entwickelt hat und das durch Schlick und Schlamm in den Boden hineinsehen kann. Das Sedimentecholotsystem SES-2000 mißt die Dichte des Sediments. Die Forscher fahren es an einer Stange vor dem Schiffsbug. Es hat 32 Strahlen bis zu einem Winkel von 45 Grad, ein unsichtbarer Fächer. Die Stärke der Schallsignale, die es aussendet, hängt ab von der Sedimentzusammensetzung und der Wassertiefe. Als Kramer und Wendt anfingen, wog ihr Schallwandler 400 kg. Heute wiegt er 8 kg. Die Suchbreite ist das 1,5fache der Wassertiefe: z. B. 10 m Wassertiefe = 15 m Suchbreite. Kramer kann nun in bis zu 10 m Tiefe durch 3 bis 4 m Schlick und Sand gukken, kann Ablagerungsschichten im Zentimeterbereich erkennen und Gegenstände, die größer sind als 7,5 cm. Eine aufwendige, von einer Landstation aus korrigierte Satellitortung sorgt für das genaue Einmessen von Auffälligkeiten.

Bei den Meßfahrten in der Schlei wurde Kramers Seesperrwerk immer länger – 1300 m. Er fand vor Schleswig noch mehr Sperrwerke und sogar eine Brücke – zwischen Haithabu und Schleswig? Das ist noch unklar, aber die Brücke fasziniert ihn schon jetzt, denn Brücken sind nach aller Erfahrung besonders fundreich. Er will etwas über die Leute wissen, die Sperrwerke und Brücke bauten. In Schleswig-Holstein gibt es keine Siedlungen aus dem 8. Jahrhundert, keine Gräberfelder, nur einige Funde am Ochsenweg in Jütland. Mit einer Brücke hat er das Stück eines Weges, und über die Funde, so hofft er, bekommt er einen Zugang zum damaligen Zeitgeschehen.

Seit zehn Jahren arbeitet Kramer an seinem Projekt und entwikkelt es weiter. Seit vierzig Jahren arbeitet Ole Crumlin-Pedersen mit Studenten und Kollegen an einer Typologie nordischer Wasserfahrzeuge von der römischen Eisenzeit bis zu den ersten Koggen. Als er anfing, fanden Archäologen Schiffe meist irgendwo im Wasser und bekamen nicht heraus, woher sie genau stammen, wer sie gebaut hat und wo sie in der Entwicklung des Schiffbaus stehen. Aber statt sich mit Zufallsfunden aufzuhalten, die Dendrochronologen zwar manchmal datieren konnten, die oft aber kaum in die Entwicklung der Schiffstypen einzuordnen waren, erschien es ihm sinnvoller, dort nach Schiffen zu suchen, wo die Leute wohnten, deren Fahrzeuge, Wirtschaftsweise und Leben man kennenlernen will. Das Tableau nordischer Schiffstypen, das in den Arbeitsjahren Crumlin-Pedersens zusammengekommen ist, ist wunderschön und beeindruckend. Das Wikingerschiffsmuseum in Roskilde hat die meisten der Schiffe genau nachgebaut, und Archäologen und ihre Helfer segeln sie: Wie viele Leute braucht man dazu, und in welchem Wetter und Wasser sind sie sicher? Crumlin-Pedersen und seine Kollegen haben immer nach Verbindungen zwischen Meer und Land gefragt. Ihr erstes großes Forschungsprojekt: die frühe Küstenverteidigung rund um Dänemark. Das neueste Projekt heute: Menschen und die See in der Steinzeit.

Auch in anderen Ländern in Europa, in Kanada, in Australien, arbeiten Archäologen an Wrackverzeichnissen und überlegen, wie sie Wracks möglichst umfassend studieren können, ohne sie zu heben. Sie entwickeln Forschungsprojekte und sie überlegen, wie sie der Öffentlichkeit ein Museum unter Wasser bieten können. In Cesarea, der Stadt, die König Herodes mit dem Hafen Sebastos bauen ließ, haben sie einen Unterwasserarchäologiepark für tauchende Touristen eingerichtet, die mit Informationstafeln aus Plastik zu 25 Besichtigungsorten schwimmen können. In Perth in West-Australien kann man einen Wrackführer kaufen, der 38 Wracks beschreibt und Ratschläge gibt, wie man sie findet – am dritten Felsen links, an der zweiten Kanone rechts. Vor Helsinki haben Archäologen im Sommer 2000 einen Unterwasserpark eingerichtet und über einem Schiff aus dem 18. Jahrhundert Bojen verankert, damit Taucher ihre Boote bequem festmachen können.

Große Schiffsfunde gibt es nach wie vor. Beim Abriß einer Schiffsmotorenfabrik im Hafen von Kopenhagen tauchten gleich acht Schiffe aus der Renaissancezeit auf. Der Fund hätte früher vermutlich weltweit Schlagzeilen gemacht. Heute vermaßen und zeichneten die Archäologen die Schiffe mit Hilfe von Vermessungsingenieuren nach den modernsten Regeln der Computerkunst in wenigen Tagen und hoben von 100 t Schiffsholz nur 10 auf. Timm Weski, der Schiffsarchäologe, der mir davon erzählte: »Es wird nicht mehr so groß aufgezogen. Es ist nicht das erste Mal.«

ARCHÄOLOGEN
UND SCHATZJÄGER

Tauchende Archäologen führten seit Beginn des Grabens unter Wasser einen zweifachen Kampf: um die Anerkennung ihrer Arbeit als Wissenschaft und um den Schutz ihrer Funde.

Den ersten Teil des Kampfes haben sie gewonnen. Unterwasserarchäologie ist ein Teilbereich der Archäologie in Forschung und Lehre geworden. Tauchende Archäologen bekommen Forschungsgelder für Projekte unter Wasser. Die Forscher organisieren sich, sie treffen sich auf Kongressen und geben wissenschaftliche Zeitschriften heraus. Doktorarbeiten erscheinen – in Deutschland, Dänemark, Schweden, Großbritannien, den USA beispielsweise –, und andere Historiker berufen sich zunehmend auf die Ergebnisse. Das Bild der Lehre ist bunt und ändert sich schnell. In Deutschland bieten immer mehr Archäologieinstitute Seminare an. An der Universität Kopenhagen gibt es am Institut für Archäologie und Ethnologie einen Lehrstuhl für Unterwasserarchäologie. Die Universität Stockholm bietet Kurse in Unterwasserarchäologie an für Archäologiestudenten, die sich gegen Ende ihres Studiums spezialisieren wollen. Es gibt Lehrveranstaltungen an Universitäten in Großbritannien, Frankreich, den Niederlanden, in der Türkei und Israel, in Australien, den USA. Und es gibt Sommerkurse – in Roskilde und Rostock zum Beispiel.

Der Kampf zwischen Archäologen und Schatzjägern um den Schutz der Funde unter Wasser ist noch unentschieden, aber es sieht nicht gut aus für die Archäologen. Die Öffentlichkeit scheint sich auf die Seite der Schatzjäger zu schlagen – verführt vielleicht durch den Hollywoodfilm »Titanic«. Der Luxusdampfer war am 15. April 1912 mit einem Eisberg zusammengestoßen und dreihundertfünfzig Meilen südöstlich von Neufundland auf 3800 m Tiefe gesunken, sechzehnhundert Menschen waren ertrunken. Die heiße Phase des

Kampfes zwischen Archäologen und Schatzjägern begann, als es hieß, Schatzjäger wollten Teile der *Titanic* verkaufen.

Robert Ballard von der Woods Hole Oceanographic Institution USA und Jean-Louis Michel vom Institut Français des Recherches pour l'Exploitation des Mers – Ifremer – hatten das Wrack im September 1985 mit einem in große Tiefe geschleppten Sonargerät gefunden, zu dem Videokameras gehörten und anderes raffiniertes elektronisches Gerät – das Suchsystem war von der amerikanischen Marine entwickelt worden, und Robert Ballard arbeitete an seiner Verbesserung. Ihm ging es in erster Linie nicht um die *Titanic*, ihm ging es um Suchsysteme in großer Tiefe, aber es gibt keine bessere Reklame als ein Wrack und unter allen Wracks kein besseres als die *Titanic*, von deren Untergang jeder weiß. Die Nachricht vom Fund und die Bilder aus der Tiefe liefen um die Welt.

Im Jahr darauf tauchte Ballard mit einem Forschungs-U-Boot zur *Titanic*, steuerte einen Roboter ins Schiffsinnere und filmte. Wieder ein Jahr später begann die Schatzjagd. Ich habe ihr Zubehör schon im Kapitel über die Karibik beschrieben: Bergungsgesellschaft, Schatzmythos – bei der *Titanic* war es der Safe voller Diamanten –, Börsengang. Die *Titanic* liegt in internationalen Gewässern, nationale Denkmalschutzgesetze wie in den Hoheitszonen gelten hier nicht, wer schnell ist, kann zugreifen. Die Gesellschaft RMS Titanic Inc., New York, holte achtzehnhundert Gegenstände von der Wrackstelle – sie sorgte für die Finanzierung, Ifremer für das Knowhow – und erhob den Anspruch, Salvor in Possession zu sein, die Firma, die als erste am Wrack das alleinige Recht zum Bergen hat. Konkurrierende Bergungsgesellschaften begannen einen erbitterten Rechtsstreit. Robert Ballard, der Entdecker, verurteilte das Bergen scharf, das Wrack sei eine Grabstätte, die ungestört bleiben müsse. Doch RMS Titanic Inc. und Ifremer fuhren weiter zur Einsammeltour in der Tiefe und bargen Scherben von Tellern und Milchkännchen, Wandlampen, Glasflaschen, Fotos, einen Anker. Der Schatz im Safe, den sie ihren Aktionären versprochen hatten, lag nicht in den Metallkörben des Tauchboots. Dann hieß es, die Berger wollten Teile aus der *Titanic* herausreißen und verkaufen, um ihr Unternehmen zu finanzieren. Die Gerüchte von der Zerstörung des Wracks schreckten die Archäologen und Historiker im ICMM auf: im International Congress of Maritime Museums, einem Museumsverband oder Museumsrat, dem etwa dreihundert Schiffahrtsmuseen aus der ganzen Welt angehören.

Dieser Museumsrat reagierte auf die Gerüchte mit einer Resolution: Die dreihundert Museen verpflichteten sich, keine Gegenstände zu kaufen, die Schatzjäger ihnen anbieten, und sie forderten, daß auch in internationalen Gewässern aus historischen Wracks nur geborgen wird, wenn ein Archäologe ein Wrack begutachtet und freigegeben hat. Uwe Schnall vom Deutschen Schiffahrtsmuseum und damals im Vorstand des Museumsrats: »Wir wollten Schatzjäger international ächten, die nur tauchen, um verkaufen zu können und reich zu werden. Wir wollten sie als das bezeichnen können, was sie sind, ohne vor Gericht gezerrt zu werden.«

Der Museumsrat wollte die UNESCO auf seine Seite ziehen und diskutierte den Text seiner Resolution mit ihr, damit sie eine UNO-Resolution über den Schutz von Kulturgut in freier See vorbereitete. Diese Diskussion dauerte von 1992 bis 1998. Noch ehe sie abgeschlossen war, gab es Probleme mit dem National Maritime Museum in Greenwich: Es stellte Gegenstände aus der *Titanic* aus und verlieh damit der Bergungsgesellschaft und ihren Aktionären den Glorienschein der Wissenschaft. Das Publikum strömte zuhauf, ebenso wie in Hamburg, wo ein einflußreicher Privatsammler eine Ausstellung organisierte.

Der Rat der dreihundert Schiffahrtsmuseen drohte an der *Titanic*-Frage zu zerbrechen. Auf seinem nächsten Kongreß ging es hoch her. »Die Europäer sehen das nicht so eng mit der *Titanic*«, erzählt Uwe Schnall. »Hardliner der Unterwasserarchäologie sind Bermuda und Australien. Um Bermuda ist der Meeresboden wrackfrei, Touristen haben alles zerstört, ausgeraubt, abgeräumt, und um Australien liegen Wracks, zu denen australische Urlauber in großer Ehrfurcht hinabtauchen, was nach dem Wunsch der Archäologen auch so bleiben soll. Sie sind die großen Scharfmacher und wollen alles unter Schutz stellen. Die Europäer haben Zehntausende von Wracks – wozu soll man die alle unter Schutz stellen? 98 Prozent sind simple Handelsschiffe aus den letzten zweihundert Jahren, an denen kaum ein Wissenschaftler Interesse hat.« Aber auch die Europäer waren dafür, die *Titanic*-Berger anzugreifen, die das Wrack aus Gewinnsucht zerstörten: »Die ganze Vorschiffstruktur wird wohl zusammenbrechen, weil Teile entfernt wurden.«

Die Berger suchten nun das Gespräch mit dem Museumsrat. Uwe Schnall: »Der große Schock war der leere Safe, der dämpfte ihr bis dahin lautstarkes Auftreten doch sehr.« Die Bergungsgesellschaft, der Präsident des ICMM und Museumsleute aus Greenwich trafen sich und verabredeten, daß Wissenschaftler die *Titanic*-Funde bearbeiten, daß die Gesellschaft keine Funde verkauft und daß die Funde zusammenbleiben. Doch nach dem Treffen verkauften die Berger Kohlestückchen aus der *Titanic*, 25 Dollar das Stück, und verkündeten, daß Diamanten keine Funde seien.

Die UNESCO leitete 1998 die Resolution des Museumrats an die UNO weiter: »Und wenn die UNO das annimmt und in der Vollversammlung darüber berät und beschließt, dann haben wir eine Rechtsgrundlage.«

Bislang ist noch nichts passiert. Inzwischen wollen mehrere Länder – die USA, Kanada, Frankreich, Großbritannien – ihren Bürgern das Ausbeuten historischer Wracks untersagen. RMS Titanic startete im Sommer 2000 auf Druck der Aktionäre einen letzten Versuch, mit einem Tauchroboter Diamanten und Gold in den 1.-Klasse-Kabinen der *Titanic* zu finden. Die Aktionäre wollten den Aktienkurs hochreden – er lag zwischen einem und vier Dollar. Die Expedition kostete fünf Millionen Dollar. Dabei kam ein Vorläufiger archäologischer Report 2000 im Internet heraus, der kein bißchen mit einem Artikel des ›Spiegel‹ über dieselbe Expedition übereinstimmte. Im ›Spiegel‹-Artikel ist von einem Reinfall die Rede, im Internet ist sie eine der erfolgreichsten überhaupt. Jedenfalls sank der Aktienkurs weiter.

Der Text des Museumsrats und der UNESCO wartet, bis die UNO Zeit für ihn findet. Sicher ist es nicht, daß die Wissenschaftler in den Vereinten Nationen genügend Verbündete finden. Uwe Schnall: »Hinter dem Bergungsgeschäft steht eine unheimliche Macht, weil man mit Gegenständen aus der Tiefe viel Geld verdienen kann.« Andererseits: »Innerhalb der nächsten zehn Jahre wird die UNO uns zustimmen.« In der Zwischenzeit geht die Schatzjagd weiter.

Eine 25-m-Motorjacht, die *Restless M*, bahnt sich ihren Weg durch die Javasee. Sie hat ein Sonargerät an Bord, ein Echolot mit Vorwärtsausrichtung und ein Magnetometer – eine ganz normale professionelle Ausrüstung, eher Mindeststandard. Die Schatzjäger an Bord suchen nach einem Porzellanwrack, und sie werden später behaupten, sie hätten die ausgefeilteste Unterwasserforschungsausrüstung der Welt – überragende technische Kompetenz gehört zum Mythos der Schatzjagd. Die australische Gesellschaft Ocean Salvage Corporation finanziert die Suche, auch der Schatzjäger Michael Hatcher ist aus Australien. Er war lange Berger in Singapur und hat Zinnladungen von japanischen Frachtern, die im Zweiten Weltkrieg sanken, gehoben. Berühmt wurde er mit der Bergung von blau-weißem chinesischem Porzellan aus dem holländischen Ostindienfahrer *Geldermalsen*, der auch *Nanking Cargo Wrack* genannt wird. Das Schiff lud in Kanton Tee, Seide, Gewürze, Porzellan und Gold, streifte im Januar 1752 ein Riff und sank. Michael Hatcher fand es 1985 wieder. Er hob 126 Goldbarren und hundertsechzigtausend Stück Porzellan, das er Christie's in Amsterdam zur Auktion gab. Das Geschirr war im 18. Jahrhundert speziell für den Geschmack wohlhabender holländischer Bürger hergestellt worden, und so ging es schnell weg. Der Vorwurf, bei seiner Bergung einen Ostindienfahrer zerstört zu haben, kümmerte Michael Hatcher nicht.

Er hat seitdem magere Zeiten erlebt, viele Schatzjagden sind ihm mißglückt, denn es ist nicht einfach, Schiffswracks mit wertvollen Ladungen zu finden. Von zehntausend Wracks, die auf dem Meeresgrund verstreut liegen, haben nur ein oder zwei kommerziellen Wert. Professionelle Schatzjäger fahren nicht ins Blaue, sie setzen jemanden ins Archiv, der ihnen sagt, wo die Suche aussichtsreich ist. Der Historiker Nigel Pickford hat Hatcher Nachweise von über fünfzig Schiffen geliefert, die an Riffen in der Gelasastraße scheiterten. Hatcher will ein historisch bekanntes Wrack haben: Nur bei schönen tragischen Geschichten ist das Publikum bereit, Funde zu kaufen, Gegenstände aus unbekannten Wracks bringen keinen Pfennig. Hatcher fährt täglich sechzehn Stunden das Meer ab und starrt auf die Anzeigen der Instrumente, er sucht schon seit Wochen, das Geld reicht nur noch für ein paar Tage.

Auch das gehört zum Mythos der großen Jagd: das nicht mehr erwartete Glück.

Am 12. Mai 1999 zeigt das Magnetometer Eisen an. Hatcher schickt die Taucher hinunter, sie finden in 30 m Tiefe große Eisenringe und sie finden einen Wrackhügel, 4 m hoch, 50 m lang, 10 m breit. Sie sehen blau-weißes Porzellan, erst einzelne Scherben, dann Stapel von ineinandergestellten Schalen.

Michael Hatcher fliegt sofort mit Musterstücken nach Singapur, läßt sie fotografieren und fliegt weiter nach London zu einem Gespräch mit Christie's: Vor der Bergung stellt er den Verkauf sicher. Und: Er wird nur bergen, was sich verkaufen läßt.

Nigel Pickford findet währenddessen in der Bibliothek des National Maritime Museum in Greenwich den Hinweis, daß chinesische Masten oft mit eisernen Manschetten zusammengelascht waren. Er kennt aus einem Seehandbuch die Nachricht vom Untergang einer Dschunke mit einer Ladung Porzellan. Vielleicht hat Hatcher diese Dschunke gefunden.

Hatcher fliegt zurück nach Singapur und chartert das Bergungsschiff *Swissco Marie II* mit Besatzung und Schlepper. Bergungsfirma und Besatzung arbeiten auf Gewinnbeteiligung. Der Schlepper ist eine schwimmende Industrieanlage, 60 m lang, 15 m breit, mit einem großen Kran, mit Dekompressionsräumen, Kompressoren, Gasflaschen und allem, was man für ein größeres Bergungsprojekt braucht, mit einem Wohnblock für fünfzig Seeleute und Taucher. Sie holen dreihundertfünfzigtausend Stücke Porzellan vom Meeresgrund herauf, wickeln sie ein, packen sie in Container. Die Taucher arbeiten in Zweierteams, sie haben Fiberglashelme und Atemgeräte, die sie mit Luft von der Oberfläche versorgen. Sie bleiben neunzig Minuten unter Wasser und sitzen anschließend vierzig Minuten in der Dekompressionskammer. Sie brauchen zweitausendzweihundertfünfzig Taucherstunden, bis sie das Wrack bis zum Kiel durchsucht und ausgeräumt haben.

Nigel Pickford in Europa arbeitet an der Geschichte der Dschunke. Er findet im ›Calcutta Journal‹ vom Juni 1822 einen Bericht über den Untergang einer großen Dschunke in der Gelasastraße: Die *Teksing* – Wahrer Stern – war im Januar 1822 auf dem Weg von Amoy nach Batavia mit über sechzehnhundert Passagieren an Bord auf das Belvidere Riff gelaufen und innerhalb einer Stunde gesunken. Die meisten Passagiere ertranken. Zwei Tage später war das englische Schiff *Indiana* vorbeigekommen, und der Kapitän hatte hundertneunzig Überlebende an Bord genommen. Nach diesem Porzellanfund, so Pickford, müsse die Geschichte der Porzellanherstellung neu geschrieben werden – er liefert nach »überragender technischer Kompetenz« und »Glück« ein drittes Merkmal des Mythos der Schatzjagd, die Außerordentlichkeit:

Gabriele Hoffmann

Der Fund ist so außerordentlich, daß die Geschichte neu geschrieben werden muß.

Das Auktionshaus Nagel versteigerte das Porzellan im November 2000 in Stuttgart. Nagel zeigte Teller und Schalen in einer nachgebauten Dschunke im Hauptbahnhof, fünfunddreißigtausend Besucher zahlten Eintritt und staunten. Nagel-Chef Robin Straub gab Pressekonferenzen und sagte, er stütze seine Kalkulation auf den Mythos der Dschunke *Teksing*. Hatcher hatte asiatisches Gebrauchsporzellan geborgen, nichts für Kenner und Sammler, aber etwas für, wie das Auktionshaus meinte, Restaurants, Kaufhäuser, Freunde von Abenteuern: »Es ist eine Geschichte voller Tragik, voller Abenteuer und Rekorde. Nach einem der *folgenschwersten* Schiffsunglücke der Geschichte soll nun der *umfangreichste* Porzellanfund aller Zeiten in der *weltweit größten* Versteigerung unter den Hammer kommen.« Die Firma stellte den Auktionskatalog ins Internet, bot *Teksing*-Videos und -Regenschirme zum Verkauf an, T-Shirts und ein Buch, Automatikuhren, Damen- und Herrenringe, Herrenledergürtel, Baseballmützen: »Mike Hatcher und die Firma Nagel Auktionen erhoffen sich einen Erlös aus der Aktion etwa in Höhe des Schätzpreises, wie er im Katalog angegeben ist, nämlich ca. DM 35 Millionen.« Die »Tagesschau« meldete in den Abendnachrichten am 17. November den Beginn der mehrtägigen Versteigerung.

Dreitausend Käufer boten auf das Porzellan, Bruttoerlös: 22,1 Millionen Mark – im Rahmen der Erwartungen, sagte das Auktionshaus am Morgen danach. Hatcher hatte sich verpflichtet, hieß es, seinen Gewinn zur Hälfte mit Indonesien zu teilen.

Ich habe den Inhaber eines renommierten Auktionshauses in Bremen gebeten, einmal zu überschlagen, wieviel wohl für Hatcher und für Indonesien übrigblieb. Bei jeder Unsicherheit sollte er zugunsten des Schatzjägers rechnen. Ich höre: »Aufgeld – Hammerpreis – Abgeld – möglicherweise saß jemand zwischen Finder und Versteigerer, der braucht auch einen Teil – Hatcher kriegt, na, sechzehn Millionen – davon geht die Gewinnbeteiligung der Bergungsgesellschaft ab, die das Porzellan hochholte – Steuern?« Maximal blieben fünf Millionen Mark für die indonesische Regierung und fünf Millionen Mark für den Schatzsucher: »Es bleibt immer etwas übrig, und für Nagel war es eine tolle PR-Aktion, in der sie allen zeigten, was sie können.«

Und was bleibt für die Öffentlichkeit, für uns? Das Porzellan ist weg, in alle Welt verstreut, und vom Schiff weiß man heute nicht mehr als vor seinem Fund. Dieses Ergebnis ist besonders erbärmlich, wenn man es mit dem Ergebnis einer archäologischen Ausgrabung vergleicht – zum Beispiel des Shinan-Schiffs in Südkorea.

Fischer aus der Stadt Mokpo am Gelben Meer fanden im Sommer 1975 sechs chinesische Krüge in ihren Netzen. In den folgenden Tagen kamen Schalen und Platten aus grüner Celadon-Keramik aus der Tiefe, und die Männer begannen, mit besonderen Netzen danach zu fischen. Archäologen erkannten, daß das Geschirr aus der Yüan-Dynastie stammte, 1260 bis 1368, und sie bezahlten die Fischer gut und retteten so die Fundstelle vor heimlicher Zerstörung. Neun Jahre dauerte die Ausgrabung unter Wasser, von 1976 bis 1984 – die Berger, die sich durch die *Teksing* wühlten, waren in vier Monaten fertig. Archäologen und Marinetaucher hoben 20661 Stück Celadon-Keramik, 28 t gebrauchte chinesische Kupfermünzen, zweitausenddreihundert Holzgegenstände, den Besitz der Seeleute und die Reste des Schiffes, das einmal 28 m lang und fast 7 m breit war. Die Celadon-Keramik war noch in ihrer Verpackung, die Stapel der Schalen waren in Papier eingepackt, Schachteln waren zusätzlich noch mit kostbarem Pfeffer gefüllt. An den Paketen hingen schmale Packzettel aus dünnem Holz mit chinesischen Schriftzeichen, die Tinte war nicht zerlaufen, ein koreanischer Archäologe las mir die Namen der Absender und der Empfänger der Waren vor. Ein Anhänger trug das Datum 1323, und man meint, in dem Jahr sank das Schiff. Wahrscheinlich war es ein chinesisches Handelsschiff unterwegs nach Japan, vielleicht hat ein Sturm es zwischen die Inseln vor der Küste Koreas getrieben.

Schiff und Celadon stehen heute in Mokpo in einem neuen Schifffahrtsmuseum am Meer, und Einheimische und Touristen können die Schätze aus der Tiefe betrachten, bestaunen, studieren – ebenso wie im Museum der Wikingerschiffe am Roskildefjord, im Deutschen Schiffahrtsmuseum in Bremerhaven, im *Wasa*-Museum in Stockholm und in anderen Museen. Die Zahl der Besucher dieser Museen könnte bis heute bei fünfzig Millionen liegen – fünfunddreißigtausend haben das Porzellan im Stuttgarter Hauptbahnhof gesehen, keiner das originale Schiff.

Michael Hatcher teilte seinen Erlös mit Indonesien, andere

Schatzjäger teilen mit der Dominikanischen Republik, Ekuador. Entwicklungsländer fordern für eine Bergungslizenz in ihren Hoheitsgewässern vierzig bis sechzig Prozent des Gewinns, und hochtechnisierte Firmen aus reichen Ländern beuten arme Länder aus. Auf Tauchmessen umwerben Ausgrabungsfirmen wohlhabende Privatleute: Investieren Sie bei uns, wir graben ein Schatzwrack in einem Entwicklungsland aus und beteiligen Sie am finanziellen Erfolg.

Die Vorstellungen von der Größe von Schätzen sind dabei, verglichen mit Wirtschaftsdaten aus den historischen Archiven, restlos übertrieben. Bislang hat nur eine Bergung wirklich Geld gebracht – aus einem Schiff, für das kein Archäologe sich interessiert. In 250 m Tiefe unter der kalten Barentsee drangen Taucher 1981 in den britischen Kreuzer *Edinburgh* ein, den ein deutsches U-Boot 1942 versenkt hatte. Mit Spezial-Schneidbrennern bahnten sie sich den Weg zu den Holzkisten mit den Goldbarren. Sie hoben 4,5 t Gold, mit dem Josef Stalin amerikanische Waffenlieferungen an die UdSSR bezahlen wollte. 1981 war es 176 Millionen Mark wert. Während ihrer Arbeit trugen die Taucher Spezialanzüge aus Gummi, zwischen deren Doppelwänden warmes Wasser kreiste. Auch das Helium-Sauerstoff-Gemisch, das sie einatmeten, war vorgewärmt. Die Bergungsgesellschaft kassierte 45 Prozent des Goldes oder 85 Millionen Mark für ihre Arbeit, 55 Prozent teilten sich die Sowjets und die Bank von England. Dieser Schatz ist der größte des 20. Jahrhunderts, und die erste Hälfte dieses Jahrhunderts ist die große Zeit der Schatzschiffe, bis bargeldlose Überweisungen sich durchsetzten. Kein historisches Wrack kann da mithalten – historisch ist ein Wrack, wenn es über hundert Jahre alt ist. Aber wie Nigel Pickford amüsiert herausfand: Ein Schatzschiff ist, was man für ein Schatzschiff hält.

Das Rennen auf die Wracks in großer Tiefe hat begonnen. »Deeper and cheaper« ist die Devise, tiefer und billiger. Seit Robert Ballard 1985 an der *Titanic* demonstrierte, was er kann, sinken die Kosten für eine Suche nach Wracks in der Tiefe, und kommerzielle Gesellschaften fangen an, die Kosten und den möglichen Erlös aus dem Verkauf der Funde einander gegenüberzustellen. Das Suchsystem Ocean Explorer 6000, das auch die US-Marine benutzt, falls sie eine Rakete verliert, kann mit seinem Sonar hundert Quadratmeilen an einem Tag absuchen. Zwei Bergungsgesellschaften haben mit diesem System 1996 und 1997 Schiffe in Tiefen von 6000 m gefunden – die *Titanic* liegt bei 4000 m. Die Suche in großer Tiefe ist kompliziert, das Suchgerät wird an einem Kabel hinter dem Schiff hergezogen, und allein das Wenden auf dem Suchfeld kann einen Tag dauern. Zum OE 6000 gehört ein ferngelenkter Roboter, der aus fast 7000 m Tiefe Bilder an die Oberfläche senden kann. Auch das Auswerten dieser Bilder ist nicht einfach, Schiffe sind schwer zu identifizieren, und man hat angeblich schon falsche Schiffe ausgegraben und man hat auch Schiffe ausgegraben, weil man eine Ladung suchte, die dann doch nicht an Bord war.

Das Graben geht mit einer Art Baggerschaufel oder großem Grabeimer vor sich, der von oben mit Hilfe einer ferngelenkten Kamera dirigiert wird und ein Wrack auseinanderreißt. Der volle Eimer kommt an die Oberfläche, wo Männer Schatz und Schrott trennen. Hin und wieder sehen sie etwas Empfindliches wie eine Tasse oder ein Schmuckstück, aber niemand an Bord weiß, wieviel der Eimer zerstört und wo im Schiff er gräbt – die Berger sind in der Tiefe genauso weit wie Professor Nino Lamboglia 1950, der die Ausgrabung des Schiffs von Albenga abbrach, weil er diese Art der Bergung für Barbarei hielt.

Robert Ballard zeigte 1998, daß man auch in der Tiefe sorgfältig ausgraben kann, jedenfalls für seine Zwecke: Wieder demonstrierte er gemeinsam mit der US-Marine und der National Geographic Society werbewirksam Techniken, die für Berger moderner Schiffe und moderner Ladungen interessant sind, bei denen es sich um ganz andere Summen handelt als bei historischen Wracks. Er ging mit einem kleinen atomgetriebenen Forschungs-U-Boot der US-Marine im Mittelmeer auf Wracksuche und fand acht Schiffe in 600 m Tiefe, von denen sechs zweitausend Jahre alt zu sein schienen – er und seine Mitarbeiter waren offenbar auf den Schiffahrtsweg von Karthago nach Rom gestoßen. Sie ließen einen Roboter hinunter, der digitale Bilder nach oben schickte und ein Fotomosaik eines Wracks aufnahm. Dann grub er eine Lampe aus Glas aus.

Ballard triumphierte. Bislang konnten Taucher nur Wracks ansehen, die maximal 60, 70 m tief liegen, meinte er: »Das heißt, daß 97 Prozent der Ozeane der Welt nie untersucht wurden.« Nun müsse wohl die Geschichte der Menschheit neu geschrieben werden, und im Jahr 2000 leitete er alles dazu ein: Er meinte, im Schwarzen Meer komplette Häuser aus der Zeit vor der Sintflut entdeckt zu haben. Ballard übertreibt reichlich, doch er hat gezeigt, daß Tiefe keine Barriere für die Erkundung von historischen Wracks bleiben wird.

Einige wenige Archäologen befürworten das Gespräch mit kommerziellen Schatzsuchern, um die Konflikte zwischen beiden Gruppen anzugehen. Manche Schatzsucher handeln auch archäologisch versiert, haben Geld, Einfluß, arbeiten mit Wirtschaftsbossen und Regierungen zusammen, sind erstklassige Prospektoren: Man müßte mit ihnen verhandeln, »sonst erfahren wir nichts, wir verlieren die Kompetenz.« Es müßte einen Ehrenkodex für Schatzjäger geben, sie dürften nur den kompletten Fund verkaufen.

Die meisten Archäologen zucken mit den Achseln. Uwe Schnall nach langen Erfahrungen mit den *Titanic*-Leuten: »Wir sind immer auf der Verliererseite in solchen Gesprächen. Die haben kein Verständnis. Die sind anders als wir. Die sehen gar nicht unsere Bedenken und unsere Zielrichtung. Die wollen nur Geld, die wollen keine Erkenntnis.«

Vielleicht brauchen die Archäologen eine Doppelstrategie, einen UNO-Beschluß, der das Weltkulturerbe schützt und die Position der Wissenschaftler stärkt, und Gespräche. Einen anderen Weg als Gespräche gibt es bei Konflikten langfristig nicht.

Mehr Schaden an versunkenen Welten als große Bergungshaie richten kleine Sporttaucher auf Urlaubsreise an. Zwanzig Millionen Sporttaucher gibt es auf der Welt, und obwohl sie meist dort tauchen, wo Denkmalschutzgesetze gelten, vor den Meeresküsten und in Seen, kümmern viele von ihnen sich nicht um die Gesetze. Nach fünfzig Jahren Tauchen mit der Aqualunge sind viele Wracks in erreichbarer Tiefe geplündert, zerstört – aus Neugier, Habgier, Unverstand.

Immer mehr Unterwasserarchäologen raten ihren Kollegen, mit Laien zusammenzuarbeiten: Sie sind oft die besten Helfer der tauchenden Archäologen. Sporttaucher sind überall, haben ihre Augen unter Wasser und ihre Ohren an Land. In Mecklenburg-Vorpommern zum Beispiel helfen sie den Archäologen bei der Suche nach Wracks, in Dänemark zum Beispiel kontrollieren sie Denkmäler unter Wasser und melden sofort, wenn große Stürme die Steinzeitsiedlungen beschädigt haben. Noch sind diese Zusammenarbeiten Ausnahmen, aber wo es sie gibt, sind Wracks und Siedlungen sicherer als anderswo. Auch Archäologen, die früher pauschal gegen Amateure wetterten, ändern langsam ihre Meinung. Was zählt, ist die Qualität einer Arbeit. Keiner kann alles wissen, auch ein Spezialist ist auf einem Nachbargebiet ein Amateur. Die weitaus meisten großen Zeitkapseln haben Amateure gesucht und gefunden. Amateure haben sich bemüht, das Interesse der Archäologen zu wecken, und haben um Geld für sie gekämpft. Sie opfern ihre Freizeit für etwas, womit Archäologen Geld verdienen. Sie sind die wahrhaften Enthusiasten. »Was du ihnen gibst«, sagt Ole Crumlin-Pedersen unbeirrbar seit Jahren, »geben sie dir hundertfach zurück.«

Viele Leute aber sind einfach erschütternd dumm und wollen es möglicherweise auch bleiben. Bei zwanzig Millionen Sporttauchern und immer wieder Anblicken sinnloser Zerstörung und beim Zwang, niemals aus Versehen sagen zu dürfen, wo ein Fund liegt, weil er sonst morgen weg ist, verstehe ich schon, wenn manche Archäologen Wut, Verachtung, Resignation zeigen.

Noch ist der Kampf um den Schutz versunkener Welten unentschieden. Ich glaube immer noch, daß die Archäologen ihn gewinnen werden – wenn auch mit der Einschränkung, daß es selbst in den Ländern mit den besten Denkmalschutzgesetzen und der gebildetsten Bevölkerung Raubgräber gibt, die nachts mit Metalldetektoren heimlich über Grabungen laufen. Aber viele Bürgerinnen und Bürger sorgen sich um die Zeugnisse der Vergangenheit, und ihr Interesse an der Geschichte der Menschen und ihrer Natur ist groß und anhaltend.

Sicher ist es nicht immer nur der Wunsch zu erfahren, wie andere wirklich lebten, der das Interesse an der Historie wachhält. Ich habe in dieser Geschichte der Archäologie unter Wasser auf einige Funktionen der Archäologie hingewiesen: Nationen oder soziale Schichten suchen ihre Identität, Museumsdirektoren wollen ihre Häuser füllen, Städte brauchen ein Image und wollen Touristen anlocken, eine ganze Bevölkerung will sich an ihrer großen Vergangenheit stärken. »Die Erinnerung an die blühende Wirtschaftsgeschichte soll den Besuchern aus nah und fern die Hoffnung auf eine bessere Zukunft geben«, heißt es in einem Aufsatz zum Gellen-Wrack über das Museum für Unterwasserarchäologie auf Rügen. Hätten Afrikaner oder Asiaten die *Mary Rose* gehoben? Offenbar ist für eine solche Anstrengung nicht einmal die Bedeutung so wichtig, die ein

Schiff in der nationalen Geschichte wirklich hatte: Für die Schweden war die *Wasa* auch eine Erinnerung an ihre Großmachtzeit, obwohl das Schiff keine Seemeile segelte. Diese vielfältigen Funktionen der Archäologie – es gibt sicher noch mehr, als sich mir beim Betrachten der Geschichte der Archäologie unter Wasser aufdrängten – weisen nur auf einige Gründe für die Beschäftigung mit der Vergangenheit hin. Das Bedürfnis nach romantischer Kuscheligkeit, das bloße Schwelgen in Gegenständen und Geschichtchen kommt mir als eine besonders bedenkliche Nachfrage nach Geschichte vor. Die Vergangenheit ist kein Ort, an dem man bei einer Flucht aus unserer Zeit geborgen wäre. Die Geschichte verrät uns auch nicht, wie wir mit den nächsten Jahren fertig werden können. Motivation für Handeln oder Nichthandeln entsteht anders – auch wenn manche politisch Handelnden versuchen, die Legitimität ihres Tuns aus der Geschichte abzuleiten.

Geschichte als Wissenschaft liefert Erkenntnis. Das ist das wahrhaft Aufregende an ihr. Wir können etwas über uns erfahren. Wir können lernen, wie wir zu unseren heutigen Lebensformen gekommen sind und ob es Alternativen, andere Modelle des Zusammenlebens, gab. Wir können versuchen, aus den historisch sich wandelnden Erscheinungen etwas zu erfahren über das Zustandekommen unseres Zusammenlebens und über unsere Natur und Intelligenz als Gruppenwesen. In dieser Erkenntnis könnte sogar ein Nutzeffekt liegen: Wenn wir wissen, wie unsere Gesellschaft mit ihren Organisationsformen in Politik, Militär, Wirtschaft und gegenseitiger Fürsorge entstanden ist, haben wir eine größere Freiheit im Umgang mit diesen Organisationsformen als ohne dieses Wissen.

ANHANG

Zitatnachweis

10 »In manchen Augenblicken...«. Cousteau, Schweigende Welt, S. 22.

11 »Ach, wie interessant«. Hass, Drei Jäger, S. 59.

12 »Das Schwimmen mit...«. Cousteau, Schweigende Welt, S. 28.

13 »Von nun an...«. Cousteau, Schweigende Welt, S. 20.

14 »Ich spüre ein...«. Cousteau, Schweigende Welt, S. 41.

19 »Ich muß gestehen...«. Throckmorton, Versunkene Schiffe, S. 103.

22 »Es war ungefähr...«. Throckmorton, Versunkene Schiffe, S. 112.

24 »Seit Herculaneum und...«. Lanitzki, Amphoren, S. 54.

24 »Das reichste Antikenmuseum...«. Daniel, A Hundred and Fifty Years, S. 363.

31 »Sie wissen ja...«. Cousteau, Fish Men. In: NG 105 (1954) S. 7.

31 »Ich werde Ihnen...«. Cousteau, Das lebende Meer, S. 54 f.

31 »Sie wissen, wo...«. Cousteau, Fish Men. In: NG 105 (1954) S. 7.

31 »im Interesse der...«. Cousteau, Das lebende Meer, S. 22.

33 »Ich trieb wie...« und folgende Zitate. Cousteau, Das lebende Meer, S. 57 f.

34 »Sie sind so...«. Cousteau, Das lebende Meer, S. 58.

36 »Es ist entsetzlich«. Cousteau, Das lebende Meer, S. 62.

39 »Hatte ich das...«. Cousteau, Das lebende Meer, S. 75.

40 »Während wir Wein...«. Cousteau, Das lebende Meer, S. 82.

43 »Sagen Sie, Madame...«. Cousteau, Das lebende Meer, S. 171.

52 »... ich weiß, daß...«. Throckmorton, Versunkene Schiffe, S. 143.

53 »Die Schalen und...«. Cousteau, Das lebende Meer, S. 87.

56 »Finde die Vasa...«. Franzén, Ghost. In: NG 121 (1962) S. 47.

58 »nachdem sie lange...«. Ohrelius, S. 28.

58 »General des Baltischen...«. Bruno Gebhardt, Handbuch der Deutschen Geschichte, Bd. 2, Stuttgart 1955, S. 141.

60 »Herrn von Treilebens...«. Franzén, Kriegsschiff Vasa, S. 12.

61 »... und an jenem...«. Lanitzki, Amphoren, S. 87.

62 »Ich stehe bis...«. Franzén, Ghost. In: NG 121 (1962) S. 53 f.

65 »Die Menschen in...«. Ohrelius, S. 79.

65 »Aber was für...«. Ohrelius, S. 82.

83 »ein richtiges Piraten-...«. Crumlin-Pedersen, Wracks in Nord- und Ostsee. In: UNESCO (Hg.), Unterwasser-Archäologie, 1973, S. 76.

97 »Gewöhnliche Dinge sind...«. Pitt-Rivers, Excavations in Cranborne Chase, Bd. IV, 1898, S. 27 f. Zit. nach Wheeler, S.194.

106 »Würden Sie tauchen...«. Bass, Archaeology, 1975, S. 12.

109 »In der Regel...«. Pitt-Rivers, Excavations in Cranborne Chase, Bd. 1, 1887, S. XVIf. Zit. nach Wheeler, S. 19.

109 »In der Praxis...«. Wheeler, S. 19.

112 »Es sieht so...«. Bass, Archeology, 1975, S. 28.

129 »Schrott heben ist...«. Throckmorton, Oldest Known Shipwreck. In: NG 121 (1962) S. 707.

170 »dieses törichte Geschäft...«. Bass, Archaeology, 1975, S. 127.

170 »Alles ging gut...«. Bass, Archaeology, 1975, S. 127.

174 »einer spanischen Galeone...«.Throckmorton, Versunkene Schiffe, S. 167.

183 »February 5, 1744...«. Peterson, History, S.6.

194 »alles zusammen ein...«. Wagner, Drowned Galleons. In: NG 127 (1965) S. 32.

238 » Es ist ein...«. Green, Besprechung von Bruijn et al. In: IJNA (1981) 10, S. 161.

265 »Wenn dann auch...«. Skaarup. In: Skalk 1980, 1, S. 8.

272 » daß Unterwasser-Archäologen...«. Maier, S. 340.

273 »Ich bin außerordentlich...«. McKee, Mary Rose, S. 42.

280 »die Blüte aller...«. Rule, Britain's Time Capsule, S. 2.

283 »Ich habe eine...«. Rule, Excavation and Raising, S. 36.

285 »Es scheint zumindest...«. Rule, An interim Report 1971. In: IJNA (1972) 1, S. 132–134.

287 »delighted and fascinated«. McKee, Mary Rose, S. 112.

318 »Ausgraben ohne Konservieren...«. Pearson, Conservation of the underwater heritage. In: UNESCO (Hg.), Protection, 1981, S. 79.

319 »Das heißt, daß...«. Ballard, High-tech search for Roman shipwrecks, S. 34.

372 »Die Erinnerungen an...«. Archäologisches Landesmuseum Mecklenburg-Vorpommern, S. 13.

Gabriele Hoffmann

Bibliographie

IJNA   The International Journal of Nautical Archaeology and Underwater Exploration, London 1972 ff.

NAU   Nachrichtenblatt Arbeitskreis Unterwasserarchäologie. Herausgeber: Kommission für Unterwasserarchäologie im Verband der Landesarchäologen in der Bundesrepublik Deutschland. 1994ff.

NG   National Geographic. Official Journal of the National Geographic Society, Washington, D. C.

Skyllis   Zeitschrift für Unterwasserarchäologie. Herausgeber: DEGUWA, Deutsche Gesellschaft zur Förderung der Unterwasserarchäologie e. V. 1998 ff.

Aarons, George Anthony: Port Royal, Jamaica: from cataclysm to renaissance. In: Museum (UNESCO Paris) No. 138 (Vol. XXXV; No. 2) 1983, S. 114–118.

Ahlström, Christian: Documentary research on the Baltic. Three case studies. In: IJNA (1978) 7, S. 59–70.

Alsop, Joseph: Warriors From a Watery Grave. In: NG 163 (1983), S. 821–827.

Andersen, Søren H.: Sunket i Havet. In: Skalk 1984, 4, S. 10–15.

Andersen, Søren H.: Suppe. In: Skalk 1984, 2, S. 10.

Andersen, Søren H. und Lise Bender Jørgensen: Gamle Klude. In: Skalk 1985, 1, S. 8–10.

Archäologisches Landesmuseum Baden-Württemberg (Hg.): Einbaum, Lastensegler, Dampfschiff. Frühe Schifffahrt in Südwestdeutschland. Zusammengestellt von Ralph Röber. Stuttgart 2000.

Archäologisches Landesmuseum Mecklenburg-Vorpommern (Hg.): Das Gellenwrack. Ein mittelalterlicher Schiffsfund vor der Insel Hiddensee. o. O. 1998.

Archéologie des lacs et des rivières. Vingt ans de recherches subaquatiques en France. Musée-Chateau d'Annecy 1984.

Arnold, J. Barto III und Robert Weddle: The Nautical Archaeology of Padre Island. New York, London 1978.

Ballard, Robert: High-tech search for Roman shipwrecks. In: NG 193 (1998), S. 32–41.

Barker, Philip: Techniques of Archaeological Excavation. London 1977.

Basch, Lucien: Ancient wrecks and the archaeology of ships. In: IJNA (1972) 1, S. 1–58.

Bascom, Willard: Deep Water, Ancient Ships. Newton Abbot 1976.

Bass, George F.: Underwater Excavations at Yassi Ada. In: Archäologischer Anzeiger 77 (1962), S. 537–564.

Bass, George F.: The Asherah. A Submarine for Archaeology. In: Archaeology 18 (1965), S. 7–14.

Bass, George F.: Archäologie unter Wasser. Bergisch Gladbach 1966.

Bass, George F.: Cape Gelidonya: a Bronze Age Shipwreck. Philadelphia 1967.

Bass, George F.: Glass Treasure From the Aegean. In: NG 153 (1978), S. 768–792.

Bass, George F.: The promise of underwater archaeology in retrospect. In: Museum (UNESCO Paris) No. 137 (Vol. XXXV, No. 1) 1983, S. 5–8.

Bass, George F. und Frederick H. van Doorninck: A Fourth Century Shipwreck at Yassi Ada. In: American Journal of Archaeology 75 (1971), S. 27–37.

Bass, George F. (Hg.): Ship and Shipwrecks of the Americas: A History Based on Underwater Archaeology. London 1996.

Baumer, Ursula, Mensun Bound, Fethi Chelbi, Dietger Grosser, Olaf Höckmann und Johann Koller: Neue Forschungen zum antiken Schiffsfund von Mahdia (Tunesien). In: Deutsche Gesellschaft zur Förderung der Unterwasserarchäologie (Hg.), S. 72–81.

Behre, Karl-Ernst: Untersuchungen des botanischen Materials der frühmittelalterlichen Siedlung Haithabu. Neumünster 1969. (Berichte über die Ausgrabungen in Haithabu, hg. von Kurt Schietzel, Bericht 2.)

Bengtsson, Sven: The sails of the Wasa. Unfolding, identification and preservation. In: IJNA (1975) 4, S. 27–41.

Blackman, D. J. (Hg.): Marine archaeology. London 1973.

Böcking, Werner: Römische Prahme: Lastenschlepper der Antike. Erstmals Schiffsfund im Xantener Raum. In: Beiträge zur Rheinkunde 47/48 (1995/96), S. 54–62.

Böcking, Werner: Der zweite Lastenprahm von Xanten-Lüttingen am Niederrhein. In: Beiträge zur Rheinkunde 49 (1997), S. 29–32.

Boessneck, Joachim (Hg.): Archäologisch-biologische Zusammenarbeit in der Vor- und Frühgeschichtsforschung. Wiesbaden 1969.

Borrell, Pedro J.: Riches on the Caribbean sea-bed. In: Museum (UNESCO Paris) No. 137 (Vol. XXXV No. 1) 1983, S. 41–43.

Bowden, Tracy: Treasure from the Silber Bank. In: NG 190 (1996), S. 90–105.

Bound, Mensun and Reg Vallintine: A wreck of possible Etruscan origin off Giglio Island. In: IJNA (1983) 12, S. 113–122.

Die Bremer Hanse-Kogge. Ein Schlüssel zur Schiffahrtsgeschichte. Fund Konservierung Forschung. Bremen 1969 (Monographien der Wittheit zu Bremen 8).

Bruijn, J. R., F. S. Gaastra und J. Schöfer (Hg.): Dutch-Asiatic Shipping in the 17th and 18th Centuries. Den Haag 1979.

Brydda, Holger und Jörg Duensing: Historischer Weserlastzug. Bergung, Hebung, Konservierung. In: Binnenschiffahrt 55 (2000), S. 64–70.

Cain, Emily: Ghost Ships. Hamilton and Scourge: Historical Treasures from the War of 1812. Toronto 1983.

Cederlund, Carl Olof u. a.: Das Kriegsschiff Wasa. Stockholm 1964.

Cederlund, Carl Olof: Preliminary report on recording methods used for the investigation of merchant shipwrecks at Jutholmen and Älvsnabben in 1973–74. In: IJNA (1977) 6, S. 87–99.

Cederlund, Carl Olof: Marine archaeology in society and science. In: IJNA (1995) 24, S. 9–13.

Chippindale, Chris: Conserving the Mary Rose. In: New Scientist, 28. July 1983, S. 281–284.

Christensen, Arne Emil Jr. und Lucien Basch: Ancient wrecks and the archaeology of ships. In: IJNA (1973) 2, S. 137–145.

Clausen, Carl J. und Arnold, J. Barto III: The magnetometer and underwater archaeology. In: IJNA (1976) 5, S. 159–169.

Cosack, Erhard: Ein Schiffswrack mit Sandsteinladung in der Weser bei Rohrsen im Landkreis Nienburg. In: Nachrichten aus Niedersachsens Urgeschichte 67 (1998), S. 171–178.

Cousteau, Jacques-Yves: Fish Men Explore a New World Undersea. In: NG 102 (1952), S. 431–472.

Cousteau, Jacques-Yves: Fish Men Discover a 2200-year-old Greek Ship. In: NG 105 (1954), S. 1–36.

Cousteau, Jacques-Yves: At Home in the Sea. In: NG 125 (1964), S. 465–507.

Cousteau, Jacques-Yves: Working for Weeks on the Sea Floor. In: NG 129 (1966), S. 499–537.

Cousteau, Jacques-Yves und Frédéric

Dumas: Die schweigende Welt. Berlin 1953.

Crile, Jane and Barney: Treasurediving Holidays. New York 1954.

Croome, Angela: The Viking Ship Museum at Roskilde: expansion uncovers nine more early ships; and advances experimental ocean-sailing plans. In: IJNA (1999) 28, S. 382–393.

Crumlin-Pedersen, Ole: Das Haithabuschiff. Vorläufiger Bericht über das im Jahre 1953 im Haddebyer Noor entdeckte Schiffswrack. Neumünster 1969. (Berichte über die Ausgrabungen in Haithabu, hg. von Kurt Schietzel, Bericht 3.)

Crumlin-Pedersen, Ole, Jørgen Steen Jensen, Anne Kromann und Niels-Knud Liebgott: Koggen med Guldskatten. In: Skalk 1976, 6, S. 9–15.

Crumlin-Pedersen, Ole: Maritime Archaeology in Denmark – a brief introduction. In: Landesdenkmalamt Baden-Württemberg 1995, S. 144–149.

Crumlin-Pedersen, Ole: The Hedeby Ships. In: Litwin 2000, S. 213–218.

Crumlin-Pedersen, Ole: To be or not to be a cog. The Bremen Cog in perspective. In: IJNA (2001) 29, S. 230–246.

Daley, T. W. und L. D. Murdock: Underwater Molding of a cross-section of the San Juan Hull: Red Bay, Labrador, Canada. In: ICOM-Committee for Conservation, 7th Triennial Meeting, Copenhagen 1984.

Damann, Werner: Das Gokstadschiff und seine Boote. Meisterwerke wikingerzeitlichen Schiffbaus in Norwegen. Hildesheim 1983.

Daniel, Glyn: A Hundred and Fifty Years of Archaeology. Cambridge (Mass.) 1976.

Daniel, Glyn: Geschichte der Archäologie. Bergisch Gladbach 1982.

Delgado, James P.: Encyclopaedia of Underwater and Maritime Archaeology. London 1997.

Dencker, Jörgen: Maritime archaeological investigations on Greenland. In: Maritime Archaeology Newsletter from Roskilde, Denmark, 15, Dezember 2000, S. 54–55.

Denford, G. T. u. a.: Boat Finds on Land. A Guide for Archaeologists. In: Current Archaeology 1979, Nr. 65, S. 171–175.

Desroches, Jean-Paul, Gabriel Casal und Franck Goddio: Die Schätze der San Diego. Veröffentlichungen des Museums für Völkerkunde Berlin. N. F. 64. Berlin 1997.

Deutsche Gesellschaft zur Förderung der Unterwasserarchäologie e. V. (Hg.): In Poseidons Reich. Archäologie unter Wasser. Mainz 1995.

Dingemans, Timothy: The Search for the Etruscan Wreck of Giglio Island. In: Sea History 67 (1993), S.16–20.

Doorninck, Frederick H. van: The 4th century wreck at Yassi Ada. An interim report on the hull. In: IJNA (1976) 5, S.115–131.

Dumas, Frédéric: Deep-Water Archaeology. o. O. 1962.

Dumas, Frédéric: 30 Centuries Under the Sea. New York 1976.

Einarsson, Lars: Kronan – underwater archaeological investigations of a 17th-century man-of-war. The nature, aims and development of a maritime cultural project. In: IJNA (1990) 19, S.279–292.

Elia, Ricardo J.: US protection of underwater cultural heritage beyond the territorial sea: problems and prospects. In: IJNA (2000) 29, S.43–56.

Ellmers, Detlev: Frühmittelalterliche Handelsschiffahrt in Mittel- und Nordeuropa. Neumünster 1972.

Ellmers, Detlev: Nautical archaeology in Germany. Notes of discoveries made in the Federal Republic since 1945. In: IJNA (1974) 3, S.137–145.

Ellmers, Detlev: Nautical archaeology in Germany II. Second report with notes and bibliography on the latest finds in the Federal Republic. In: IJNA (1975) 4, S.335–343.

Engelhardt, Conrad: Nydam Mosefund, 1859–63. Kopenhagen 1865.

Europarat (Hg.): The Underwater Cultural Heritage. Report of the Committee on Culture and Education (Rapporteur: John Roper). Straßburg 1978.

Fechner, Frank G.: Unterwasserarchäologie und Recht. In: Deutsche Gesellschaft zur Förderung der Unterwasserarchäologie (Hg.), S.97–104.

Fliedner, Siegfried: Die Bremer Kogge. In: Hefte des Focke-Museums, Nr. 19. Bremen o. J.

Fliedner, Siegfried: Ein Jahrhundertfund in der Weser. Die Bremer Hanse-Kogge, Fund und Typenbestimmung. In: Kiedel und Schnall (Hg.), S.7–14.

Förster, Thomas: Schiffswracks, Hafenanlagen, Sperrwerke. Neue archäologische Entdeckungen in der Wismarbucht. In: Skyllis 3. Jg. (2000) Heft 1, S.10–18.

Förster, Thomas: Neue Wrackfunde zwischen Rügen und Darsser Ort. In: NAU 7, 2000, S.50–54.

Förster, Thomas, Sönke Hartz, Sunhild

Kleingärtner, Hans-Joachim Kühn, Harald Lübke und Oliver Nakoinz: Unterwasserarchäologische Landesaufnahme im Bereich der deutschen Ostseeküste. In: NAU 7, 2000, S.37–41.

Franzén, Anders: The Warship Vasa: Deep Diving and Marine Archaeology in Stockholm. Stockholm 1960.

Franzén, Anders: Ghost from the Depths: The Warship Vasa. In: NG 121 (1962), S.42–57.

Franzén, Anders: HMS Kronan. The Search for a Great 17th Century Ship. Stockholm 1981.

Frost, Honor: Under the Mediterranean. London 1963.

Fuchs, Werner: Der Schiffsfund von Mahdia. Tübingen 1963.

Gale, Alison: Nautical Archaeology in 1997. In: Maritime Heritage, Bd. 2,1, 1997, S.11–15.

Goddio, Franck: San Diego. In: NG 186 (1994), S.35–57.

Green, Jeremy N.: The VOC ship »Batavia« wrecked in 1629 on the Houtman Abrolhos, Western Australia. In: IJNA (1975) 4, S.43–63.

Green, Jeremy N.: Australia's Oldest Wreck. The historical background and archaeological analysis of the wreck of the English East India Companys ship »Trial«, lost off the coast of Western Australia in 1622. Oxford 1977.

Green, Jeremy N.: The Loss of the Verenigde Oostindische Compagnie Jacht »Vergulde Draeck«, Western Australia 1656. Oxford 1977.

Green, Jeremy N., Graeme Henderson und Mike McCarthy: Maritime archaeology and legislation in Western Australia. In: IJNA (1981) 10, S.145–160.

Green, Jeremy: Maritime archaeology: a technical handbook. London 1990.

Greenhill, Basil: Archaeology of the Boat. London 1976.

Greenhill, Basil: Vessel of the Baltic. The Hansa Cog and the Viking Tradition. In: Country-Life 1980, S.402–404.

Gregory, David: Underwater reconnaissance. In: Maritime Archaeology Newsletter from Roskilde, Denmark, 14. Juni 2000, S.20–22.

Haasum, Sibylla: Kring den maritima kulturminnesvårdens framtid. Vortrag, gehalten in Örnsköldsvik, Februar 1982.

Haasum, Sibylla: The ancient Monuments Act and the shipwrecks. Vortragsmanuskript, Frühjahr 1982.

Hakelberg, Dietrich: A 14th-century vessel from Immenstaad. In: IJNA (1996) 25, S.224–233.

Hass, Hans: Jagd unter Wasser mit Harpune und Kamera. 2. Aufl. Stuttgart 1939.

Hass, Hans: Fotojagd am Meeresgrund. Erlebnis und Technik der Unterwasserfotografie. Harzburg 1942.

Heide, Gerrit Daniel van der: Archäologie auf dem Meeresboden. Archäologische Untersuchungen im Gebiet der Zuidersee. Düsseldorf 1971.

Henderson, Graeme: »James Matthews« excavation, summer 1974. Interim report. In: IJNA (1976) 5, S.245–251.

Höckmann, Olaf: Spätrömische Rheinschiffe aus Mainz. In: Beiträge zur Rheinkunde, Bd. 35, 1983, S.3–10.

Höckmann, Olaf: Antike Schiffsfunde aus der Donau. In: Deutsche Gesellschaft zur Förderung der Unterwasserarchäologie (Hg.), S.82–90.

Hoffmann, Per: On the stabilization of waterlogged oakwood with PEG. II. Designing a two-step treatment for multi-quality timbers. In: Studies in Conservation 31 (1986), S.103–113.

Hoffmann, Per: Das große Bad. In: Archäologie in Deutschland, Heft 4/1996, S.6–11.

Hoffmann, Per: To be and to continue being a cog: The conservation of the Bremen Cog of 1380. In: IJNA (2001) 30, im Druck.

Hoffmann, Per und Hans Joachim Kühn: The Candy Ship from Friesland. In: Proceedings 7th ICOM-Group on Wet Organic Archaeological Materials Conference Grenoble, P. Hoffmann et al. eds., ARC-Nucléart Grenoble 1998, S.196–203.

Hohlfelder, Robert L.: Building Sebastos: The Cyprus connection. In: IJNA (1999) 28, S.154–163.

Jankuhn, Herbert: Haithabu. Ein Handelsplatz der Wikingerzeit. 5. erg. Aufl. Neumünster 1972.

Jankuhn, Herbert, Kurt Schietzel und Hans Reichstein (Hg.): Archäologische und naturwissenschaftliche Untersuchungen an ländlichen und frühstädtischen Siedlungen im deutschen Küstengebiet vom 5. Jahrhundert v. Chr. bis zum 11. Jahrhundert n. Chr. Bd. 2: Handelsplätze des frühen und hohen Mittelalters. Weinheim 1984.

Jong, J. de, W. Eenkhoorn und A. J. M. Wevers: The Conservation of Shipwrecks at the Museum of Maritime Archaeology of Ketelhaven. Lelystad 1982.

Katzev, Michael L.: Resurrecting the Oldest Known Greek Ship. In: NG 137 (1970), S.840–857.

Katzev, Susan W. und Michael L.: Last Harbour for the Oldest Ship. In: NG 146 (1974), S.618–624.

Keith, Donald H.: Yellow Sea Yields Shipwreck Trove. A 14th Century Cargo Makes Port at Last. In: NG 156 (1979), S.231–243.

Kenderdine, Sarah: Shipwrecks 1656–1942: A guide to historic wrecks sites of Perth. Fremantle 1995.

Kersten, Karl: Die Taucharbeiten in Haithabu im Jahre 1953. In: Stader Jahrbuch 1954, S.48–53.

Kiedel, Klaus-Peter und Uwe Schnall (Hg.): Die Hanse-Kogge von 1380. Geschichte, Fund, Bergung, Wiederaufbau, Konservierung. Bremerhaven 1982.

Ki-Woong, Kim: The Shinan Shipwreck. In Museum (UNESCO Paris) No. 137 (Vol. XXXV, No. 1) 1983, S.35–37.

Die Kogge von Bremen, Bd. 1. Werner Lahn: Bauteile und Bauablauf. Schriften des Deutschen Schiffahrtsmuseums Bd. 30, Bremerhaven und Hamburg 1992.

Kohrtz Andersen, Per: Kollerupkoggen. Museet for Thy og Vester Hanherred 1983.

Kolb, Martin: Hydroakustische und unterwasserarchäologische Untersuchungen im Elbästuar. In: NAU 2, 1995, S.5–7.

Kramer, Willi: Das Seesperrwerk bei Reesholm in der Schlei. Ein Arbeitsbericht. In: Landesdenkmalamt Baden-Württemberg et al. 1995, S.135–143.

Kramer, Willi: Prospektionsarbeiten in Elbe und Weser. In: NAU 3, 1996/97, S.9.

Kramer, Willi: Unterwasserarchäologische Prospektionsarbeiten – Archäologische Denkmalpflege vor den Küsten Niedersachsens. In: Berichte zur Denkmalpflege in Niedersachsen 17 (1997) S.26–30.

Kramer, Willi und Helmut Schlichtherle: Unterwasser-Archäologie in Deutschland. In: Antike Welt, 26. Jg., 1995, S.3–16.

Kremer, Albert: Die Bergung der Römerschiffe von Oberstimm. In: Arbeitsblätter für Restauratoren 30 (1997) Teil 2, Gruppe 20, S.325–328.

Kronan. Kalmar läns museums utställning. Kalmar 1982.

Kühn, Hans Joachim: Gestrandet bei Uelvesbüll. Wrackarchäologie in Nordfriesland. Husum 1999.

Kvarning, Lars Åke und Bengt Ohrelius: Das schwedische Kriegsschiff Wasa. Leicester, London 1973.

Gabriele Hoffmann

Landesdenkmalamt Baden-Württemberg und Kommission für Unterwasserarchäologie im Verband der Landesarchäologen in der Bundesrepublik Deutschland (Hg.): Archäologie unter Wasser 1. Forschungen und Berichte zur Unterwasserarchäologie zwischen Alpenrand-Seen und Nordmeer. Stuttgart 1995.

Lanitzki, Günter: Amphoren, Wracks, versunkene Städte. Leipzig 1980.

Lepiksaar, Johannes und Dirk Heinrich: Untersuchungen an Fischresten aus der frühmittelalterlichen Siedlung Haithabu. Neumünster 1977 (Berichte über Ausgrabungen in Haithabu, hg. v. Kurt Schietzel, Bericht 10).

Link, Edwin A.: Outpost under the Ocean, S.530–533, und Robert Sténuit: The Deepest Days, S.534–547. Beides in: NG 127 (1965).

Link, Marion Clayton: Exploring the Drowned City of Port Royal. In: NG 117 (1960), S.151–183.

Linsmeier, Klaus-Dieter: Auf Wracksuche im Bodensee. In: Spektrum der Wissenschaft, Januar 2001, S.56–62.

Litvin, Jerzy: »The Copper Wreck«. The wreck of a medieval ship raised by the Central Maritime Museum in Gdańsk, Poland. In: IJNA (1980) 9, S.217–225.

Litwin, Jerzy: The Puck Bay wrecks – an opportunity for a »Polish Skuldelev«. In: Olsen, S.135–150.

Litwin, Jerzy (Hg.): Down the River to the Sea. Eighth International Symposium on Boat and Ship Archaeology, Gdańsk 1997. Gdańsk 2000.

Lübke, Harald: Timmendorf-Nordmole und Jäckelberg-Nord. Erste Untersuchungsergebnisse zu submarinen Siedlungsplätzen der endmesolithischen Ertebölle-Kultur in der Wismar-Bucht, Mecklenburg-Vorpommern. In: NAU 7, 2000, S.19–37.

Lübke, Harald, Thomas Förster, Hanz Günter Martin, Josef Riederer und Helmut Schlichtherle: Schutz des Kulturerbes unter Wasser. Internationaler Kongreß für Unterwasserarchäologie Sassnitz auf Rügen 1999. In: NAU 6, 1999, S.63–71.

Lyon, Eugene: Santa Margarita. Treasure From the Ghost Galleon. In: NG 161 (1982), S.229–243.

Maarleveld, Thijs J.: Unterwasserarchäologie in den Niederlanden. In: DEGUWA-Rundbrief 11, 6. Jg., Juli 1996, S.9–13.

Maarleveld, Thijs J.: Archaeological Heritage Management in Dutch Waters: Exploratory Studies. Diss. Leiden 1998.

Maarleveld, Thijs J.: Maritime archaeology.

What is at issue in northern Europe. In: NAU 7, 2000, S.11–16.

McGrail, Sean (Hg.): The Archaeology of Medieval Ships and Harbours in Northern Europe. Papers based on those presented to an International Symposium at Boat and Ship Archaeology at Bremerhaven in 1979. Oxford 1979.

McGrail, Sean: Ancient Boats. Aylesbury 1983.

McKee, Alexander: History Under the Sea. London 1968.

McKee, Alexander: How we found the Mary Rose. London 1982.

Maier, Franz Georg: Neue Wege in die alte Welt. Moderne Methoden der Archäologie. Hamburg 1977.

Mainberger, Martin: Taucharchäologie, Unfallrisiko und Ausbildung zum Forschungstaucher. In: Landesdenkmalamt Baden-Württemberg 1995, S.163–165.

Marsden, Peter: A reconstruction of the treasure of the »Amsterdam« and the »Hollandia«, and their significance. In: IJNA (1978) 7, S.133–148.

Martin, Colin: El Gran Grifon. An Armada wreck on Fair Isle. In: IJNA (1972) 1, S.59–71.

Martin, Colin: Full Fathom Five. Wrecks of the Spanish Armada. London 1975.

Martin, Colin: »La Trinidad Valencera«. An Armada invasion transport lost of Donegal. In: IJNA (1979) 8, S.13–38.

Marx, Robert F.: Port Royal Rediscovered. London 1973.

Mayes, Philip: Port Royal, Jamaica. The archaeological problems and potential. In: IJNA (1972) 1, S.97–112.

Mikliaev, Alexander Mikhailovich: The Hermitage Museum under water. In: Museum (UNESCO Paris) No. 137 (Vol. XXXV. No. 1) 1983, S.67–69.

Molaug, Svein: The Norwegian Maritime Museum organizes underwater archaeology. In: Museum (UNESCO Paris) No. 137 (Vol. XXXV No. 1) 1983, S.57–61.

Moore Laroe, Lisa: La Salle's last Voyage. In: NG 191 (1997) S.72–83.

Mozai, Torao: The Lost Fleet of Kublai Khan. In: NG 162 (1982), S.635–648.

Muckelroy, Keith: Historic wreck sites in Britain and their environments. In: IJNA (1977) 6, S.47–57

Muckelroy, Keith (Hg.): Archaeology under Water. An Atlas of the World's Submerged Sites. New York, London 1980.

Müller, Adalbert und Martin Mainberger: Zum Fortgang der Wrackarchäologie im Bodensee. In: NAU 3, 1996–97, S.4–5

Museums and the underwater heritage. 19

Aufsätze in: Museum (UNESCO Paris) No. 137 (Vol. XXXV No. 1) 1983.

National Board of Antiquities. The Maritime Museum of Finland 2001: Introduction of the Wrack of Vrouw Maria, o. O. u. J.

Nelson, Daniel A.: Hamilton & Scourge. Ghost Ships of the War of 1812. In: NG 163 (1983), S.289–313.

Neupert, Jörg: Jäger der versunkenen Schätze: Gold, Silber und Kunstschätze, die kostbare Fracht gesunkener Schiffe. In: Yacht 8/ 1994, S.24–33.

Nikolaysen, Nikolai: The Viking-Ship. Discovered at Gokstad in Norway. Christiania 1882.

North, Michael: Das Danziger »Kupferschiff«. Neue Erkenntnisse über Schiffbau und Handel im Ostseeraum des Spätmittelalters. In: Beiträge zur Deutschen Volks- und Altertumskunde Bd. 21, 1982, S.7–13.

Ohrelius, Bengt: Vasa, das königliche Schiff. Berlin, Bielefeld 1964.

Olsen, Olaf und Ole Crumlin-Pedersen: The Skuldelev Ships. A report of the final underwater excavation in 1959 and the salvaging operation in 1962. Kopenhagen 1968.

Olsen, Olaf, Jan Skamby Madsen und Flemming Rieck: Shipshape. Essays for Ole Crumlin-Pedersen. On the occasion of his 60th anniversary February 24th 1995. Roskilde 1995.

Peterson, Mendel: The last Cruise of HMS »Loo«. Washington 1955. (Smithsonian Miscellaneous Collections, Vol. 131, No. 2.)

Peterson, Mendel: History under the Sea. A Handbook for Underwater Exploration. 3. Aufl. Washington 1969.

Peterson, Mendel: Graveyard of the Quicksilver Galleons. In: NG 156 (1979), S.851–876.

Pickford, Nigel und Michael Hatcher: Das Vermächtnis der Tek Sing. Tragik und Erbe der chinesischen Titanic. Beschreibung des Porzellans: David Freedman. Cambridge 2000.

Playford, Phillip: Carpet of silver: the Wreck of the Zuytdorp. University of Western Australia Press 1998.

Pohl, Henrik: Das »Schiffsarchäologische Seminar« der Universität Rostock. In: Skyllis, 2. Jg. (1999) Heft 1, S.64–70.

Pohl-Weber, Rosemarie: Unterwasserarchäologie im Weserbett. Bergung der Hanse-Kogge. In: Kiedel und Schnall (Hg.), S.16–25.

Pope, Francis: The Etruscan Wreck. In: Maritime Heritage, Bd. 2,1, 1997, S.16–19.

Pulak, Cemal: The Uluburun shipwreck: an overview. In: IJNA (1998) 27, S.188–224.

Raban, Avner: Recent maritime archaeological research in Israel. In: IJNA (1981) 10, S.287–308.

Raban, Avner: Archaeological park for divers at Sebastos and other submerged remnants in Caesarea Maritima, Israel. In: IJNA (1992) 21, S.27–35.

Rackl, Hanns-Wolf: Mit Atemgerät und Kamera auf Schatzsuche. Das große Abenteuer der Altertumsforschung auf dem Meeresgrund. Würzburg 1974.

Reichstein, Hans und Maike Tiessen: Untersuchungen an Tierknochenfunden (1963–64). Neumünster 1974 (Berichte über die Ausgrabungen in Haithabu, hg. v. Kurz Schietzel, Bericht 7).

Reinders, Reinder: Mudworks. Dredging the port of Amsterdam in the 17th century. In: IJNA (1981) 10, S.229–238.

Reinders, Reinder: Shipwrecks of the Zuiderzee. Lelystad 1982.

Renfrew, Colin: Ancient Europe Is Older Than We Thought. In: NG 152 (1977), S.615–623.

Ridehalgh, John: The raising of the Mary Rose. In: Risk & Loss Control 1983, Bd. 1, Nr. 3, S.18–25.

Rieck, Flemming: New Parts of the Nydam Ships. Investigations on a classical Danish site, 1989 – 97. In: Litwin (Hg.) 2000, S.207–212.

Ringer, James R.: Progress report on the marine excavation of the Basque whaling vessel San Juan (1565): a summary of the 1982 field season. In: Archaeology in Newfoundland and Labrador 1982. Annual Report 3, S.76–94. Historic Resources Division, Department of Culture, Recreation and Youth, St. John's.

Ringer, James: Phips's Fleet. In: NG 198 (2000), S.72–81.

Rule, Margret: The Mary Rose. Britain's Time Capsule in the Solent. o. O. 1978.

Rule, Margret: The Mary Rose. The Excavation and Raising of Henry VIII's Flagship. Leicester 1982.

Rule, Margret und Peter Miller: Henry VIII's Lost Warship. The Search for Mary Rose. In: NG 163 (1983), S.647–675.

Ruoff, Ulrich: Neolithische und bronzezeitliche Siedlungen auf dem »Großen Hafner« in Zürich. In: 125 Jahre Pfahlbauforschung. Sondernummer der Zeitschrift Archäologie der Schweiz. 112, 1979. Basel 1979, S.58–59.

Gabriele Hoffmann

Ruoff, Ulrich: Archaeological discoveries in lakes and rivers. In: MUSEUM (UNESCO Paris) No. 137 (Vol. XXXV, No. 1) 1983, S.64–67.

Rupprecht, Gerd: Die Mainzer Römerschiffe. Berichte über Entdeckung, Ausgrabung, Bergung. 2. Aufl. Mainz 1982.

Schietzel, Kurt: Untersuchung im Hafen von Haithabu und Bergung eines wikingerzeitlichen Schiffswracks. In: The Archaeological Advertiser, Spring 1980, S.94–103.

Schietzel, Kurt: Stand der siedlungsarchäologischen Forschung in Haithabu. Ergebnisse und Probleme. Neumünster 1981 (Berichte über die Ausgrabungen in Haithabu, hg. v. K. Schietzel, Bericht 16).

Schietzel, Kurt und Ole Crumlin-Pedersen: Havnen i Hedeby. In: Skalk 1980, 3, S.4–10.

Schlichtherle, Helmut: Reservate unter Wasser. Dramatische Rettungsaktionen für bedrohte Pfahlbauten am Bodensee. In: Schönes Schwaben 5/1998, S.8–11.

Schlichtherle, Helmut: Denkmalpflege unter Wasser. In: Archäologisches Landesmuseum Baden-Württemberg 2000, S.9–26.

Schlichtherle, Helmut und Barbara Wahlster: Archäologie in Seen und Mooren. Den Pfahlbauten auf der Spur. Stuttgart 1986.

Schweingruber, Fritz Hans: Prähistorisches Holz. Die Bedeutung von Holzfunden aus Mitteleuropa für die Lösung archäologischer und vegetationskundlicher Probleme. Bern, Stuttgart 1976.

Skaarup, Jørgen: Undersøisk Stenalder. In: Skalk 1980, 1, S.3–6.

Skaarup, Jørgen: Lyster. In: Skalk 1981, 6, S.10–11.

Smolarek, Przemyslaw: News: Poland. In: IJNA (1978) 7, S.162.

Smolarek, Przemyslaw: From Polish waters. In: MUSEUM (UNESCO Paris) No. 137 (Vol. XXXV, No. 1) 1983, S.37–40.

Springmann, Maik-Jens: Ein Wrack des 16. Jahrhunderts bei Mukran, Rügen. In: Deutsches Schiffahrtsarchiv 20 (1997) S.459–486.

Springmann, Maik-Jens: Fundort Ostsee. Eine maritim-archäologische Zeitreise entlang der deutschen Ostseeküste. Rostock 2000.

Stemm, Gregg und J.Ashley Roach: Shipwrecks in the Deep Freeze. In: Maritime Heritage Bd. 2,2, 1998, S.20–22.

Sténuit, Robert: Priceless Relics of the Spanish Armada. In: NG 135 (1969), S.745–777.

Sténuit, Robert: The Sunken Treasure of St. Helena. In: NG 154 (1978), S.562–576.

Stevens, E. Willis: The excavation of a midsixteenth century Basque Whaler in Red Bay, Labrador. In: Proceedings of the ICOM Waterlogged Wood Working Group Conference Ottawa, 1981, S.33–37.

Taylor, Joan du Plat (Hg.): Marine Archaeology. London, New York 1965.

Throckmorton, Peter: Thirty-three Centuries Under the Sea. In: NG 117 (1960), S.682–703.

Throckmorton, Peter: Oldest Known Shipwreck Yields Bronze Age Cargo. In: NG 121 (1962), S.696–711.

Throckmorton, Peter: Versunkene Schiffe – gehobene Schätze. Archäologie am Meeresgrund. Zürich, Stuttgart, Wien 1976.

Torbrügge, Walter: Vor- und frühgeschichtliche Flußfunde. In: 51.–52. Bericht der Römisch-Germanischen Kommission 1970–71. Berlin 1972.

Tuck, James A. und Robert Grenier: A 16th-Century Basque Whaling Station in Labrador. In: Scientific American, Vol. 245, New York, November 1981, No. 5, S.180–190.

Tuck, James A.: 1983 Excavations at Red Bay Labrador. In: Archaeology in Newfoundland and Labrador, 1983. Annual Report 4, S.70–81.

UNESCO (Hg.): Unterwasser-Archäologie. Ein neuer Forschungszweig. o. O. 1973.

UNESCO (Hg.): Protection of the underwater Heritage. Paris 1981.

Verhaeghe, F.: Archaeology, Natural Science and Technology. The European Situation. A survey prepared for the European Science Foundation. 3 Bde. Straßburg 1979.

Wagner, Kip: Drowned Galleons Yield Spanish Gold. In: NG 127 (1965), S.1–37.

Wagner, Kip: Pieces of eight: recovering the riches of a lost Spanish treasure fleet. New York 1966.

Weski, Timm: The Ijsselmeer Type: Some thoughts on Hanseatic cogs. In: IJNA (1999) 28, S.360–379.

Wheeler, Mortimer: Moderne Archäologie. Methoden und Technik der Ausgrabung. Hamburg 1960. (Original: Archaeology from Earth. London 1956.)

Zemer, Avshalom: Storage Jars in Ancient Sea Trade. Haifa 1978.

Register der Namen von Ausgräbern, Grabungsorten und gesunkenen Schiffen

Aarons, George Anthony 196
Åkerlund, Harald 62
Albenga 31–33, 42, 50, 58, 88, 368
Alphonse XII 20
Andersen, Søren 251–252, 254
Antikythera 18–23, 25–27, 31, 33, 40, 107, 124
Arnold, J. Barto III. 197–198
Atocha 204–205
Bass, George F. 113–114, 120–141, 143, 145–149, 151–152, 154–158, 163–166, 168, 196, 260, 270
Batavia 230–232
Bederkesa 317
Benoît, Fernand 36–38, 40, 42, 45–46, 49, 51–52, 54, 58–59
Billander Betty 179–181
Blair, Clay 184–186
Boyne 259
Bremer Hanse–Kogge 9, 225, 288, 308
Breunig, Peter 332–334
Brown, Basil 87
Bush, Pablo Romero 185–186
Chretienne A 51
Clausen, Carl 190, 198
Conde de Tolosa 202–203
Cousteau, Jacques–Yves 11–15, 17, 28–31, 33, 35–51, 53, 59–60, 84, 92, 112, 122, 147, 164, 168, 177, 203, 260, 329
Crile, Jane und George 175–179, 181–182, 205
Crumlin–Pedersen, Ole 83–85, 87–92, 94–95, 111, 113, 147, 296–297, 323–324, 357, 370
Dalton 16
Dejrø 249, 251, 253
Delos 42, 46–47, 49, 52
Doelse Kogge 326
Dramont 51
Dufuna 10, 332–336
Dumas, Frédéric 12–17, 28–30, 34–36, 38–40, 45, 47–51, 60, 84, 119, 122, 126–129, 131–132, 143, 166
Edinburgh 217, 367
Egypt 32
El Gran Grifón 216–218, 222
Espíritu Santo 199
Fisher, Mel 189–190, 204–205
Fliedner, Siegfried 96–100, 102–106, 308–309
Förster, Thomas 344–348
Franzén, Anders 61–64, 68–71, 76, 82, 110, 182, 259, 350
Frau Maria 7
Frost, Honor 114, 116–120, 122, 125–126,

132, 163
Geldermalsen = Nanking Cargo Wrack 363
Gellen–Wrack 346–347, 370
Girona 212–213, 222
Gokstad 86, 297
Grand Congloué 35–36, 38–39, 41, 43, 47–48, 50, 52, 59, 92, 112, 124, 168, 177
Green, Jeremy 215, 220, 229, 231, 235
Gröne Jägeren 63
Gustafson, Gabriel 86
Haithabu 294–301, 303–307, 340, 356–357
Hakelberg, Dietrich 340
Hornstaad 241–242, 244–245, 247
Hull 323
Immenstaad 340
Jäckelberg 343–344
James Matthews 234
Kalmar 62, 350
Kap Gelidonya 118–119, 125, 137, 143, 147, 158, 166
Kap Ulu Burun 166
Karl 323
Karthago 28, 368
Katzev, Michael 148–149, 156–159, 161–163, 165, 215
Kinneret–Schiff 323
Kolb, Martin 247, 352–353
Kondos, Demetrios 18–21, 24–25
Kopenhagen 83–84, 89, 92, 112, 236, 312, 316, 324–325, 358–359
Kramer, Willi 331, 352–357
Kronan 63, 350
Kühn, Hans–Joachim 317–318, 352
Kupferwrack von Danzig 328
Kyrenia 157–158, 160, 162–163, 215
La Belle 330
La Trinidad Valencera 219–223
Ladby 87
Lamboglia, Nino 31–33, 50–51, 53, 55–59, 114, 126, 368
Link, Edwin 178, 181–183, 193–194, 212
Litwin, Jerzy 329
Looe (auch Loo) 177–181
Lübke, Harald 341–345, 347–348
Lundström, Per 77
Lybska Örnen 63
Lybska Svan 350
Mahdia 25–31, 33, 40, 107, 124, 329
Mainberger, Martin 248, 354
Mainzer Römerschiffe 339
Martin, Colin 212–224
Marx 184–186, 189, 194–196
Mary Rose 7–9, 224, 255, 257, 259–281, 283–293, 312, 323, 370
Mayes, Philip 195–196

Gabriele Hoffmann

McKee, Alexander 257–265, 270, 272–273, 275–278, 280
McKee, Arthur 176–177, 183
Merlin, Alfred 25–28, 329
Nemisee 30
Nikolaysen, Nikolai 86
Nuestra Señora de Guadelupe 202
Nuestra Señora de la Pura y Limpia Concepción 172, 203
Nuestra Señora de los Milagros 186
Nydam 111
Oberländer 323
Obladen–Kauder, Julia 339
Olsen, Olaf 84–85, 87–92, 94–95
Oseberg 86, 297
Osterholz–Scharmbeck 317
Padre Island 197–200
Pedro Bank 196
Peterson, Mendel 175, 177, 179, 181–187, 190–191, 193–194, 202
Phips, William 172–175, 187, 203, 327
Pitt–Rivers, Henry Augustus 109, 123–124
Poeler Wrack 346–347
Pohl–Weber, Rosemarie 103–106, 308–309
Poidebard, André 28
Port Royal 172–174, 188, 192–196
Priddy, Anthony 196
Puck–Bucht 329
Pulak, Cemal 166
Reinerth, Hans 240
Resande Man 63
Riksäpplet 63
Riksnyckeln 61, 64
Roghi, Gianni 55–58
Roskilde 83–85, 95, 100, 330, 337, 357, 359
Royal George 259–260, 268–269
Rule, Margret 258–259, 261, 263–264, 269–275, 277–280, 284–285, 287–290, 312, 356
Ruoff, Ulrich 109, 236–237, 240
Rupprecht, Gerd 337–339
San Antonio 184, 198
San Esteban 199–201
Santa Margarita 204
Santa Maria de la Rosa 212–216, 218, 222
Schietzel, Kurt 295–298, 300, 305, 307, 316
Schlachte–Kogge 325

Schlichtherle, Helmut 240–242, 340, 354
Shinan 255, 323, 366
Sidon 28
Sipplingen 240, 246–247, 352
Skaarup, Jørgen 249–251, 342
Skuldelev 85, 87–88, 90, 92, 95–96, 100, 111, 147, 295, 297
Smolarek, Przemyslaw 327–328
Spargi 55, 59, 114
Sténuit, Robert 212–213
Sutton Hoo 87
Tailliez, Philippe 12–15, 17, 28–30, 54–55, 58
Teksing 9, 364–366
Thompson, Edward 183
Throckmorton, Peter 23–24, 114–122, 124, 128, 131, 133, 136, 140–141, 163, 167, 260
Timmendorf–Nordmole 341, 344, 347
Titan 53–55, 58
Titanic 9, 359–362, 367, 369
Trial 226, 232
Tucker, Teddy 183–184
Tybrind 249, 251–254, 342
Tyrus 28
Uelvesbüll 317
Unteruhldingen 248
Vejby–Kogge 325
Vergulde Draeck 229, 232
Wagner, Kip 187–191, 198, 204
Wasa 60, 63–80, 82, 95, 99–100, 107, 110–113, 182, 255, 259, 271, 277, 312–313, 348–350, 366, 371
Webber, Burt 203–204
Weserkähne 317, 330–331
Wheeler, Mortimer 123–124
Wignall, Sidney 209, 211–216, 218–219, 223–224
Xanten 208, 339
Yassi Ada 118, 140, 148–149, 151–152, 154, 157–158, 163, 165
Yverdon 317
Zeewijk 232
Zuidersee 207–208
Zuytdorp 232–233
Zwammerdam 208, 339

Bildnachweis

Gabriele Hoffmann

Kurzbiographie

Gabriele Hoffmann ist Journalistin und Schriftstellerin. Für ihre Reportagen über Unterwasserarchäologie reiste sie zu vielen aufregenden Grabungen in allen Kontinenten. Sie berichtet authentisch von dramatischen Ereignissen und dokumentiert ein spannendes Stück Kulturgeschichte. Ihr Hörfunkbericht über Archäologie in Deutschland erhielt den »Deutschen Preis für Denkmalschutz«. Die promovierte Historikerin hat zahlreiche Bücher veröffentlicht, unter anderem *Das Haus an der Elbchaussee* und *Constantia von Cosel und August der Starke*. Zuletzt erschien im Europa Verlag *Die Schiffbrüchigen*, »... ein nüchtern erzählter, faszinierender Roman über das, was Bertrand Russell ›die unendliche Begierde des Menschen nach Macht‹ genannt hat. Dabei erweist sich die Autorin als eine scharfsinnige Kennerin der menschlichen Psyche und ihrer Abgründe. Gabriele Hoffmanns Stil ist unprätentiös und konkret. Sie bedient sich einer fesselnden Sprache, die ihre suggestive Wirkung aus dem ständigen Kontrast gewinnt zwischen der unschuldigen Schönheit der Natur und der angstbeladenen Niedertracht menschlichen Tuns. Ein intelligent erzählter, packender Roman, dessen Handlung brisanter ist, als der schlichte Titel ahnen läßt.« (Radio Bremen)